RELIGION UND BIOGRAPHIE

RELIGION UND BIOGRAPHIE

PERSPEKTIVEN ZUR GELEBTEN RELIGION

HERAUSGEGEBEN VON

ALBRECHT GRÖZINGER

UND

HENNING LUTHER

CHR. KAISER VERLAG

CIP-Kurztitelaufnahme der Deutschen Bibliothek
Religion und Biographie: Perspektiven zur gelebten Religion/
hrsg. von Albrecht Grözinger u. Henning Luther. –
München: Kaiser, 1987.
ISBN 3-459-01684-1
NE: Grözinger, Albrecht (Hrsg.)

© 1987 Chr. Kaiser Verlag München
Alle Rechte vorbehalten, auch die des auszugsweisen Nachdrucks,
der fotomechanischen Wiedergabe und der Übersetzung; Fotokopieren nicht gestattet.
Umschlaggestaltung: Ingeborg Geith, München.
Herstellung:
Satz: Compusatz GmbH, München, Druck und Bindung: Gg. Wagner, Nördlingen

FESTGABE

FÜR

GERT OTTO

ZUM 60. GEBURTSTAG

INHALT

I. AUTOBIOGRAPHIE UND RELIGION

II. RELIGION UND BIOGRAPHIE IN DER LITERATUR

III. RELIGION UND SOZIALISATION

IV. BERUF UND RELIGION

V. BIOGRAPHIE UND KIRCHLICHE PRAXIS

VORWORT

Am 10. Januar 1987 wird Gert Otto 60 Jahre alt. Es gehört zu den altmodischen Liebenswürdigkeiten der akademischen Welt, daß sie zu bestimmten Anlässen einer von ihr sonst streng festgehaltenen Tugend untreu wird und das strikte Gebot der Trennung von Wissenschaft und Leben, Sache und Person – wenn auch behutsam und sparsam – durchbricht.

Zu den sogenannten runden Geburtstagen der zweiten Lebenshälfte erinnert man sich, daß Wissenschaft immer auch an Personen und ihre Lebensgeschichte geknüpft ist (wenn sich auch diese Erinnerung vielfach auf die bloße Konstatierung des Datums verdünnt).

Festgaben und Festschriften wollen dieser untugendhaften Tugend Ausdruck geben.

Der 60. Geburtstag ist sicher (noch) kein Anlaß für eine »Festschrift« mit ihren feierlichen Prätentionen einer Ehrung, wohl aber für eine »Festgabe«, in der Schüler, Kollegen und Freunde Gert Ottos, die – auf welche Weise auch immer – mit seiner Biographie vermittelt sind, ein Gespräch mit dem Jubilar über ein gemeinsames Thema eröffnen.

Der rote Faden, um den sich dieses Gespräch knüpft, ist durch die Stichworte »Religion und Biographie« umrissen. Diese Thematik wurde für diese Festgabe nicht nur gewählt, weil sie zum Anlaß paßt, sondern vor allem, weil sie eine der Fragestellungen umschreibt, die Gert Otto in jüngster Zeit zunehmend beschäftigt. Die Stichworte »Religion und Biographie« signalisieren ein Problem, kein Programm. Das bedeutet, daß die Ambivalenzen und Untiefen des Themas kritisch mitreflektiert werden müssen. Auf diese Weise aber kann vermieden werden, daß mit dieser Themenwahl, wie vielleicht mancher fürchten mag, nur einem modischen Trend gefolgt wird.

Das Interesse an »Biographie« ist sicher auch Ausdruck eines gegenwärtigen »Zeitgeistes«. Aber Theologie »behauptet« sich nicht, wenn sie diesen ignoriert, sondern wenn sie sich »im Dialog mit dem ›Geist‹ ihrer Zeit, ja, sehr oft *im* Geist ihrer Zeit artikuliert« (Gert Otto).

Daß »Religion und Biographie« mehr als ein ephemeres Tagesthema darstellt, belegen Gert Ottos Arbeiten und die Intentionen seiner Fragestellungen von ihren Anfängen an. Versucht man, seine religionspädagogischen und homiletischen Veröffentlichungen – in ihren konzeptionellen Entwicklungsstadien – auf einen sich durchziehenden Nenner zu bringen, so läßt sich das Prinzip einer konsequenten oder radikalisierten Hermeneutik erkennen. Die vielschichtige und nichteinseitige Vermittlung von Tradition und Situation (Glaube und Leben, Kirche und

Welt. . .) aufzuklären, bestimmen Ottos didaktisches Interesse in seinen religionspädagogischen (bibelhermeneutischen *und* religionskritischen) Konzeptionen sowie sein homiletisches Plädoyer für Rhetorik und Poesie. Die Herausforderung für den (Praktischen) Theologen ist stets »der Mensch in seiner Welt«.

Hellhörig und sensibel zu werden für die komplizierten Verwebungen zwischen Religion (Theologie) und Biographie, liegt daher nur in der Konsequenz eines an *Vermittlung* interessierten hermeneutischen Denkens. Der Blick auf »Biographie« nimmt zwar den einzelnen, das Subjekt und sein Lebensgeschick ernst – und vielleicht ernster, als frühere (auch theologische) Denktraditionen –, aber er isoliert es nicht. Lebensgeschichte ist stets auch, wie gebrochen auch immer, Ausdruck von Zeitgeschichte. Auch und gerade in seiner Biographie zeigt sich der »Mensch in seiner Welt«.

Daß mit dem Biographiethema weder Subjektivismus noch Flucht in die Innerlichkeit verknüpft sein müssen (können), belegen nicht zuletzt die in diesem Band vorgelegten Gesprächsbeiträge. Bei aller Unterschiedlichkeit im Ansatz und in der Durchführung des Generalthemas fallen doch Gemeinsamkeiten ins Auge, die auf Objektives am Subjektiven verweisen, auf das Geschichtliche von Lebensgeschichten, auf die Lebenswelt, die gemeinsam geteilt wird. Zwei solcher Gemeinsamkeiten drängen sich nachdrücklich auf und sollen stellvertretend für andere hier hervorgehoben werden.

Nachdenklich muß stimmen, wie stark in einigen Beiträgen – ohne Absprache – die Perspektive auf »Auschwitz« das Biographische bestimmt (vgl. Sölle, Rammenzweig, Schottroff, Baltz-Otto, Scharfenberg, Bäumler).

Die Verflechtung individueller Lebensgeschichte(n) in (objektivere) geschichtlich-gesellschaftliche Hypotheken zeigt sich daneben, wenn versucht wird, Biographie auf der Matrix der Männer-Frauen-Problematik zu buchstabieren (vgl. etwa Sölle, Lott, Vierzig, Grözinger, Josuttis).

Diese herausgehobenen inhaltlich-intentionalen Gemeinsamkeiten liegen quer zu der Einteilungssystematik, nach der die Herausgeber die vorliegenden Beiträge gruppiert haben.

Diese Untergliederung soll lediglich vorläufig orientierenden und einladenden Charakter haben. Andere Zuordnungen sind denkbar – und aufgrund der Vielschichtigkeit des Generalthemas zwangsläufig naheliegend.

Das Thema »Religion und Biographie« enthält nicht nur unterschiedliche inhaltliche Zugänge, sondern erfordert auch verschiedene methodische Bearbeitungsweisen. Einige Möglichkeiten von beiden enthält dieser Band. Es wäre nicht die geringste Wirkung einer Festgabe als Gespräch, wenn sie weitere provozieren würde.

Dieser offene, anregende Charakter einer Festgabe dürfte vielleicht auch dem erst 60jährigen Jubilar angemessen sein.

Wir danken dem Chr. Kaiser Verlag, der das Entstehen dieses Buches von Anfang an unterstützt und seine Herausgabe ermöglicht hat, sowie der »Evangelischen Kirche in Rheinland« und der »Evangelischen Kirche in Hessen und Nassau« für die freundliche Gewährung eines Druckkostenzuschusses.

Mainz im Juni 1986   Albrecht Grözinger/Henning Luther

ANMERKUNGEN ZU G.[1] VON G.[2]

Der Mutter von G. und G. zugeeignet.

Die Mutter von G. und G. erzählt, wenn einer, G. oder G., vor dem
großen Spiegel am Kleiderschrank gestanden sei, habe er mit dem Finger
auf das Spiegelbild gezeigt und gesagt: »Brüderchen«.
    Weil G. auch G. ist, lastet auf seinen Anmerkungen zu G. ein für die
Kindheit von G. und G. nachträglich nicht mehr lösbares Problem. G.
kann nicht immer zwischen G. und G. trennen – nicht nur im Blick auf
damals.

G. und G., 1931

Wasserbank, Badewanne und Zentralfriedhof

G. und G. wurden am 10. Januar 1927 in Berlin geboren. Die Straße, in der
sie die ersten fünf Jahre ihres Lebens verbrachten, hieß Gunterstraße; daß
G. dies gestört habe, ist nicht bekannt geworden. Das war im Bezirk
Lichtenberg, an der Grenze zu Friedrichsfelde. Von der Wohnung erin-

nert G. die Wasserbank in der Küche, die Badewanne vor allem wegen der Gurken und die Nachbarschaft des Zentralfriedhofs.

Die Wasserbank, auf der üblicherweise die beiden Wannen, innen weiß und außen blau, zum Geschirrspülen standen, eine runde zum Abwaschen, eine ovale, die G. besser gefiel, zum Abtropfen – diese Wasserbank in der Küche erinnert G., weil er mit G. stundenlang darauf gesessen hat, um zu angeln. Das geht so: Jeder hatte einen Trieselstock. Das ist ein Stock mit einer Strippe (norddeutsch: Band) dran, den man üblicherweise benutzt, um vor allem im Frühjahr einen Triesel (süddeutsch: Kreisel) über glattes Pflaster zu treiben. Von daher waren Trieselstöcke natürlich vorhanden. Aber G. und G. benutzten sie in der Küche, auf der Wasserbank nebeneinandersitzend, zum Angeln. Dazu mußte die Schnur so lang sein, daß man sie über den Linoleumfußboden schluren (berlinisch: für schleifen) konnte; sie sollte auch etwas faserig, aufgerauht sein – sonst blieben die Papierschnitzel, die G. und G. angelten, nicht hängen. G. und G. angelten, wohl mit vier oder fünf Jahren, stundenlang mit wechselndem Erfolg. Das war aber nicht wichtig, denn: Angeln macht Spaß. Dann kam Opa Stein zu Besuch. Er hatte einen umwerfenden Einfall: an die Schnur muß ein Magnet gebunden werden, auf den Fußboden, wir haben gesagt: auf die Erde, werden Nägel geworfen. Am nächsten Tag erschien der Opa wieder: mit einem etwas lädiert aussehenden Magneten und, natürlich alten, Nägeln. Das war deswegen kein Problem, weil er stets, wo er ging und stand, Nägel aufhob, zu Hause mit dem Hammer gerade klopfte, nach Größe sortierte und um Päckchen gleichlanger Nägel ein Stück Strippe (berlinisch: für Schnur) wand. Schleifen konnte er wegen seiner großen Finger nicht gut binden. Also Nägel waren viele da. Aber nur *ein* Magnet. Der zweite wurde gekauft. G. weiß nicht mehr wo. Aber G. weiß, daß er zwanzig Pfennige gekostet hat, silbrig glänzte und, was das Wichtigste war, er hatte leuchtend rote Schenkel. G. mußte mit dem alten Magneten weiterangeln. Das war nicht schlimm. Schlimm war, daß Angeln jetzt keinen Spaß mehr machte. Die Mutter von G. und G. hatte es »erfunden«, der Opa hatte es auf die Spitze getrieben, jetzt wollte keiner mehr »angeln«.

Mit der Badewanne hatte es zweierlei Bewandtnis – wegen der Gurken und wegen des Biers. Zu der dafür geeigneten Jahreszeit schwamm die ganze Badewanne immer voller Gurken. Wenn man über den Rand guckte, lauter dicke grüne und gelbgrüne Gurkenleiber, dicht bei dicht. Das war übrigens nur in der Gunterstraße so – später nie wieder. Die Gurken wurden in zwei großen Steinkrügen »eingelegt«. Im einen hießen sie saure, im anderen Pfeffergurken. Das war aber nicht wichtig. Wichtig war, den Gurken in der Badewanne zugucken zu können, wie sie da schwammen und dann mit einer Wurzelbürste abgeschrubbt wurden. G. und G. haben den Gurken über den Badewannenrand lange zugeguckt.

Die spätere Erinnerung an die Gurken ist nicht ungetrübt. Sie mußten dann nämlich in einem Schüsselchen aus dem Keller geholt werden. G. und G. gingen meist abwechselnd in den dunklen Keller und mußten in die Kruke (berlinisch: für Steinkrug) mit dem kalten Wasser fassen. Darin schwamm auch noch allerlei für den guten Geschmack Notwendiges, aber Unheimliches an Kräutern und nicht recht definierbaren Ingredienzien. Durch langes Wässern aufgequollene und glitschige Kräuterstengel blieben im Dunkeln an den Händen kleben. Neben der Kruke lag ein Lappen, an dem sich die Hände trocknete, wer die Gurken holte. G. erinnert, daß er öfter Gurken holen mußte als G. – es hat ihm natürlich nie etwas ausgemacht. G. hat seiner Mutter später eine hölzerne Gurkenzange geschenkt.

Im Herbst fuhr jedes Jahr ein Wagen mit Fässern voller Bier durch die Gunterstraße. Es wurde immer die schon oben im Zusammenhang mit der Wasserbank erwähnte blauweiße Geschirrabtropfwanne voll Bier gekauft. Die Wanne mit dem Bier stand dann neben der Badewanne. Das Bier wurde in Flaschen umgefüllt und mußte einige Zeit stehen, ehe es getrunken werden konnte. Der Vater von G. und G. erkundigte sich ab und an, wie es mit dem Bier stehe. Bei der Prozedur des Ab- und Umfüllens haben G. und G. zugesehen. Dafür gab es auch einen Spezialnamen. G. erinnert ihn nicht mehr. Die Sache mit den Gurken war natürlich interessanter, unheimlicher. Andererseits mußte das Bier in der Wanne natürlich von der Straße »raufgeholt« werden...

Der Friedhof war Ziel häufiger Spaziergänge. Da war es fast unheimlich still, die Bäume rauschten, G. und G. durften nicht laut reden. Anziehend waren die großen Wasserbecken, an die Leute mit Gießkannen traten, die ab und an sichtbar werdenden Trauerzüge von Menschen, von denen man sich respektvoll fernzuhalten hatte. Und außerdem: G. und G. durften dort Kastanien sammeln, aber nur solche, die schon aus der grünen Umhüllung heraus waren oder leicht herausgingen. Schalen kamen nicht in die Wohnung. Von irgendeinem Zeitpunkt an gingen sie mit einem roten Holzwägelchen dorthin. G. und G. hatten jeder eins. Das von G. war etwas schlanker, beinahe schnittig. Der Vater hatte beide selbst gebaut und das ungehobelte Holz rot angestrichen. Es faßte sich merkwürdig an: rot und glänzend, mit rauher, harter Oberfläche unter dem Lack. Die beiden Wagen waren sehr schön.

Was man anfängt, macht man zu Ende.
Kinder müssen spielen lernen, sonst lernen sie nie arbeiten.
Wenn beide dasselbe haben, gibt es keinen Streit.
Was man nicht kann, guckt man bei anderen zu.
Was du machst, machst du ordentlich.

Zwei Holzkloben, eine schwarz-weiß-rote Fahne und
ein Kinderlied zum Schulanfang

Im Jahre 1932 zog die Familie von Lichtenberg nach Rummelsburg in einen Neubaublock, in der Hauptstraße 57 b, drei Treppen hoch, oben rechts.

Vier dreistöckige Neubaublocks standen dort quer zur Straße, zur Hauptstraße, vor den Fenstern eine große Grünfläche, die von Zeit zu Zeit von Männern mit Sensen gemäht wurde. Zwischen den Hausblöcken mäßiges Grün, Buschwerk und jeweils ein Buddelkasten. Die Wohnung hatte zweieinhalb Zimmer und muß ca. 60 m² groß gewesen sein. G. und G. hatten das halbe Zimmer. G. erinnert an der einen Wand hintereinander die Betten, an der anderen Wand ein großer weißer Schrank und ein Korbmöbeltisch, daneben ein Korbsessel, in der Ecke hinter der Tür ein Kachelofen. An der Wand ein Bild: ein kleines Mädchen sitzt auf dem Nachttopf, faltet die Hände, vor ihm ein Dackel, der die Pfoten »faltet«. Bei G. schieben sich uneinheitliche Bilder übereinander, die mit diesem Kinderzimmer zusammenhängen, ohne daß er sicher sein kann, ob die Überlagerung der Bilder nicht erst durch Zeitablauf entstanden sein könnte. G. weiß, daß in dieser Zeit, freilich ohne Beziehung zu dem erwähnten Bild an der Wand, im Bett gebetet worden ist: »Müde bin ich, geh zur Ruh...«. Der Gedichtanfang hat sich ebenso verselbständigt wie ein zur gleichen Zeit gepflegter Berliner Reim: »Icke, dette kiecke mal, Ogen, Flesch und Beene...«, der als Entlastung von der sonst selbstverständlichen Hochsprache fungierte. Und abends, im Dunkeln, haben G. und G. am Fußende von G.'s Bett gesessen und beobachtet, was hinter den beleuchteten Fenstern der gegenüberstehenden Häuser passierte. Leider nicht viel Aufregendes...

Im Zusammenhang mit der Wohnung fallen G. zwei Holzkloben, deren Verwendung für die Ofenheizung in Aussicht genommen war, im Oktober 1932 auf dem Balkon ein, eine Fahne am Küchenfenster am 30. Januar 1933 und ein Kinderlied zum Schulanfang.

Das Leben in der neuen Wohnung begann für G. auf dem Balkon. Zu der Zeit zogen viele Nachbarn in ihre Wohnungen ein. Es muß schon kühl gewesen sein. G. und G. bekamen einen Schal um den Hals geknotet, als sie auf dem Balkon standen, mit den Füßen jeder auf einem kantelnden Kloben Feuerholz, um über die Brüstung sehen zu können, wie die Möbel in die anderen Wohnungen getragen wurden. Mit den Fingern hielt sich G. an der Oberkante der betonierten Blumenkästeneinfriedungen fest. Die Kante faßte sich nicht gut an, sie war rauh und kalt. Mit den Wörtern der Familie erledigten den Möbeltransport »Ziehbobbies«. Nirgendwo hatten sie es so schwer wie bei uns, als der eine Ziehbobbie die Mütze dazwischenwerfen mußte, damit das Buffet nicht an der Wand entlang schrabte. G. und G. haben vom Balkon aus alles gesehen, auf ihren Holzkloben hinter den Blumenkästen.

Der 30. Januar 1933 war ein Montag. G. und G. gingen noch nicht zur Schule. Ihr Vater war ungewöhnlicherweise am Vormittag zu Hause. Nach dem Frühstück entstand das Problem, eine Fahne herauszuhängen. Ein Fahnenstock war im Haushalt nicht vorhanden, aber eine Fahne; sie war schwarz-weiß-rot. Durch den Saum wurde an der einen kurzen Seite eine Schnur gezogen. Die beiden Enden der Schnur wurden in den Ösen am Fenster verknotet. Dann entstand das neue Problem, das Fahnentuch so anzubringen, daß die Farben von der Straße aus in der Reihenfolge schwarz, weiß, rot abgelesen werden konnten. Der Vater übernahm das. Zur Kontrolle beugte er sich noch einmal weit hinaus und blickte mit geneigtem Kopf gegen die Hauswand. Es war geschafft. Als G. und G. unten standen und hinaufsahen, hing dort die Fahne an der Hauswand herab: rot, weiß, schwarz. Die Familie hatte am 30. Januar 1933 kein politisches, sondern ein technisches Problem. Daß man eine Fahne hinaushängte, hatte wohl damit zu tun, daß eine vorhanden war und daß das alle taten. G. ist nicht sicher, ob man ohne Fahne schon aufgefallen wäre. Die Familie ging dann die Hauptstraße entlang, bis zur Marktstraße, die Gürtelstraße hoch und auf die Frankfurter Allee. Viele Menschen waren dort unterwegs. Wohin war nicht zu erkennen.

Im Februar bekamen G. und G. jeder eine Schulmappe, eine Rückenmappe aus braunem Spaltleder mit geriffelter Einprägung auf dem Deckel.

An einem Abend, nach der Heimkehr aus dem Büro, schrieb G. und G.'s Vater, nachdem er, wie jeden Tag, um 17.15 Uhr aus der Straßenbahn Nr. 13 ausgestiegen, mit schnellem Schritt nach Hause gekommen war, kurz-lang-kurz geklingelt, (warm!) gegessen hatte – da schrieb er dann mit Kopierstift auf den Rand der zuvor sorgfältig genäßten Innenseite der überfallenden Klappen der Schulmappen von G. und G. deren Namen und Anschrift in Blockbuchstaben. G. und G. haben neben ihm gestanden, G. rechts und G. links. Sie trugen die Schulmappen dann auch schon mal zu Hause, in der Wohnung.

Jener Opa bereitete G. und G. auf seine Art auch auf den Eintritt in die Schule vor. Durch ständige Wiederholung der Behauptung, festigte er in G. und G. die Annahme, sie würden am ersten Schultag vom »Fräulein«, womit er die Lehrerin meinte, aufgefordert, ein Liedchen vorzutragen. Er übte insbesondere auf Spaziergängen, wenn er keine Zeugen hatte, mit ihnen ein »ein altes Weib, in Sackleinwand gehüllt, ein' Flederwisch inn' Arsch gesteckt...«. Er konnte das, wie G. und G. fanden, sehr schön singen, mit tiefer, ja tragender Stimme und leuchtenden Augen. Der Opa, zwei Meter groß, hatte einen weißen Wilhelm-II-Schnurrbart, in einem von feinen roten Äderchen durchzogenen Gesicht, mit blauen

Augen. Ein schöner Opa. Die Mutter riet G. und G. trotzdem davon ab, das Lied zu singen. G. und G. folgten ihrem Rat.

G. und G., 1933

»Heil Hitler«, »Konzertlager«, »Der Stürmer«

G. und G. wuchsen in einer Familie auf, die viel spazierenging; überhaupt wurden in der Regel alle Wege in der Stadt zu Fuß zurückgelegt. Im Zusammenhang mit solchen Wegen erinnert G. Gespräche. Am Sonnabend ging die Familie auf den Markt, auf dem der andere Opa mit Stoffen handelte. G. und G. zogen den Leiterwagen, mit dem er die Ware nach Hause transportierte. Dabei trug deren Vater eine blaue Schirmmütze. Sonntags gingen sie spazieren oder mit dem Kuchenpaket in ein Gartenlokal, in dem man den – ebenfalls mitgebrachten – Kaffee selber brühen konnte: »Hier können Familien Kaffee kochen« stand mit schwarzen Buchstaben auf einem weißen Blechschild, das an einen Baum genagelt war. An diesen Sonntagen trug der Vater einen Hut, im Sommer einen weißen.

Ein Spaziergang führte von der Wohnung aus, am sog. »Ochsenkopp«, der Anstalt für sogenannte Arbeitsunwillige, Trunksüchtige und Stadtstreicher, vorbei bis zum Kraftwerk Klingenberg. Auf dieser Höhe waren auf der anderen Straßenseite, auf der rechten, wohl als Entschädigung für die Mengen von Kohlenstaub, unter die das Kraftwerk die ganze Gegend setzte, Grünflächen, Buschwerk und Bänke an der Spree entlang arrangiert worden. Das sah alles immer sehr neu aus. Nur auf den Bänken lag ein feiner Film von schwarzem, etwas klebrigem Kohlenstaub. Auf diesem Wege sagte an einem Sonntag der Vater zu G. und G. im Blick auf Entgegenkommende: »Schnell, jetzt mit ›Heil Hitler‹ grüßen.« G. und G. taten das. Es war nicht die Regel. G. und G. haben nicht gefragt: »Warum«? Sie wußten das. Zu den einen »GutenTag«, zu den anderen »Heil Hitler«. Das war »normal«. Erst heute fragen sie: »War das normal?«

Auf einem anderen Spaziergang – es muß im Frühsommer 1936 gewesen sein – führte der Weg an einem der an Mauern und Hauswänden hängenden Holzkästen vorbei, in denen die letzte Ausgabe der Zeitung »Der Stürmer« hinter blaß angerostetem Maschendraht zur Lektüre für Passanten bereithing. Auf der oberen Verblendung der rot gestrichenen Holzkästen standen allenthalben mit weißer Farbe, in Frakturschrift mit einem Flachpinsel geschrieben, Parolen wie »Juda verrekke!«, »Die Juden sind Deutschlands Untergang« oder ähnliches. Nun stand da etwas vergleichsweise Harmloses, etwa »Mit Deutschland ist die Zukunft«. Der Vater von G. und G. und ein Freund der Familie erörterten den Anlaß für die Veränderung: der Besuch vieler Ausländer während der Olympiade in Berlin; da seien bestimmt auch Juden dabei; man wolle schließlich niemanden beleidigen...

Mit eben dieser »Selbstverständlichkeit« hörten G. und G. wahrscheinlich ungefähr seit dieser Zeit von »Konzertlagern«, von Menschen, die im »Konzertlager« seien, von welchen, die da gewesen seien, aber nicht drüber sprechen durften. G. und G. haben nie gefragt, was ein »Konzertlager« sei, wohl weil Kinder nicht dazwischenredeten, wenn Erwachsene sprachen; irgendwie war es auch auf eine diffuse Art deutlich, daß es so etwas wie ein Gefängnis sein müsse; vielleicht sagten sie auch nichts, weil die »Großen« bei diesem Thema auf einmal deutlich leiser sprachen. Gewußt, gewußt haben es alle... aber: Wissen war nicht Macht, wie die Mutter von G. und G. immer gesagt hatte, jetzt und hier jedenfalls nicht; offenbar war Wissen auch Gefahr.

Nichts zu merken, nichts zu wissen, kann Schutz sein. Was beim einen wichtig ist, kann beim anderen falsch sein. Alles hatte seine Ordnung.

Rote Mützen und alte Trainingshosen

Zu Ostern 1937 wurden G. und G. auf die Jahn-Oberschule, die spätere Langemarck-Schule, »umgeschult«. Die Oberschulen unterschieden sich durch die Farbe der Mütze, die die Schüler trugen. Die Jahn-Schule hatte rote Mützen, signalrot mit einem grün-weißen Band um den Stirnbund der Mütze herum, die einen schwarzen Zelluloidschirm hatte.

G. und G., 1934

Im Januar oder Februar 1937 fanden die Aufnahmeprüfungen statt, zunächst schriftlich; wer da nicht glatt durchkam, anschließend mündlich. G. und G. schafften es mit dem Schriftlichen. Hänschen Kurzmann, der auch in der Hauptstraße wohnte, drei Häuser weiter, mußte ins Mündliche. Das klappte dann. Am Nachmittag spielte er bereits mit der roten Mütze auf dem Kopf auf der Straße. Er blieb auch später der einzige in der Klasse mit *diesem* Schüleruniformstück. Er wurde bald auffällig; nur noch die Großen, und auch davon nicht alle trugen die Mützen. Uniform war jetzt etwas anderes.

Mit zehn Jahren traten G. und G. ins Deutsche Jungvolk ein. Man mußte sich in einem etwas baufälligen Haus am unteren Ende auf der

linken Seite in der Hauptstraße anmelden. Alle in der Klasse waren im
Jungvolk. Ob man auch nicht drin sein könnte, war keine Frage, die sich
stellte, und keine Frage, die einer stellen wollte, weil er der einzige in der
Klasse gewesen wäre.

Für G. und G. verschärfte sich das Problem erst im Dabeisein. Wie
bewältigt jemand die Situation in einer Jungengemeinschaft, der den
erwarteten sportlichen Normen nicht genügt, der nicht singen kann, der
nicht die körperliche Strahlkraft des deutschen Idealjungen hat? G. und
G. neigten dazu, trotz aller Ermahnungen etwas krumm zu gehen. G.
und G. haben gelitten, daß sie nicht vorzeigen konnten, was man hätte
haben sollen. Sie hatten an der Zimmertür den Satz auf einer Postkarte
stehen, dem sie nicht genügten: »Die Deutsche Jugend muß sein: Zäh wie
Leder, hart wie Kruppstahl, flink wie Windhunde« (Adolf Hitler).

G. und G., 1935

Aber das Schlimmste waren die Trainingshosen. Zur Winteruniform des
»Pimpfen« gehörte die Jungenschaftsjacke aus blauem Tuch und die
dunkelblaue Skihose. G. und G. hatten nur blaue Trainingsanzüge, aber
die hatten sie eben, und deswegen brauchten keine Uniformstücke
gekauft zu werden. In die puffigen Hosen wurden Bügelfalten eingenäht.

G. und G. kamen sich ungenügend und entstellt vor. Widerstand war das nicht – aber das in der Kleidung symbolisch vermittelte Unvermögen, so zu sein, wie man hätte sein sollen – und auch wollen.

Für G. verbindet sich die Erinnerung an das Jungvolk mit der dauernden Rede von einer bevorstehenden »Pimpfenprobe«, auch Mutprobe genannt. G. erinnert nicht, daß sie jemals stattgefunden hätte. Aber geredet wurde nach seinem Eindruck über viele Jahre davon.

Um das Jahr 1939 wurde das Thema Konfirmandenunterricht aktuell. Nicht, weil er unmittelbar bevorstand, sondern wegen der kirchlichen Verfügung, den Unterricht von einem auf zwei Jahre auszudehnen. Das Thema wurde kaum besprochen; die Sache war rasch klar: für eine ohnehin nicht herbeigesehnte Veranstaltung war der Preis zu hoch. G. und G. meldeten sich gar nicht erst an.

Wo was los ist, muß man dabei sein.
Was andere tun, macht man auch.
In der Schule fällt man nicht auf, es sei denn, angenehm.
Fragen, die die anderen nicht stellen, stellt man selbst auch nicht.
Man hält sich nicht für was Besonderes.
Was alle machen, muß man aushalten.

Bei etwas dabeizusein, mit vielen anderen zusammen etwas tun, was man selbst nie tun würde und auch nicht gern mittut, läßt trotzdem das Gefühl einer merkwürdigen und nicht nur unangenehmen Spannung aufkommen.

Eine Rückfrage auf der Elternversammlung und erste Berufspläne

Nach der Aufnahmeprüfung in die Jahn-Oberschule war das Leben von G. und G. noch mehr als vorher durch die Schule bestimmt. G. erinnert: eine ganz frühe Elternversammlung und einige Lehrer.

Als die Jungs die Aufnahmeprüfung bestanden hatten, fand in der neuen Schule eine Versammlung der davon mitbetroffenen Eltern statt. Sie ist deswegen wichtig, weil hier ein Zukunftsplan des zehnjährigen G. öffentlich und Gegenstand öffentlicher Diskussion wurde. G.'s Mutter fragte den Klassenlehrer, ob man auf jener Schule Griechisch lernen könne. Warum: weil ihr Sohn Pfarrer werden wolle. Lobenswerterweise hat damals niemand gefragt, warum eigentlich. Die Frage hätte nahe gelegen. Aber der Grad der Auffälligkeit eines solchen Planes war größer als die analytischen Interessen der Menschen, die mit der Familie von G. und G. Kontakt hatten. Übrigens machte man sich mit dem Plan, Pfarrer zu werden, damals politisch nicht gerade besonders beliebt. Die Kirche stand nicht hoch im Kurs.

G. glaubt, daß dieses Thema zu Hause auch einmal gestreift worden ist.

Wichtig war es nicht, nicht als Widerstandsgeste und auch ohne Angst. Nach G.'s Erinnerung war seine Mutter mit dem Plan von G., Pfarrer zu werden, am stärksten identisch. In der Herkunftslinie ihres Vaters – Opa Stein (!) – gab es so was auch. Von den jeweils zehn bis fünfzehn Kindern schlesischer Bauernfamilien, aus deren einer er stammte, wurden je einer Lehrer und einer Pfarrer. Insofern schickten sich G. und G. in der Folgezeit an, eine Tradition aufzunehmen. Opa Stein war dafür. G., der sich noch einige Zeit damit abmühte, es gut zu finden, daß er seine Berufspläne noch nicht so pointiert wie G. formulieren konnte, entschied sich einige Jahre später, Lehrer, genauer, Zeichenlehrer zu werden. G.'s Mutter teilte den Plan, G. wolle Pfarrer werden, wahrscheinlich in unauffälliger Weise, gern mit. G.'s Zeichenlehrerpläne wurden durch eine abgrenzende Bemerkung aufgewertet: nicht so einer mit einem großen schwarzen Hut, also nicht Künstler, sondern Lehrer. Das hieß etwa: beamteter Künstler. G. lernte dann, daß die Sache »Studienrat für das künstlerische Lehramt« hieß.

G. und G.'s Mutter entsprach wohl in der Rede von der beruflichen Zukunft auch einer Wertschätzung, die ihr oft entgegengebracht wurde, weil sie die Jungs »gut in Zug« hatte, aus denen könnte mal was werden. Einmal war sie mit G. und G. in ein Zwillingsforschungsinstitut eingeladen. G. und G. wurden ausgemessen, und der Forscher machte ihrer Mutter Komplimente zu ihren Erziehungserfolgen. In dieser Zeit gingen G. und G. in den Kindergottesdienst. Zu dem unförmig großen und dicken Pfarrer, der aus teigigem Gesicht unter preußischer Halbglatze salbadernd sprach, hatte G. ein Verhältnis, in dem sich Ekel und Bewunderung mischten. G. auch? So ein Talar war schön, auch wenn es unangenehm war, daß er einem die kleine fettige Hand auf diese besonders lasche Art und Weise gab; darüber sprachen G. und G. sich aus. Den Plan, Pfarrer zu werden, hat G. dann bei Gelegenheit wieder aufgegeben, weil er beabsichtigte, die Karriere eines Diplom- oder Gerichtsdolmetschers einzuschlagen. Hierfür interessante Sprachenfolgen wurden ausführlich erörtert. Spanischstunden wurden in der Berlitz-School gebucht. Dieser Wechsel im Lebensplan war insofern betrüblich, als einige in G.'s immer freundlichem Gesicht den ernsthaften Zug auch schon bemerkt zu haben glaubten. Begründet hatte G. weder die eine noch die andere Entscheidung. G., der als nicht ganz so freundlich wie G. galt, blieb dabei, Zeichenlehrer werden zu wollen; er hatte auch seit geraumer Zeit sein gesamtes Taschengeld in Zeichenpapier und Malutensilien investiert und Zeichenkurse in der Volkshochschule belegt. Das Papier lag in einer inzwischen auch angeschafften großen Mappe auf dem Schlafzimmerschrank. G. konnte es dort nur herunterwuchten, wenn er auf einen Stuhl stieg und mit einer gewissen Drehung die Mappe herunterbalancierte, um sie auf das danebenstehende Bett fallenzulassen. Man könnte die Situation auch so erinnern, daß G. immer wieder bemüht war, von der Mappe nicht erschlagen zu werden.

G. und G. vergessen einige Lehrer nicht.

G. und G. hatten stets dieselben Lehrer, von ganz geringfügigen Ausnahmen abgesehen. G. besuchte einige Zeit einen Französisch-Kurs allein – allerdings vollkommen folgenlos. G. und G.'s wichtigste Lehrerin war Fräulein Gohl. Erst ab 1978 sagten G. und G. zu der schamhaft ob des geäußerten Wunsches errötenden alten Dame, Frau Gohl. Der andere war Franzl Schöne. Bei Frau Gohl wurden G. und G. eingeschult; Franzl Schöne markiert die mittleren und letzten Schuljahre, beginnend mit dem Lateinunterricht in der Quarta.

Frau Gohl verstand sich auf Anhieb mit der Mutter von G. und G., Frau Gohl schätzte die Mutter von G. und G. Sie war streng, gerecht und konsequent. Im hohen Alter hatte sie noch die Apfelbäckchen, die der jungen Frau immer etwas Frohes gegeben hatten. Frau Gohl vermittelte G. und G. Lesen, Schreiben und Rechnen. G. zeichnete sie einmal den Ärmel eines Weihnachtsmannes mit entschiedenem, eindeutigem Strich. G. und G. hatten bei Frau Gohl auch Religionsunterricht. G. kann sich keiner religiös sozialisierenden Wirkungen erinnern; der Unterricht verbindet sich eher mit Schule als mit Religion. G. und G. haben Lieder gelernt, u.a.»Befiehl Du Deine Wege«, dann aber auch die zehn Gebote einschließlich der Erklärung. Die wurde abgefragt. Das drohende »Was ist das?« klingt G. noch im Ohr. G. fand die Erklärung durchweg zu lang. Von den Geboten leuchtete die Aufforderung, Vater und Mutter zu ehren, fast so gut ein, wie der Appell, nicht zu töten. Was mit der Untersagung des Ehebruches gemeint sein könnte, verstand G. so wenig, daß es ihn nicht einmal beunruhigte. Natürlich wurde zu Weihnachten ein Gedicht gelernt, damit man's zu Hause aufsagen konnte. G. und G. lernten so etwas schnell und behielten es nicht lange. G. nimmt an, Frau Gohl muß etwa im Herbst des Jahres 1935 eine neue Information über den Gedichtvortrag von Kindern erhalten haben. Das hatte zur Folge, daß G. am Heiligen Abend des Jahres 1935 sein Gedicht mit pantomimischen Ausschreitungen begleitete, dazu einen Zylinderhut trug und an einer Fahrradklingel (klingeling) hantierte, die an einen Spazierstock montiert war. Aus heutiger Sicht hält G. dies jedoch nicht für eine Profanisierung der weihnachtlichen Botschaft, schon gar nicht für politisch. Es war wohl mehr eine pädagogische Innovation.

Die Koalition zwischen der Mutter von G. und G. und Frau Gohl erwies sich noch im ersten Schuljahr als schul-lebensrettend und in einer Weise als lebensgeschichtlich bedeutsam, die die beiden Damen gar nicht vorausahnen konnten. G. und G. besuchten den Unterricht im ersten

Schuljahr nur ca. 10 Wochen. Sie waren z. T. nacheinander ansteckend, z. T. gleichzeitig krank. Zeitweilig konnte G. die Schule nicht besuchen, weil G. krank war und umgekehrt. Manchmal war nur einer krank, G. war gar einmal neun Wochen im Krankenhaus und erwarb dort weitere Leiden. Als G. im Krankenhaus war, konnte ihn G. nur von der Straße aus an der Hand von Opa Stein, den man auch aus dem dritten Stockwerk wegen seiner Größe leicht identifizieren konnte, zum Fenster hochwinken. Den Kontakt zu seiner Mutter konnte G. durch eine Glasscheibe in der geschlossenen Tür des Krankenzimmers intensiver gestalten. Immer mittwochs und sonntags. In der Zwischenzeit wurde G. von einem zwölfjährigen Mädchen in seinem Zimmer terrorisiert.

In der Zeit, in der G. und G. krank oder wegen Ansteckungsgefahr zu Hause waren, übernahm deren Mutter die Rolle der Lehrerin mit. Ungestillter pädagogischer Eros war nicht der Grund dafür. Wohl eher die prinzipielle Haltung, daß Schulkinder Schaden nehmen, wenn von ihnen über längere Zeit schulische Ansprüche ferngehalten würden. Vor allem aber die Unmöglichkeit sich vorzustellen, daß G. und G. oder gar nur einer von beiden eine Klasse wiederholen müßten, »sitzenblieben«. Das wäre »verlorene Zeit« gewesen. Wer nicht in die Schule gehen kann, hat keinen Grund, zu Hause faul zu sein. Man verschwendet keine Zeit.

G. und G. wurden unter lobender Erwähnung des Elternhauses von der ersten in die zweite Klasse versetzt. G. und G. bedenken zuweilen, wie ihre Biographie durch den »Verlust« eines Schullebensjahres in der Tat verändert worden wäre. Den Kontakt haben G. und G. zu Frau Gohl bis zu deren Tod gehalten.

Einer der eindrucksvollsten Unterschiede zur Grundschule waren die vielen Lehrer, die G. und G. auf der Oberschule hatten. Rudolf Lindmüller war Klassenlehrer, Reserveoffizier des 1., Hauptmann im 2. Weltkrieg, konservativ/deutsch-national, Mitglied der NSDAP; eigentlich traten alle diese Momente z. B. bei der Konsequenz in Erscheinung, mit der er die »Knochensammlung« (Sammlung von Rohstoffen für die Rüstungsindustrie) organisierte. G. und G. gehörten immerhin zu einer der in dieser Hinsicht erfolgreichsten Klassen auf der ganzen Schule. Für das geschätzte Gewicht des Pakets, das Lindmüller bei jedem Schüler auf der Hand taxierte, gab es Punkte. Schließlich ist bei Knochen das Verhältnis zwischen Volumen und Gewicht recht uneinheitlich. Für G. und G. war er vor allem aber ein guter Englischlehrer. Was ein Disziplinproblem ist, lag wohl außerhalb seines Erfahrungsschatzes. Keinem Schüler gab er je Gelegenheit, ihm zu dieser Erfahrung zu verhelfen.

Von Harry Wilke, einem kleinen dicken, stets lächelnden Mann, der einen kaftanähnlichen grauen Kittel trug, hieß es, er sei Jude, seine Angehörigen seien verhaftet, er »habe eben nichts mehr« und wohne deswegen in der Schule.

Was davon stimmte, wissen G. und G. bis heute nur in Umrissen; gefragt hat damals niemand.

So wie Franzl Schöne war keiner. Im Unterricht lebte er die ganze Skala zwischen Gutmütigkeit und Tobsuchtsanfällen aus. Inhaltlich beherrschte er die Palette von Deutsch, Geschichte, Philosophie, Latein und Griechisch. Für alle diese Fächer hatte er »facultas«. Ein mittelgroßer Mann, mit stets zu eng gewordenen Jackets und zu kurzen Hosen; schwarze Stiefel, leicht zerfaserte Krawatte, darüber ein gerötetes Haupt und darum, dies überwölbend, ein Schopf stechend roten Haares; randlose Brille, ganz kleine rötliche Hände. Er lebte allein. Von seiner Wohnung ging die Rede, man müsse auf einem Stoß Bücher sitzen. Nie war ein Schüler dort. Er war ebenso gelehrsam wie zugewandt freundlich und umständlich höflich. Trippelnd bewegte er sich vorwärts, stets mit einer unförmig großen, aus den Nähten platzenden schwarzen Aktentasche, von der Klasse direkt in die Lehrerbibliothek, die er verwaltete. Kollegen mied er, vor allem den Direktor, den er für »die Obrigkeit« hielt. Von Hofaufsicht war er befreit. G. kennt einen, den Zeichenlehrer, mit dem er von Zeit zu Zeit ausgiebig zechte – im Anschluß an den Unterricht, durch bis zum nächsten Morgen, von der Kneipe zurück in die Schule. G. und G. haben es nie bemerkt, andere auch nicht. Das Begrüßungsritual erledigte Schöne mit den Worten: »Heil Hitler, setzen, Vokabelhefte raus«.

Franzl Schöne faszinierte viele, wenn auch auf unterschiedliche Weise. Die einen, weil er alles wußte, die anderen als Typ, G. und G. weil sie durch ihn, ohne das sagen zu können, erstmals das Bild, den Habitus eines wissenschaftlich arbeitenden Menschen erlebten. Er war, abgesehen von Büchern, stets von zahllosen Notizen, Zetteln, Ausrissen etc. umgeben. Während Klassenarbeiten pflegte er diese aus seiner unergründlichen Aktentasche und aus allen Anzugtaschen herauszuholen und auf dem Pult nach einem für G. und G. nicht erkennbaren Plan zu Häufchen unterschiedlicher Höhe zu stapeln. Bei ihm lernten G. und G., Begriffe zu definieren – genus proximus, differentia specifica –, Gedanken zu strukturieren, Texte zu gliedern, den Unterricht begleitend, zu lesen. Schöne war systematisch und methodisch. Dazu originell: historische Zusammenhänge rekonstruierte er gern aus zeitgenössischen politischen Witzen. Zum Entsetzen des Schulrats trieb er derlei auch in mündlichen Abiturprüfungen.

Schöne fürchtete jede Obrigkeit wie ein Kind das wilde Tier: Direktoren, Schulräte etc. hatten immer recht, »weil sie mehr Geld verdienten«. G. hat Schöne noch einmal sehr viel später als Kollegen in einer Schlüsselsituation erlebt: der Schulleiter faßte das Ergebnis einer Diskussion in seinem Sinne zusammen. Schöne war Protokollant, saß, wie üblich, in der größtmöglichen Entfernung vom Chef, stand auf und sagte: »Genau so Herr Direktor – ich muß nur noch das Protokoll umarbeiten.«

Dieser Lehrer war der einzige, der im Unterricht explicit politische und politisch-kritische Aussagen machte. Das lag an zweierlei: an dem, was er sagte, daran, daß ihn G. und G. als Person ernst nahmen und daß er glaubte, sich durch die kluge ironische Distanz seiner Rede aus der Affäre ziehen zu können. G. und G. erinnern keinen Fall einer politischen Maßnahme oder Einschüchterung gegen ihn.

Welche politische Auffassung dieser Lehrer hatte, wissen G. und G. freilich bis heute nicht. Einiges spricht sowohl für strikt atheistische als auch für liberal-konservative.

Preußische Erziehung

Frühe Entscheidungen für einen Beruf können einen Verpflichtungscharakter annehmen, den Dritte produzieren. Die konventionellen Inhalte der Berufe lassen weder einen Schluß darüber zu, mit welcher Absicht diese ergriffen werden, noch wie sie in die Lebensgeschichte hinein ausgelegt werden.

Lehrerinnen und Lehrer sind lebensentscheidend – weitgehend unabhängig von den Inhalten, die sie unterrichten, als Menschen. Ängstliche, obrigkeitshörige, unpolitische Lehrer können auf unterschiedliche Art politisch bedeutsam werden. Schöne hat das politische System ironisch distanziert und einige seiner theoretischen Prämissen bloßgelegt. Er hat nie einen Satz dagegen, aber eben auch nie einen zustimmenden Satz formuliert. Wie er das machte, war es viel.

G. ist der Auffassung und nimmt dies auch für G. an, die Schule habe keine direkte Berufsmotivation bei ihnen erzeugt. Welche Gründe das auch immer haben mag: ihre Berufswahl ist inhaltlich wohl nicht auf Schulunterricht zurückzuführen. Das gilt mehr noch für G. als für G., für dessen Entscheidung sein Zeichenlehrer immerhin auch inhaltlich bedeutsam gewesen sein kann, aber eben wiederum gerade nicht als Lehrer innerhalb des Unterrichts. Im Prinzip hätten G. und G., eine Normalsituation angenommen, die Aufnahme nahezu jeden geisteswissenschaftlichen Studiums ähnlich gut oder schlecht begründen können. G. glaubt, darin möglicherweise auch einen Vorteil sehen zu können. Vielleicht den, offener zu sein für Veränderung in Gegenstand und Methode des gewählten Studiums und Berufs.

G. und G. wissen selbst, daß sie Subjekte lebenslanger Sozialisationsprozesse sind. Deswegen stellt sich natürlich die Frage nach Indizien für Prägungen durch Sozialisationsagenturen, durch moralische, religiöse, politische, ästhetische, soziale Sozialisationsprozesse in der Schule oder in der Familie oder im Jungvolk oder an ganz anderen Orten.

G. ist nachdrücklich davon überzeugt, daß der Schlüssel, das movens, seiner und auch von G.'s Sozialisation nicht in der Schule, sondern in der

G. und G., 1939

mütterlichen Erziehung liegen. Diese ist leicht aber zugleich präzise als preußisch zu kennzeichnen. In ihr sind durch Vorbild und strikte Anweisung moralische und soziale Normen eingeübt worden, die sich landläufiger Formeln bedienten, aber eben auf »Instanzen« verweisen. G.'s Mutter pflegte zu sagen »Was Du machst ist egal, Hauptsache, Du tust was«; »Wer auf die Minute kommt, kommt zu spät«; »Man muß die Arbeit so tun, daß sie Spaß macht«; »Wie's kommt, wird's gemacht«... Preußische Erziehung heißt in der Wirkung auf G. und G. offenbar: so gut wie möglich, so genau wie möglich, so schnell wie möglich – damit man etwas anderes in Angriff nehmen kann. G. und G.'s Mutter hatte die Regel eingeführt: Schularbeiten, die bis 15.00 Uhr nicht fertig sind, dürfen nicht mehr gemacht werden, weil G. und G. dann spielen sollten. Dann sei Fräulein Gohl zu sagen, man habe es nicht geschafft.

G. meint, die preußische Erziehung mit starker Sozialisationskraft habe weder eine explizite religiöse oder eine ästhetische Komponente gehabt, wohl aber sekundäre und immanente Momente davon: G. und G. haben »mitgelernt«, sich reinlich zu halten, anderen Menschen zu helfen, fair zu sein und sich Mühe zu geben, andere Menschen zu verstehen. G. und G.'s eher formale Sozialisation entsprach der Pädagogik von Frau Gohl und wurde durch Franzl Schöne mit einem zusätzlichen Tugendkatalog, dem der wissenschaftlichen Arbeit, erweitert.

Man hat Ordnung, Leistungsbereitschaft, Genauigkeit, Pünktlichkeit auch als Sekundärtugenden bezeichnet, die Menschen für Beliebiges, z. B. auch für den Faschismus verfügbar gemacht haben. Das stimmt wohl nur dann, wenn die durch solche Sozialisation charakterisierten Menschen leer von Inhalten und Fragestellungen, frei von Bezügen zu Menschen und Sachen sind.

G. und G. haben sich aber für Menschen und für Sachen entschieden, die ihnen die verläßliche Hingabe lohnend erscheinen lassen – Sachen übrigens innerhalb der »ausgelassenen« Dimensionen der Sozialisation, der religiösen und der ästhetischen.

Anmerkungen

1 Gert Otto, geb. 10. 1. 1927 in Berlin
2 Gunter Otto, geb. 10. 1. 1927 in Berlin

I
Autobiographie und Religion

»Wenn Gott gar nicht da ist, wo wir ihn vermuten –
dort oben –, sondern hier unten, wo wir leben, dann
wird ja das Feld unseres Lebens mit einem Mal zum
Feld unserer Gotteserfahrung, unserer Gottesbegeg-
nung, unseres Handelns mit Gott und unserer Gottes-
verfehlung. Dann haben wir es also mit Gott zu tun,
wo wir gehen und stehen, rechts oder links, in der
Hausgemeinschaft, am Arbeitsplatz, in der Ehe, in der
Begegnung mit jedem Menschen.« (Gert Otto, Denken – um zu glauben, Hamburg 1970, S. 132)

PETER SCHNEIDER

»ER SAGT: WENN ER AN DEN TOD DENKE, DANN KEHRE ER IMMER ZU SEINEM KINDERGLAUBEN ZURÜCK.«

Peter Noll, Diktate über Sterben und Tod,
S. 246

Ja, das habe ich gesagt. Ich will darüber nachdenken, was ich gemeint habe.

I

Die Großmutter und das Sonntagsbuch

Grundlage war das Sonntagsbuch, das mir meine Großmutter jeweils am Sonntag – aber nicht nur am Sonntag – gezeigt hat. Es war ein rotgebundenes großes Buch. Es enthielt die Gleichnisse Jesu und es war reich bebildert. Die Bilder haben mich stark beeindruckt. Ich war etwa fünf Jahre alt. Die Bilder sind noch in mir. Das Buch ist verschollen.[1] Ich weiß nicht mehr, wie der Künstler hieß, der die Bilder gemacht hat. Es waren Zeichnungen: schwarz-weiß. Ich erinnere mich an den Sämann: das harte, verschlossene, ruhige Bauerngesicht, die ausschwingende Hand... Ich meine, daß man die Manier, den Stil als dramatischen Realismus kennzeichnen könnte.

Die Großmutter erklärte und erzählte. Wir spielten einzelne Szenen. Der arme Mann[2], der beim reichen Mann anklopft. Ich klopfte. Nichts regte sich. Ich klopfte. Ich klopfte. Der Knöchel tut mir weh. Nichts rührt sich. Da: böse und ärgerlich der reiche Mann aus dem Schlaf aufgestört. Meine Großmutter spielte den reichen Mann furchterregend. Ich wagte mein Anliegen kaum vorzubringen. Ich stammelte etwas von einem unerwarteten Besuch, einem kranken Kind und daß ich unbedingt Brot haben müsse. Die Türe blieb verschlossen. Ich klopfte weiter und weiter. Wir variierten das Spiel. Ja, es kam vor, daß der reiche Mann hart blieb. Doch ich versuchte es immer wieder. Dann ging die Türe auf. Die Großmutter gab nach. Widerwillig. Ein anderes Mal: willig, aber mit Mahnungen, guten Ratschlägen... »klopfet an, so wird euch aufgetan.«[3]

Ich sehe den herrlichen Baum vor mir, der aus dem Senfkorn, dem winzigen, riesengroß aufgewachsen war.[4] Düstere Rauchschwaden ziehen über das Feld, auf dem das Unkraut abgebrannt wird, das der Feind[5] gesät hat. Furchterregend war das Bild von den bösen Weingärtnern, die den Erben ihres Herrn erschlagen.[6]

Die törichten Jungfrauen schliefen ein, die klugen hielten das Öl für die Lampen bereit und hielten sich mit vielerlei Späßen wach.[7] Mit tiefem Mitleid erfüllte mich das Geschick des Königs, zu dessen Gastmahl die Geladenen nicht erscheinen. Doch meine Großmutter und ich übten unsere Phantasie, indem wir uns die allertollsten Entschuldigungen ausdachten. Das verlorene Silberstück wurde ideenreich gesucht und mit überströmender Freude gefunden.[8]

Wie unendlich kostbar mußte die Perle sein, daß sie einen solchen Glanz auf das Gesicht des Kaufmanns ausstrahlte, als er sie entdeckt hatte und zwischen Daumen und Zeigefinger vor sich hielt. Da reichte die Phantasie kaum aus, um alles auszudenken, was man für dieses herrliche, einzigartige Stück hingeben sollte.[9]

Doch das bedeutungsvollste Gleichnis war uns das vom verlorenen Sohn.[10] Daß der Sohn den Vater verlassen hatte, daß er alles durchgebracht hatte, daß er Schweinehirt wurde und sein Essen mit den Schweinen teilte, das war die eine Seite, und nicht die, auf welche es ankam. Das Sonntagsbuch zeigte, wie der Vater von der Terrasse seines Hauses Ausschau hält, wie er sehnsüchtig wartet und wartet. Und dann sieht er den Sohn von weitem. Er eilt ihm entgegen. Er umfängt ihn. Das war das Entscheidende: der liebende Vater. In diesem Bild ist verdichtet, was ich meinen Kinderglauben nenne. Wir beendeten die Beschauung und Betrachtung und Besprechung des Sonntagsbuches immer mit diesem Bild.

II

Bild und Glaube

1. Das Bild hat bis heute seine Leuchtkraft behalten, durch sechzig Jahre hindurch. Immer, wenn ich es hervorhole, erfüllt es mich mit Freude. Doch was hat dieser freudige Kinderglaube mit dem Tod zu tun? Bevor ich darauf eingehe, ist noch eine andere Frage zu beantworten. Gezeigt habe ich die Wirkung eines Bildes. Zwei Momente charakterisieren sie: die Dauer und das Gefühl der Freude. Doch mit Glauben hat diese Bildwirkung zunächst nicht zu tun. Von einem freudigen Kinderglauben zu sprechen, dafür spricht wenig. Daß ein Bild auf ein Kind positiv wirkt, daraus ergibt sich noch kein Kinderglaube. Das ändert sich erst, wenn man die Ursache der Bildwirkung herausarbeitet und deutlich macht. Ursache der Bildwirkung ist es, daß das Bild des sehnsüchtig wartenden Vaters im Kind die Vorstellung erweckt, daß es erwartet

werde, daß ihm ein Vaterhaus offen stehe, in das es jederzeit heimkom-
men dürfe. Das Bild erzeugt den Glauben, daß es die Wirklichkeit
aussage, daß es eben so sei, wie es auf dem Bild ist. Das Bild erzeugt in
dem Kind Freude, weil es ihm seine Wirklichkeit so deutet, daß es Ängste
wegdeutet und Zuversicht auf diese Wirklichkeit hin vermittelt. Das
klingt kompliziert und scheint zu Vorgängen in einer Kinderseele wenig
zu passen. Das ist unschwer zu widerlegen.

In der Zeit der Sonntagsbuch-Gespräche wurde ich auch mit anderen,
von anderen, nicht von der Großmutter erzählten Geschichten vertraut.
Sie besaßen nicht die Mächtigkeit und den Glanz der Geschichten meiner
Großmutter, besser gesagt: meiner Großmütter. Denn auch meine Groß-
mutter väterlicherseits war eine große Erzählerin. Sie bevorzugte das
weltliche Genre: Als Erzieherin einer österreichischen Prinzessin und in
Familien der englischen Aristokratie hatte sie viel von der großen Welt
gesehen, was ungemein reizvollen Erzählstoff bot. Nun gut: Die bescheidene Kindergeschichte – eine echte Kindergeschichte –, welche meine
Mutter erzählte, handelte von einem kleinen Igel, der den Namen Igeli
Hechelborst trug. Igeli Hechelborst verließ eines Tages das elterlliche
Haus, um in die Welt hinauszugehen. Hochgemut zog er aus. Doch
immer war er von Gefahren umstellt. Da bedrohte ihn der Fuchs, dort
eine Schlange. Menschen brachten Ungemach. Er wollte nach Hause
zurück. Er fand den Weg nicht. Nachtdunkelheit schreckte ihn. Und wie
selig war er, als er am nächsten Morgen vor dem Elternhaus stand und in
die Küche blickte, wo die Mutter Mäuse briet, daß es herrlich duftete...[11]
Auch in dieser Geschichte, die eben speziell für Kinder erzählt wurde,
fand das Erlebnis Gestalt, welches im Gleichnis vom verlorenen Sohn
zum Ausdruck kommt: Hinaus in die weite Welt – mit Stock und Hut –,
das ist der elementare Kinderwunsch, in dessen Erfüllung sich die Welt
als unheimlich und gefährlich erweist. Hatte nicht auch die weltliche
Großmutter berichet, wie das Fürstenhaus in Schutt und Asche sank, die
Prinzessin ins Elend geriet und – so pflegte sie zu schließen – daß am
Schluß noch die Advocaten gekommen seien und den Rest genommen
hätten. (Ein Schluß, der meinem Vater, der selber Advocat war, gar nicht
gefiel.) So bildet sich im Gegenzug zum Drang in die weite Welt der
Drang in die Geborgenheit des Vater- oder Mutterhauses. Dazu kommt
zusätzlich das Erlebnis des Ungehorsams.

Igeli Hechelborst hatte auf die Warnungen, welche die Mutter ausgesprochen hatte, nicht gehört. Wer nicht hören will, muß fühlen. Doch
wieviel ausgeprägter noch ist das Motiv des Ungehorsams im Gleichnis
vom verlorenen Sohn. Damit verwandelt sich die Frage der Heimkehr in
eine Frage des Dürfens. Das Bild des wartenden Vaters, des Vaters, der
dem Sohn entgegeneilt, der den Heimgekehrten festlich empfängt, gewinnt die tragende Bedeutung. Freude, nicht Fluch, Liebe, nicht Zorn,

Auszeichnung und nicht Gericht, daß das etwas Besonderes sei, habe ich als Kind schon empfunden. Das kam nicht später dazu.

2. Dabei war das Bild des gütigen Vaters, der den Verlorenen aus der Verlorenheit in die Geborgenheit heimläßt und heimholt, Frageproben, welche die Gleichnisse selbst nötig machten, ausgesetzt. Da war doch auch das finstere, bedrohliche Bild der Weingärtner, welche den Erben töteten; da zeigte sich die Hartherzigkeit unter dem Titel klopfet an, es wird euch aufgetan, und vor allem erschreckte mich die Rede, daß der König, der die Bettler zum Mahle gebeten, den Unglücklichen, der kein Festgewand angelegt hatte, verdammt und in ewige Finsternis hinausgewiesen habe.[12] Man dürfe das nicht so wörtlich nehmen, meinte meine Großmutter und fügte einige tiefsinnige Bemerkungen über den Sinn des guten Benehmens an. (Maßgeblich war dabei, daß das gute Benehmen in einen Bezug zur Bekundung von Liebe, Zuneigung und Dankbarkeit gebracht wurde.)

Doch das Bild des gütigen Vaters wurde durch das furchterregende Bild vom strafenden König nicht verdrängt. Es war auch mächtiger als das Bild von den schrecklichen Weingärtnern – hager, finster, wüst, die Jungen wie die Alten, einen bösen Hund hatten sie dabei –; es war stärker als Schuld und Verstrickung, als Torheit, Hochmut, Gleichgültigkeit und alle Füchse und Schlangen zusammen, welche das Leben des kleinen Ausreißers bedrohten.

Damit wäre auch der Tod in Sicht gebracht und zwar gerade da, wo einer auszieht, das Leben zu gewinnen. Nein, den Tod und das Sterben als Besonderes habe ich als Kind nicht begriffen; wohl aber den Inbegriff von Drohungen, in denen eben auch der Tod und das Sterben einbegriffen waren. Das will nicht heißen, daß ich als Kind den Tod nicht auch konkret erfahren hätte: als das Weggehen und Nichtwiederkommen geliebter Menschen. Da blieb eben nichts als der Schmerz und seine Ausdrucksformen. Ich will nicht behaupten, daß dieser Trennungsschmerz und die Erfahrung der Endgültigkeit des Verlustes sich leicht in der Figur des geistigen Vaters aufheben ließ, obgleich Tröstungen trostloser Erwachsener in diese Richtung wiesen. »Im Himmel werden wir uns dann wiedersehen«, hieß es etwa.

3. Da stellt sich eine weitere Frage, diejenige nach der »erlebten Wesenheit« dieser Vaterfigur. Zunächst handelt es sich um ein Bild, das als Gleichnis Wirklichkeit interpretiert: So wie sich dieser Vater im Verhältnis zu seinem Sohn verhält, so verhält sich Gottvater zu uns allen. Dieser Bezug stand im Vordergrund. Ein Bezug zu konkreten Vätern war mir nicht bewußt.[13] Andrerseits wehrte das Bild das furchterregende Kontrastbild von einem zornigen Gottkönig ab, der in die ewige Finsternis, wo Heulen und Zähneklappern herrscht, verdammt.

III

Verdeutlichung

Das Bild vom geistigen Vater, der die Verlorenheit des verlorenen Sohnes aufhebt, schuf ein »Glaubenskorn«, das ich im Gespräch mit Peter Noll als Kinderglauben bezeichnete. Aus diesem Korn heraus bildeten sich Schichten der theoretischen und praktischen Verdeutlichung.

1. Zu den Schichten der theoretischen Verdeutlichung gehört einmal das Theorem der *Freiheit* und zum andern dasjenige der *Gnade*. Betonen möchte ich übrigens, daß die Gespräche mit der Großmutter mit der Bildung des Kinderglaubens nicht abgeschlossen waren. Sie dauerten bis zu ihrem Tode im Jahre 1958 fort und kreisten immer wieder um das Bild vom gütigen Vater, wobei vor allem die Theologie Karl Barths Anlaß zum Disput gab.

Das *Theorem der Freiheit* wurde vor allem durch André Gides »Le Retour de l'enfant prodigue«[14] vertieft und verstärkt. Gide sieht im Auf- und Ausbruch des Sohnes das Grundgesetz der Humanität, das Grundgesetz der Freiheit. Es konstituiert Geschichtlichkeit. Demgegenüber tritt die Rückkehr – obgleich die Geschichte unter dem Titel Heimkehr, »Le retour...«, erzählt wird – und die Bereitschaft des Vaters, den »Verlorenen« wieder aufzunehmen, in den Hintergrund, der Protest gegenüber allen Gehorsamsansprüchen und Bindungen in den Vordergrund. Derjenige, der zu Hause bleibt, hängenbleibt, zurückbleibt, gerät ins *Unrecht*. Daß der Vater den »Rückkehrer« auszeichnet, wird zum Zeichen der Rechtfertigung. Im übrigen: Der zweite Sohn hat mich als Kind nicht interessiert. Ich hatte keinen Bruder: Ich hatte und habe eine Schwester. Wäre von einer Schwester die Rede gewesen, mein Interesse wäre wohl geweckt worden. Doch das Gleichnis ist so unerhört »maskulin« gestimmt, daß Mutter und Schwester überhaupt nicht »vorkommen« können. Diese »Maskulinität« ist für die Gleichnisrede so selbstverständlich, wie sie für den Contract social von Rousseau[15] selbstverständlich ist. Rousseau zeichnet im Contract social das Bild der Familie ausschließlich unter dem Gesichtspunkt des Vater-Sohn-Verhältnisses. Weder Mutter noch Schwester kommen da vor. Welch grandios maskuline Tradition: Auch Gide setzt im Grunde[16] nur die Söhne ins Verhältnis zum Vater. Wie bedeutsam ist da die Geschiche vom Igeli Hechelborst, in welcher die Mutter das Wesen der Heimkehr bestimmt. Gerade noch im »theomorphen Märchenbericht« scheint mein Protest gegen »Patriarchalismus« und »Fratriarchalismus« eine »biographische« Stütze zu haben.

Das *Theorem der Gnade* steht in engem Bezug zum Theorem der Freiheit. Freiheit und Ungehorsam scheinen zunächst zusammenzugehören. Ungehörig ist es, den Hausbesitz zu verlassen, welcher immer in Geboten und Verboten existiert. Freiheit ist Überschreitung.

Bei André Gide verkörpert der ältere Bruder die Ordnung des Vaterhauses, das nicht die Welt ist. Freilich ist für Gide die Ordnung des Hauses keine tyrannische, keine enge, freiheitsverneinende Ordnung, welcher die verlockende Offenheit und Freizügigkeit der Welt gegenübergestellt wird. Die »Hausordnung« ist eine gute Ordnung, eine von guten Meistern bestellte Ordnung, während gerade in der Welt schlechte Meister, welche bösen Dienst fordern, vorkommen.[17] Die Hausordnung ist auch nicht eine Vorsichts-, eine Enthaltungsordnung, in der es dürftig, streng und leibfeindlich zugeht. Nein, es ist eine Ordnung der Fülle; während gerade die Welt das Erfahrungsfeld für Hunger und Durst ausmacht. Aber eben dieses Erfahrungsfeld gehört dazu und bildet den Risikobereich der Freiheit, aus dem allerdings die Heimkehr möglich ist. Daß die gute Ordnung verletzt wurde, ist nicht die Barriere, welche diese unmöglich macht. Es werden auch nicht die guten gegen die schlechten Taten und Gedanken auf- und abgezeichnet. Der Gott des Gleichnisses ist nicht – wie ihn sich Kinder vielfach vorstellen – der strenge Vater im Himmel, der in seinem großen Buch alles aufschreibt, was einer tut und denkt – vor allem das Böse. Er ist vielmehr derjenige, der sich dem öffnet, der das Spiel um gut und böse endgültig verloren hat.

Eine Ethik der Werkgerechtigkeit scheint mir mit dem Gleichnis unvereinbar. Doch auch die Formel »Gnade für Recht« will sorgfältig bedacht sein. Darum geht es nämlich nicht, daß die Verlustliste vorgehalten wird, um dann ein gnädiges »dennoch« auszusprechen. Das Gleichnis verweist auf Gnade im Sinne der Fülle, aus der die vorbehaltlose Zuwendung des Vaters zum Sohn möglich wird und in welche der Verlorene seine Verluste einbringen kann, ohne seine Freiheit zu verlieren.

2. a) *Praktische* Verdeutlichung meines »Kinderglaubens« erfuhr ich in dem Augenblick, in dem ich mit konkreter Todesgefahr zu rechnen hatte. Der Schreck, daß das Spiel endgültig verloren sei, wurde in der Erinnerung an das Bild im Sonntagsbuch aufgefangen. So konnte ich zu meinem Kinderglauben zurückkehren, und in diesem Sinne kehre ich immer *zu* meinen Kinderglauben zurück, wenn ich an den Tod denke.

b) Zu fragen bleibt, ob mein Kinderglaube praktische Verdeutlichung nicht auch im Hinblick auf die Lebenspraxis gewonnen hat. Ja, wäre nicht auch der Satz sinnvoll: »Wenn er an das *Leben* denke, kehre er immer zu seinem Kinderglauben zurück.« Gewiß, auch das könnte ich gesagt haben. Schließlich steht das Gleichnis vom verlorenen Sohn nicht nur gegen Todes-, sondern auch gegen die Lebensangst. Ist nicht eine Lebenspraxis, welche das Grundgesetz der Freiheit immer wieder aus der ängstlichen Verklammerung mit jeweiligen Ordnungskonzepten und Konventionen herauszubrechen sucht, vom Hintergrund eben dieses

Gleichnisses her plausibel? Freilich wird die Gefahr, das Gleichnis als politisches und sozialethisches Rezept zu verwenden, ja den Gleichnischarakter von Jesu Rede im Zug zu direkter Anwendung zu zerstören, nicht zu unterschätzen sein. Das Bild vom gütigen Vater kann für autoritären Patriarchalismus mißbraucht werden, so wie das Bild vom Sohn, der ausbricht, für Libertinismus und Revolutionarismus mißbräuchlich in Anspruch genommen werden kann. Die Eigenkraft des Kinderglaubens im Verhältnis zu Infantilismen aller Art zeigt sich nur, wenn man seine Wirkung mit der Chance des Selbst- und Mitseins[18] im Widerstreit der Rezepte und Verlockungen, der Ängste und der Wunschträume gleichsetzt.

Anmerkungen

1 Damit ist der Bezugsbereich des eigenen »Hauses«, nicht derjenige der Welt gemeint. Ich bin überzeugt, daß man das Buch und den Namen des Illustrators finden könnte. Mir kommt es indessen auf das Buch, das »in der Erinnerung vorhanden ist«, an.

2 Wichtig sind mir die »erinnerten Gleichnisgeschichten«, nicht aber die aufgezeichneten. Für mich ist die Tatsache, daß es sich bei dem, der bittet, und dem, der gebeten wird, um Freunde handelt, unerheblich geblieben. Der Gegensatz zwischen Haben und Nichthaben, eben zwischen Reichtum und Armut, war für mich erheblich. Vgl. Lukas 11,5 ff. Das war das Thema unserer Interpretationsdramatik.

3 Lukas 11,9.

4 Matthäus 13,31. Im übrigen identifizierte ich den Baum mit dem großen alten Nußbaum im Garten der Großmutter.

5 Matthäus 13,25.

6 Matthäus 21,33 ff.

7 Matthäus 25,1 ff. Daß die Klugen und die Törichten beide schliefen, ist mir aus den Gesprächen mit der Großmutter nicht in Erinnerung geblieben, wohl aber dies, daß wir spielten, wie man sich wachhalten kann.

8 Lukas 15,8 ff.

9 Matthäus 13,45 f.

10 Lukas 15,11 ff.

11 Auch zu dieser Erzählung gab es ein Bilderbuch, an das ich mich dunkel erinnere.

12 Matthäus 22,13: »Da sprach der König zu seinen Dienern: Bindet ihm Hände und Füße und werfet ihn in die Finsternis hinaus! Da wird sein Heulen und Zähneklappern.«

13 Das Gleichnis könnte auch zur Deutung zeiträumlicher Erscheinungen benutzt werden. Dann stünde das Bild des Vater-Sohnverhältnisses für Vater-Sohnverhältnisse schlechthin und darüber hinaus für analoge Verhältnisse, wie dasjenige zwischen Landesvater und Landeskindern, Lehrer und Schüler usw. Es wäre allerdings auch denkbar, zwischen dem geistigen Gottvater und allen irdischen »Vätern« einen Grundgegensatz, das Verhältnis der Ungleichheit, ja der Unvergleichbarkeit zu statuieren.

14 André Gide, Le retour de l'enfant prodigue. Oeuvres complètes, t. V, NRF. p. 3 s.

15 Vgl. Contrat social ou principes du droit politique, nouvelle edition, Paris (Garnier frères), Chap. II, Des premières sociétés, p. 240 s.
16 Immerhin setzt Gide ins Gesamtbild auch das Portrait der Mutter: p. 4, p. 15 s. Es bleibt indessen blaß und hat seinen Ort im Haus des Vaters.
17 Vgl. a.a. O., p. 11 s, 17.
18 Bei André Gide heißt es, daß der Sohn das Vaterhaus verlassen habe, um zu erproben, wer er sei: »Je cherchais... qui j'étais.« p. 16. Eigentümlich ist der resignative Zug, der im Dialog mit der Mutter zur Geltung kommt. Kindliche Anpassung scheint das Ergebnis des Versuchs zu sein, sich selbst zu finden. Doch ins Ganze gehört die Tatsache, daß auch der jüngere Bruder den Weg in die Welt unter die Füße nimmt. Er sagt zum Zurückgekehrten: »Du hast mir den Weg geöffnet, und der Gedanke an Dich wird mich stützen.« p. 26.

DOROTHEE SÖLLE

OHNMACHT UND MACHT

Für Gert Otto mit Dank für Erklärungen,
Aufklärung und Respekt vor Unerklär-
lichem
Dorothee Sölle

»Wie sind Sie eigentlich zu Ihrer Theologie gekommen?« werde ich oft gefragt. Bruchstücke einer Antwort steigen in mir auf, Erinnerungen aus Kindheit und Jugend, eigene Erfahrungen und die anderer, die ich wie eigene mir angeeignet habe. In der feministischen Theologie Nordamerikas gibt es den wichtigen Begriff der Aneignung der eigenen Geschichte (to own her story). Ich will hier versuchen, autobiographisch zu sprechen, und zwar erzählend und reflektierend.

Drei Geschichten zur Erfahrung der Ohnmacht

Es muß in meinem ersten Schuljahr gewesen sein, ich war fünfeinhalb und ausgesprochen klein. Ich erinnere mich, meinen Vater sagen zu hören: »Das Kind wächst nicht, das Kind wächst nicht!« Die Lehrerin nannte mich »Streichhölzchen«. Das letzte Stück meines halbstündigen Schulwegs mußte ich allein gehen. Auf der Marienburger Straße, einer Allee im Süden Kölns, raste ein Hund auf mich zu. Er schien mir riesig und unaufhaltsam. Ich erinnere mich deutlich, daß ich den Gedanken verwarf, seiner Rennbahn auszuweichen, weil ich überzeugt war, dann würde er mich ganz bestimmt fressen. Ich erinnere mich an die kalte Furchtlosigkeit in der Mitte der Furcht, die ich später während der Bombenangriffe in Luftschutzkellern empfand. An eine Art von Fatalismus aus Einsicht in die Größe der Gefahr.

Der Hund rannte mich um und raste weiter. Ich kam weinend nach Hause, nicht aus Schmerz, sondern aus Scham. Meine drei älteren Brüder witzelten, ob der Hund wohl, als er mich »überfuhr«, etwas habe fallen lassen. Ich sagte, er sei größer als alle mir bekannten Hunde gewesen, eher ein Kalb. Darüber lachten alle.

Ich wußte, daß es in jeder nur denkbaren Hinsicht vorteilhafter war, ein Junge zu sein. Irgend etwas hinderte die meisten Frauen daran, Indianer zu werden, sie blieben Bleichgesichter. Meine Mutter sagte, daß Männer es besser haben. Nur an einem Punkt nicht: sie können keine Kinder kriegen. Kinderkriegen fand ich aber nicht so wichtig wie zur See zu fahren, sich im Urwald einen Weg zu bahnen und Baumhäuser zu bewohnen.

Als ich zwölf war, übte ich Schwingen an unserer Teppichstange. Plötzlich merkte, nein, sah ich, daß ich einen Busen bekam. Eine winzige Erhöhung, wo vorher alles glatt war. Es war ein Schock. Bis dahin hatte ich geglaubt, eines Tages könne ein Stück Gelenkknochen in mir aufspringen, so daß ich mit einemmal größer und stärker würde. Mit dem Brustansatz waren diese Wunschträume zerstoben, es gab keine Transvestition, ich war zum Mädchen geboren und bestimmt. Anatomie, las ich später bei Freud, ist Schicksal; ein Satz aus der Sicht der Nichtbetroffenen, das bedeutet der Herrschenden. An der Teppichstange habe ich nicht mehr geschaukelt.

Ich erinnere mich, daß ich im Herbst 1943, gerade vierzehn Jahre alt geworden, in der Kölner Straßenbahn ein Mädchen mit großen schwarzen Augen anstarrte. Sie hatte einen dicken braunen Zopf und stand in meiner Nähe auf der hinteren Plattform. Sie erschien mir wunderbar, geheimnisvoll und traurig, und ich überlegte verzweifelt, wie ich – die kleine dünne Blonde mit dem Bubikopf – sie ansprechen könnte. Unsere Blicke trafen sich und ich bildete mir ein, ein winziges Lächeln über ihr Gesicht huschen zu sehen. Dann stiegen am vorderen Eingang Soldaten – oder waren es Polizisten? – ein, mein Mädchen schaute sich wieder und wieder um und verließ, einem plötzlichen Entschluß folgend, die Tram. Beim Heraussteigen verschob sich die Tasche, die sie an die Brust gedrückt hielt. Ich sah einen gelben Fleck und das Wort »Jude« in schwarz daraufgeschrieben. Ich wollte aussteigen, ihr nachlaufen, aber die Bahn fuhr schon wieder, und der Novemberregen klatschte an die Scheiben.

Bei dieser Gelegenheit lernte ich ein Stück meiner eigenen Feigheit kennen, im erotischen und im politischen Sinn, und ich erinnere mich, daß ich damals in der Linie 11, die durch das Severinsviertel fuhr, mit Entsetzen notierte, was in mir war. Wer bin ich denn, wenn ich nicht einmal aus der Bahn steigen und einem unbekannten Menschen, der mein Herz bewegt, nachlaufen kann?

Kein Kind mehr

Ein Klassenkamerad meines Bruders fragte, ob seine Mutter eine Zeitlang bei uns wohnen könne. Sie war Jüdin und zunächst durch die Ehe mit einem »Arier« geschützt, nun aber von Deportation bedroht. Diese Frau wohnte etwa sechs Wochen lang in meinem Elternhaus im obersten Stock im Fremdenzimmer. Wenn die Putzfrau kam, wurde sie eingeschlossen und mußte vollkommen still sein.

Ich freundete mich mit Frau B. an und besuchte sie oft in ihrem Zimmer unter dem Dach. Bei Fliegeralarm gingen wir damals in einen etwas sichereren Keller über die Straße. Natürlich konnten wir sie nicht mitnehmen und hatten Angst, sie verschüttet oder verwundet wiederzufinden. Einmal war ich darüber besorgt, was aus ihr werden würde. »Mach dir keine Gedanken. Mich kriegen sie nicht.« Sie öffnete ihre immer bereitliegende Handtasche, nahm etwas heraus und gab's mir in die Hand. Es war ein kleiner Glasflacon; er fühlte sich kalt an. »Mich kriegen sie nicht«, sagte sie, »verstehst du, es ist Gift.« An diesem Tage hörte ich auf, ein Kind zu sein.

Damals, in den Jahren von 1944 bis 1947, stand ich natürlich in Opposition zu meinen Eltern und dem ältesten Bruder, der eine klare Sicht der politischen Lage hatte. »Spießig« war eines der Wörter, mit dem wir uns abgrenzten: von den Erwachsenen, die über die Versorgungsschwierigkeiten jammerten, von den Belanglosigkeiten der Lehrer, von dem sinnlosen Herumsitzen in Luftschutzkellern, in denen wir einen großen Teil der Schulzeit zubrachten. Dort holten wir ein Stück deutscher Jugendbewegung nach und sangen, was immer wir finden konnten: europäische Volkslieder, die Lieder des Zupfgeigenhansel, die nicht in unseren Büchern standen, Choräle. Wir hatten ein Kultbuch, es hieß »Konradin reitet«, ein zerfleddertes Reclambändchen von Otto Gmelin; es begann mit den Worten »Ich habe dich reiten sehen, es war noch früher Morgen...« und »reiten« war unser Code-Wort. Nachdem ich die Herzliche-Grüße-Briefe hinter mir hatte, schlossen meine Briefe emphatisch mit »Wir reiten! – Dorothee«. Mit Realität hatte das nicht das Geringste zu tun, ich hatte nur einmal auf einem Pferd gesessen; es war unser Traum-Wort, unser »yellow submarine«, und wir teilten die Menschen ein in »ganz nett, aber reitet nicht« und »ich glaube, sie reitet«.

Das war die Welt meines Tagebuchs, eine verzauberte Innenwelt der Schwärmerei, in der die Adjektive »göttlich, einzig, immens« eine Rolle spielten. Eine sehr unpolitische Welt, wenn man von dem einen großen Mythos »Deutschland« absieht. Es dauerte sehr lange, bis ich diese Faszination des »Deutschland trägt man im Herzen oder nirgends und nie!« durchschaute, und das Kriegsende festigte den tragischen Mythos eher, als daß es ihn entlarvte.

In meiner Erinnerung spielt der Hunger von Ende 1944 an eine zentrale Rolle. Ich lag im Bett und stellte mir Spaghetti vor. Wir fuhren aufs Land und lasen Birnen auf. Vor den Hamsterfahrten versuchte ich mich zu drücken, nachdem ich begriffen hatte, daß wir als Familie nichts zu tauschen hatten. Als die Schulen im Herbst 1945 wieder öffneten, wartete ich viele Stunden, Frostbeulen an den Beinen, auf die Straßenbahn. Einmal gelang es mir, mich auf das Trittbrett der Bahn an der Außenseite zu klammern. Ich wurde erwischt und mußte mit meinem Vater zu einer Art Militärgericht. Wir kamen mit einer Verwarnung davon; am meisten wunderte mich, daß mein Vater, Jurist von Beruf, mich nicht ermahnte. Eher machte er Aufhebens von meinen politischen Überzeugungen und fragte einmal beim Mittagessen, ob ich denn im Ernst die Nazis verteidigen wolle. Ich ahnte damals, daß er die Wahrheit auf seiner Seite hatte, aber ich konnte es, auch vor mir selbst, nicht zugeben. Ich versuchte, Deutschland, den Traum und die Nazis, die ich fast ausnahmslos widerlich oder trivial fand, zu unterscheiden. Als Kind hatte ich Thomas Mann im Radio aus den USA zu uns sprechen hören. Meine Eltern hatten viele jüdische Freunde, und ich wußte mit acht oder neun Jahren, was ein Konzentrationslager war. Wir wuchsen als Kinder antinazistischer Eltern regelrecht in zwei Sprachen auf: eine offene, die man zu Hause sprach, in der von Erschießung, Folter, Verschleppung die Rede war, und eine draußen in der Schule, in der Offenheit lebensgefährlich war. In unserer Familie gab es eine Redensart: »Sei still, sonst kommste ins Kazett!« Merkwürdigerweise habe ich dieses Gefühl, in zwei Sprachen zu leben, auch nach dem Krieg nicht verloren.

Ich habe fast zehn Jahre meines jungen Erwachsenenseins mit der Frage meiner Generation zugebracht: Wie konnte das geschehen? Ich wollte es sehr genau wissen, wann, wo, auf welche Weise, von wem Juden ermordet wurden. Wenn ich heute einen Menschen meiner Generation und Bildungsschicht treffe, der nicht weiß, was Zyklon B (das in Auschwitz verwandte Gas) ist, so werde ich unruhig. Ich habe versucht, eine Theologie nach Auschwitz – und nicht vor oder jenseits von diesem Ereignis – zu entwickeln. Ich möchte keinen Satz schreiben, in dem nicht das Wissen von dieser in der Tat größten Katastrophe meines Volkes gegenwärtig ist oder gegenwärtig gemacht werden kann.

Wie bin ich zu dieser Position gekommen? Alles, was ich an politischer Aufklärung erfuhr, was mich aus dem trüben Nebel eines tragisch-irrationalistischen Deutschtums langsam herausführte, kam nicht aus den Institutionen wie Kirche, Schule oder Parteien. Ich lernte aus meinem Elternhaus, von Augenzeugen, wiederkehrenden Emigranten, Flüchtlingen, Überlebenden. Ich las Eugen Kogons »Der SS-Staat« bald nach seinem Erscheinen, und langsam lichtete sich das Dunkel einer deutschen, romantischen, bildungsbürgerlichen Jugend.

Eine Theologie nach Auschwitz

Als ich anfing, Theologie zu »machen« – (wie man Liebe »macht«) –, war es für mich selbstverständlich, daß jeder sinnvolle theologische Satz »nach« Auschwitz geschrieben sein muß.

Vielleicht macht das meine Ungeduld mit den Naivlingen, meinen Ekel vor ihrer Gottessicherheit verständlicher, wenn ich auf dieses zentrale Ereignis in der Geschichte meines Volkes in diesem Jahrhundert hinweise, nämlich auf die Massenvernichtung Millionen Unschuldiger im Namen des deutschen, vom Christentum geprägten Volkes. Was für eine Theologie ist nach diesem Ereignis möglich? Auch das ist eine Frage, die mich nicht losgelassen hat. Eine zentrale Kategorie in diesem Zusammenhang – und vielleicht wird sie nur in diesem Zusammenhang voll verständlich – ist die der Abhängigkeit Gottes von uns. Christus hat keine anderen Hände als unsere, er ist auf uns angewiesen. Wenn keine Christen mehr da sind, ist Christus tot. Auch Gott kann nicht un-abhängig, un-relational gedacht werden. Auch Gott ist angewiesen auf uns.

Nicht mehr kann Gott als Naivität des Gemüts, als sozial repräsentiert in der Kirche vorausgesetzt werden. Was am Anfang dieses Jahrhunderts noch möglich war, nämlich den Kontakt zwischen Gott und der Seele des einzelnen als Grundlage theologischen Denkens zu nehmen, so daß die Schwierigkeit des Glaubens eigentlich nur darin bestand, Christus, das offenbarte Wort Gottes, hinzubringen, was noch für Adolf von Harnack in der Bewegung vom ersten zum zweiten Glaubensartikel der Fall war, das hat sich geändert. Wir – und da bin ich mit der dialektischen Theologie ganz einig – fangen vielmehr am gottlosen Nullpunkt, den die entwickelte bürgerliche Gesellschaft darstellt, an und nehmen wahr, daß Einer, der uns in vielen Brüdern und Schwestern begegnet, anders lebt als wir: Jesus, der mir verständliche und doch entfernte Bruder, mit dem ich mich ohne eine unvermittelte (philosophisch gesprochen »schlechte«) Gottesnaivität auf den Weg machen kann. Christ bin ich nicht wegen des Vaters, sondern um Christi willen, ihm zuliebe; und wenn es für mich eine theologisch-politische Kontinuität gibt, dann liegt sie in diesem Anfang bei dem Machtlosen, bei dem Leidenden und bei dem Hiesigen.

Es ist klar, daß aus diesem Ansatz nicht gerade eine Siegerchristologie entstehen kann. Nicht: Er hat's geschafft, darum auch wir, sondern: Er wird gekreuzigt, jeden Tag. Mit ihm sein, sein Bild im Herzen tragend, ihm folgen heißt, sich eine Lebensperspektive zu eigen zu machen, die in wesentlichem unüberbrückbarem Konflikt zur Gesellschaft, in der wir leben, steht. Um das vereinfachend klarzumachen: Ich bin nicht Pazifist, weil eine außerirdische Autorität namens Gott der Menschheit das Gebot »Du sollst nicht töten« auf steinerne Tafeln geschrieben hat. Pazifist aus Glauben bin ich, weil der höchst irdische Mensch aus Nazareth namens Jesus zusammen mit seinen Brüdern und Schwestern – und diese Realität des Zusammenhaltens nennen wir »Christus« – das waffenlose Leben, die Freiheit vom Tötenwollen oder Tötenmüssen bereits gelebt hat. Nicht der »ganz andere Gott« befiehlt mir Gehorsam, sondern der Jesus, der mir nah ist, überzeugt mich. Es ist die Perspektive der Armen, die um ihr Leben betrogen werden, die mich in Gegensatz zu den Werten »dieser Welt« bringt. Es ist nicht die Perspektive von Geld, Macht und Erfolg. Der

Christus meiner theologischen Anfänge ist ganz und gar nicht in den Kategorien der Macht, der Stärke, der Überlegenheit gedacht.

Feminismus

Als ich das Buch »Stellvertretung« schrieb, wußte ich noch nicht, wie tief dieser Versuch, Gott als angewiesen auf uns, als abhängig von anderen zu denken, in meinem Frausein verwurzelt ist. Feminismus ist ja nicht eine historische Bewegung, die mehr für Frauen herauszuschlagen versucht; Feminismus versucht, andere Werte und Lebensformen als die vom Patriarchat entwickelten zur Geltung zu bringen. Ein Gott, der nichts anderes kann, als ein Supermann zu sein, bewegt sich auf dem Niveau der bisherigen von Männern beherrschten Kultur. All-wissend, all-gegenwärtig und all-mächtig wird dieser Gott genannt, Attribute, die seine Herrschaft, sein Herrsein garantieren. Das Herr-Sein ist begründet in der Unabhängigkeit eines solchen Gottes; er ist sogar stolz darauf, von niemandem abzuhängen.

Eine Frau zu sein – und es immer wieder zu werden –, bedeutet aber gerade nicht, unabhängig und ungebunden zu sein. Ich will mich als gebunden an die Natur, mit der und als ein Teil derer ich lebe, verstehen; ich kann mich selber nicht beziehungsfrei, in einem abstrakten Raum der Einsamkeit denken. Ich will unabhängig und abhängig zugleich sein, ich will im Gleichgewicht schweben wie die Marionette in Kleists Aufsatz, – und wie das, was Simone Weil in »Schwerkraft und Gnade« gedacht hat. Wer behauptet, nur eins von beiden sei möglich, der unterstützt praktisch die falsche, zerstörerische Fragestellung, die man einer Frau anbieten kann: Kind oder Beruf; der sortiert Frauen in »abhängige« Mütter und Ehefrauen und »unabhängige« Karrierefrauen. Diese Einteilung ist anthropologisch unmöglich. Abhängig zu sein in Freiheit – darum kreist mein theologisches Denken auf der Suche nach einer neuen Gottsprache. Es gereicht Gott nicht zur Ehre, unabhängig von allem zu sein.

Ist dieses Denken erkennbar als das einer Frau? Damit verbinde ich einen gewissen Anspruch: des Selbstbewußtseins und der Ehrlichkeit. Ich kann diese Fragen auch so formulieren: Ist meine Theologie das Werk eines theologischen X, das leider zufällig in der Gestalt einer Frau auf diese Erde kam, dies aber abzustreifen und zu vergessen sucht, oder ist sie Selbstausdruck eines weiblichen Menschen, der mit den Mitteln und im Rahmen der abendländisch-philosophischen Tradition etwas zu artikulieren versucht, was diese Tradition nicht hergeben kann, weil sie die eine Hälfte der Menschheit von sich ausgeschlossen hat? Hängen die offensichtlichen Schwierigkeiten meiner theologischen Anfänge, daß nämlich Gott »tot« ist, aber immerzu von ihm geredet wird, mit der Frauenschwierigkeit zusammen? Ist unsere Gottesvorstellung so zerstört, so von der herrschenden Kultur der Männer bestimmt, daß solche Versuche, Gott als abhängig, Gott als nicht-machistisch zu denken, im Rahmen unserer Tradition scheitern müssen? Die Tradition hat die Angewiesenheit Gottes nicht deutlich machen können. Sie hat vom Richter, vom Vater, vom Gesetzgeber gesprochen, aber nicht vom Ying und Yang. Sie hat das Gleichgewicht von Abhängigkeit in Freiheit nie überzeugend auszudrücken vermocht, ihr God-talk blieb männlich, nicht, weil Gott »Er« genannt wurde und wird, sondern weil Macht und Herrschaft seine wichtigsten Attribute bleiben. Die Tradition hat die Erde zum Objekt der Ausbeutung gemacht; kein Zufall, daß »Macht Euch die Erde untertan« auch als frauenfeindlicher Satz verstanden wurde.

All das war mir vor zwanzig Jahren nicht so klar, wie es das heute ist. Ich konnte damals meine Kritik an der theologischen Tradition des patriarchalischen Theismus nur im Rahmen dieser Tradition formulieren. Kritiker haben den Grundwiderspruch von Tod Gottes und Leben Gottes in uns, Atheismus und Eintreten für Gottes Sache herausgearbeitet. Die Schwierigkeiten sind für mich im Laufe der Zeit nicht kleiner geworden. Vielleicht sind der theologische Diskurs und der Versuch, Theologie als Wissenschaft zu betreiben, mir indessen noch fraglicher geworden. Auf der Suche nach einem besseren Reden über Gott bin ich immer mehr in die Sprache des Gebets und der Poesie geraten. Beten, zum Gebet fähig werden, scheint mir nach wie vor wichtiger zu sein als zu reflektieren; vielleicht kann man meine Versuche als eine Vorbereitung zum Beten lesen.

TRÄUME VOM ÜBERLEBEN

Von den Hoffnungen der Opfer lernen[1]

Bei den Nürnberger Kriegsverbrecher-Prozessen erschien als Zeuge ein junger Mann aus Litauen. Er hatte sich 1943 auf dem jüdischen Friedhof von Wilna vor der SS versteckt. In einer Grabkammer. Zusammen mit anderen Verfolgten. Unter ihnen eine junge Frau. Da passierte das Unglaubliche, daß diese Frau eines Morgens einen Sohn zur Welt brachte. »Großer Gott, hast Du endlich den Messias zu uns gesandt?«, rief der achzigjährige jüdische Totengräber beim Anblick des Neugeborenen. »Wer anders könnte in einem Grab geboren werden?«

Drei Tage darauf sah der Zeuge aus Litauen, wie das Kind die Tränen seiner Mutter trank, weil sie ihm keine Milch geben konnte.

»... gelitten, ... gekreuzigt, gestorben und begraben... am dritten Tage wieder auferstanden von den Toten.« So hören wir von Jesus. Er also wurde nach drei Tagen gerettet. Er stand auf, blieb nicht im Grab. Das jüdische Kind in Wilna aber wurde nicht zur himmlischen Herrlichkeit emporgehoben.

Diese ungeheure Geschichte. Der jüdische Totengräber da hinten im Osten, er wußte, daß die SS kommen würde. Aber er hielt fest an der Hoffnung, daß der Messias kommen würde. »Wer anders als der Messias kann in einem Grab geboren werden?«

Daß Kinder und Frauen der Ihrigen abgeschlachtet werden, war alte jüdische Erfahrung. Seit Bethlehem. Seit dort die Legionäre des Herodes in die Häuser eindrangen und alle Kinder niedermachten. Alle unter zwei Jahren. »Klagen überall, Jammern und Geschrei! Tot waren sie!«, entsetzt sich Matthäus. Wie viele tote Kinder um des einen Neugeborenen willen, der einen Namen über alle Namen tragen soll: Menschenretter, Friedefürst, Messias. Dem aber später dann selber die Titel und Namen abgerissen werden, am Tag von Golgatha.

Diese Geschichte ist jedem Juden bekannt, diese steinalte Verfolgungsgeschichte des jüdischen Volkes. Wilna 1943, das wußte der alte Totengräber, wurde schon von Herodes inszeniert, in Bethlehem.

Aber das andere, das ist das Unfaßliche: daß der alte Mann wider den Augenschein die Hoffnung auf Rettung festhielt; daß manche der Verfolgten damals diese Messias-Erwartung nicht aufgaben. Diese wunderbare, maßlose Hoffnung, daß das einmal für Menschen kommt: Kein Leid mehr, kein Geschrei. Und daß das schon jetzt geschieht: die kleinen

Unterbrechungen der Gewalt, ein neuer Himmel, eine neue, angstfreiere Erde, hier bei mir, da ein bißchen und da, für ein paar Stunden, heute. Das Leben geht nur, wenn ich hoffe und handle, als ob es ginge. Das andere, das Trostlose, das demonstriert sich mir schon von sich aus. Das ist es, was ich von dem Totengräber lerne.

Uns haben sie schon kaputtgemacht

»Wir sind doch nur Leichen. Uns haben sie schon kaputtgemacht«, hörte ich den jungen Mann reden. »Die Schule, die Uni, die haben uns abgewürgt. Was willst du noch verändern? Was rentiert sich noch zu verändern?« Soll ich ihm sagen, er möge doch die Hoffnung nicht aufgeben?

Ja, ich weiß: Wer sich ausschließlich als Opfer sieht, der macht sich handlungsunfähig. Ja, mit dieser reinen Negativität kann man nicht weiterleben. Ich wage es trotzdem nicht, schöne Gegenvorschläge zu machen. Ich bin nicht arbeitslos. Ich lebe nicht in einer kleinen Rentnerwohnung. Auch ich aber möchte von dem jüdischen Totengräber in Wilna das andere lernen, das Wieder-Hoffen-Können. Möchte wissen, woher der Mut und die Kraft kommen.

Ich denke an mein Ostern vor vier Jahren. Wir waren kilometerweit gelaufen. Mit nassen Füßen. Im Schneegestöber. An den Fenstern zugezogene Gardinen. Selten Gesichter. Nur Türkenkinder-Augen, die runterschauten auf die Straße, auf uns, die Ostermarschierer am 12. 4. 1982. Die uns singen hörten, aber nicht die Skepsis wahrnahmen, die uns den Magen zusammenzog. Etwas Großes, Bedeutendes mußte jetzt geschehen. Eine Rede wollten wir hören, die Hochstimmung verbreitet, die den anderen den Marsch bläst, das Ostergelächter losdonnern läßt. Aber dann dies. Die Tausende, die hier in der Dortmunder Innenstadt aus allen Ecken des Ruhrgebietes zusammengeströmt waren, was sie jetzt von der Rednertribüne her zu hören bekamen, war etwas ganz Leises, Privates. »Als meine Frau heute morgen nicht sehr fröhlich war, daß ich wegfuhr«, fing der Hauptredner der Kundgebung an, »da habe ich zu ihr gesagt, es ist genau der richtige Tag, daß ich fahre. Denn heute vormittag ist meine jüngste Tochter mit ihrem vierten Kind gesund aus der Klinik nach Hause gekommen. Und ich will, daß dieses Enkelkind leben kann.«

Ich werde nie die Stille vergessen, die plötzlich auf dem Platz eintrat und das anheimelnde Gefühl nicht, die Geborgenheit in dieser Regenkälte. Wie eine Versammlung von Nachbarn hatte uns der Mann angesprochen, wie Geschwister und wie Leute, die ein Motiv haben, auf die Straße zu gehen, ein menschenfreundliches Motiv. Wofür wir da sind, muß uns das nicht immer wieder gesagt werden? Wogegen, das merken wir schon selber.

An diesem Dortmunder Osterfest sprach einer, nicht um schöne Worte zu machen, sondern um Klarheit zu verbreiten. Einer aus Berlin, mit Scharfsinn und Herzenswärme, genau im Denken, empfindlich im Fühlen. Heinrich Albertz, unruhig vor Kriegs-Sorge, zweifelnd an der jüngsten deutschen Geschichte, rebellisch gegen die dummdreisten, die trauerunwilligen Staatsträger.

Die Zukunft der Kinder – dafür etwas einzusetzen, hat das nichts mit Ostern zu tun, mit dem Festhalten am Leben, an der Gottesschöpfung? Wenn einer uns daran errinnert, an diesen Regenbogen, dann reißt er Fenster auf, zeigt uns Hoffnungslandschaften, macht auch fähig, selber weiterzuhoffen.

Das kann keiner, der nur von außen den anderen Mut anempfiehlt. Der pausenlos Optimismus vorgaukelt. Hoffnungmachen, das kann nur einer, der seine Ohnmacht akzeptiert, sein Kreuz auf sich nimmt, wie die religiöse Sprache formuliert. Der – in diesem Fall – als »Regierender« von Berlin zurücktrat, nachdem er den Polizeieinsatz vom 2. Juni 1967 befahl, jenen Einsatz, der den Schah abschirmte und den Benno Ohnesorge schutzlos machte. »Ich war am schwächsten, als ich am härtesten war, in jener Nacht des 2. Juni...«, hatte Albertz in seiner letzten Rede am 15. September im Schöneberger Rathaus gesagt. Und am stärksten, als er seine Ohnmacht zugab.

»Christus ist auferstanden«, dröhnen die Bässe der Ostkirche im Sender. Bachtrompeten schmettern. Als sei Karfreitag nur ein dunkler Durchgang zu Ostern. Als seien Bethlehem, Wilna und der Holocaust eben die jüdische Erfahrung. Wir aber als Christen sind darüber hinaus, eingetaucht ins Licht der Auferstehung, ins Positive; darüber, heiter, versteht sich, aber eben grundsätzlich über die jüdische Karfreitagserfahrung der Gottesfinsternis hinaus.

Ach, wir stehen noch weit vor dieser Erfahrung, haben noch kaum angefangen zu begreifen.

Aufhören, ständig Sieger sein zu wollen. Zugeben, daß wir weithin ohnmächtig sind. Das wäre das erste. »Die Entwicklung des Christentums ist nur so denkbar, daß sie zunächst einmal in die Einsamkeit führt und dieses ›Ich werde euch frei machen‹ zunächst gar nicht geschieht«, hat Joseph Beuys formuliert. »Denn zunächst muß der Mensch das einmal durchmachen, was Christus selbst durchgemacht hat. Er muß erst einmal auf der Erde aufkommen, d. h. er muß sich erst einmal an der wirklichen Materie stoßen. Er muß das Todeselement erleben...«

Ähnlich wie der Düsseldorfer Maler hat auch Carl Friedrich von Weizsäcker diesen Prozeß umschrieben. »Das Ich erkennt dann plötzlich«, fährt der Philosoph fort, »daß es nicht absolut ist; und genau dadurch wird ihm deutlich... inwiefern es Organ eines viel größeren ist, und es erkennt, daß es immer nur dieses Organ war und nichts anderes und daß es seine Identität, die es mit Zähnen und Klauen gegenüber dem Ansturm des Chaos verteidigt hat... überhaupt nicht zu verteidigen braucht, wenn es sich dabei bescheidet, Organ zu sein und nicht die Sache selbst.«

Dieser Aussage freilich geht eine Art Todeserlebnis voraus. Auferstehung ist nicht ohne Kreuz zu erleben, sagt die religiöse Erfahrung dazu, oder in den Kategorien von Weizsäckers, der von einem Wandel nur um den Preis der Krise reden mag und darum von der Verzweiflung unseres moralischen Bewußtseins spricht. »Diese Verzweiflung ist ein Todeserlebnis«, sagt der Philosoph, aber »in diesem Tod wartet eine Auferstehung.«

Von solchen Privaterfahrungen des einzelnen spricht die religiöse Tradition doch gar nicht, wenn von Auferstehung die Rede ist? Ja, aber wie anders soll ich denn hoffen auf eine Erlösung aus dem Tode im großen, wenn es das nicht gäbe, diese kleinen Vorzeichen des Auferwecktwerdens in meinem Leben, jetzt, diese Menschen der Hoffnung neben mir?

Paul Tillich, der deutsch-amerikanische Religionsphilosoph, hat uns 1963, in seinem letzten Gastseminar in Hamburg fortwährend vor Augen gehalten: Lebendige Hoffnung auf Ewiges Leben ist nur möglich, wenn wir jetzt und hier an ihm teilnehmen. Jetzt am Ewigen Leben teilnehmen, ist das nicht überhaupt die einzige Erfahrung, die uns das Recht gibt auf unsere letzte Hoffnung?

Eine Sprache der Hoffnung finden?

Viktor Frankl's Bericht aus dem KZ, Jevgenia Ginsburg's Erinnerungen an das sibirische Lager der Stalinzeit, beide halten fest: Wer dort die Hoffnung aufgab, war »gezeichnet«, wurde ein Verlierer. Ihre Erfahrung: Das Überleben geht nur, wenn ich hoffe und handle, als ob es ginge. Gäbe ich auf, dann wäre ich mit dem Tod einverstanden. Ohnmächtig.

Ich versuche, eine Sprache des Hoffens zu finden. Für mich. Aber auch für die, die umgebracht wurden, die heute geschunden werden. Aber – welche Worte? Welche Hoffnung? Läßt sich hier nur paradox antworten, mit Reinhold Schneiders Diktum: »Wir müssen leidenschaftlich das erstreben, woran wir im Geheimen verzweifelt sind«? Beides steht ja scharf gegeneinander, schneidend. Das Grauen auf der einen Seite – die Gegensprache der Hoffnung auf der anderen. Die Todeskälte dort, Hoffnung auf den Wärmestrom hier. Und keinerlei Aufhebung. Die Todeskälte, wir können uns kaum retten vor ihren Bildern, die eben erst, in unserem Wohnzimmer auf dem Bildschirm erschienen, als »Shoah« lief.

Totenblaß weigert sich im Bremer Judenmord-Prozeß 1967 Josef Hirsch

– einer der wenigen, die dem Morden entrannen – seine Zeugenaussage »bei Gott« zu beschwören. Er sah den Angeklagten an und sagte: »Gäbe es Gott, dann gäbe es den nicht«. Er leistete den weltlichen Eid, »im Gedanken an meine ermordete Familie«.

Josef Hirsch, dieser Schrei der Opfer, der Schrei vom Ende der Hoffnung – wieviele andere Stimmen kamen in den letzten Jahren hinzu. Stimmen, die ihrerseits schreien, aus fast allen Völkern. Viele halten sich die Ohren zu. Die Vergangenheit ist »bewältigt«, sagen sie. »Wir Deutsche und die Völker Westeuropas haben die Lektion der Geschichte gelernt«, heißt das geflügelte Wort, und »über den Gräbern unserer Toten ereignet sich Versöhnung zwischen den Völkern.«

Nein, »das Vergangene ist nicht tot, es ist nicht einmal vergangen.« »Wir trennen es von uns ab und stellen uns fremd.« (Christa Wolf). »Alles, was man vergessen hat, schreit im Traum um Hilfe«, hält Elias Canetti fest. Die Schreie sollen vorüber sein, aber wir hören noch das Schweigen der Gehenkten. Nichts also bewältigt. Wodurch auch. Durch Geld? Durch Worte? Welche Worte?

Wir müßten eine Sprache der Hoffnung haben, die der wachsenden Macht des Todes in vielem widersteht, eine Sprache, die den Abgesandten des Nichts eine Vision des unzerstückelten Lebens entgegensetzt, Bilder des Möglichen, aber noch nicht Verwirklichten: daß die Blinden sehen werden, daß die Wölfe bei den Lämmern wohnen werden, daß die Schwerter zu Pflugscharen umgeschmiedet werden, daß die Toten nicht verloren sind, daß mein Land, unsere Republik, auf den großen Nachbarn im Osten zugehen wird, als erster, daß sie die Erde hier freiräumt von Todesmaschinen.

Am Aufbau solcher Hoffnungen arbeiten – wie das? Vielleicht nur, wenn wir von den Hoffnungen der Opfer lernen.

»Auf Gott hoffen, der unter jenen Umständen keine Rettung brachte?«, fragt Susan Shapiro, eine Jüdin aus New York... »Dieser Bruch kann nicht schlichtweg behoben werden, indem man sich auf unbesiegbare religiöse Sprache beruft, denn das Geschehene hat unsere Ideen von einem gerechten und gnädigen Gott grundsätzlich erschüttert.«

Ja, die Ereignisse, die ich hier nur zögernd berühre, bedrohen meine Hoffnung elementar. Nirgends entgehe ich dem Gefühl, daß jener Holocaust meine Vorstellungen von der Welt, in der ich lebe, erschüttert hat. »Was heißt menschlich sein in der Welt, die eine Vernichtung dieses Ausmaßes plante, ausführte und auch geschehen ließ?«, fragt die jüdische Stimme aus New York weiter. Alle Morde, die sinnlosen, die es gegeben hat und die es gibt, nein, ein einziger gefolterter Mensch, widerlegt er nicht das Reden vom Sinn der Welt und von der Allmacht eines barmherzigen, rettenden Gottes?

Von den Hoffnungen der Opfer lernen? Wie leise klingt die Stimme des jüdischen Totengräbers von Wilna. Sein Festhalten am Messias. Seine Hoffnung auf Abbruch des Leidens. Auf den, der uns nicht in der Todeskälte läßt. »Gott wird Zions gedenken. Gott wird Sarahs gedenken.« Diese Hoffnungssätze kannte der Totengräber von Wilna aus der jüdischen Tradition. Er glaubte: Es geht nichts verloren. Ich zögere, wenn ich diesen Satz spreche. Ich weiß nicht, ob vielleicht nur die Opfer das Recht haben, sich zu dem Glauben einer solchen Aussage durchzukämpfen.

»Ich bin da, ich bin bei Euch«, heißt der Name Gottes, Jahwe, im Hebräischen (2. Mose 3,14). Kein »Ich bin, der ich bin«, kein Unwandelbarer, Allmachtkalter, nein: Ich will mit dir sein. Jetzt, auf deiner Reise, heute – von den Anfängen der Geschichte Israels bis zum letzten Wort des Auferstandenen im Matthäusevangelium dieses Aurorische, Freundliche: »Ich bin bei Euch, *alle* Tage, bis an der Welt Ende« (Mt 28,18).

»Gott wird Zions gedenken.« Ist das für uns, die nicht zu den Opfern gehören, nicht ein neuer Ausweg? »Gott wird Zions gedenken.« Es geht nichts verloren. Das sind Sätze, ganz und gar unmöglich und zugleich ganz und gar unaufgebbar. Ich habe keine andere Sprache. Für die Opfer nicht. Und nicht für mich heute. Es geht nichts verloren – aus Totem macht er Leben – unsere Sprache wird hier zur Sprache produktiver Empörung. Zur Sprache derer, die sich nicht damit abfinden wollen, daß die Opfer endgültig Opfer sind. Zur Sprache des Wahns, der Hoffnung, die sich auflehnt gegen die wahnsinnige Normalität (»daß es immer so weitergeht«).

Von den Hoffnungen der Opfer lernen?

Mit einem Schrei sei Jesus doch am Kreuz gestorben, berichtet das Evangelium. Mit diesem »Mein Gott, mein Gott, warum hast du mich verlassen?«

Von der Welt vergessen und von Gott verlassen – genauso beschreiben Überlebende ihre Gefühle vor dem KZ-Lagertor. »Allein... ohne Verbündete, ohne Freunde, in totaler, verzweifelter Einsamkeit«, hält Elie Wiesel fest.

Abgeschnittensein von den Freunden und der Welt – das erleben viele als Verlassenwerden auch von Gott. Getrenntwerden – das rührt ja unmittelbar an den Ursprung aller unserer Ängste, greift mit einem Griff so tief, wie überhaupt Leben in uns steckt.

Aber nun dies: Am Kreuz schreit Jesus zu seinem Gott, obwohl er ihn verlassen hat. Er ruft den Nichtanwesenden. Er fragte den, den er nicht mehr erfährt. Und er redet noch immer im DU: »Warum hast du mich verlassen?« (Mk 15,34).

Etwas Ungeheuerliches ahne ich hier. Etwas Leidensstarkes. Und etwas ganz Hilfloses. Beides. Das Finstere, der schreckliche Bann der Holocaust-Geschichten, wird er an dieser Stelle gebrochen? Ich sehe hier Licht – für mich. Ich höre diesen jungen Mann, diesen Einsamen an seinem Kreuz. Ich höre dieses Rufen nach Gott, der nicht da ist und der doch da ist.

Wem das gelingt, der hat die äußerste, die grenzenlose Angst, für einen Moment zumindest, gebannt; hat passives Erleiden verwandelt in ein starkes Leiden. Der widersteht der Versuchung, sich selber permanent als Opfer zu sehen. Der ist – für eine Phase wenigstens – aus dem Tode ins Leben gekommen, ist auferstanden, lange vor dem eigenen Tode.

Ein ungeheures Spannungsfeld, in das wir da gezogen werden. In Erfahrungen von aussichtslos erscheinender innerer Angst und plötzlicher Befreiung, von Tiefen und Höhen, beide jetzt da, als Spannungsfelder auch in uns selbst.

»Mein Gott, mein Gott, warum hast du mich verlassen?« Sind das nicht doch die letzten Schreie eines an Gott Verzweifelten? Nein, mit diesem Schrei beginnt zwar jener Psalm 22, den Jesus am Kreuz zitiert. Aber der Psalm endet in einem hymnischen Stil der Hoffnung: Der Herr »hat nicht verachtet. . . das Elend des Armen und sein Antlitz vor ihm nicht verborgen«, heißt es (in Vers 25) und »da der Arme zu ihm schrie, hörte er's«. Jesus hat, wie jeder Jude, immer den ganzen Psalm gebetet. Wie einer von uns, der – so Erich Fromm – anfängt »in einem Zustand der Verzweiflung. Und dann überwindet er die Verzweiflung. Aber sie kommt wieder. Dann überwindet er sie wieder. Und erst, wenn die Verzweiflung ihren tiefsten Grund, ihre größte Intensität erreicht hat, kommt wie ein Wunder plötzlich eine Wendung und eine jubilierende, gläubige, hoffnungsfreudige Stimmung.«

»Aus Totem macht er Leben« – eine Oster-Garantie? Wiederauferstehen können, wenn man ganz unten ist – ein Stirb-und-Werde-Gesetz? Diese Osterbotschaft ist absolute Hoffnung. Eine Hoffnung wie ein Gewitter. Und wenn es die Luft gereinigt hat, ist es schon über alle Berge weitergezogen. Aus Totem macht er Leben – diese alte jüdische Oster-Hoffnung schlägt ein wie der Blitz. Manche machen daraus den Hund des Menschen, der kommt, wenn man pfeift. Aber man führe diese Dinge nicht an der Leine. Man lasse sie in ihrer wunderbaren, in ihrer furchtbaren Wahrheit wachsen.

Der britische Historiker Martin Gilbert berichtet in seiner eben erschienenen Monographie »The Holocaust« von dem sechzehnjährigen Zwi Michalowski. Am 27. September 1941 sollte er mit über dreitausend anderen litauischen Juden umgebracht werden. Er aber stürzt in die Grube unmittelbar bevor die Salve die anderen trifft. In der Nacht darauf kriecht er aus dem Massengrab und flieht ins nächste Dorf. Der erste

Bauer, der ihm öffnet, sieht ihn, nackt, beschmiert mit dem Blut der anderen, weist ihn zurück: »Jude, geh zurück ins Grab, wo du hingehörst.«

Verzweifelt beschwört Zwi Michalowski schließlich eine ältere Witwe: »Ich bin Dein Herr, Jesus, Christus. Ich bin vom Kreuz gestiegen. Sieh mich an – das Blut, der Schmerz, das Leiden der Unschuldigen. Laß mich ein.« Die Witwe, erinnert sich Zwi, warf sich ihm zu Füßen und versteckte ihn drei Tage. Dann machte sich der junge Mann auf in den Wald. Den Krieg überlebte er dort. Als Partisan. Hoffnung auf Erlösung, für Zwi Michalowski ist sie nur aufrechtzuerhalten im Widerstand.

Anmerkung

1 Eine erste Kurzversion dieses Textes brachte »Die Zeit« Ostern 1986

GUY W. RAMMENZWEIG

VOM ERSCHRECKEN ZUR SOLIDARITÄT

Persönliche Anmerkungen zu Wegen in die Pastoralpraxis

Was hat Theologie mit der Person zu tun, die sie treibt? Gewiß, unsereiner hat gelernt, zwischen existenziell und existential zu unterscheiden. Und das Leben jener Theologen, die uns als groß gelten, haben wir emsig studiert. Wie aber nun und zudem bei der Praktischen Theologie, wenn es um die eigene Person, um das eigene Leben, um das eigene Überleben geht – und sei es noch so klein?

Wie, wenn einer auch nach Auschwitz noch Gedichte schrieb? Wie, wenn er sein theologisches Denken und Handeln so verstand, deutete und verrichtete, »daß Auschwitz nicht noch einmal sei«[1]?

Meine Generation gehört zu den Überlebenden. Was das vom Holocaust her bedeuten könnte, das hat diese Generation erst sehr spät – wenn überhaupt – zu begreifen begonnen. Manchmal kam es mir so vor wie mit dem Begreifen der Tora, von dem der Beter in Psalm 119 sagt: »Mehr als all meine Lehrer darf ich begreifen, denn deine Zeugnisse sind mir das Sinnen.«[2]

Von solchem Sinnen, von dieser Art des Begreifens, vom Praktisch-theologisch-Werden des Biographischen soll hier Auskunft gegeben werden. Ein Stück weit – wie Gert Otto gern sagt.

Vom Erschrecken

Das Erschrecken gehört zur Theologie. Wer nicht mehr erschrickt, wie kann der unerschrocken werden?

Das lebenslange Erschrockenbleiben über die Schoah, über den Holocaust, hat den, der es erlebt, zunächst vereinzelt und aus vielem herausgenommen, was in dieser Republik vielen schon wieder Gewohnheit und unverstandene Selbstverständlichkeit geworden ist. Die Vernichtung der »anderen« – noch immer macht es auch die anders, die daran Erinnerung bewahren und Gedenken üben. Erstaunte Rechenschaft ist aber darüber zu geben, wie solches Erschrockensein sich über das Vereinzeln und Anderswerden und Anderssein hinaus zu neuer Verbindung und neuer Verbindlichkeit entwickeln kann. Hiervon ist in einem ersten Schritt zu berichten.

Kindheitserinnerungen des Erschreckens haben jene Phase begleitet, während der ich wohl auch sonst »aus des Vaters Hause« gezogen wäre.

In meinem Fall war es ein schrecklicher Abschied. Um nicht wie Lots Frau zu erstarren, gab es nicht einmal ein Zurückblicken, für lange, lange Zeit. Aber auch andere Väter mußten verlassen werden. Zunächst die nahen, fernerhin die fernen, am Anfang die kleineren, späterhin die größeren.

Nach einigem Studium und jenem Zauber, den Theologie immer für mich gehabt hat, gab es die Erfahrung erschrockenen Sehens dann auch in ihr. Dieses Erschrecken meinte mich selbst: daß auch ich so lebte, als wäre nichts geschehen, mit Gott reden zu können, wie es die Väter und Mütter gelehrt hatten und noch immer lehrten.

Charlotte Klein hat dieses Erschrecken über das Lehren dieser Väter (weniger der Mütter) dann dokumentiert.[3]

Was mir selber – und dann erst ganz kraß, ganz unüberhörbar – dieses Erschrecken vertiefte, waren Jahre, während derer ich nicht nur »aus des Vaters Haus«, sondern auch »aus dem Vaterland und aus der Verwandtschaft« gezogen war. Aus der Ferne hatte ich die Ermordung israelischer Sportler bei den Olympischen Spielen in München miterlebt, hatte trauern gelernt darüber – und über anderes. Das war in der Ferne, doch in der Nähe jüdischer Gemeinden. Wie schon einmal früher, als in einer jüdischen Familie in Frankreich mir Familie begreifbar geworden war, als wäre es das erste Mal, so auch dann und dort als »postgraduate« in einem südkalifornischen Seminar: ich erfuhr, anders zu fühlen, anders zu glauben, anders Partei zu ergreifen – anders geworden zu sein.

Zurückgekehrt in das »Haus der Väter« mit der Verwirrung dessen, dem die altehrwürdigen Begrifflichkeiten deutscher Theologie nun vergriffen und vermessen erschienen, las ich also bei Charlotte Klein und dann auch bei Rosemary Ruether[4], die ich in den USA persönlich kennengelernt hatte, nach, was ich selber zuerst mit Schmerzen, dann mit Wut, dann mit eigenem Neu- und Umlernen zu erkennen und als Datum zu konstatieren gehabt hatte: die Vergiftung christlicher Theologietraditionen mit Antijudaismus, und zwar von den Wurzeln her bis in heutige, munter sprossende Zweige hinein.

Ich verlor verehrte Theologenväter. Verlor einst geschätzte Prediger. Verlor den alten Helden- und Heiligenhimmel. Sah viele Feuer brennen, deren Glut und Hitze bis zu den Krematorien hechelte.

Damals kannte ich hierzulande wenige, mit denen dann einer wie ich hätte reden können. Und 1978, als wir an den Novemberprogrom 1938 dachten, war ich noch immer wie gelähmt, sprachlos und gescheitert an den Üblichkeiten einer Gedenkpraxis, die das Gefährliche der Erinnerung[5] offiziell zu betäuben leicht in der Lage war. Im selben Jahr hatten Jungfunktionäre der Kirche, zu denen ich damals zählte, immerhin schon gegen eine andere, gerade im »linken« Spektrum verbreitete Doktrin ihre Stimme erhoben: gegen den Antizionismus, in dem sich hierzulande Antisemitismus oft nur locker tarnte. Diese Stimme erhob sich im Rah-

men einer Delegation bei den Weltjugendfestspielen 1978 in Havanna.
Auch das war noch weit, weit weg. Aber es war wie ein Üben für hier.

Nach Schmerzen, nach Wut und erstem Aufschreien dann also das
Neulernen: die Neonazi-Gruppen wuchsen wieder, die beginnende Ju-
gendarbeitslosigkeit ging einher mit neuem Rechtsextremismus, und da
hatte die kirchliche Jugendarbeit, in der ich noch immer »meine« Theologie versteckte, das zu tun, was man landläufig die Auseinandersetzung
mit diesen Erscheinungen nannte. Wir lernten nach, arbeiteten auf und
versuchten, für die kirchlich-pädagogische Arbeit mit Jugendlichen das
zu buchstabieren, was Adorno gemeint hatte.[6]

Kurz darauf, im Jahr 1980, hat dann das Umlernen auch an anderer
Stelle so etwas wie Umkehr und Erneuerung für mich und manche
andere in der Kirche geöffnet: die Landessynode der Evangelischen
Kirche im Rheinland faßte – fast einstimmig! – einen Beschluß »zur
Erneuerung des Verhältnisses von Christen und Juden.«[7]

Darin versuchte eine Kirche, sich dem Datum des Holocaust auch
praktisch-theologisch zu stellen, sich Rechenschaft zu geben über die
eigenen antijudaistischen Denktraditionen und neu zu beschreiben, was
der Kirche wahre Wurzel ist – jenes Pauluszitat über die Wurzel, die mich
trägt (Röm. 11, 18b) steht dem Beschluß sogar voran. Dieser Beschluß
war – in deutscher Sprache – das erste Dokument, das Menschen wie mir
die Arbeit in der Kirche auf Dauer möglich machte. Im selben Jahr ging
ich in eine Gemeinde, gab damit das erschrockene, wütende und zum
Teil akademische Versteck meiner unvermittelten und praktisch gelähm-
ten Theologie auf und probierte, wie es wohl wäre, praktischer Theologe,
ja Pastor für Menschen in diesem Land zu sein – für Menschen also, die
selber oder deren Eltern ja dabeigewesen waren, als Luthers und anderer
Väter böse Saat millionenfach tödlich aufgegangen war.

Von Erfahrungen

Vermintes Niemandsland – so erfuhren Leute wie ich eine christliche
Gemeinde mit all dem Unbedachten und Verdrängten in der ersten
Generation nach der Befreiung vom Faschismus.

In den Minen solchen volkskirchlichen Geländes würde ich hängen-
bleiben, prophezeiten wohlmeinende Freunde. Und tatsächlich: nur
oberflächlich vergraben, eher hastig versteckt, lagen da verschwiegene,
verdrängte und ins Vergessen gejagte Tatsachen, Untatsachen, herum.
Unmöglich, sie zu umgehen. Schnell hieß es, der da predige aber jüdisch.
Rasch gab es Ärger, als ich mich zu den qualvollen Erfahrungen der
Zeugen im Majdanek-Prozeß äußerte, öffentlich und in Leserbriefen.
Aufregung entstand, als ich die NS-Geschichte der Gemeinde nicht nur
kennenlernte, sondern weitererzählte. Aber ich entdeckte auch, daß darin

nicht die ganze Gemeinde enthalten war. Wie immer, wenn etwas klar vertreten wird, hellt sich auch das Gelände insgesamt auf.

Beispiele wären zu nennen: Predigt, Seelsorge, Unterricht und die ganze Pastoral – unausweichlich ist das Erinnerungsarbeit und so und so gerade erst »praktische Theologie«. Menschen wollen sich erinnern. Sie brauchen dazu aber wirklich Zuhörende. Das hatte ich also zu lernen: daß mein Zuhören ein Aussprechen jener Erinnerungen freisetzte, die sonst unter verkleistert-nostalgischen Reminiszenzen erstickt werden. Es gab Zeugen; es gab und gibt in der Kirchengemeinde »Dabeigewesene«. Aus ihren Erinnerungen fügte sich ein Bild zusammen, das schmerzhaft Heimat und Holocaust zusammenzwingt. Und ich wurde zum Mitwisser, manchmal zum Beichtvater – und sah in alledem Zusammenhänge mit meiner gewöhnlichen Landpastoral; etwa darin, daß Verdrängtes und Nicht-Erinnertes tatsächlich zerstörerisch weiterwirken können, sogar bis ins Sterben hinein.[8] So trieb mich die Seelsorge zum Aussprechen des Unausgesprochenen; so wurde die Predigt immer wieder zum Versuch, Wege aus der Verdrängung zu zeigen, Pfade ins kollektive Erinnern zu bahnen. Das Erzählen des Geschehenen, das sich verband mit dem Erzählen der Geschichte Israels und der Geschichte Jesu, geriet zum Gebot des Gedenkens, wurde zur Pflicht des Erinnerns.

Zur selben Zeit, ausgelöst oder ermutigt durch den erwähnten Synodalbeschluß der Rheinischen Kirche, begannen viele Gemeinden, ihre Erinnerungen zu sichern. Wo in der Nachbarschaft Juden gewohnt hatten, wo sie zum Gottesdienst gegangen waren und was in der Nazi-Barbarei mit ihnen geschehen war: überall fragten Gruppen in den Gemeinden danach, sammelten Dokumente, stöberten in Archiven – ja, versuchten, mit Überlebenden in Kontakt zu kommen. In der Nachbargemeinde hatte es eine kleine Synagoge gegeben. Die Gemeinde trug zusammen, was noch zu erinnern, zu wissen war. Eine Gedenktafel wurde angebracht, eine Foto-Ausstellung wurde aufgebaut. Und schließlich wurden Gespräche nicht bloß erinnert, sondern mit Überlebenden neu angeknüpft – nach 45 Jahren. Das ist das eine. Ein anderes ist mühseliger, geht tiefer.

Von der solidarischen Existenz

Wie wäre in der Predigt, wie im kirchlichen Unterricht, wie im Alltäglichen einer Landpfarrstelle eine Zeugenschaft für Israel nicht nur historisch, sondern aktuell zu verwirklichen?

In meinem Fall war hierbei ein wichtiger Begriff der des Pharisäers. Es ist ein kirchlicher terminus technicus geworden, ein Antisemitismus schlechthin – und ist es noch immer, trotz Aufklärung und unzähliger Seminare, trotz überall leicht zugänglicher Information zur Sache.[9] Bei solchen Begriffen kommt es zum Schibboleth: Lasse ich zu, daß das darin enthaltene neutestamentliche Vorurteil und seine frühchristliche Polemik weitergehen und damit auch das Gift weitertransportieren, das die Kirche darin in immer wieder neu verwendbarer Konzentration aufbewahrte? Wie bei allen Vorurteilen, wie bei allen Formen der Menschenverachtung oder des Rassismus überhaupt kommt es darauf an, sich zu entscheiden: Höre ich darüber hinweg, wenn und wo das Gift weitergereicht wird – oft sogar in Predigten! –, oder widerspreche ich, stehe ich auf und unterbreche ich das Gewohnte, den gewöhnlichen Antijudaismus im Alltag einer Kirchengemeinde? Und: Kann ich das denn auch tun im seelsorgerlichen Gespräch, bei einem Krankenbesuch oder in »sonst« freundlich entspannter Runde?

Wer das antijüdische Spiel im gewöhnlichen Alltag der Christen unterbrechen will, kann nicht anders, als immer wieder zum Spielverderber zu werden. Das bringt einen Pastor in viele Situationen, die allen Beteiligten wehtun, ehe sie wohltun. Meine Erfahrung ist paradoxerweise, daß jene Momente schwerer zu ertragen waren, in denen der altböse Antipharisäismus bei Wohlgesonnenen, bei Kolleginnen und Kollegen, auftrat – bei jenen also, die davon ausgehen, sie hätten ihre Lektion gelernt.

Etwas Wichtiges kommt bei der beschriebenen Zeugenschaft unumgänglich hinzu: Ich selber, der da unterbricht, aufsteht, widerspricht und Trennungslinien zieht – ich selber werde anders. Klarheit in der Sache läßt mich erkennen, wer ich bin[10], führt über die »anamnetische Solidarität«[11] zur existenziellen Solidarität.

Was ist damit gemeint?

Es ist eine andere Art der Aufnahme des Judentums. Die herkömmliche Haltung des Christentums zum Judentum besteht darin, daß Israel als Vorläufer, als Negativbeispiel oder bestenfalls als überalterte Schwester des »neuen« Gottesvolkes gesehen und angenommen, angeeignet und enteignet wird. Israels Lobgesänge, die Psalmen, singt auch die Christenheit, aber fast immer durch ein trinitarisches Gloria ergänzt. Israels Bibel, der Tenach, wurde in diesem Sinne als »Altes Testament« dem »Neuen« bei- und untergeordnet und noch immer gibt es »Bibel«-Ausgaben, in denen dann die Hebräische Bibel bloß in Auszügen geschmäcklerisch geplündert, aber nicht als ganze Schrift ernstgenommen wird. Was wäre nun eine andere Art der Aufnahme und Annahme jüdischer Tradition, was wäre ein Ernstnehmen der Aussage, daß mich die Wurzel trägt?

In meinem Fall führte die anamnetische Solidarität als Erinnerungsumlernen zur Vergegenwärtigung als existenzieller Solidarität. Auch dies ging nicht ohne Erschrecken ab. Ich erschrak darüber, daß ich, trotz allen theologischen Erinnerns jener simplen Tatsache nicht inne geworden war, daß hier in meiner Nähe Juden lebten, arbeiteten, beteten. In der Trauer über den Holocaust waren die Augen für jene geschlossen, die lebten, überlebt hatten und zurückgekehrt waren. Mut hatten, hier zu existieren. Es gibt kein »Spätjudentum« – es gibt ein lebendiges sogar in dieser Republik wieder lebendes Judentum.[12] Ich erschrak deswegen über mich so sehr, weil mir die in der Bundesrepublik Deutschland und in der Deutschen Demokratischen Republik »relativ« kleine Zahl der Juden so lange Zeit wie eine quantité négligeable gewesen war. Die eine Schoah hatte eine neue, innere, gezeugt.

So, fürchte ich, geht es noch vielen.

Aber die Erkenntnis, daß auch hierzulande regelmäßig die Tora gelesen und das »Adon Olam« gesungen werden, machte im tiefsten Sinne aus der theologisch-anamnetisch und quasi theoretischen Solidarität erst eine wirkliche, existenzielle Solidarität. Eintreten für Israel und z. B. Zurechtrücken dessen, was pharisäisches Leben und Denken in Wahrheit war und ist – dies hörte nun auf, abstrakte Zeugenschaft zu sein, blieb nicht mehr bloße Arbeit in den Köpfen der Landsleute.

Jeder Protest gegen die brutale Vergleichgültigung des Holocaust, jeder Leserbrief: jetzt wurden sie zu einem Weg, auf dem ich Weggenossenschaft fand. Jetzt gab es Anlässe, wo meine Stimme laut zu werden hatte für jene, die manchmal müde geworden waren, immer wieder ihre eigene Stimme für ihre Sache und die anderer zu erheben. Oft genug war ihre Sache nun meine, ihr Schmerz bei mir, ihre Ungeduld meinem Zorn verschwistert und ihr aktuelles Erschrecken über Grabschändungen, über Bitburg, Faßbinder, Korschenbroich und vieles und viele andere fand in mir Echo, verstärkte sich, wurde lauter.

Aus der Vereinzelung des Anderswerdens entstand neue Verbindung, neue Bindung.

Dies betraf zu meiner Überraschung bald auch den persönlichen Glaubensstil, die Meditation und das Gebet.

Vom Beten

In einem seiner Bücher – und nicht zufällig schrieb derselbe Autor auch »von der geistlichen Kraft der Erinnerung«[13] – schildert H. J. M. Nouwen, wie in gemeinsamer stiller Kontemplation mit einem Studenten die Erfahrung der Heiligung zum Band zwischen zwei Menschen wird. Beim Abschiednehmen sagt der Freund: »Von nun an ist, wohin Sie auch gehen und wohin ich auch gehe, alles Land zwischen uns heiliger Boden.«[14]

Die Heiligung des Gewöhnlichen und Alltäglichen – das ist eine jener Linien jüdischen Glaubens, die unsereiner noch zu entdecken hat: der Familientisch wird zum Altar, wenn der Schabbath empfangen wird.

Und weitere viele Anlässe gibt es, bei denen der Name des Heiligen Heiligung öffnet. Wovon ist die Rede?

Von den Berachoth, den »Segenssprüchen«, die kürzlich im protestantischen Bereich durch die Lima-Texte[15] wiederentdeckt wurden. Alltägliches und Besonderes im Alltag, Gewöhnliches und das Ungewöhnliche im Gewöhnlichen – eine darüber gesprochene Beracha setzt es mit dem Heiligen in Beziehung und heiligt es dadurch, verleiht ihm Würde durch die Lobpreisung dessen, in dem alle Würde ist.

Im Umgang mit solchen Segenssprüchen für das eigene Leben ergaben sich ungeahnte Erfahrungen: Spricht man z. B. zum ersten Mal die Beracha »BARUCH ATTHA ADONAJ ELOHENU MELECH HA'OLAM SCHE'ASAH LI NES BAMMAKOM HADSE! (Gelobt seist du, Ewiger, unser Gott, König der Welt, der du mir ein Wunder an diesem Orte erwiesen.)«[16], dann ist es eine Kennzeichnung eines bestimmten Ortes, »an dem man einst einer großen Gefahr entgangen ist.«[17] Beim wiederholten Lobpreis an derselben Stelle kommt bald aber auch das Erinnern anderer Orte, an denen es ebenfalls angebracht wäre, dieselbe Beracha zu sprechen. Wer das dann tut, immer tut, erkennt weitere geeignete Orte für eben diesen Segensspruch. So entsteht ein Netzwerk von vielen Orten und Punkten, Erinnerungen und Vergegenwärtigungen. Das Alltägliche wird verwandelt, bekommt eine neue Art Würde; das Gewöhnliche hält Dialog mit dem Ungewöhnlichen. Eine Ahnung kommt auf, eine winzige Spur für das wird sichtbar, was die jüdische Tradition als Erfahrung mit der Schechina kennt.[18]

Solche Erfahrungen zeigen dieselbe Dialektik wie das oben beschriebene Parteinehmen: Das Anderswerden, bzw. die Veränderung der Glaubensweise, führen einerseits zu einer schärferen Individualität und zur Vereinzelung, schaffen andererseits aber auch neue Verbindungen und Anbindungen.

Ähnliches wäre zu schildern, wo andere Linien jüdischen Glaubens vorsichtig nach-erspürt werden: etwa beim Pensum der Sidroth im Jahreswochenzyklus,[19] bei Festen und beim jüdischen Kalender oder beim Hineinhören und Mitsprechen klassischer Synagogengebete.

Eine jüdische Gesprächspartnerin, befragt, wie sie solches Ertasten ihrer Tradition empfinde, bestätigte die vermutete Ambivalenz: daß sich Leute wie unsereiner so hineinbegeben in das lange Unbekannte und Verkannte, ist auf der einen Seite ein Anzeichen veränderten Sehens, aber auf der anderen Seite ist auch die Gefahr erneuten Ausplünderns und Mißbrauchens nicht gebannt. Im jüdisch-christlichen Gespräch, beim christlichen Umdichten israelischer Lieder und selbst bei Terminplanungen in der jüdisch-christlichen Gesellschaft gibt es Belege für manche Verletzungen.[20]

Von Möglichkeiten

Die Rede war vom theologischen Erschrecken und von neuen Erfahrungen einer pastoralen Praxis, die vom Erschrockenbleiben als Erinnerungsarbeit bestimmt ist. Die Rede war vom Anderswerden, das vereinzelt und neu verbindet, indem es Partei ergreift. Und die Rede war von der Begegnung des Heiligen im Alltäglichen.

Gibt es über diese persönlichen, subjektiven Erfahrungen hinaus eine Dimension, die Möglichkeiten praktischer Theologie allgemein in den Blick bekommt? Ich nenne stichwortartig meinen Wunschzettel.

Stichwort 1: Schriftauslegung

Die Zahl der Buchtitel, in denen Revisionen christlicher Schriftauslegung durch das Gespräch mit der traditionellen und aktuellen rabbinischen Exegese unternommen werden, ist in den letzten Jahren deutlich angewachsen.[21] Viel hat hier die Übung jüdisch-christlicher Bibeldialoge auf den evangelischen Kirchentagen[22] in Gang gesetzt. Auch quasi freibeuterische Formen mit Bestseller-Anstrich[23] hat der Markt begierig aufgenommen. Erste Ansätze im Bereich westdeutscher Fakultätstheologie gibt es nun auch – Ansätze, die über die schnelle Trouvaille hinausreichen.[24] Ganz im Anfang steht aber hierzulande noch die Aufnahme rabbinischer Auslegung ins reguläre Theologiestudium.[25] Die Hürde der hebräischen und aramäischen Sprache bleibt. (In den Niederlanden sieht das z. B. anders aus. Theologien wie die von K. H. Miskotte tragen dort noch immer und neue Früchte.[26])

Es ist zu hoffen, daß auch uns hier noch ein reiches Entdecken und Augenaufgehen bevorsteht. Aus der eigenen Arbeit wird deutlich, daß dabei manche christlichen Exegese-Schlagwörter (Gesetz und Evangelium, AT versus NT, »was Christum treibet«) aufhören müssen, zuzuschlagen. Aber auch neue Verbindlichkeiten stellen sich ein, etwa ein neuer Respekt vor Text und Kanon – trotz und jenseits der nötigen traditionell analytischen Exegese.

Stichwort 2: Kirchlicher Unterricht

P. von der Osten-Sacken hat einen interessanten Versuch über die Dialogisierung von Katechismus und Siddur vorgelegt.[27] Dieses Unternehmen ist eine Oase für den, der Quellen noch aufzusuchen sich bemüht. In der allwöchentlichen Praxis des kirchlichen Unterrichts einer Gemeinde hat sich jedoch gezeigt, daß schon viel erreicht ist, wenn z. B. das Abendmahl im Traditionszusammenhang mit Pessach, also mit der Sederfeier gesehen wird[28], oder wenn andere erlebbare Gemeinde-Erfahrungen in die biblische Tiefendimension zurückgespiegelt werden. Bar (Bat-) Mizwa und Konfirmation liegen da gar nicht so weit auseinander.

Stichwort 3: Seelsorge

Im Wochenabschnitt »ZAW« wird beschrieben, wie Mose den Aaron zum Priester salbt: Widderblut aufs rechte Ohr, an den rechten Daumen und den rechten Zeh (Lev./Wajjikra 8, 23). Der Rabbiner H. I. Grünewald deutet dies in seiner Schriftbetrachtung als Hinweis auf die Aufgaben von Seelsorge und Gemeindeleitung: hören können, handeln können, hingehen können. Er schreibt: »Dies ist der Sinn des Blutes auf dem Ohr, der Hand und dem Fuß des Priesters aller Zeiten.«[29] Prägnanter läßt sich Seelsorge kaum zusammenfassen.

Dennoch ist oben bereits erwähnt, daß die Schlüsselkategorie »Erinnern« in der Seelsorge einer deutschen Gemeinde an ein besonderes Problem heranführt: Es ist das Phänomen des Verdrängens, die Unfähigkeit, zu trauern, das Unvermögen, Schuld zu erkennen, zu bekennen und zu übernehmen.[30] In der Aufbauphase nach dem Krieg haben viele in diesem Land sich verbaut und zuzementiert, was ihre Verarbeitung eigenen Mitläufertums, eigenen Mitmachens hätte sein können. Sich dies nicht eingestehen zu wollen oder zu können, hat bewirkt, auch jetzt noch Verfehlungen nicht sehen zu können und bei aktuellen Erfahrungen von Schuld starr zu bleiben. Seit einiger Zeit haben Psychoanalytiker nun sogar Anhaltspunkte dafür gefunden, daß nicht selten diese Haltung der Väter und Mütter sich auch in oft paradox veränderter Form bei ihren Kindern Bahn gebrochen hat.[31] In der Gemeindepastoral sind solche Beobachtungen und Erfahrungen beinahe alltäglich. Weh dem, der hier keine Ohren hat, zu hören, und keine Augen, zu sehen!

Als letztes Stichwort, noch einmal: Beten

Jesu Vater-Gebet und die Anrufung Gottes als »unser Gott und Gott unserer Väter«[32] in der jüdischen Tradition zeigen gemeinsam, daß im Gebet jene Väter und jener Vater vergegenwärtigt werden, mit denen es der Glaube zu tun hat. Im Gebet auch nach Auschwitz, im Gebet, daß Auschwitz nicht noch einmal sei – für keinen Menschen auf der Welt –, da erst bekommt Theologie es mit dem zu tun, der sie in Wahrheit treiben soll, bekommt sie eine Praxis, die täglich aus Ägyptenland hinausführt.[33]

Anmerkungen

1 T. W. Adorno, Erziehung nach Auschwitz (85–101) in: ders., Stichworte/Kritische Modelle 2, Frankfurt 1970, S. 85.
2 So Bubers Übersetzung von V. 2 in: M. Buber, Das Buch der Preisungen, Heidelberg 1982, S. 179.
3 Ch. Klein, Theologie und Antijudaismus, München 1975.

4 R. Ruether, Nächstenliebe und Brudermord, München 1978.

5 vgl. hierzu H. Peukert, Wissenschaftstheorie – Handlungstheorie – Fundamentale Theologie, Düsseldorf 1976, neu: Frankfurt 1978, S. 331; J. B. Metz greift diesen Ansatz auf und bezieht ihn auf die »memoria Christi«: ders., Glaube in Geschichte und Gesellschaft, Mainz 1978/2. Aufl., S. 98 f.

6 vgl. unter Anm. 1; Ergebnisse dieser Arbeit waren u. a. »aej-Materialien zum Thema Faschismus«, Okt. 1978: Der Pogrom am 9. November 1938, hg. v. AEJ, Stuttgart 1978 und später: »aej-Materialien 9«: Erziehung zur Vernichtung, hg. v. AEJ, Stuttgart 1980. (AEJ=Arbeitsgemeinschaft der Evangelischen Jugend in der Bundesrepublik Deutschland und Berlin West e. V.).

7 So auch der Titel der Handreichung Nr. 39, hg. v. der Evangelischen Kirche im Rheinland, Düsseldorf 1985/2. Aufl.; zur Sache und ihrer Diskussion vgl. auch B. Klappert/H. Starck (Hg.), Umkehr und Erneuerung, Neukirchen 1980.

8 Vgl. dazu den Abschnitt über »Möglichkeiten«, Stichwort 3.

9 Klassisch etwa: L. Baeck, Die Pharisäer, Berlin 1934; ferner J. Neusner, Das pharisäische und talmudische Judentum, Tübingen 1984.

10 Vgl. dazu Rosenzweigs Ausdruck von der »Verwurzelung ins eigene Selbst« und seine Gegenüberstellung von Er-Innern und Selbstentäußerung, S. 453 in: F. Rosenzweig, Der Stern der Erlösung, nach der 4. Aufl., Haag 1976.

11 Dieser Begriff stammt ebenfalls von Peukert, vgl. Anm. 5, ebenda.

12 Vgl. dazu M. Brocke, Warum in der jüdischen Geschichte nicht gestorben wird (157–163) in: R. Walter, Das Judentum lebt – ich bin ihm begegnet, Freiburg 1985.

13 H. J. M. Nouwen, Von der geistlichen Kraft der Erinnerung, Freiburg 1984.

14 Ders., Der dreifache Weg, Freiburg 1984, S. 39.

15 »Taufe, Eucharistie und Amt«/Konvergenzerklärungen der Kommission für Glaube und Kirchenverfassung des Ökumenischen Rates der Kirchen, Frankfurt 1982, S. 19 (Abschnitt 3); Liturgietexte dazu in: M. Thurian, Ökumenische Perspektiven von Taufe, Eucharistie und Amt, Frankfurt 1983, Eucharistie S. 213–235, Segenssprüche S. 230 (Nr. 17).

16 Zitiert nach Sidur Sefat Emet, mit deutscher Übersetzung von Rabbiner Dr. S. Bamberger, Basel 1980, S. 292.

17 So im Sidur die Beschreibung des Anlasses, a. a. O., S. 292.

18 Vgl. F. Rosenzweig, Stern der Erlösung, a. a. O., S. 456.

19 Dazu H. Stroh, Juden und Christen – schwierige Partner, Stuttgart 1983, wo S. 50–54 seine Erfahrungen beschrieben sind.

20 Ich habe selber erlebt, wie Christen in einer solchen Gesellschaft Gedenkveranstaltungen in den Schabbath hineinplanten.

21 Aus der Fülle seien stellvertretend zwei Titel genannt: N. P. Levinson, Ein Rabbiner erklärt die Bibel, München 1982 und J. J. Petuchowski, Wie unsere Meister die Schrift erklärten, Freiburg 1982.

22 Eine Sammlung davon ist jetzt erschienen: E. Brocke, G. Bauer, Nicht im Himmel, nicht überm Meer, Neukirchen-Vluyn 1985.

23 So kommen mir – mit Verlaub – einige Titel von P. Lapide vor.

24 Eine dem Anliegen gerecht zu werden versuchende Einleitung ins AT hat Rolf Rendtorff vorgelegt: Das Alte Testament/Eine Einführung, Neukirchen-Vluyn 1983; ähnlich G. Fohrers jüngste Titel.

25 Anfänge sehe ich bei P. von Osten-Sacken: Anstöße aus der Schrift, Neukirchen-Vluyn 1981; ders., Grundzüge einer Theologie im christlich-jüdischen Gespräch, München 1982.

26 K. H. Miskottes »Het Wezen der Joodsche Religie« ist jetzt (Kampen 1982) in 4. Auflage erschienen; zum Diskussionsstand vgl. OJEC (= Overlegorgaan van Joden en Christen in Nederland) (Hg.), Vreugde om de Tora, Kampen 1984.

27 P. von der Osten-Sacken, Katechismus und Siddur, Berlin/München 1984.
28 Zur Sache siehe D. Flusser, Bemerkungen eines Juden zur christlichen Theologie, München 1984, dort S. 66–81: Die Sakramente und das Judentum.
29 Abgedruckt in der »Allgemeinen Jüdischen Wochenzeitung« vom 16. 3. 1984 (Verlagsort damals noch Düsseldorf), S. 10.
30 »Als ichs verschweigen wollte,/morschten meine Gebeine/von meinem Geschluchz alletag,/...« übersetzte M. Buber (a. a. O., S. 49, vgl. Anm. 2) V. 3 aus Psalm 32; über jüdische Erfahrungen in dieser Frage berichtet S. Shapiro in CONCILIUM 5/ 1984 (20. Jg.), S. 363–369: Vom Hören auf das Zeugnis totaler Verneinung; zum Begriff »Erschrecken« vgl. ebenda S. 369–375 A. Cohen, In unserem schrecklichen Zeitalter: Das Tremendum der Juden.
31 Hierzu D. von Westernhagen, Der Januskopf – Ergebnisse einer Grabung (316–330) in: Familiendynamik, Stuttgart 10/1982 und dies., Ererbte Verdrängung/Kindheitstrauma aus der NS-Zeit (630 f.) in: Evangelische Kommentare, Stuttgart 11/1985; für 1987 plant der Verf. mit anderen ein therapeutisches Seminar hierzu unter der Leitung des New Yorker Psychoanalytikers Y. Zieman.
32 Zur Anrufungsform »ELOHENU WELOHEJ AWOTHENU« gibt es eine reiche jüdische Auslegung, vgl. hierzu F. Rosenzweig, a. a. O., S. 448.
33 H. Halbfas zitiert in seiner Gebetsschule den bekannten Ausspruch des Maggid von Kosnitz: »An jedem Tag soll der Mensch aus Ägypten gehn.« (S. 147) – H. Halbfas, Der Sprung in den Brunnen, Düsseldorf 1981.

HENNING LUTHER

DER FIKTIVE ANDERE

Mutmaßungen über das Religiöse an Biographie

> »...die Aufmerksamkeit des Menschen
> mehr auf den Menschen selbst zu heften
> und ihm sein individuelles Dasein wich-
> tiger zu machen.«(Karl Philipp Moritz,
> Anton Reiser, 1. Teil Vorrede, 1785)

I

Leben und Schreiben kommen in der Biographie zusammen. Dies gilt – dem Wortlaut Bio-graphie folgend – in erster Linie natürlich für jene (Auto-)Biographien, die geschrieben werden, damit sie (von anderen) gelesen oder gehört werden. Dies trifft aber in zweiter – indirekter und abgeleiteter – Linie auch für das unge- und unbeschriebene Leben eines Menschen zu, das *als solches* als seine Biographie gilt. Mit dem Ausdruck Biographie bezeichnen wir also sowohl jene Lebens*darstellungen* und Lebens*beschreibungen,* die in einer entäußerten, gestalteten Form anderen Einblick in ein (mein) Leben geben, als auch das gelebte Leben in seinem wie auch immer gearteten Zusammenhang selber. Neben die Biographie, die man lesen (hören) kann, tritt die Biographie, die »man hat« – und beides hängt voneinander ab. Die Lebens*beschreibung* bezieht sich auf das gelebte Leben, auf die Biographie, die »man hat«. Die Biographie, die »man hat«, die das gelebte Leben selber meint, ist immer schon eine – wie auch immer – reflektierte Gestalt des Lebens. Die Biographie, die »man hat«, hat mit der geschriebenen Biographie dies gemeinsam, daß sie die Unmittelbarkeit gelebten Lebens verlassen und die Ebene der Reflexion *über* das Leben betreten hat. Denn auch die Biographie, die »man hat«, ist nicht einfach (mit dem Lebensvollzug) gegeben, sondern – wie bei der Biographie der Lebensbeschreibung – »gemacht«, hergestellt (Poiesis), konstruiert – im nichtwörtlichen Sinne: geschrieben.

Um aus gelebtem Leben, aus dem unmittelbaren Lebensvollzug eine Biographie zu machen, bedarf es eines »Autors«, der das »Material« gelebten Lebens zu einer wie auch immer gearteten Gestalt formt, die (für andere) wahrnehmbar wird. Biographie ist ein Konstrukt[1] – dies gilt nicht nur für die nachlesbaren, veröffentlichten Biographien, sondern auch für die nichtliterarische Biographie, die »jeder hat«.

Insofern ist jede Biographie, die »man hat«, in nuce auch eine »geschriebene« Biographie. Unter einer Biographie, die »man hat« oder – wie besser zu formulieren wäre – die man sich zurechtlegt, kann »jene auf Kommunizierbarkeit angelegte ›Theorie‹ verstanden werden, die sich Menschen über ihren Lebenslauf machen und innerhalb derer der Ablauf der Lebensereignisse und deren Bedeutung zu einer unzertrennbaren, künftiges Handeln vororientierenden Einheit verschmelzen«.[2]

Leben biographisch zu reflektieren, bedeutet, dem eigenen Lebensskript auf die Spur zu kommen. Die Doppelbedeutung des Ausdrucks »Biographie« hat hierin ihre sachliche Begründung und Rechtfertigung. Der Struktur nach sind »gelebte« und »geschriebene« Biographie einander ähnlich.

Von dieser Strukturähnlichkeit gehe ich aus, wenn ich im folgenden versuche, nach der religiösen Dimension biographischer Selbstreflexion zu fragen.

II

Um die Eigentümlichkeit biographischer Selbstreflexion näher zu verstehen, hilft es, sie mit den literarischen Formen autobiographischer Selbstzeugnisse zu vergleichen.

Ich möchte zwei Punkte herausgreifen.

1. Die Zeitperspektive

Literarische Formen der Selbstdarstellung haben unterschiedliche Zeitperspektiven. Es gibt vorrangig *vergangenheitsorientierte* Lebensbeschreibungen. Hierzu zählen etwa Memoiren, die vergangene Ereignisse des Lebens als solche berichten und wiedergeben. Während Memoiren die Lebenserinnerungen nach dem jeweiligen »Ereigniswert« auswählen und interpretieren, reiht die Lebenschronik relativ ungewichtet, additiv die einzelnen Lebensabschnitte in das gleichförmige Nacheinander einer Zeitabfolge. Auch der Lebenslauf, der zum Zwecke von Bewerbungen etwa erstellt wird, registriert lediglich die vergangenen Lebensphasen, und zwar in einer Auswahl, die von den speziellen Normen der jeweils angestrebten Karriere bestimmt ist. Vorrangig *gegenwartsorientiert* ist dagegen die Selbstdarstellung in Form des Tagebuchs. Im diaristischen Selbstzeugnis versucht das schreibende Ich, sich seiner momentanen Gedanken und Gefühle innezuwerden. Mögen diese auch auf Vergangenes oder Zukünftiges gerichtet sein, so geht es ihm doch um eine Vergewisserung seiner selbst im Gegenwärtigen. Allerdings ist die Zukunft als der völlig offene Möglichkeitshorizont latent, unausgesprochen mitgedacht.

Es wäre nun irreführend, ohne weitere Präzisierung zu behaupten, die literarische (Auto-)Biographie sei *zukunftorientiert*. Sie ist dies nur in einer spezifischen, modifizierten Weise. Biographien sind vom Standpunkt der *hereingeholten* Zukunft aus entworfen. Während das Ich der Memoiren (der Lebenschronik und des Lebenslaufs) sich als gewesenes Ich vorstellt und das Ich des Tagebuchs sich potentiell immer als werdendes Ich versteht, begreift sich das Ich der Autobiographie als gewordenes. Zukunft ist hier insofern hereingeholt, als eine prinzipiell offene Weiterentwicklung nicht gedacht wird.[3] Die der Biographiekonstruktion immanente Zusammenhangsforderung, die (anders als bei Memoiren, Lebenschronik und Lebenslauf) zur Identität zwischen erinnertem und erinnerndem Ich führt, verlangt auch eine (proleptische) Identität zwischen gegenwärtig erinnerndem Ich und späterem zukünftigen Ich. Während literarische Autobiographien das darin liegende strukturelle Problem dadurch zu lösen – oder besser: zu mildern – suchen, daß sie den Zeitpunkt ihrer Entstehung möglichst weit an das Lebensende heranrücken, ist dies biographischer Selbstreflexion nicht möglich (wenn anders man diese nicht dem »Lebensalter« vorbehalten will). Vor dem Hintergrund der unterschiedlichen Zeitperspektiven literarischer Selbstdarstellungen läßt sich nun die Eigentümlichkeit der Zeitauffassung in autobiographischer Selbstreflexion näher bestimmen. Sie ist mehr als der summarische Rückblick auf die Vergangenheit. Sie nimmt aber auch nicht die Stilisierung eines von seinem definitiven Ende her bestimmbaren Ganzen in Anspruch. Ähnlich wie die dem Tagebuch anvertraute Selbstreflexion blickt sie in bewußter Wahrnehmung von Gegenwart aufs Leben, allerdings dabei gleichzeitig diese überschreitend, indem die Zukunft und ihre Möglichkeiten mitgedacht werden. Autobiographische Selbstreflexion lebt also vor allem von den nichtrealisierten Möglichkeiten einer offenen Zukunft, die einen *anderen* Sinnzusammenhang des eigenen Lebens möglich erscheinen lassen, als den, den das bisherige suggeriert. Ist der Grundtenor diaristischer Selbstreflexion letztlich der *Schmerz*,[4] das Abarbeiten am Widerspruch zwischen Ich und Welt, der Schmerz beschädigten Lebens, so leugnet die autobiographische Selbstreflexion diesen Schmerz nicht, aber bindet ihn zusammen mit *Sehnsucht*. Autobiogaphische Selbstreflexion verknüpft Vergangenheit, Gegenwart und Zukunft in der *Gleichanwesenheit von Schmerz und Sehnsucht*. Mit dieser, den Schmerz nicht leugnenden Zukunftsperspektive der Sehnsucht unterscheidet sich nun »gelebte« Biographie entscheidend von den herkömmlichen literarischen Biographien, die von einem (unterstellten) zukünftigen Ende der Lebensgeschichte her einen Sinnzusammenhang des Lebens behaupten, der den Schmerz vergessen läßt.

Literarische Biographie konstruiert *vom* (meist guten) Ende *her*, autobiographische Selbstreflexion entwirft sich *auf* ein mögliches Ende *hin*. In der autobiographischen Selbstreflexion begreift sich das gegenwärtige Ich als gewordenes und werdendes zugleich, genauer noch als ein *werdendes Gewordenes*. Während die literarische Autobiographie formuliert:»Ich bin geworden«, sagt das Ich der biographischen Selbstreflexion: »Ich werde geworden sein.«[5]

2. Der Adressat

Der zweite Aspekt des Vergleichs literarischer Biographie mit der »gelebten« Biographie betrifft nun einen Punkt, von dem man auf den ersten Blick annehmen könnte, daß er lediglich auf die geschriebene (erzählte) Biographie anwendbar ist und nicht auf die Biographiekonstruktion des Lebensvollzugs übertragbar. Literarische Formen der Selbstdarstellung haben einen Adressaten. Sie wenden sich an jemand anderen. Diese formale Selbstverständlichkeit hat Auswirkungen auf die inhaltliche Intention und Gestaltung der Selbstdarstellung.

Die Memoiren bekannter Persönlichkeiten wenden sich an das Publikum der Öffentlichkeit, das sie berühmt gemacht hat. Hieraus ergibt sich ihre Intention: Sie wollen das beim Publikum erzeugte Bild bestätigen, zum Teil auffrischen, zum Teil rechtfertigen, zum Teil einiges korrigieren oder ergänzen. Dabei steht durchaus nicht die »ganze Person« im Mittelpunkt der Selbstdarstellung, sondern jener Teilaspekt z. B. beruflichen Lebens, unter dem der Betreffende bekannt geworden ist und der Anspruch auf öffentliches Interesse hat (vgl. etwa Memoiren oder Lebenserinnerungen »großer« Politiker, Schauspieler, Künstler, aber auch die sog. Gelehrtenbiographien).

Der Adressat bestimmt also – zumindest indirekt – sowohl die Tendenz der Selbstdarstellung (in Richtung auf positive Bestätigung und Rechtfertigung) als auch die Auswahl des biographischen Materials (Beschränkung auf offizielle, eher »rollenmäßige« Anteile des Ichs und der Lebenskarriere).

Bei Selbstdarstellungen in der Art von Memoiren wird der durch den Adressatenbezug hervorgerufene Vorgang der »Stilisierung« besonders deutlich, der in anderer Form auch die stärker privaten, intimeren autobiographischen Veröffentlichungen im engeren Sinne auszeichnet. Auch bei ihnen ergibt sich daraus, daß diese Selbstdarstellungen *für* jemanden geschrieben sind, eine mehr oder weniger starke Stilisierung. Mögen diese auch weniger vordergründig auf Beifall und Applaus ausgerichtet sein als manche (retouchierenden) Memoiren, mögen sie sogar stark konfessorischen Charakter tragen und das Eingeständnis von Fehlern und Niederlagen *nicht* vermeiden, so erwächst doch allein aus dem Umstand, daß sie als geschriebene mit einem Publikum rechnen (müssen), eine Form der Darstellung, die – wie auch immer – auf eben dieses Publikum und seine Erwartungen Rücksicht nimmt. Aus der Einschätzung dieser Erwartungshaltung der lesenden anderen bestimmen sich dann Ziel und Inhalt der jeweiligen »Stilisierung«. Solche Stilisierungen können pädagogisch-didaktischen Absichten folgen, indem vorbildhafte oder abschreckende Seiten der Lebensführung vorgeführt werden; sie können helfend-tröstende Funktion haben, indem zur (entlastenden) Identifikation mit dem dargestellten Schicksal eingeladen wird; religiöse Stilisierungen, die sich an ein kirchliches oder christliches Publikum wenden, können belehrende oder verkündigende, glaubensweckende oder glaubensfördernde Absichten verfolgen.

Aus der (trivialen) Beobachtung, daß (geschriebene) Biographien einen Adressaten haben, ergibt sich m. E. die (nicht-triviale) Einsicht, daß das gegenüber anderen dargestellte »Ich« immer ein stilisiertes Ich ist. Das »Ich« der geschriebenen Biographie ist gleichsam immer ein Ich unter Vorbehalt.[6] Das darstellende Ich geht nicht in dem dargestellten Ich auf.

III

Kann bei der »gelebten« Biographie in vergleichbarer Weise von einem Adressaten die Rede sein? Autobiographische Selbstreflexion, die aus dem Leben eine Biographie konstruiert, wendet sich zwar nicht nach »außen«, an ein öffentliches Urteil anderer. Aber sie ist implizit auf Theorieförmigkeit und Kommunikabilität, d. h. also auf eine mögliche Verständigung mit anderen angelegt. Das öffentliche Forum der anderen wird dabei gleichsam verinnerlicht. Der Sinn und die Logik, die sich der einzelne für sein Leben zurechtlegt, erwächst aus einem inneren Dialog mit den für ihn signifikant anderen. Das Publikum, dem sich die literarische, veröffentlichte Selbstdarstellung aussetzt, wird hier (mehr oder weniger bewußt) imaginiert. Wie jemand sein Leben versteht oder Abschnitte seines Lebenslaufs deutet, geschieht nicht unabhängig von dem Urteil anderer. Zur Interpretation seiner Lebensgeschichte(n) greift er immer auch auf schon vorliegende gesellschaftlich geprägte »Skripts« zurück (etwa auf Rollenskripts des »guten Vaters«, des »erfolgreichen Geschäftsmanns«, des »kreativen Künstlers« oder des »gelehrten Wissenschaftlers«).[7] Aus ihnen bezieht er auch die Standards und Normen, mit deren Hilfe sich auch das Ich der autobiographischen Selbstreflexion stilisiert.

Beschränkt sich allerdings die autobiographische Selbstreflexion auf diesen internalisierten Dialog mit dem öffentlichen Urteil, rekonstruiert sie also ihre Lebensgeschichte *nur* als Variationen von »Skripts«, dann unterläuft sie die ihr innewohnenden Möglichkeiten radikalisierter Selbstreflexion. Diese würde nämlich nicht nur um das »stilisierte Ich« kreisen, sondern nach jenem »Rest« fragen, der in diesem nicht aufgehoben ist. Gerade die Nichtanwesenheit eines urteilenden Publikums schafft die Freiheit zu einer radikalen Offenheit. Die radikalisierte Selbstreflexion würde gerade einsetzen bei der schmerzhaften Erfahrung, daß darstellendes und dargestelltes Ich nicht identisch sind. Sie will – und kann – versuchen, jenen Vorbehalt aufzulösen, unter dem sich das Ich in der veröffentlichten Biographie präsentiert. Die konsequente autobiographische Selbstreflexion lebt aus der Erfahrung, daß das Bild, das ich mir von mir und meinem Leben in den Augen anderer mache, letztlich vielleicht gar nicht mir und meinem Leben entspricht. Die Freiheit, diese Frage als möglicherweise unbeantwortbare, jedenfalls nicht abschließend zu beantwortende stellen zu können, bietet gerade die nicht von Darstellungs- und Stilisierungszwängen bestimmte »private« Autobiographie. Insofern ist die »private« Autobiographie nicht weniger, sondern »mehr« als die veröffentlichte; über das darstellbare und darstellungswürdige Ich hinaus versucht sie den (noch nicht darstellbaren oder nicht darstellungswürdigen) Möglichkeiten eines »unverstellten« Ich auf die Spur zu kommen. Um dieses kritischen Interesses am Ich willen läßt sich mit W. Fuchs sagen: »Überhaupt, das Verständnis vom Leben als Biographie impliziert eine nicht gesellschaftliche, eine antigesellschaftliche Dimension.«[8]

Wer aber ist bei dieser radikalisierten autobiographischen Selbstreflexion der Adressat? Oder gibt es hier keinen Adressaten? Um diese Frage zu klären, möchte ich auf den diaristischen Typus der Selbstdarstellung zu sprechen kommen, den ich bei der Adressatenfrage bisher außer Acht gelassen hatte.

Das Tagebuch ist gleichsam ein Zwitter. Es ist der Form nach – als schriftliche Äußerung – veröffentlichter Selbstdarstellung (Memoiren, Auto-Biographien) vergleichbar, dem Inhalt nach aber der »privaten« (»intimen«) autobiographischen Selbstreflxion verwandt; es sei denn Tagebuchnotizen werden mit einem – sei's verschämten, sei's offen eingestandenen – Seitenblick auf eine (spätere) Leseöffentlichkeit hin entworfen.

Die dem Tagebuch *anvertrauten* (!) Gedanken dienen der eigenen Selbstvergewisserung, sie erwachsen aus der bedrängend-beunruhigenden Frage »Wer bin ich?«. Das tagebuchschreibende Ich blickt auf sich, auf sein gelebtes Ich, versucht, in den Facetten seiner Spiegelung »sich selbst« zu finden. Die dabei aufbrechenden Widersprüche erlebt es als Schmerz. Dieser Schmerz über das ungelöste Rätsel seiner selbst liegt m. E. als Grundtenor dem Tagebuch überhaupt zugrunde, auch da wo vorhanden »Erfreuliches« zur Sprache kommt.

An wen wendet sich nun das Tagebuch? Offensichtlich nicht an eine Öffentlichkeit, meist auch nicht einmal an engste Freunde und Verwandte. An wen aber dann? Vielleicht darf man zunächst an den Tagebuchschreiber selbst denken. Im Tagebuch redet ein einzelner mit sich selbst. Aber ist das Ich, das schreibt, identisch mit dem Ich, mit dem er reden möchte? Ich denke: ja und nein. Der Tagebuchschreiber hat gerade keinen anderen zum Gesprächspartner als sich selbst gewählt, weil er meint, daß keiner ihn so gut verstehe wie dieser (also er selber). – »Kein Mensch weiß, wie es um einen Menschen steht, außer allein der eigene Geist des Menschen« (1. Kor 2, 11). Er allein (also er selber) ist es, dem er angstfrei und in letzter Offenheit alles sagen (anvertrauen) kann.

Andererseits wird der Tagebuchschreiber nicht das Ich, das ihm Fragen aufgibt, mit dem er – wie auch immer – nicht »zu Rande kommt«, als seinen geeigneten Ansprechpartner wählen. Eher schon ist es ein »anderes« Ich, entweder das sich im Prozeß des reflektierenden Schreibens herausbildende Ich oder – worauf gerade die schriftliche, Dauer und Aufbewahrung intendierende Form verweisen könnte – das »spätere« (»klügere«) Ich.

Allerdings ist dies ein sehr »unsicherer«, ungewisser Adressat. Auf ihn kann er hoffen, aber nicht mit ihm rechnen. Der Tagebuchschreiber geht das Gespräch seiner Aufzeichnungen nicht vorsorglich (sicherheitshalber »für später«) ein, sondern mit dem dringenden, unaufschiebbaren Wunsch, »jetzt« im Tagebuch sich auszusprechen.

Daraus ergibt sich nun für die Frage nach dem Adressaten des Tagebuchs die Spur einer Antwort. Der Tagebuchschreiber spricht nicht *nur* mit sich selber. Und obwohl dieser andere nicht benennbar, ja nicht einmal explizit als solcher gewußt oder gedacht wird, spricht er nicht »ins Leere«. Meine These ist, daß der Tagebuchschreiber für einen »fiktiven anderen« schreibt. Indem er seinem Tagebuch sowohl die intimsten als auch problematischsten Seiten seines inneren Ichs anvertraut, macht er die Unterstellung, als sei da jemand, zu dem er *so* sprechen könne.[9] (Diese »Unterstellung« meint keine halluzinatorische Einbildung und ist auch als solche nicht näher faßbar, sondern stellt sich ein, mit jedem Wort der Tagebucheintragung.) Diesem »fiktiven anderen« kommen nun aber zwei Eigenschaften zu, die sich benennen lassen, wenn man auf die Intentionen des Tagebuchschreibens reflektiert.

Dieser »andere« ist zum einen mindestens so verständnisvoll wie das schreibende Ich sich selbst gegenüber. Berechnende Stilisierungen werden diesem anderen gegenüber hinfällig, da er sich von diesem vorab angenommen und geliebt fühlt.

Dieses Grundgefühl ermöglicht es dem Tagebuchschreiber, gerade auch jene Seiten seiner selbst offenzulegen, die vor anderen, aber auch vor sich selbst verborgen bleiben.

Andererseits unterstellt diese Offenheit dem »fiktiven anderen« zugleich eine kritische Kraft, die helfen könnte, das aufzuhellen, was dem Tagebuchschreiber an sich selbst problematisch erscheint.

Der »fiktive andere« ist also liebend und kritisch zugleich, und zwar eins *im* anderen.

IV

Ich denke mir nun, daß es sich bei dem Adressaten der autobiographischen Selbstreflexion analog verhält. Im (privat) biographisch reflektierten Leben wird das eigene Leben nicht vor dem Publikum einer sozialen Öffentlichkeit ausgebreitet und auch nicht *nur* vor sich selber. Letzteres deswegen nicht, weil nun die oben erwähnte spezifische Zeitperspektive ins Spiel kommt. Die autobiographische Selbstreflexion *im* gelebten Leben denkt einen möglichen Sinnzusammenhang des Lebens von der je aktuellen Unvollendetheit (Fragmentarität)[10] her. Das (mögliche) Ich eines sinnvollen Lebensganzen bleibt ein ersehntes, allerdings so, daß es durch seine Abwesenheit anwesend ist. Die Konstruktion des eigenen Lebens als Biographie repräsentiert nicht nur vergangene und gegenwärtige Lebensmomente, für die das Ich in sich selber Anhaltspunkte und damit ein konkretes Gegenüber findet, sie versucht unter Vorgriff auf Zukunft einen Sinnzusammenhang zu stiften. Für diese Zukunft bietet das Ich aber kein konturiertes Gegenüber.

Ich gehe davon aus, daß derjenige, der sein Leben biographisch – und das heißt, auf einen möglichen Zusammenhang hin – reflektiert, als »Adressaten« seiner Gedanken auch einen »fiktiven anderen« unterstellt, von dem er annimmt, daß er Verständnis nicht nur für sein bisheriges, sondern gerade auch für sein zukünftiges Leben hat. Dieser »fiktive andere« unterscheidet sich als Adressat von den Gesprächspartnern seiner Um- und Mitwelt dadurch, daß ihm gegenüber der Sinn eines Lebenszusammenhangs nicht nur aus den offen zutage liegenden »Facts« der bisherigen Lebensgeschichte erschlossen wird, sondern unter Einschluß der kommenden. Ihm gegenüber konstituiert sich das Ich nicht nur aus dem, was es geworden ist, sondern auch und gerade aus dem, was es werden kann. Fiktiv ist dieser andere insofern, als es für dieses kommende Ich keine Sicherheit gibt noch gar eine beschreibende Konkretion. Die Unterstellung eines solchen »fiktiven anderen« wird aber in jeder autobiographischen Selbstreflexion *notwendigerweise* gemacht, in der das Ich nicht mit dem Leben abgeschlossen hat und Zukunft nur noch als bloße Verlängerung des bestehenden Zustands sieht. Die Fiktion eines anderen, der die ausstehende, offene Zukunft wahrnimmt, ist notwendig, wenn die eigene Lebensgeschichte als ein identifizierbarer Zusammenhang gedacht werden soll, ohne dabei vom vorweggenommenen Tod auszugehen.

Auf den »fiktiven anderen« der Biographie treffen nun auch jene beiden Eigenschaften zu, die ich dem »fiktiven anderen« des Tagebuchs zugeschrieben habe. Von ihm wird sowohl erwartet, daß er voll Verständnis und Liebe auf das eigene Leben blickt, so daß nichts verborgen bleiben muß, als auch, daß er ein kritisch-aufklärender Partner ist. Anders als die dem Urteil einer Öffentlichkeit ausgesetzte literarische Selbstdarstellung ist die autobiographische Selbstreflexion von den Zwängen der Selbstrechtfertigung und Selbstbehauptung befreit.

V

Innerhalb der christlichen Tradition hat der »fiktive andere« einen Namen: Gott. Und auch die beiden genannten Eigenschaften, die ihm zukommen, Liebe und Kritik, finden sich als theologisch reflektierte Vorstellungen wieder. So wie man die moderne (neuzeitliche) Biographie als Nachbildung des Modells der transzendenten (eschatologischen) Gerichtsverhandlung verstehen kann (bzw. als ihre Verstetigung in Gestalt autobiographischer Dauerreflexion)[11], so läßt sich in den Vorstellungen von Liebe und Kritik das christliche Modell von Gnade und Gericht wiedererkennen. Und das Muster der wechselseitig miteinander verschränkten Kritik und Liebe beim »fiktiven anderen« findet sich auch in der eigentümlichen Doppelstruktur, die als das entscheidende Charakteristikum christlicher Autobiographie gilt. Sie ist immer zugleich vertrauensvoller Lobpreis Gottes und Beichte, confessio laudis et peccati. Klassisch ist hierfür die Autobiographie Augustins, seine Confessiones, die Lobgesang und Klaggesang, hymnus und fletus (X. 4, 5) zugleich sein wollen.

Lob und Klage des konfessorischen Subjekts korrespondieren Gericht und Gnade auf seiten Gottes so wie Schmerz und Sehnsucht des autobiographischen Ichs der Kritik und Liebe des »fiktiven anderen« entsprechen.

Diese Beobachtungen führen zur abschließenden Frage, wie sich Religion und Biographie zueinander verhalten. Zwei gängige Antwortversuche erscheinen mir auf dem Hintergrund der hier vorgeführten Überlegungen korrekturbedürftig. Zum einen wird daraus, daß die (auto-)biographische Literatur in der Neuzeit (Renaissance, Aufklärung) eine Blütezeit erlebt, gefolgert, daß die Säkularisierung allererst die Durchsetzung der Biographie als Sinnrahmen individuellen Lebens ermöglicht habe. Biographie trete gleichsam als innerweltliche Sinnstiftung an die Stelle religiös-metaphysisch begründeter Sinngebung. Biographie derart als konstitutiv areligiös (oder als säkularisierten Religionsersatz) zu verstehen[12], verbietet sich m. E. allein schon im Blick auf jene Beispiele, die – wie exemplarisch die Confessiones Augustins – innerhalb eines (christlich-explizit gemachten) religiösen Rahmens eine Sinnreflexion des individuellen Lebens unternehmen.

Zum anderen wird die religiöse Dimension nur einer bestimmten Gattung der (Auto-)Biographie zugebilligt. Eine religiöse (christliche) Biographie wird dann dadurch herausgehoben, daß gesagt wird, in ihr setze der Autor nicht nur – wie bei normaler Biographie – Ich und Welt in Beziehung, sondern berücksichtige zusätzlich als dritte Größe Gott, setze also Gott, Ich und Welt zueinander in Beziehung.[13]

Auch diese Auffassung läßt die »normale« Biographie als in ihrem Wesen areligiös erscheinen. Diese Betrachtung nimmt allerdings die religiöse Dimension nur auf der Inhaltsebene wahr. Mit meinen bisherigen Ausführungen wollte ich demgegenüber die Vermutung unterstützen, daß die religiöse Dimension sich vor allem in der *formalen Struktur* biographischer Reflexion ausmachen läßt. Wenn in Biographie Ich und Welt zueinander in Beziehung gesetzt werden, dann scheint die religiöse Dimension nicht erst auf, wenn eine dritte Größe wie Gott ins Spiel gebracht wird, sondern in einer spezifischen Konstellation, *wie* Ich und Welt in Beziehung zueinander gesetzt werden. Mit der Figur des »fiktiven anderen« habe ich diese spezifische Konstellation zu umschreiben versucht. Das sich suchende und sich selbst rätselhafte Ich der autobiographischen Selbstreflexion bleibt im Interesse radikaler Selbsterkenntnis nicht bei einer harmonischen Versöhnung von Ich und Welt stehen. Weder wird also das Ich noch die Welt zum letzten Bezugspunkt gemacht. Das sich auf sich besinnende Ich der (privaten) Autobiographie ahnt und weiß, daß es nie nur das ist, als was es im Urteil der anderen (Welt) erscheint; es weiß zugleich schmerzhaft, daß es, wenn es nur auf sich blickt, gerade auch keine Klarheit gewinnt. Radikale autobiographische Selbstreflexion kennzeichnet eine eigentümliche Doppelbedeutung: hineingehen *und* herausgehen. Abkehr vom Urteil der anderen (»aber ihr Ohr ist nicht an meinem Herzen, dort, wo ich wirklich bin, wie ich bin« – Conf. X. 3, 4[14]/J. J. Rousseau: »Ich allein kenne mein Herz«)[15]; aber auch Abkehr vom sich unklar bleibenden Ich (»Du aber, mein Arzt im Innersten, kläre mir Sinn und Zweck, warum ich das tue.« – Conf. X. 3, 3). Augustin faßt diese Doppelbewegung der autobiographischen Selbstreflexion im Bild des »unruhigen Herzens«, das erst in dem von ihm angeredeten anderen Gottes zur Ruhe kommt.

Für Augustin ist Gotteserkenntnis nichts anderes als radikale Selbsterkenntnis: »Denn über sich Dich reden hören, was wäre das anderes als sich selbst erkennen« (Conf. X. 3, 3).

»Denn wenn auch ›kein Mensch weiß, wie es um einen Menschen

steht, außer allein der eigene Geist des Menschen‹, etwas steckt doch im Menschen, worum auch der eigene Geist des Menschen nicht weiß; Du aber, Herr, der Du ihn erschaffen hast, Du weißt um sein Alles.« (Conf. X. 5, 7).

Christliche Sprache macht diese in der Autobiographie angelegte religiöse Dimension ausdrücklich, benennbar, sprachfähig, kommunikabel. Herkömmliche »religiöse« (christliche) Biographien können unterhalb dieser Ebene bleiben, denn nämlich, wenn das Ich sich lediglich im (religiösen, kirchlichen) Urteil der anderen (Kirche) spiegelt und nicht den Schritt zur Kommunikation mit dem »fiktiven anderen« macht. Christliche Gebetssprache gibt Worte für das Gespräch mit dem »fiktiven anderen«.[16] Sie lehrt »zu jemandem zu sprechen, mit dem man nicht sprechen kann, weil er nicht ›jemand‹ ist; . . . ›Du‹ zu sagen zu jemandem, der dem Ich näher ist als das Ich sich selbst.«[17]

Anmerkungen

1 Vgl. Albrecht Grözinger, Seelsorge als Rekonstruktion von Lebensgeschichte, in: WzM 38 (1986), 178–188.

2 Joachim Matthes, Volkskirchliche Amtshandlungen, Lebenszyklus und Lebensgeschichte, in: ders. (Hg.), Erneuerung der Kirche. Gelnhausen/Berlin 1975, 83–112, 101 Anm. 11.

3 Ulrich Sonnemann spricht (in anderem Zusammenhang) »von einem in die Zukunft verlegten, aber erschlichenen Beobachtungsposten. Das Perfekt des originalen Historismus verwandelt sich in das Perfekt Futur...« Demgegenüber fordert er, »Gegenwarten nicht ohne eine offene Zukunft« zu denken: »Zukunft ist von außen wiederkehrende Erinnerung.« Aufstand gegen die Okulartyrannis. [Deutsche Philosophen im Gespräch (I): Florian Rötzner fragt Ulrich Sonnemann. In: Frankfurter Rundschau 15. 2. 1986, ZB 2].

4 Zum grundlegenden Zusammenhang zwischen Schmerz und Selbstreflexion vgl. jetzt Peter Sloterdijk, Der Denker auf der Bühne, Frankfurt 1986, bes. 153 ff.

5 Zukunft wird hier nicht vereinnahmt, sondern erwartet. In der vereinnahmenden Perspektive verhalten sich Menschen »so wie sie meinen, daß sie einmal gewesen sein werden oder sein sollten.« (Ulrich Sonnemann a. a. O.).

6 Im Blick auf Rousseaus »Confessions« bemerkt Ralph-Rainer Wuthenow: »Seine Selbstanalyse legt also nicht die letzten Motive, Zustände und Wahrheiten des Ichs bloß – welche Autobiographie täte das auch? – ...« (Das erinnerte Ich, München 1974, 213).

7 Über Skriptgebundenheit der Identitätsbildung und die skeptische Einschätzung von Ausbruchsversuchen vgl. Stanley Cohen/Laurie Taylor, Ausbruchsversuche. Identität und Widerstand in der modernen Lebenswelt, Frankfurt 1977.

8 Werner Fuchs, Jugendbiographie, in: Jugend '81. Lebensentwürfe, Alltagskulturen, Zukunftsbilder, Band 1 (Studie im Auftrag des Jugendwerks der Deutschen Shell) Hamburg 1981, 129.

9 »Alles, was ich geschrieben habe, entstand in der Mitte der Nacht. ... Alles hat aufgehört zu existieren. Sie sind nur Sie allein und die Stille und das Nichts. Man

denkt absolut an nichts, man ist allein wie Gott allein sein kann. Und – obwohl ich nicht gläubig bin, ich glaube vielleicht an nichts – diese absolute Einsamkeit verlangt nach einem Gesprächspartner; und wenn ich von Gott spreche, dann nur insofern, als er ein Gesprächspartner für die Mitte der Nacht ist... Man denkt nicht daran, Eindruck auf die Leute zu machen, Einfluß zu haben...« (Tiefseetaucher des Schreckens. Ein ZEIT-Gespräch mit E. M. Cioran./Von Fritz J. Raddatz, in: Die Zeit 4. 4. 1986, 49 f., 50).

10 Vgl. Henning Luther, Identität und Fragment, in: ThPr 20 (1985), 317–338.

11 Vgl. Werner Fuchs, Todesbilder und Biographie, in: Götz Eisenberg/Marianne Gronemeyer (Hg.), Der Tod im Leben, Gießen 1985, 43–58 sowie Günter Niggl, Geschichte der deutschen Autobiographie im 18. Jahrhundert, Stuttgart 1977.

12 So etwa Werner Fuchs, a. a. O. 44. Zur geschichtlichen Einordnung der Autobiographie vgl. auch Georg Misch, Geschichte der Autobiographie, Band IV/2, Frankfurt 1969.

13 Vgl. Gustav Adolf Benrath, Art. Autobiographie, christliche, in: TRE Band IV, Berlin 1979, 772–789, 773.

14 Augustinus, Confessiones/Bekenntnisse (Eingeleitet, übersetzt und erläutert von Joseph Bernhart) München 1966³.

15 Zit. nach Ralph-Rainer Wuthenow, a. a. O. 63.

16 »Wenn zum Menschen wesenhaft gehört, daß er sich nach vorn ausstreckt, daß er auf etwas aus ist, weil er bedürftig ist, dann gibt das Gebet dieser ›Struktur‹ des Menschseins gewiß von alters her Ausdruck.« (Gert Otto, Vernunft, Stuttgart/Berlin 1970, 100).

17 Augustinus zit. nach Helmut Dee, Art. Gebet, in: PThH 1975², 234–249, 244.

MANFRED MEZGER

RELIGION ALS LEBENSFORM DES GLAUBENS

Widerspruch und Einverständnis

I

Vorspiel

Warum machen wir mit bei diesem thematischen Dialog? Ist er nicht beendet, bevor man anfängt? Ist Religion nicht schon genug diskutiert, kritisiert, desavouiert? Es scheint so. Zugleich, im Widerspiel: Ist Religion nicht allzu sehr wieder Mode, wenigstens dort, wo sie unbehindert und in jedermanns Belieben gestellt ist? Im innertheologischen Bereich hieß es eine Zeitlang: »Man trägt wieder den historischen Jesus.« Wohin führt uns der Wind, wenn wir uns der Strömung Religion anvertrauen? »Religion – das ist ein weites Feld«, würde der alte Briest sagen. Glaube und Aberglaube, Dienstgesinnung und Herrschbegierde, Askese und sublimierte Lust – jedwedes Interesse siedelt sich da an. Friedensarbeit beruft sich auf sie; Ketzerverbrennung auch. Man hat die Formel gewagt: »Das Christentum ist keine Religion« (K. Barth). Und ob es eine ist! Calvins »Institutio Religionis Christianae« bleibt bei diesem Wort. Luther kommt, in seinen deutschen Schriften, fast ohne dieses Wort aus. Über die These: »Das Christentum ist die Kritik aller Religionen« läßt sich reden – und streiten.

1. Die widerspruchsvolle Lage wird uns bewußt, wenn wir die Alltagswirklichkeit auf ihre religiöse Begründung prüfen: Fehlanzeige, und dann eine theologisch-kirchliche Buchhandlung betreten, in der einem die Glaubensindustrie aus allen Regalen entgegenquillt. Fürchte dich nicht, es hat praktisch nichts zu bedeuten. Zieht man, auch nur einen Augenblick, in Betracht, was sich ans Hauptwort alles dranhängt: Religionsgeschichte, Religionsphilosophie, Religionssoziologie, Religionspsychologie, Religionspädagogik, Religionsphänomenologie, so fühlt man sich kaum glücklicher. Deshalb ist es ratsam, die Problemstellung zu begrenzen, wobei »Religion und Biographie« nicht die schlechteste ist, weil sie von Anfang an und durchgehend den Menschen einbezieht, den religiösen wie den nichtreligiösen (die Grenze ist fließend). Die Bandbreite ist beachtlich, von denen, die meinen, die Religion gepachtet zu haben, bis zu denen, die behaupten, sie hinter sich zu haben. Ob sie jemals einer wirklich los geworden ist? Sie scheint angeboren. »Der

Mensch ist das religiöse Tier.«[1] Wenn Religion biographisch – also als Lebens-Niederschrift – artikuliert wird, wird sie erzählt als Geschichte (hoffentlich nicht in Geschichtchen), ist also unabgeschlossen bis zum Tod. Eben dies soll sie sein: Weg und nicht Ziel.

2. Aber nun: Wovon ist die Rede? »Religion« ist eine Vokabel; wie übersetzen wir sie? Thema mit hundert Variationen; die alle durchzuspielen, gibt ein Buch für sich. Genau genommen geht es nicht darum, daß der Mensch *eine* Religion habe, sondern *seine*. Demgemäß muß jeder prüfen, welche Deutung von »Religion« er annehmen kann, welches Verständnis der Sache ihn überzeugt. »Io sono molto religioso« erklärt unsere italienische Freundin, meint aber lediglich, daß sie regelmäßig zur Messe geht; ein Religionsbegriff macht ihr keine Sorgen. Wer hilft uns weiter? Vielleicht Schleiermacher: Religion ist »Sinn und Geschmack für das Unendliche«. »Ihr Wesen ist weder Denken noch Handeln, sondern Anschauung (gemeint ist: des Universums) und Gefühl.«[2] Sehr sympathisch; allzu ästhetisch. Ist Religion »erlebnishafte Begegnung mit heiliger Wirklichkeit und anwortendes Handeln des vom Heiligen existentiell bestimmten Menschen«?[3] Differenziert, aber begrifflich überfrachtet. Auch der Philosoph könnte uns helfen zur Abgrenzung der Hauptsache: Religion »ist gebunden an eine eigentümliche dem Kultus entspringende Gemeinschaft der Menschen..., die reale Beziehung des Menschen zur Transzendenz.«[4] Spirituell; aber Abgrenzung wird zur Ausgrenzung. Wir müssen vom Begriff weg - und dem Vorgang näherkommen, wenn wir den Menschen geschichtlich verstehen wollen. »Religion ist das, was uns unbedingt angeht und was uns allein unbedingt angehen sollte... und Gott ist der Name für den Inhalt dessen, was uns unbedingt angeht.«[5] Bemerkenswert ist hier der Übergang vom Hauptwort ins Zeitwort, was übrigens bei Luther schon eh und je zu lernen war: »Worauf du dein Herz lässest (= worauf du dein ganzes Vertrauen setzest), das ist dein Gott.«

3. Nichts gegen definitorische Begriffe; systematische Theologie ist ohne sie undenkbar. Aber sie sind nicht das Letzte; nicht einmal das Eigentliche. Geschichtliches Verstehen, bei der Rede vom Menschen wie von der Religion, verweist uns aufs Zeitwort. Es ist kein Mangel, wenn wir, auf unser Verständnis von Religion befragt, ein wenig Zeit brauchen zur Antwort. Religion hat Zeit und gibt Zeit. Die Antwort des Glaubens kommt überhaupt nicht wie aus der Pistole geschossen, sondern mit Bedacht. Es muß sie ohnehin jeder selber finden und geben. Also sagen wir, auf unser Verständnis von Religion befragt: »Sie ist das, was mich trägt; was mich hoffen läßt; was mir Kraft gibt zur Liebe.« In gängigen Katechismus-Antworten, vom Credo bis zum Konfirmandenbüchlein, ist spürbar ängstliche Bemühung um chemisch-reine dogmatische Exaktheit. Schon recht. Aber wo bleibt die Sprache der Freude? Kinder sprechen keine druckfertigen Sätze; da sprudelt's mit der Frische des Sponta-

nen, in »herzfröhlicher Seligkeit«, viel näher beim Singen als beim Schulaufsatz. Da erscheint Religion als Lebensform des Glaubens. Da ist man zu Hause, bei sich und den in gleicher Freiheit lebenden Menschen. Aber auch bei den Angefochtenen, Leidenden, Unterdrückten, die auf Freiheit und Freude warten. Geht man durchs Museum der Weltreligionen[6], so sieht man weit mehr dunkle als helle Bilder. Der fanatisch-monotheistische Ernst des Islam ist (theo)logisch imponierend, aber seelisch abschreckend. Da ist nichts von froher Botschaft, nur ein Poster-Bildchen Paradies. Nun ist ja die Johannes-Apokalypse, diese wollüstige Gerichts-Szenerie, auch kein Schönwetter-Tag, aber in Matthäus 11, 28 oder Philipper 4, 4 geht's doch aus einer anderen Tonart. Auf die (freilich obsolete) Frage: »Gibt es einen Absolutheitsbeweis für das Christentum?« ist immer noch die beste Antwort: »Ja, seine Weihnachtslieder.«

II

Widerspruch

1. Aber so leicht kommen wir hier nicht aus dem Rigorosum. Zwar ist nicht zu bestreiten, daß die christliche Religion starke Elemente der Schöpfungsfreude und des Lebensdanks umschließt, aber die Möglichkeit neuer Lebensformen des Glaubens wird leider selten zur Wirklichkeit. Sollen wir also resignieren: Sagen und Tun – das wußte Luther auch schon – sind weit von einander? Nein; wir können die Erwartung, ja, den Anspruch an die *Wandlungskraft* der Religion nicht aufgeben, solange wir das Pauluswort vom Evangelium als einer »Dynamis« Gottes im Ohr haben. Man möchte da schon lieber von einer *Lebens-Macht* der Religion reden, – sofern sie nicht blockiert wird. Dort, wo sie *nicht* brisant wird, hat man der Religion schon immer gerne Raum und Gestalt genehmigt, zum Beispiel im Bereich des Gottesdienstes[7], und es ist, in der Geschichte der Liturgie, unbestreitbar zu ebenso schönen wie variablen Formen gekommen. Wer aber die Probe wagen will auf das freie Walten der Religion in Kirche und Welt, kann seine Wunder erleben. Überall eckt er an. Dies ist das eine.

Das andere: Wer, im frühesten Kindesalter, vielleicht durch die Mutter, vielleicht im Kindergarten, in eine religiöse Atmosphäre hineinwächst, sieht seinen Weg, langsam aber sicher, immer schmäler, seinen Spielraum immer enger werden. Statt der Lebensform des Glaubens – die Uniform des Denkens. »Ein braves Kind tut das nicht. Ein guter Schüler fällt nicht auf. Ein rechter Bürger demonstriert nicht. Man benimmt sich angepaßt.« Immer »man«; ich heiße aber nicht »man«; ich bin ich. Natürlich schiebt man einem sofort die falsche Konsequenz unter: »Also immer contra, dauernd querschießen, ständig kritisieren?« Keineswegs. Wir widerstehen keinem Vernunftgebot: Daß menschliche Gemeinschaft auf Gegenseitigkeit beruht und jeweilen Verzicht verlangt. Aber wir statuieren: Vorbild schafft Respekt; Dressur – Heuchelei; Zwang – Widerspruch. Diese Erkenntnis beruht zu gleichen Teilen auf Erfahrung wie Beobachtung. Sie ist nicht zu entkräften durch den Einwand, der Autor habe vermutlich schlechte Lehrer gehabt (das mitunter auch; gute sind ohnehin Mangelware). Aber am Grundsachverhalt, daß Religion, falsch praktiziert oder dauernd neutralisiert, ihre eigenste Sache, den Glauben, nicht zur Lebensform werden läßt, ändert das nichts. Wer acht Jahre in theologischen Internaten gelebt hat, danach sechs Jahre als Soldat Kommandier-Objekt gewesen ist, weiß Bescheid über Institutionen, die sich, dem Jargon nach, der Religion verbunden wußten, freilich nur als Schmieröl für ihre pädagogische Klappermaschine. Man verzeihe den Unmut; er hat den Vorzug, berechtigt zu sein. Denn eine Lern- und Lebensgemeinschaft als solche hat und hätte vorzügliche Chancen, als religiös bestimmtes Modell zu dienen für christliche Humanität. Gelegentlich, sehr gelegentlich, gelingt das auch. Aber ein Großteil geschichtlich-wirksamer Persönlichkeiten des Abendlandes (man untersuche daraufhin ihre Biographien) sind nicht dank, sondern trotz ihrer religiösen Erziehung Charaktere geworden.[8]

2. Die wesentliche Ursache liegt darin, daß weithin nicht behutsam geführt, sondern gewaltsam geprägt wird. Bezeichnend sind, in diesem Zusammenhang, zwei anscheinend unausrottbare Irrtümer bzw. Mißverständnisse: Die bis in Predigten und theologische Beiträge hinein anzutreffende Falschzitierung von 1 Kor 14, 33: »Gott ist nicht ein Gott der Unordnung, sondern der Ordnung«; nein, »sondern des Friedens«. Und die klassische Stelle in Luthers »Deutscher Messe« (1526): Nicht die Freiheit, sondern die »Ordnung ist ein äußerlich Ding; sie sei wie gut sie will, so kann sie in Mißbrauch geraten. Dann aber ist's nichtmehr ein Ordnung, sondern ein Unordnung. Darum stehet und gilt keine Ordnung von ihr selbst etwas, wie bisher die Päpstlichen Ordnungen geachtet sind gewesen, sondern aller Ordnung Leben, Würde, Kraft und Tugend ist der rechte Brauch, sonst gilt sie und taugt gar nichts«.[9] Ein einschlägiger Kommentar zur rapiden Entwicklung unserer Bundesrepublik zum Überwachungs-, Kontroll- und Polizeistaat. Um Luther das Wort zu lassen (Vorrede zum Kleinen Katechismus): »Dieses Unkraut ist gesäet worden, da die Bischöfe geschlafen haben.«

3. Die Problematik des im Grunde einfachen, praktisch schwierigen Weges von der Religion zur Lebensform des Glaubens erfährt jeder auf seine, ganz individuelle Art. Die kann er nicht auf andere direkt übertragen, denn *mein* Erlebnis ist nicht jedermanns Sache. »Ein Schriftsteller, dem es um wissenschaftliche Strenge zu tun ist, wird sich deswegen der

Beispiele sehr ungern und sehr sparsam bedienen. Was vom Allgemeinen mit vollkommener Wahrheit gilt, erleidet in jedem besonderen Fall Einschränkungen.«[10] Andererseits: Rede ich nicht konkret und persönlich, bleibt der Gedanke blutleer. Summa: Man hat Glück, wenn man überhaupt verstanden wird. Wir sind, an unserem Ort, willig oder unwillig, mit einbezogen in religiöse Überlieferung und sogenannte christliche Kultur. Aber:»Sind alle Christen, so sind sie eo ipso Nichtchristen« (Kierkegaard). Will sagen:»Der Christ ist eigentlich die Ausnahme.« Wenn bloß die Ausnahmen sich erfreulicher anließen! Lebensform des Glaubens ist, wo sie gelingt, gar nichts Besonderes, sondern etwas Natürliches. Sie hat etwas zu tun mit unverkrampfter, befreiter Schöpfung. Sie ist das Gegenteil von programmatisch-proklamatorischer Selbstdarstellung (als ob der Glaube das nötig hätte), womit nicht verboten ist, daß der Glaube ein Wort riskiert, wenn er herausgefordert wird. Wir widersprechen den verbalen Bekenntnissen orthodoxer Zionswächter, die mit bemerkenswerter Gleichförmigkeit an den Forderungen des Tages vorbeireden. Es fehlt nicht an Christlichkeit; es fehlt an Menschlichkeit.

Eines der stärksten Hemmnisse, Religion Gestalt werden zu lassen, liegt in der Formalisierung des Glaubens; sie verkehrt das Evangelium ins Gesetz, besser gesagt: in Gesetzlichkeit. Die katholische Kirche, die wir hier nicht in Betracht ziehen, kennt die Gefahr der in pure Moral verstrickten Ethik. Die evangelische Kirche verfällt diesem Irrtum, nicht ohne Mitschuld der Theologie, wenn sie das reformatorische Grunderlebnis, die radikale Anfechtung, zum pflichtmäßigen Vorstadium der Glaubens-Existenz erklärt. Einfacher gesagt: Wir sind, mehr oder weniger, alle zum schlechten Gewissen erzogen. Nun kann zwar, nach Albert Schweitzer,»ein schlechtes Gewissen eine ganz gute Sache sein«, wenn es träge Selbstgenügsamkeit aufweckt und uns ins Gedächtnis ruft, was wir den vom Schmerz Gezeichneten schuldig sind. Die Wirkung ist aber zwiefach fatal. Einmal insofern, als wir uns verpflichtet glauben, Luthers Früherfahrung exakt zu durchlaufen, d. h. den Nachweis fixierbarer »Bekehrung« zu erbringen. Sodann insofern, als wir den Stachel nichterfüllter Pflicht (das gehört sich für ernste Christen) nie los werden. Der fromme Mensch hat (und hütet) seinen Minderwertigkeitskomplex. Urerfahrung des Seelsorgers. Man tut sich schwer, sich und andere davon zu befreien. Und sollte doch...

III

Einverständnis

1. Religion als Lebensform des Glaubens meint die fraglose Einheit von Glauben und Leben. Also ein erträumtes Ideal? Nein, erfüllte Wirklichkeit. Anders gesagt: das Recht, selbst zu sein. Martin Buber übersetzt jenes Wort, mit dem Gott an Abraham den persönlichen Bund verkündet: »Ich bin der Gewaltige Gott. Geh einher vor meinem Antlitz! (nun nicht: »und sei fromm«, sondern) Sei *ganz!*« (1 Mose 17, 1). Eine durch die Verheißung umgriffene Aufforderung, die (nach dem Sündenfall) unerhört kühn klingt. Aber sie besteht und gibt dem Menschen, mit dem Zuruf, zugleich die Chance, es zu sein. »Werde der, der du, nach dem Willen des Schöpfers, bist!« Nicht gespalten, nicht widersprüchlich, weder Über-, Un- noch Untermensch, sondern ein Mensch. Wie soll das gelingen, angesichts der »unmenschlichen« Bedingungen und Forderungen, in die wir, mit unserer Geburt, eintreten? Unsere Existenz erscheint, von vornherein, vereinnahmt, verplant, verzweckt. Eine Prädestination zur Sklaverei, die höchstens ein paar »kleine Freiheiten« übrigläßt.

Das ist so wahr, daß es schon beinahe wieder falsch ist. Zwar wird niemand bestreiten können oder wollen, daß unsere Existenz heute, in erscheckend-deprimierendem Umfang, vorgezeichnet ist; daß die Weichen immer schon gestellt sind; daß Zäune unseren Horizont bilden. »Du glaubst zu schieben/und du wirst geschoben.« Aber dennoch ist das keine Generalbilanz; höchstens ein Einverständnis, jedoch nach der falschen Seite. Da hockt man und starrt auf seine Ketten. Vorweg dazu dies: Kein Pathos der Freiheit, kein Appell an heroischen Durchbruch schafft da Wandlung. Das Fichte'sche »Ein Entschluß und ich bin frei« ist idealistische Phrase; dem Mann am Fließband ein Hohn. Wer selbst im frei gewählten Beruf, in sinnvoller Tätigkeit (die auch nicht bloß ein Honigschlecken ist) steht, hat allemal gut reden. Und die »ganz unten« sehen uns bloß als Privilegierte. Wenn das, und noch andere finstere Fakten dazu, der Weisheit letzter Schluß sein soll, bleibt nur Resignation oder Kapitulation. Beides gleichermaßen trostlos. Es ist aber nur ein vorletztes Wort. Geschlossene Kreise auswegloser Zwangsstrukturen sind zukunftslos. »Mein lieber Herr, ihr seht die Sachen, / wie man die Sachen eben sieht.«

Sozialgeschichte erteilt uns eine andere Lektion. Das Phänomen geistiger Umbrüche ebenso. Nämlich: daß es Neues gibt; wohl Geahntes, aber nicht Berechenbares, das seine kreatorisch-umwälzende Energie erst im Ereignis selber freisetzt. Die Tatsache ist nicht unbekannt. Wir dürfen aber die vordergründigen revolutionären Erschütterungen, das gewaltsam realisierte »Recht, ein anderer zu werden«[11], noch und jeweils wieder auf seine individuellen Voraussetzungen befragen. Nichts ist Volksbewegung geworden, was nicht in einem Feuerkopf zuvor gärte, wiewohl man, historisch, keine Prinzipienthese daraus machen soll, was zuerst gewesen, »ob die Henne, ob das Ei« (Mörike). Tiefste, geradezu religiöse Motivation epochaler Umwälzungen war primär nicht Zerstörung (das gab es auch, aber es lief sich bald tot), sondern neue Lebensform. Wer in einem leidenschaftlichen Nein des Protestes nicht das gläubige Ja zu hören vermag, ist befangen in falscher Optik. Außerdem möchte man denen, die politische Vulkanausbrüche nur verdammen können, raten, nach den Ursachen zu fragen. Prognosen wie Analysen sind bisher, zum größten Teil, von Männern erstellt worden, die das Sagen hatten. »Männer machen die Geschichte« (Mussolini). Jawohl, sie ist auch danach. Man hat politisches wie richterliches Handeln (vom militärischen zu schweigen) bislang nahezu ausschließlich den Männern überlassen; sie sind ja die Fachleute. Die Weltgeschichte, zu neun Zehnteln Kriegsgeschichte, ist das Produkt der Fachleute.

Auch hier kann es nicht ausbleiben, daß man sogleich mit automatischen Repliken bedient wird: Ob denn Frauen, im Ernstfall, die Sachen besser machen werden (oder würden)? Ob die (wenigen!), die höchste Regierungspositionen bekleiden, lauter friedliche Entscheidungen getroffen hätten? Gewiß nicht. Aber vielleicht könnten die Dilettanten, denen nun Jahrhunderte zur Verfügung standen, um am Ende, als Krönung ihrer Staatskunst, die totale Verwüstung unseres Globus einzukalkulieren (mangels besserer Einfälle), – vielleicht könnten sie den Frauen, als Bewahrerinnen der Schöpfung, wenigstens *eine* Generation Zeit genehmigen, bessere Modelle vorzuführen? Nachher wird man ja sehen. Die Statistik des Lehrerberufs spricht eindeutig für die pädagogische Befähigung der Frau, und am Ende ist die muntere Provokation durchaus plausibel: »Als Frau ist es wohl leichter, Mensch zu werden«[12].

2. Es ist, zur Verdeutlichung des oben Gesagten, erforderlich, die Wirkungskraft des furchtlosen Bekenntnisses zu erwähnen. Das heißt: Der einzelne, wenn er vorbehaltlos im Einverständnis mit seiner Sache Zeugnis gibt, hat weitreichende Wirkung. »Groß ist die Wahrheit und übergewaltig« (Aristoteles). Positive Argumentation hat, weit mehr noch als kritische Reflexion, Überzeugungs-, ja Überführungskraft. »Fürchte dich nicht, glaube nur!« Der (wohlüberlegte) thetische Indikativ strahlt geistige Hochspannung aus. Er überläßt das Feld keinesfalls der wirren oder maliziösen Propaganda. Sein Mut wächst mit der guten Erfahrung. Verstehen wir Religion als Lebensform des Glaubens, nicht nur oder nicht vorwiegend als Äußerung kultureller Determinanten oder historischer Vorgaben, so erschließen sich neue Dimensionen sachgemäßer Interpretation; und eine der edelsten Früchte ist Toleranz. Begriff und Praxis der Mission haben sich, zumal im Zusammenhang unserer Ver-

pflichtung gegenüber der Dritten Welt, grundlegend geändert. Nicht selten sind die Gemeinden dieser Länder, soweit sie Christen sind, lebendigere und bewußtere Kirche als unsere traditionellen Gemeinschaften. Der Dialog hat Boden gewonnen, Kenntnis und Bewertung andersartiger Religionen haben sich vertieft, zumal dort, wo Angehörige nichtchristlicher Glaubensformen mitten unter uns leben. Aber noch viele Schranken des Vorurteils und Mißtrauens sind abzubauen.

In der Bemühung um Verständnis und Einverständnis, in der Einübung in Religion als Lebensform des Glaubens trägt die Religionspädagogik die Hauptlast der Anleitung und Verantwortung, neben der Religionswissenschaft. In Sachbüchern, historischer Darstellung und methodisch-didaktischer Anleitung, sind uns Hilfsmittel an die Hand gegeben, um die frühere Generationen uns beneidet hätten.[13] Waren einst Lehrpläne mit Aufteilung des biblischen Stoffes und Vermittlung sehr begrenzter kirchengeschichtlicher Kenntnis, ergänzt durch Memorieren von Spruchgut und Kirchenlied, ausschließlicher Unterrichtsgegenstand, so sind in der neueren Forschung und Praxis »gesellschaftliche, besonders kirchliche Abhängigkeiten des Religionsunterrichts«, die Querverbindungen zur »Theologie als Wissenschaft« und die Funktionen anderer Disziplinen für die Fachdidaktik in den Horizont gerückt und von ausschlaggebender Bedeutung geworden.[14]

Vergleicht man den durchschnittlichen Beitrag und Ertrag der landläufigen Predigt für die Orientierung des Menschen in der modernen Welt, so ist die Fülle der Aufgaben allermeist dem Religionspädagogen überlassen, und das angesichts einer beklagenswerten Verkürzung und Vernachlässigung der Stundenzahl wie des Arbeitsgebietes Religion in der Schule. Dem »christlichen« Bildungsstaat macht das weiter keine Sorgen. Und die arbeitslosen Junglehrer stehen daneben. Man beweist ihnen ihre Entbehrlichkeit. Wo soll also die nachwachsende Generation Berührung, Kenntnis und Verständnis christlichen Glaubens gewinnen, wenn die Schule weiterhin Fehlanzeige erstattet? Vielleicht aus der »christlichen Luft«, die sie umgibt? Vielleicht am Fernseher, durchs »Wort zum Sonntag«? Oder durch den Kirchgang, den sie sich abgewöhnt hat? Lebensform des Glaubens entsteht ja nicht im Schlaf, sondern im praktizierten Einverständnis mit der weltverwandelnden Macht des Evangeliums.

3. Wir können Einverständnis in gewisser Weise auch verstehen als Solidarität; ein heute allerdings etwas stark strapaziertes Wort. Aber es liegt nicht so sehr am Begriff, sondern am Verhalten. Solidarität – das heißt ja, daß wir uns in die Lage und das Schicksal eines andern Menschen oder einer ganzen Gruppe hineindenken und hineinstellen. In was? Das entscheidet sich in der konkreten Situation. Wir brauchen kein Rätselraten, wo und wie wir das praktizieren sollen; der arme Lazarus vor unserer Tür ist nicht übersehbar. An den »geringsten Brüdern« und

Schwestern Jesu wird die Lebensform des Glaubens eingeübt. »Was ihr ihnen getan – oder nicht getan – habt, das habt ihr mir (nicht) getan.« Die Identifizierung, die wir in Matthäus 25 hören, ist vollständig: die Unterscheidung zwischen dem jetzt begegnenden (kranken, armen, hungernden) Menschen und Jesus selbst wird abgewiesen. Die Entschuldigung: »Hätten wir gesehen, daß Du, Herr, an der Tür stehst, wir hätten Dir alles Gute getan« wird nicht angenommen. »Ihr irret euch – der Tippelbruder, die Bettelfrau, das war ich selbst. Der Ratlose, der deine Zeit beanspruchte, der Bedürftige, der auf deine Gabe wartete, das war ich selbst.«

Muß man uns die Übertragung dieser Szene in den Großraum der globalen Not und Ungerechtigkeit erst noch beibringen? Die »christlichen« Nationen, die es vorzüglich verstehen, sich vom Anspruch der Habenichtse in der Dritten Welt, durch krumme Touren freizukaufen, stellen sich dumm und blind. »Jesus von Nazareth – Hoffnung der Armen«[15], dessen Kreuz allüberall zum Votivbild oder Halsschmuck umfunktioniert ist, der Garant des Bestehenden und das Aushängeschild der Politik, ist in Wirklichkeit der große Unbekannte. Man kann ihn nicht besser wirkungslos machen, als durch Stilisierung zur Kultfigur. Er kam nicht, um Theorien in die Welt zu setzen, sondern ein anderes Verhalten; just dies ist die Auslegung des Rufes: »Lernt umdenken!«

Das andere, nicht minder wichtige Übungsfeld des Glaubens ist der – heute mehr als je zuvor – gefährdete Friede. Das biblisch eindeutige Wort, der ohne Wenn und Aber gemeinte Sachverhalt ist Opfer einer totalen Sprach-Perversion geworden. Wer keine Waffe anrührt – »denn wer das Schwert nimmt, soll durchs Schwert umkommen« (Matthäus 26, 52) – ist ein Sicherheits-Risiko. Wer Massenvernichtungsmittel produziert und zum eventuellen Einsatz bereit hält, ist Garant des Friedens. Das sensible Gewissen des religiös gebundenen Verweigerers, das verfassungsmäßig geschützt ist, muß sich ausfragen lassen und prüfen von Leuten, die kein Gewissen haben, oder ein nagelneues, weil sie's noch nie gebraucht haben. Die Schaukelformel »Friedensdienst mit (!) und ohne Waffen«, von höchster kirchlicher Stelle abgesegnet, ist mit ihrer Verwischung exklusiver Gegensätze eine diabolische Dialektik. Wem das Ende zweier Weltkriege keine Lektion erteilt hat, der scheidet aus jeder Diskussion über das Thema Frieden aus. Wem Religion noch Lebensform des Glaubens ist, der reicht den kühlen Kalkulatoren möglicher Weltverwüstung auch nicht den kleinen Finger seiner Hand. Moderner Krieg ist Teufelei; mit dem Teufel diskutiert man nicht. Das hindert uns nicht, mit Meinungsgegnern menschlich umzugehen, denn wir verwerfen nicht Personen, sondern ihre Wahnsinns-Ideen. Also läßt sich über den kleinen Finger noch reden. Wir hören schon (und immer wieder) die Beteuerung: »Ja, *wir* wären doch bereit, auf alle solche Mittel zu verzichen, aber die andern...« Diesen schwarzen Peter schieben seit Jahr und Tag die hochgerüsteten Mächte sich gegenseitig zu, damit ja keiner den Anfang machen muß. Es ist die faulste aller schlechten Schüler-Ausreden. »Aber die im Osten sind auch nicht besser!« Doch, in *einem* Punkt: Sie nennen sich wenigstens nicht »christlich«.

Es geht uns nicht selbstzwecklich um die Kontroverse; es geht uns grundsätzlich um das Einverständnis, um den paritätischen Dialog über neue Wege zur Lebensform des Glaubens. Das Interesse an solchem Einverständnis, in der sachlichen Korrespondenz von Predigt, Religionsunterricht und Kirche motiviert die theologische Arbeit von Gert Otto, dem dieser Beitrag gewidmet ist. Jeder Entwurf, der realistische Fingerzeige gibt zu redlicher religiöser Existenz, ist uns willkommener Gesprächspartner.[16] Dabei darf es keinen Zwang zur Option geben, als hätte nur derjenige mitzureden, der konfessionell integriert ist. Es gibt sehr viel Kirche außerhalb der Kirche, und es ist noch keineswegs ausgemacht, wo sie sich besser darstellt. Friedrich Schiller, in schwäbischer Frömmigkeit aufgewachsen, wehrte sich: »Welche Religion ich bekenne? Keine von allen, / die du mir nennst! ›Und warum keine?‹ Aus Religion.« In seiner Heimat bekäme er heute zu hören: »Also glaubst Du überhaupt nichts!« Die Überschrift des Distichons lautet aber nicht zufällig: »Mein Glaube.«

Wir könnten den Dichter auch ohne Bedenken in Schutz nehmen, indem wir, nach manchem Für und Wider, unser Thema umkehren: »Die Lebensform des Glaubens – als Religion.« Wäre sie's? Sie ist's.

Anmerkungen

1 Ed. Heimann, Art. »Religion« in: Theologie für Nichttheologen, 1966, S. 310. Grundlegend hierzu: Th. Sartory, Braucht der Glaube »Religion«?, aus: Grenzfragen des Glaubens (1967) S. 453 ff.

2 passim in »Reden über die Religion«, 1799.

3 G. Mensching, Art. Religion, RGG³, Bd. V, Sp. 961.

4 K. Jaspers, Der philosophische Glaube, 1948, S. 72.

5 P. Tillich, Die verlorene Dimension, ²1964, (Stundenbücher Bd. 9), S. 56.

6 H. Küng, J. van Ess, H. v. Stietencron, H. Bechert: Christentum und Weltreligionen, 1984, S. 27 ff.

7 K. B. Ritter, Die Liturgie als Lebensform der Kirche, ²1949.

8 H. Hesse, H. Böll. Extremfall: Fr. Nietzsche.

9 M. Luther, Deutsche Messe, 1526; WA 19, S. 113.

10 Fr. Schiller, »Über die notwendigen Grenzen beim Gebrauch schöner Formen« (Edition Kohlhammer, 1949) Bd. I, 2, S. 348.

11 Das Buch gleichnamigen Titels von D. Sölle (Theologische Texte), 1971/81.

12 Das Buch gleichnamigen Titels, ediert von H. Mundzeck (rororo aktuell 5354), 1984 (1985).

13 Sachkunde Religion, Bd. I, 1969 (³1971), hg. von G. Otto. Sachkunde Religion Bd. II, 1985, hg. von J. Lott.

14 R. Dross, Evangelische Religion/Kompendium Didaktik, 1981; bes. 1. Teil, Abschnitt 3; 2. Teil, Abschnitt 4.

15 Titel des gleichnamigen Buchs von L. Schottroff/W. Stegemann, [2]1981.

16 Beispielhaft für ökumenische Dialogbasis: H. Küng, 20 Thesen zum Christsein, [3]1975.

II
Religion und Biographie in der Literatur

»Poesie erst läßt in der Rede der Emotionalität des Hörers ihr Recht, sie hilft, den Hörer allererst als den anzusprechen, der er ist, ein Mensch, der nur insoweit Mensch ist, als er denkt *und* fühlt... Die Einbeziehung poetischer Sprache ermöglicht überhaupt erst, die Fülle und Vieldimensionalität des Lebens zu artikulieren, jenes konkreten Lebens, das von der Sprache der Logik und des Begriffs immer nur partiell erreicht werden kann... Das Poetische unterliegt bei uns dem Verdacht, der Realität besonders fern zu sein. Diesem Verdacht ist zu widerstehen, weil Realität in ihrer Vielschichtigkeit und Hintergründigkeit, weil reale Hoffnungen in ihrer Offenheit nicht anders sagbar sind als auf poetische Weise.«
(Gert Otto, Predigt als Rede, Stuttgart 1976, S. 54 ff.)

LUISE SCHOTTROFF

VERHEISSUNG UND ERFÜLLUNG
AUS DER SICHT EINER THEOLOGIE NACH AUSCHWITZ[1]

Das Neue Testament benutzt nahezu in jedem Satz das »Alte Testament«, die Schrift. *Eine* Weise, in der diese Schriftbenutzung vom Neuen Testament selbst hermeneutisch benannt wird, ist die, daß die Schrift »erfüllt« werde. Besonders das Matthäusevangelium macht von diesem Wort »erfüllen« in der Einleitung zu Schriftzitaten Gebrauch. Aber der Gebrauch ist älter (s. nur Mk 14, 49; 15, 28) und die Sache, um die es geht, noch umfassender, als es der Gebrauch des Wortes anzeigt. Das frühe Christentum las die Schrift und bezog sie auf die eigenen Erfahrungen und Hoffnungen. Ich möchte zunächst an einem Textbeispiel diesen Schriftgebrauch erläutern und dann historische und systematische Überlegungen zu diesem Schriftgebrauch anschließen. Das Thema »Theologie und Biographie« ist dabei in zwei Weisen präsent: einmal darin, daß die neutestamentliche Schriftbenutzung der Deutung von Erfahrungen dient, die die ersten Christen in ihrem Leben gemacht haben; zum zweiten darin, daß die Perspektive einer Theologie nach Auschwitz eine Perspektive ist, die sich aus meiner Biographie, der einer Deutschen, die 1934 geboren wurde, ergibt.

Ich wähle ein Textbeispiel, das immer wieder antijudaistisch gedeutet wurde: das Jesajazitat (Jes 6, 9 f.) über die Verstockung derer »draußen« in Mk 4, 10–12 par. Man hat es häufig als Urteil Jesu über die Verstockung der »blinden Synagoge« verstanden, die nicht sehen will und nicht sehen soll.

Im Protojesaja wird der Prophet von Gott beauftragt: »Gehe und sprich zu diesem Volk: Hört immerzu, doch versteht nicht... Verstocke das Herz dieses Volkes, mache taub seine Ohren und blind seine Augen...«, damit sein Herz nicht einsichtig werde und man es wieder heile. In Mk 4, 10–12 wird über Jesus berichtet, er habe dieses Prophetenwort wiederholt. Er spricht zu den Jüngern: »Euch ist das Geheimnis des Reiches Gottes gegeben. Denen draußen ergeht alles in Gleichnissen, damit sie ›immerzu sehen und nicht sehen, und immerzu hören und nicht verstehen, damit sie nicht umkehren und ihnen vergeben werde‹«. Jesus predigt in Gleichnissen, damit er verstanden wird, sagt dieser Text.[2] Aber die »draußen« verstehen nicht, obwohl er so maximal verständlich redet, denn sie wollen nicht verstehen. Jesus ist in der Situation des Propheten Jesaja. Auch er redete zu Menschen, die nicht verstehen wollten, ja gar nicht verstehen sollten, denn die Verstockung ist von Gott beabsichtigt.

Hier in Mk 4 werden Erfahrungen gedeutet. Es ist die Erfahrung, daß Jesus und seine Boten tauben Ohren predigen, daß die Menschen verstehen, was ihnen gesagt wird, aber nicht verstehen wollen. Aus der in Mk 4 nachfolgenden Gleichnisdeutung des Sämannsgleichnisses wird deutlich, welche Gründe die Ablehnung hat. »Verfolgung um des Wortes willen«, »die Sorgen dieses Äons, die Verführung des Reichtums und die übrigen Begierden« (Mk 4, 17.19). Der Text ist in der Zeit nach 70 n. Chr. entstanden. Er redet gleichzeitig – wie alle Evangelien – auf zwei historischen Ebenen: der Jesu zu seinen Lebzeiten und der der »markinischen« Gemeinde, also der Christen irgendwo in einer Großstadt des Römischen Reiches in den Jahren nach der Zerstörung des Tempels in Jerusalem und der Vernichtung eines Teiles des jüdischen Volkes durch die römische Armee. Menschen verschließen sich der Botschaft Jesu, weil sie Angst vor Verfolgung haben und weil sie materielle Nachteile befürchten. Aus der Geschichte des frühen Christentums läßt sich diese Situation vielfach verifizieren. Die Anhänger des Messias Jesus wurden auch schon um diese Zeit als messianische jüdische Bewegung verfolgt – aus politischen Gründen. Die römische Herrschaft fürchtete den jüdischen Messianismus in allen seinen Gestalten als politischen Unruheherd. Die Anhänger und Anhängerinnen des Messias Jesus wurden aber auch in der Bevölkerung oft abgelehnt, weil sie sich anders verhielten, anders lebten, kein Fleisch kauften, nicht zu den Tierkämpfen und Gladiatorenkämpfen gingen. Jesusanhänger und -anhängerinnen deuteten sich ihre eigene Erfahrung mit den Menschen durch ein Jesuswort, das Jesaja zitiert. Die Frage nach dem historischen Jesus kann zunächst noch offen bleiben. Vorläufig versuche ich, den Inhalt des Textes und seine Benutzung der Schrift nachzuzeichnen, wobei ich den Text aus seinem literarischen Zusammenhang heraus interpretiere. Die Erfahrung, daß die Botschaft der Jesusboten abgelehnt wird, wird gedeutet: Jesus hat ja schon Jesajas Worte über die Verstockung wiederholt. Was wir jetzt erleben, ist schon von Jesaja und von Jesus angekündigt; Jesaja und Jesus haben schon dieselbe Erfahrung gemacht. Die jetzige Verstockungssituation ist Glied in einer Kette vergleichbarer Erfahrungen. Diese Kette vergleichbarer Erfahrungen beruht auf Gottes Plan mit seinem Volk. Indem Jesus Jesaja zitiert, macht der Text klar: schon damals hat Gott diese Erfahrungen angekündigt, als seine Absicht angekündigt, denn die Verstockung ist sowohl nach Jes. 6, 9 f. als auch nach Mk 4. 12 Gottes Absicht. Daß hinter diesen Erfahrungen ein Gottesplan steht, wird also in Mk 4, 12 auf zwei Weisen ausgedrückt. Einmal explizit durch das einleitende ἱνα und das μηποτε im letzten Satzteil (». . . damit sie nicht umkehren und ihnen vergeben werde«). Gott hat die Verstockung bewirkt und bewirkt sogar, daß es keine Umkehrmöglichkeit mehr gibt. Zum anderen wird der Gottesplan durch die Tatsache der Schriftbenutzung ausgedrückt. Indem

Jesus Jesaja zitiert, erscheint er als Jesaja redivivus; das, was er erlebt, erscheint als von Gott gewollt und von Jesaja geweissagt. Jesaja, Jesus und die Jesusboten machen dieselbe von Gott gewollte Erfahrung. Diese Schriftbenutzung drückt ein bestimmtes Verständnis von Geschichte aus. Die Geschichte beruht auf Gottes Handeln. Die Gegenwartserfahrung ist aus der vorangegangenen Gottesgeschichte zu deuten. Aber diese Wiederholung basiert nicht auf einem ewigen Kreislauf gleicher Erfahrungen, sondern darauf, daß Gott sein Volk auf ein Ziel zubringt. Dieses Ziel ist angesprochen, wenn biblische Zitate mit einer Einleitungsformel, die sich auf Erfüllung bezieht, versehen werden. Auch vor diesem Zitat in Mk 4, 12 könnte stehen: »Dieses alles ist geschehen, damit erfüllt werde, was vom Herrn durch den Propheten gesagt wurde« (Mt 1, 22 als ein Beispiel einer der vielen ähnlichen Einleitungen von Erfüllungszitaten). Die häufigste Deutung von Mk 4, 10–12 ist die ekklesiologische. »Drinnen« sind die Jünger, die Repräsentanten der glaubenden Gemeinde. »Draußen« sind die Nichtchristen oder das ungläubige Israel. Die drinnen empfangen Gottes Offenbarung, die draußen werden durch Verstockung vom Heil ausgeschlossen. Diese ekklesiologische Deutung kann auch mit paränetischem Ton versehen werden: Verhalte dich so, daß du zu denen »drinnen« gehörst, bringe vielfältige Frucht, um mit dem vorangehenden Gleichnis (Mk 4, 8) zu reden. Diese Deutungstradition – und sie ist die immer noch herrschende – basiert auf einer Hermeneutik, die von Institutionen ausgeht. Das »drinnen« und »draußen« wird aus der Perspektive von Christen betrachtet, die sich aus einem christlichen institutionellen Zusammenhang heraus verstehen. Eine solche Deutung beruht auf einem Mißverständnis dieses Textes, wie überhaupt biblischen, neutestamentlichen, jüdisch-christlichen theologischen Denkens. Denn hier wird Erfahrung nicht aus der Perspektive des »Christentums« gedeutet, sondern aus der Perspektive des handelnden Gottes. Er ist der Herr der Geschichte: Seine Hand war damals bei Jesaja im Spiel, auf sie wies Jesus hin, und was wir jetzt erleben, beruht auf seinem Handeln. Aber dieses Handeln führt in eine Zukunft. Hier wird nicht aus der Perspektive der »Kirche« geredet, sondern aus der der Eschatologie, d. h. des handelnden Gottes. Die »draußen« sind diejenigen, die von Gott gerichtet werden, die »drinnen« sind die, die in Gottes Gericht gerettet werden. Die Entscheidung darüber ist allein Gottes Entscheidung und sie steht noch bevor.

Die Erfahrung, daß Menschen die Botschaft Jesu nicht hören wollen, wird also aus der Perspektive des endzeitlichen Gottesgerichtes gedeutet. Es wird nicht gesagt: Diese bestimmte Gruppe von Menschen, etwa die heidnischen Nichtchristen oder die Juden, die Jesus ablehnen, sind draußen. Der Text stellt vielmehr die Hörer und Hörerinnen vor die Aufgabe, sich zu fragen: Wer sind wir? Sind wir die Verstockten, die nicht hören wollen? Der Text zielt darauf, die Alternative klarzumachen und die angeredeten Menschen zur Antwort auf die Anrede zu bringen. Diese erhoffte Antwort ist das Bekenntnis zum Lebensweg in der Nachfolge Jesu, ein Bekenntnis, das nicht nur mit Worten, sondern mit der ganzen Existenz vollzogen wird. Mit dem Jesajazitat wird die Erfahrung der Ablehnung gedeutet, aber nicht mit dem Ziel, jetzt die Gruppen zu definieren, die drinnen und draußen sind, sondern mit dem Ziel, Menschen für den Weg des Lebens vor Gott zu gewinnen. Nicht eine ekklesiologische, sondern eine eschatologische Deutung wird dem Text gerecht.

Die Eschatologie dieses Textes (wie überhaupt der Evangelien auf allen erkennbaren Traditionsstufen) hat eine gegenwärtige (christologische) und eine zukünftige Dimension. In Jesu Handeln und Leben ist die Prophetie erfüllt (so explizit Lk 4, 21), die Königsherrschaft Gottes hat mit dem Auftreten des Täufers und Jesu begonnen (Mt 11, 12f. par.). Aber die Königsherrschaft Gottes ist erst als Senfkorn da (Mk 4, 30–32 par.). Sie wird erwartet als Gottes Herrschaft über Himmel und Erde, als Vollendung seines gerechten Handelns.

Wegen dieser Eschatologie sind christologische Textdeutungen, die diese Eschatologie nicht realisieren, den Texten nicht angemessen. Gerade an der Vorstellung von Verheißung und Erfüllung hat sich häufig eine christologische Deutung der Evangelientexte und ihres Verhältnisses zum Alten Testament orientiert. Die Gegenwart Jesu wird in solchen Deutungen als absolutes, definitives Geschehen verstanden. Die Schrift des Alten Testaments wird von Christus aus zur definitiv erfüllten Verheißung. Damit ist der jüdische Gebrauch der Schrift grundsätzlich disqualifiziert. »Das Tischtuch mit Israel ist zerschnitten; man kämpft um das Erbe.«[3] Hier wird – so meine ich – spätere christliche Dogmatik in die neutestmentlichen Texte hineingelesen. Weder für das Markusevangelium noch für das Matthäus- oder Lukasevangelium sind »Judentum« und »Christentum« getrennte Menschengruppen oder gar religiöse Institutionen. Die einzige Scheidung, die es nach den Evangelien gibt, ist das eschatologische Gottesgericht. Dann erst wird Scheidung vollzogen und das Volk Gottes aus Juden und Heiden vor Gottes Angesicht stehen.[4] Vor allem in verschiedenen Varianten der »Biblischen Theologie« wird heute eine christologisch-dogmatische Deutung der neutestamentlichen Vorstellung von »Erfüllung« vertreten. Das Christusgeschehen sei »Abschluß« oder »Kritik und Erfüllung, Aufhebung und Vollendung der israelitischen Heilserwartungen«[5]. Wo jedoch im Neuen Testament christologische Absolutheit formuliert wird (z. B. Mt. 11, 27; Joh 14, 6), wird sie nicht mit dem Wahrheitsanspruch der Institution Kirche gegenüber dem jüdischen Volk verbunden. Ihre Heimat ist der Glaube der Betroffenen, ihr Bekenntnis dazu, daß sie nur durch

Christus Zugang zu Gott haben. Die Behauptung, daß Juden ohne Christus definitiv von Gott getrennt sind, findet sich in ihrer Gesellschaft gerade nicht.

Denn überall im Neuen Testament wird die Entscheidung über Heil und Unheil als Sache des eschatologisch richtenden Gottes verstanden – als eine Entscheidung, über die niemand verfügt, und an der – in einem Teil der Überlieferung – Christus als Richter/Menschensohn partizipiert. Die Christologie des Neuen Testaments ist noch nicht zwangsläufig mit Antijudaismus verbunden.[6] Antijudaistisch ist sie erst durch den Machtanspruch der christlichen Kirche geworden.

Die Frage nach dem historischen Jesus ist oft als die für die Inhalte der Evangelientexte entscheidende Frage verstanden worden. Auch für Mk 4, 12 hat man zu zeigen versucht, daß das Jesajazitat bereits vom historischen Jesus benutzt wurde.[7] Ich halte es für durchaus wahrscheinlich, daß der historische Jesus das Jesajazitat benutzt hat, aber die entscheidende Frage für den Inhalt dieses Textes ist noch nicht mit der Rückführung auf den historischen Jesus beantwortet. Sie ist von hermeneutischen Vorgaben abhängig, von dem Verständnis von Christologie und Eschatologie.

Der Schriftgebrauch des Neuen Testaments, der hier mit den Stichworten »Verheißung und Erfüllung« gekennzeichnet ist, ist nicht singulär. Er findet sich vor allem in apokalyptisch denkenden Bereichen des Judentums, z. B. im Habakuk-pescher aus Qumran oder bei jüdischen messianischen Propheten des 1. Jahrhunderts nach Christus.[8] Die antijudaistische Deutung des neutestamentlichen Schriftgebrauchs erweist sich auch aus dieser Perspektive als Groteske, wenn auch als für unzählige Menschen tödliche Groteske.

Der von P. von der Osten-Sacken zu Recht geforderte christliche »Besitzverzicht« in einer Theologie nach Auschwitz[9] betrifft also nicht die Christologie, sondern die Ekklesiologie. Erst dort, wo mit dem Glauben an die alleinige Heilsbedeutung Christi Ausgrenzungen und Ansprüche anderer Menschen gegenüber verbunden werden, wird der Besitzverzicht notwendig. Die Geschichte des Christentums ist sehr bald vorwiegend Geschichte einer mächtigen Institution geworden. Auch in der Gegenwart gibt es noch ein Christentum, das Nichtchristen und Juden gegenüber mit Ansprüchen oder Ausgrenzungen auftritt. Daß dieser Weg des Christentums verhängnisvoll ist, zeigt sich nicht nur an der beschriebenen unzutreffenden Hermeneutik gegenüber dem Neuen Testament, sondern vor allem an der Geschichte des Christentums. Ich blicke hier jetzt nur auf die jüngere deutsche Geschichte der Judenverfolgung. Sie war nur möglich, weil Christen ihr mit ihrer Theologie den Boden bereitet haben und weil sie geschwiegen haben. Die Ermordung von sechs Millionen Juden hat Gründe in der christlichen Theologie, die sich immer noch auswirken auf heutiges christliches Verständnis von Christus, vom Alten Testament und vom Neuen Testament. Aufgrund von Auschwitz und der Geschichte der Kirche sowie der christlichen Dogmatik ist es nicht möglich, Bibelworte wie Mk 4, 12 oder Jes 6, 9 f. kommentarlos zu wiederholen. Sie werden dann antijudaistisch verstanden, obwohl sie es von Haus aus nicht sind.

Zwischen Jesu Schriftgebrauch und unserem Gebrauch des Alten Testaments liegt die Ermordung von sechs Millionen Juden durch Deutsche, die sich meistens als Christen verstanden und die von den Christen, die nicht aktiv an der Ermordung beteiligt waren, doch hingenommen worden und verschwiegen worden ist. Ohne die christliche Theologie mit ihrem Antijudaismus wäre die Ermordung der Juden nicht möglich gewesen. Aber auch zwischen Christen heute und dem *Neuen Testament* sehe ich einen tiefen Graben. Die Christen z. Zt. des Neuen Testaments – Juden wie Heiden – waren arme Leute, die für das Leben der ganzen Schöpfung gekämpft haben. Heute sind weite Bereiche der christlichen Kirche Bestandteile von Gesellschaften, die auf militärischer Überrüstung basieren und deren Wohlstand auf der Ausbeutung anderer Völker beruht. Und nicht nur dies macht den Graben zwischen Christen heute und dem Neuen Testament aus: Auch *die Verfolgung der Juden* in der Kirchengeschichte *trennt alle Christen* – auch die der armen Länder – *vom Neuen Testament*. Denn wenn nur schon ein Satz wie Mk 4, 12 wiederholt wird, wird er selbstverständlich als Satz über die blinde Synagoge verstanden werden, über die Verstockung der Juden, die den Messias Jesus nicht anerkennen wollten. D. h. wir haben als Christen keinen unmittelbaren, direkten Zugang zum Neuen Testament, unsere schreckliche Geschichte trennt uns von ihm, und sie ist präsent in unseren durch Jahrhunderte gewachsenen Vorstellungen von der Bedeutung neutestamentlicher Texte. Die Wurzel der christlichen Mißbrauchsgeschichte des Alten *und* des Neuen Testaments liegt in der Geschichte der christlichen Machtausübung und ihrer christologischen und überhaupt dogmatischen Absicherung.

Meine Aussagen zum Neuen Testament dürften manchen vielleicht als ungewohnt erscheinen, da sie von Auslegungstraditionen abweichen. Kern des Problems ist dabei m. E. die Gottesvorstellung. Ich verstehe Gott als den Gott, der das Leben der ganzen Schöpfung, aller Menschen, will, der Himmel und Erde neumachen wird. Er thront nicht allmächtig über der Welt, sondern er teilt das Schicksal der im Tode verstrickten Menschheit. Er ist in der Lage, unsere Lebensrichtung zu verändern, daß wir den Weg vom Tode zum Leben gehen. Woher haben Christen in der Bundesrepublik in den letzten Jahren gelernt, Gott so zu verstehen und zu glauben? Aus dem Hören auf die Stimmen jüdischer Theologen und auf die Stimmen der Christen aus der sogenannten dritten Welt. Von ihnen habe ich begriffen, daß Gott auf der Erde bei seinen Kindern ist, daß er seine Gerechtigkeit *auf der Erde* ausbreiten will und daß die Existenz vor Gott *das ganze Leben* umfaßt, Leib und Seele, Politik und Glauben, Vergangenheit, Gegenwart und Zukunft.

Wie lesen nun Christen, die an diesem Prozeß teilhaben, das »Alte Testament«? Sie lesen es als menschliches Zeugnis von der Geschichte Gottes mit seinem jüdischen Volk und damit als Zeugnis über den Gott, von dem sie ihre Zukunft abhängig wissen. *Unser* Zugang zu Gott ist Jesus Christus, aber eben zu *diesem* Gott, dem Gott des jüdischen Volkes. Jes 61 ist Verheißung des Evangeliums der Armen; diese Verheißung sah Jesus in seinem »Heute« erfüllt (Lk 4, 21). Er hat an der Verwirklichung der Gottesgerechtigkeit auf der Erde gearbeitet und auf Gottes Zukunft gewartet. Christen heute können eigentlich auch nur so die Schrift lesen, daß sie sie auf ihre Arbeit im Sinne des Gotteswillens beziehen und auf die endgültige Verwirklichung der Königsherrschaft Gottes über Himmel und Erde warten.

Lesen Juden und Christen die gleiche Bibel? Unsere christliche Geschichte der Judenverfolgung und unsere christliche Dogmatik des Alleinvertretungsanspruchs hindert uns daran, die gleiche Bibel zu lesen. Aber da wir die Bibel als Zeugnis der Geschichte Gottes mit seinem Volk lesen, werden wir es hoffentlich demnächst noch besser lernen, dieselbe Bibel wie die Juden zu lesen und uns mit Juden und Nichtchristen zu vereinigen in der Arbeit für die Gerechtigkeit des Gottes Israels auf dieser Erde. Ich begreife die Christen der Bundesrepublik 1986 als in einem Lernprozeß befindlich sowohl der Hebräischen Bibel als auch dem Neuen Testament gegenüber. Der jüdisch-christliche Dialog nach 1945 in der Bundesrepublik hat schon Folgen für das Verständnis auch des *Neuen Testaments* gehabt und wird weiter Folgen haben. Dieser Dialog ist in seinen Auswirkungen auf christliche Theologie Bestandteil der Entwicklung einer christlichen Befreiungstheologie im Kontext der ersten Welt.

Die elementare Bedeutung der Bibel – der Hebräischen Bibel wie des Neuen Testaments – für die Entwicklung einer Befreiungstheologie bei uns, beruht auch auf der unter Christen wachsenden Einsicht, daß die Tora nicht »Gesetz« ist, sondern Lebensgrundlage auch christlichen Lebens, so wie sie es für die Christen der ersten Generationen war.

Biblische Theologie in meinem Sinne hätte also zwei Seiten: einerseits das Halten der Tora (oder der Versuch, sie in unser Leben zu übersetzen) und andererseits das Eintreten in die Geschichte Gottes mit den Menschen, die ein gutes Ziel hat: das Leben aller Menschen. Dieser Umgang mit der Bibel setzt aber voraus, daß wir auf die Stimmen der Juden und die Stimmen der Menschen, die wir heute unterdrücken, zu hören lernen.

Anmerkungen

1 Dieser Aufsatz ist die Kurzfassung eines Vortrages in der Ev. Akademie Arnoldshain auf der Tagung »Lesen Christen und Juden die gleiche Bibel? Probleme einer Biblischen Theologie«, veranstaltet von Sigrid Brückner, Rolf Rendtorff und Leonore Siegele-Wenschkewitz im Frühjahr 1986. Die ursprüngliche Fassung wird in der Veröffentlichungsreihe der Akademie Arnoldshain »Arnoldshainer Texte« erscheinen.

2 In der Regel wird angenommen, die Parabelrede sei nach Meinung dieses Textes Dunkelrede, gerade nicht verständlich, sondern unverständlich. Doch sagt der Text selbst deutlich das Gegenteil: sie *sehen* und sehen nicht. Nicht weil sie nicht sehen können, lehnen sie ab, sondern *obwohl* sie sehen. Hier und im Folgenden fälle ich exegetische Entscheidungen und begründe sie aus dem Textbefund, ohne hier die explizite Auseinandersetzung mit anderen Auslegungen zu führen. Die Argumente für diese Auseinandersetzung ergeben sich jedoch aus meiner Darstellung implizit oder explizit.

3 H. Frankemölle, Jahwebund und Kirche Christi 1974, 306 charakterisiert so den Schriftgebrauch des Matthäusevangeliums.

4 Für das Matthäusevangelium s. dazu auch L. Schottroff, Das geschundene Volk und die Arbeit in der Ernte Gottes nach dem Matthäusevangelium, in: L. und W. Schottroff (Hg.), Mitarbeiter der Schöpfung. Bibel und Arbeitswelt, München 1983 (149–206) 155.

5 P. Stuhlmacher, Das Bekenntnis zur Auferweckung Jesu von den Toten und die Biblische Theologie (1973), in: ders. Schriftauslegung auf dem Wege zur biblischen Theologie, Göttingen 1975 (128–166) 158. Stuhlmacher versucht den rein christologisch-dogmatischen Ansatz der »Biblischen Theologie« von H. Gese weiterzuführen, s. H. Gese, Erwägungen zur Einheit der biblischen Theologie (1970), in: ders., vom Sinai zum Zion, München 1974, 11–30. Er spricht im Blick auf die Erfüllungszitate im Neuen Testament vom »Abschlußcharakter« der neutestamentlichen Tradition« (a. a. O. 15). Stuhlmacher versucht von dieser christologischen Position aus der Tatsache der neutestamentlichen Eschatologie gerecht zu werden und deutet sie dann auch konsequent christologisch: »Die neutestamentliche Eschatologie entsteht also von Ostern her als Christologie, indem die israelitischen Heilserwartungen in Anknüpfung und Widerspruch, Kritik und Vollendung auf den Gekreuzigten und Auferstandenen bezogen werden« (a. a. O. 162). »Nicht mehr allein das Gesetz, sondern gerade Jesus als der Richter und Retter« habe im Endgericht das Wort (a. a. O. 162). Doch wo im Neuen Testament von Christi eschatologischem Richten geredet wird, ist das »Gesetz« Grundlage des Gerichtes (s. nur Mt 25, 31–46) und eine Kritik an israelitischen Heilserwartungen als solchen wird in der neutestamentlichen Eschatologie nirgendwo formuliert.

6 R. Ruether, Nächstenliebe und Brudermord. Die theologischen Wurzeln des Antisemitismus, München 1978 kritisiert zu Recht den theologischen Antijudaismus, sieht ihn aber m. E. zu Unrecht als essentiell für den christlichen Glauben an, der seit Kreuz und Ostern die Juden verwerfe. Als Ausdruck dieser Verwerfung versteht sie auch Mk 4, 11f. (a. a.O. 74 f.).

7 S. nur J. Jeremias, Die Gleichnisse Jesu, Göttingen⁷ 1964, 14.

8 Materialzusammenstellung dazu bei T. Holtz, Zur Interpretation des Alten Testaments im Neuen Testament, ThLZ 99, 1974, 19–32.

9 P. von der Osten-Sacken, Nachwort zu R. Ruether (s. o. Anm. 6), 244–251. Ihm geht es bei der Forderung des Besitzverzichtes um die »Kritik christlichen ideologischen Imperialismus' und ... christologisch begründeten christlichen Totalitarismus'« (a. a. O. 246).

WALTER JENS

EIN FROMMER REBELL

Über Ulrich Bräker, den armen Mann im Tockenburg

»Schon seit langem habe ich mir viel Mühe gegeben, mich selbst zu studieren, und glaube wirklich zum Teil mich zu kennen – meine Frau war mir ein treffliches Heilmittel dazu – zum Teil aber bin ich mir freylich noch immer ein Rätsel: So viele Empfindungen; ein so wohlwollendes, zur Gerechtigkeit und Güte geneigtes Herz; so viel Freude und Theilnahm' an allem physisch und moralisch Schönen in der Welt; solch betrübende Gefühle beym Anblick oder Anhören jedes Unrechts, Jammers und Elends; so viele redliche Wünsche endlich, hauptsächlich für andrer Wohlergehn. Dessen alles bin ich mir, wie ich meyne, untrüglich bewußt. Aber dann daneben: Noch so viele Herzensstücke; solch ein Wust von Spanischen Schlössern, Türkischen Paradiesen, kurz Hirngespinsten – die mich sogar noch in meinem alten Narrenkopf mit geheimem Wohlgefallen nähren – wie sie vielleicht sonst noch in keines Menschengehirn aufgestieben sind«: Der Mann, der hier mit Demut und Stolz, Selbstbewußtsein und großer Verzagtheit, mit verwegener Hoffnung und Bängnis seine Lebensbilanz zieht – *was für ein Mensch bin ich eigentlich? Welch ein Charakter, sowohl auf der Haben- als auch auf der Schuldenseite?* –, dieser Ulrich Bräker, der, ungefähr fünfundvierzigjährig, um 1785 seine Autobiographie mit einer großen Konfession an die Adresse seiner Nachkommen abschließt: dieser Hütebub und Baumwollweber, Deserteur und Garnhändler, Salpetersieder, Bauernknecht und Pulvermacher ist der erste arme Mann, der erste Plebejer in der Literatur, dem es gelingt, die ihn umgebende Welt der Bauern, Taglöhner und gepreßten Soldaten mit jener Eindringlichkeit darzustellen, die bis zur zweiten Hälfte des achtzehnten Jahrhunderts den Großen und Frommen, Gebildeten und Schreibkundigen vorbehalten war.

»Lebensgeschichte und natürliche Ebentheuer (Abenteuer) des armen Mannes im Tockenburg«, begonnen 1781 und veröffentlicht, bei Füssli in Zürich, 1789: Der Titel bezeichnet ein Programm; denn er verweist darauf, daß ein armer Mann aus der Provinz, ein in weltabgeschiedener Einsamkeit irgendeines Ostschweizer Tals geborenes Kind, ausgeschlossen von allen Bildungsmöglichkeiten, seine vita, die kohärente Darstellung einer Armer-Hund-Existenz für nicht minder darstellenswert hält als die Geschehnisse der Großen Welt.

1789: Im Jahr 1 der französischen Revolution tritt, zum ersten Mal, ein

Schriftsteller auf den Plan, der sich's zutraut, die Wahrheit aus der Perspektive von unten zu sagen: die Wahrheit, verbürgt durch die Lebensweise jener überwältigenden Mehrheit, die, bis dahin illiterat, also, aufs Ganze gesehen, stumm gewesen war. Ein Bauernsohn und ein Gezeichneter von Anfang an: »Ich sey ein Bischen zu früh auf der Welt erschienen, sagte man mir. Meine Eltern mußten sich dafür verantworten.« Dann folgt ein Gedankenstrich, und der Leser ist gehalten, daran zu denken, daß im 18. Jahrhundert »bescholtene« Brautleute vielerorts mit Strohkränzen, als dem Zeichen der Schande, zur Hochzeit zu erscheinen hatten; war – oft durch entwürdigende Prozeduren – die »Entehrung« der Braut nachgewiesen, so mußte sie, und ihr Bräutigam dazu, in der Kirche, gelegentlich unter Kuratel eines Amtsknechts, als Büßende abseits stehen; noch zu Bräkers Zeit war es, unweit von Tübingen, in Rottenburg am Neckar, den Gefallenen aufgetragen, an drei Sonntagen links und rechts von der Kirchentür zu stehen, »die Frau mit Strohzöpfen und Strohkranz, der Mann in einem Strohmantel.«[1]

»Mein Vater war seine Tage ein armer Mann; auch meine ganze Freundschaft hatte keinen reichen Mann aufzuweisen«: Das ist die Stimme eines Plebejers, der, als das erste von elf Kindern, bis in seine Mannesjahre hinein im Zustand der Halbuntertänigkeit lebte – halbuntertänig gegenüber dem Abt des Stifts von St. Gallen, der das Tockenburgische durch einen Vogt regierte –; ein Mensch, dieser Uli Bräker, der im Jahr ganze zehn Wochen zur Schule gehen konnte, im Winter, und auch dann nur, wenn nicht zu viel Schnee lag: im achtzehnten Jahrhundert kein Einzelfall, im Gegenteil, es war bis tief ins neunzehnte Jahrhundert hinein die Regel, daß im Sommer auf dem Lande der Unterricht ausfiel – die Kinder waren mit »Feldarbeit, Ährenlesen, Schafehüten, Achten auf die Geschwister und Klöppeln« beschäftigt; noch 1846 läßt ein preußischer Sozialpolitiker verlauten: »Die Ärmeren müssen in ihrer Jugend fast zwei Drittheile des Schulunterrichts mit Viehhüten und dergleichen versäumen.«[2]

Kein Zweifel: Das Leben des Ulrich Bräker aus dem Tockenburgischen war ein Dutzend-, ein Millionen-, ein Alltagsleben – ein Leben freilich, das dieser eine, erstens, in seinen Tagebüchern, seinen imaginären Gesprächen und seiner Autobiographie, auf den Begriff zu bringen wußte und das er, zweitens, der Öffentlichkeit unterbreiten konnte, weil er, durch Zufall, einen Pfarrer hatte, Martin Imhof, der auf ihn aufmerksam wurde und sein Werk, die Arbeit, so Imhof im Vorbericht, eines »braven Sohns der Natur« zu publizieren half, indem er die Verbindung zwischen dem Salpetersieder und Garnhändler aus Näppis und Schlattwyl und dem Patrizier und Verleger Johann Friedrich Füssli herstellte, um derart den Armen aus Tockenburg endgültig zu jenem Zweiwelten-Mann zu machen, als der er sich in seiner Lebensgeschichte präsentiert:

ein Plebejer, der es zum kleinen Handelsmann bringt (um, infolge widriger Zeitumstände, hernach so arm und elend zu enden wie er begann), ein Weber, der für sich arbeiten läßt (freilich nur für kurze Zeit), ein Kaufmann, der mehr als einmal beinahe bankrott macht und dessen Bilanz am Ende lautet: *Weniger als nichts* – auf der anderen Seite aber auch ein fanatischer Leser, der die Bücher mit wahrer Besessenheit, Zeile für Zeile,»durchstänkert« und es, nach glanzvoll gelösten Preisarbeiten auf dem Feld der Ökonomie, zum Mitglied gelehrter Gesellschaften bringt: Immer zwischen den Fronten, Sklavendienst leistend und als»Naturpoet« (nicht anders als Hölderlin in Tübingen) in seiner Weltabgeschiedenheit von den großen Herrn, den Bürgern, Literaten und Baronen, besucht, ein Bauernjunge, der Shakespeares Dramen analysiert, Sendschreiben an die größten Adressen verschickt, an den König von Preußen, die Königin von Schweden, den großen Lavater: ein einzelner, der, halb verbittert, halb von verwegener Hoffnung auf ein besseres Morgen bestimmt, gegen alle Bitternisse anschreibt, seine Schulden, seine Ehemisere, und es derart tatsächlich zu bescheidenem Ruhm bringt, zur Publikation seiner Autobiographie, die zuerst in einer Zeitschrift, dem »Schweizer Museum«, hernach als Buch erscheint, 1789, gefolgt von den Tagebüchern... aber dann hatte die Herrlichkeit auch schon ein Ende; ein – geplanter, erhoffter zweiter Band der Tagebücher erschien nicht mehr; die Öffentlichkeit begann, nach kurzem Applaus, das Interesse an Bräker rasch wieder zu verlieren; er blieb der Autor *eines* Buches, verabschiedet von der Literaturkritik, frei nach Friedrich Torberg, mit »enden wollendem Beifall«: Vieles aus seiner Feder ruht bis zum heutigen Tag noch in den Archiven.[3]

Bräkers Autobiographie: Das ist keine Bildungsgeschichte, kein Beispiel für die im 18. Jahrhundert zur frommen Mode werdenden pietistischen Lebensläufe – wie Jung-Stillings Selbstdarstellung –, aber es ist ebensowenig eine auf die Wiedergabe des »Objektiven« verpflichtete Chronik, sondern – in Analogie zum Goetheschen Vorwort zu *Dichtung und Wahrheit* – Beichte eines gebeutelten Ich, Beichte vor Gott und den Nächsten, *und* es ist Spiegel einer Welt, deren Herrschaftsstrukturen sich im Kleinsten und Bescheidensten am dramatischsten präsentieren; im Blochschen Sinn zur Kenntlichkeit entstellt durch einen schriftstellernden Dilettanten, dessen künstlerische Manier sich auf der *einen* Seite (aber eben *nur* auf der einen!) mit den Worten Goethes beschreiben läßt, formuliert in der Einleitung zu der Autobiographie eines Autors namens Sachse (die Selbstbeschreibung hat den Titel *Der deutsche Gil Blas):* »Man gesteht« den Naturdichtern aus den untersten Ständen »zu, daß sie die nächste Umgebung traulich auffassen, landesübliche Charaktere, Gewohnheiten und Sitten... genau zu schildern verstehen; wobei sich dann ihre Production, wie alle poetischen Anfänge, gegen das Didaktische, Belehrende, Sittenverbessernde gar treulich hinneigt.«

Wobei sich ihre Production treulich hinneigt: Das klingt ein bißchen von
oben herab, soll das Redlich-Realistische betonen, aber ebensosehr – und
in eins damit – auf den Mangel an Kunstdichtung und poetischem
Gehalt, aufs Fehlen der Subjekt-Objekt-Balance verweisen... doch dieser
Vorwurf trifft im Falle Bräker *nicht* zu, weil eben, wenn irgendwo, dann in
dieser »Chronik von unten«, die Dialektik zwischen dem Subjektiv-
Besonderen und dem Allgemein-Objektiven gewahrt ist: weil die Autobiographie nicht nur der Versicherung des Ich – und seiner oft blitzartig-
raffend resümierten Lebensgeschichte dient, sondern zugleich in jedem
Augenblick auch Weltaneignung ist: weil das Private, im Akt des Laut-
denkens und der bestimmtesten Reflexion, sein beliebiges Sondersein
verliert und verbindlichen: weil exemplarischen Charakter gewinnt, so
daß das »Ich« insgeheim die Bedeutung des »Wir« gewinnt.

»Ich« schreibt hier einer stellvertretend für Hunderttausende seiner
Klasse, »ich bin von armen Eltern her, in einem wilden Erdwinkel
hingeworfen worden, halbwild ohn alle Erziehung aufgewachsen. Hatte
nie weder Vermögen noch Gelegenheit, ein Handwerk oder sonst etwas
zu lernen. Was ich aus mir selbst gelernt, ist Pfuschwerk. Hatte von
meinen Eltern, noch von der ganzen Verwandtschaft nie einen Heller zu
erwarten. Bin wohl auch etwas gereist oder vielmehr in der Welt herum-
geworfen worden und habe also einen Alltagscharakter angenommen.
Habe ich etwa ein bisgen mehr Bildung als *andere aus meiner Klasse*
erhalten, (so) ists vom Lesen nützlicher Bücher, vom Umgang mit besseren Menschen, welchen mir meine unmündige Autorschaft verschafft
hat. Auch vom eigenen Nachdenken. Sonsten war all mein Tage ein
blutarmer, also verachteter Mann.«

Sätze – mit Walter Benjamin zu sprechen –, die »in Tränen gebeizt
sind«. Schlichte Sätze: getragen von Realismus und Phantasiekraft eines
Schriftstellers, dessen Entwicklung im Hinblick auf die von ihm verwen-
deten, intuitiv und traumhaft-richtig eingesetzten *künstlerischen* Mittel
immer noch aussteht: der Hinweis zum Beispiel, mit welcher Perfektion
Bräker das Bezugsspiel zwischen Damals und Jetzt inszeniert, wie er den
Vater anders aus der Perspektive des geprügelten Kindes, anders aus der
Sicht des abschiednehmenden, angesichts eigener Fehlbarkeit auf pädagogischem Feld zum Verzeihen geneigten Erwachsenen beschreibt; wie
er hier Diskrepanz zwischen heutigem Wissen (besser »Ein-bißchen-
Wissen«: Sicherheit, Selbstzufriedenheit gibt es bei Bräker nie) und
vergangenem Nicht-Wissen, tumber Blindheit und täppischer Einfalt,
dort, andererseits, in unvermitteltem, freilich schnell wieder vergehen-
dem Seelenaufschwung Kongruenzen zwischen Präsens und Imperfekt
als der noch andauernden Vergangenheit herstellt: »Mir ist so wohl beym
Zurückdenken an diese glücklichen Tage – Heute noch schreib ich mit so
viel innigem Vergnügen davon – bin jetzt noch so wohl zufrieden mit

meinem damaligen Ich – so geneigt mich über alles zu rechtfertigen, was ich in diesem Zeitraum that und ließ. Freylich vor dir nicht, Allwissender! aber vor Menschen doch darf ich's sagen: damals war ich ein guter Bursch' ohne Falsch – vielleicht für die arge Welt nur gar zu redlich.«

Sieht man genauer hin, dann erweist sich der arme Mann im Tockenburg als Grimmelshausens Simplicius Simplicissimus' Bruder im Geist: ein Einfältiger, dessen Demütigungen, indirekt, auf der Inhumanität der regierenden Weltordnung verweisen – einer Ordnung *in politicis*, hinter der Bräker wieder und wieder, auf Kanaan, Joseph und den barmherzigen Samariter verweisend, das Gegenbild einer wahren, auf Frömmigkeit und Mitbrüderlichkeit beruhenden Gesellschaft entwirft... weltenweit von jenem Hier und Jetzt entfernt, das der Mann aus Tockenburg mit einer Inständigkeit und einem Realismus verdeutlicht, der in der Literatur des 18. Jahrhunderts, trotz Sachse und Laukhard und Seume, ohne Beispiel ist – ausgenommen, wir werden's gleich hören, den *einen* Karl Philipp Moritz natürlich: Mit welcher alles Pathos übersteigenden Kargheit er den Tod seines ersten Kindes beschreibt (»das ich wie meine Seele liebte, unter einer so schmerzhaften Krankheit geduldig wie ein Lamm Tag und Nacht leiden zu sehen«)! Wie er – mit einem zur Paradoxie zugespitzten Lakonismus – die Niederkunft seiner Frau ins Blickfeld rückt (»mittlerweile war meine Frau schwanger, und den ganzen Sommer über kränklich, und schämte sich vor allen Wänden, daß sie bey diesen betrübten Zeitläuften ein Kind haben sollte«)! Wie er, weiterhin, im Chronikstil die Sätze fügt – aber als ein Chronist, der die Propheten gelesen hat und darum – wie nach ihm Georg Büchner – weiß, daß Aufzählungen, simple Fügungen von Tatbeständen an Dramatik selbst die wortreichste Rhetorik weit überbieten können: »Es kamen alle zwey Jahr geflissentlich ein Kind; Tischgänger genug, aber darum noch keine Arbeiter... Der Zins überstieg alle Jahr die Losung (den Erlös). Wir reuteten viel Wald aus, um mehr Mattland, und Geld von dem Holz zu bekommen; und doch kamen wir je länger je tiefer in die Schulden und mußten immer aus einem Sack in den anderen schleufen... Man schmälerte uns den Tisch, meist Milch und Milch; ließ uns lumpen und lempen... bis in mein sechzehntes Jahr ging ich selten, und im Sommer baarfuß in meinem Zwilchröcklin zur Schule.«

Das klingt, als sei's rasch niedergeschrieben, ist es vielleicht auch, in kurioser Orthographie und befremdlicher Interpunktion – und trotzdem fehlt dieser Autobiographie deshalb selbst der Anflug von Beliebigkeit, weil sich ein Satz mit erbarmungsloser Folgerichtigkeit aus dem andern ergibt; weil nicht die Lust des Räsonnierens, sondern die Erinnerung an unumstößliche Fakten, an Armut und schauerliche Winter, an Lempen und Lumpen, an lange Krankheiten und kurze Erholungen, an Schulden, die nah, und an Gott, der fern ist, dem Autor die Feder führen – einem

Schriftsteller, der, wiewohl er nie an eine Publikation seiner Lebensgeschichte gedacht hat (nur für die Nachkommen, als ein *exemplum paupertatis et pietatis*, wurde aufgezeichnet), seine Beichte, artistisch ehrgeizig, durch wohlkalkulierte Abfolgen von Berichten und szenischen Darbietungen variiert: Chronik und Dialog, Statistik und eingestreute Miniaturen, Porträts, Gespräche, Reden ergänzen einander. Mal plätschert's, im behäbigen Erzählstil, so hin, scheinbar vom Hölzchen auf Stöckchen, vom Baumwollspinnen zum unverhofften Wohlstand des Nachbarn (»und verdiente nach und nach etliche tausend Gulden. Da hörte er auf, setzte sich zur Ruhe und starb«), mal wird, mit einer an Pedanterie grenzenden Gründlichkeit, katalogartig aufgezählt, was dem Erzähler begegnet: doch dann, auf einmal, bricht der Autor aus und läßt in emphatischer Rede den von Werbern in die preußische Armee gepferchten Uli Bräker dem Mond sein Elend erzählen, läßt den Vater – »ich hab nun einmal weder Glück noch Stern« – wie einen gottverdammten König Lear, seine gesamte Habe, Haus, Hof, Vieh und Geschirr den Gläubigern auf Gnade und Ungnade vermachen.

Naturdichtung? Gewiß: aber durch Kunst auf den Begriff gebracht. Das Bescheidene und das Erhabene derart miteinander vereint, daß – zum ersten Mal in der deutschsprachigen Literatur (von Moritz wiederum abgesehen) – die bisher nur der Komödie und der Idylle vorbehaltene Welt der kleinen Leute für würdig befunden wird, auch Tragik und große Leidenschaft befördern zu helfen.

Wer einen Beleg für die Koexistenz von Heimelig-Kleinem und Grandiosem, von simpler Darstellung der Faktizität und theatralischer Szenen-Bildung sucht, halte sich an Bräkers *Armen Mann im Tockenburg:* Gibt er sich eben noch sanft und elegisch, der Autor, voll Wehmut die Abschiede beschreibend, den Abschied von der Heimat, von der Geliebten, vom kurzen Glück in der freundlichen Stadt Rottweil, so wird er gleich darauf zum Ankläger, Moralisten und Sozialkritiker, der sich – in den grandiosesten Szenen des Buchs – über die Barbarei des Krieges, die – in der Literatur der Zeit immer wieder gegeißelte – Soldatenwerbung, den Schrecken der Lazarette und die Niedertracht des Spießrutenlaufens erregt: »Bald alle Wochen hörten wir neue ... ängstigende Geschichten von eingebrachten Deserteuren«, schreibt aus dem Abstand der Jahre und zugleich mit einer Evidenz, die dem Gestern die Plastizität des *Heute und Hier* gibt, der Fahnenflüchtige von einst, Ulrich Bräker ... »Geschichten von Deserteuren, die wenn sie noch so viele List gebraucht, sich in Schiffer oder andere Handwerksleuthe, oder gar in Weibsbilder verkleidt, in Tonnen und Fässer versteckt, dennoch ertappt wurden. Da mußten wir zusehen, wie man sie durch 200 Mann, achtmal die lange Gasse auf und ab Spießruthen laufen ließ, bis sie athemlos hinsanken – und des folgenden Tags aufs neue dran mußten; die Kleider ihnen vom zerhackten Rücken heruntergerissen, und wieder frisch drauflosgehauen wurde, bis Fetzen geronnenen Bluts ihnen über die Hosen hinabhingen. Da sahen... (wir) einander zitternd und todtblaß an, und flüsterten (uns) in die Ohren: ›Die verdammten Barbaren!‹«

Die Lebensgeschichte des Armen Mannes im Tockenburg ist ein parteiisches Buch – kein revolutionäres, aber auch kein quietistisches: Bräker, ein Feind aller Gewalt, haßte den Krieg so gut wie den Terror im Gefolge der Französischen Revolution. Wenn er Stellung bezog (und das tat er mit jedem Satz, den er schrieb), dann für die kleinen Leute, die geschundene Kreatur, die Opfer, während er die Großen Hänse in die Hölle wünschte (was ihn übrigens nicht hinderte, Lobeshymnen auf Friedrich den Großen und Maria Theresia anzustimmen)... während er die Großen Hänse verdammte und den Militarismus als den Triumph der Herrn und den Untergang der Knechte interpretierte: »Der König allein ist König; seine Generals, Obersten, Majoren sind selber seine Bedienten – und wir, ach! wir – so hingeworfene verkaufte Hunde – zum Abschmieren im Frieden, zum Totstechen und Totschießen im Krieg bestimmt.«

Und dann, an *einer* Stelle, doch der Appell, Gewalt zu üben; der Appell eines Schweizers an seine Landsleute, die Reisläufer in aller Welt: »O ihr armen Sklaven! Kennet ihr eure Stärke, ihr würdet rechtsum machen und eure Bajonette gegen eure Tyrannen kehren... und nicht mehr zu Tausenden kleine Despoten in Saus und Braus lebend mästen und zuletzt euer Blut vor (für) sie, vor eure Drücker (Unterdrücker, Niederpresser) verspritzen.«

Ulrich Bräker, der Arme Mann im Tockenburg: ein Mensch in seinem Widerspruch. Konservativ und rebellisch, den großen Ausbruch aus allen bestehenden Ordnungen, der tristen Ehe, dem jämmerlichen Schuldendasein planend und dann doch zu Hause bleibend; von Freiheit träumend – aber mit dem Hut in der Hand, in Zürich, vor den Patrizierhäusern; ein Kind des Landes und der freien Natur, das gleichwohl eine der ersten Darstellungen der Großstadt zuwege bringt (des fritzischen Berlins); ein Schreiber, der ständig am Sinn seines Schreiber-Tuns zweifelt; ein einfältig-frommer Gesell, der die Franzosen haßt, weil sie die Armut in sein Land gebracht hätten, und der doch zu gleicher Zeit aufklärerische Pamphlete über die Folter oder die Euthanasie, die aktive Lebensverkürzung, verfaßt, die, selbst einem Lessing voraus, noch heute Gültigkeit haben, weil sie bis heute nicht eingelöst sind. (Finde der Arzt, schreibt Bräker, März 1797, in sein Tagebuch, »das Übel unverbesserlich und seinen Patienten jahrelangen Leyden ausgesetzt, dürfte er nicht denselben etwas bälder zum Tode reif machen, zur Ruhe befördern und auf diese Art der schmachtenden Natur zu Hülfe kommen? Oder ist es (der Ärzte) Pflicht, der Natur ihre langsamen Schritte noch langsamer zu machen, einen solchen Unglücklichen Jahre hindurch langsam zutode zu quälen? Das glaube ich nicht – ich wenigstens, wäre ich ein Arzt, machte mir dies Letztere nicht zur Pflicht.«)

Da spricht ein Mann, der den Tod kannte: wie sehr, das zeigen die Sterbeberichte der Autobiographie mit gebotener Klarheit – unsentimental und realistisch, wie es Ulrich Bräkers Wesenart und Schreibmanier war: einerlei, ob er den Todeskampf eines Kindes, die Liebe zu seinem Ännchen, den tragikomischen Kampf gegen eine alte Urschel mit »einer Iltishaut und einem Esaugesicht«, die er auf väterliches Begehren hin heiraten sollte, oder – der Höhepunkt Bräkerscher Porträtkunst! – seine Eheliebste Salome Ambühl beschreibt. (Ehe in Majuskeln, Liebste in Minuskeln, kaum noch erkennbar).

Das Mädchen mit dem Amazonengesicht, das weder einen stinkenden Salpetersieder noch einen Garnweber ohne Haus, sondern nur einen Kaufmann mit Grund- und Bodenbesitz heiraten wollte, Salome Ambühl: sie ruhe in Frieden; denn bei Gott, wie immer sie gewesen sein mag, sie hat ihn schon deshalb verdient, ihren Frieden, weil es, wenn ich recht sehe, in allen deutschen Autobiographien – und nicht nur da! – keine einzige Ehefrau gibt, die so plastisch, so gnadenlos, so bösartig, so gerecht (scheinbar) und, dabei, unter Aufbietung eines schon verzweifelt zu nennenden Witzes beschrieben worden ist wie diese eine Salome Ambühl.

Auch wenn man bedenkt, daß im 18. Jahrhundert die Ehe nicht etwa um der Liebe willen, der flüchtig-erotischen, geschätzt wurde, sondern, im Gegenteil, aus Vernunftsgründen: 1. als die von Gott gestiftete Ordnung zur Erhaltung der Menschheit, 2. als Element geordneter Befriedigung des Geschlechtstriebs und 3. als Hort gegenseitiger Hilfe und Förderung[4]; auch wenn man weiterhin bedenkt, daß im fortschrittlichen Gesetzbuch der Zeit, dem Allgemeinen Landrecht für die Preußischen Staaten von 1794, der epigrammatische Satz »Hauptzweck der Ehe ist die Erzeugung und Erziehung der Kinder« der Liebe nicht eben viel Raum läßt; wenn man, drittens, bedenkt, daß Kants berühmte Definition der (ehelichen) Geschlechts-Gemeinschaft »commercium sexuale ist der wechselseitige Gebrauch, den ein Mensch von eines andern Geschlechtsorganen und Vermögen macht« kaum mit der Vorstellung des Honigmonds übereinstimmt und wenn man, viertens und letztens, bedenkt, daß die Unität von Ehe und Liebe sich erst in der romantischen Literatur nachweisen läßt, am nachdrücklichsten in Schleiermachers »Vertrauten Briefen über Friedrich Schlegels Lucinde«, daß aber noch am Ende des Jahrhunderts – ausgerechnet! – Fontane in einer Besprechung der Ibsenschen Gespenster das Hohelied der liebesfernen Vernunft-Ehe singt, mit viel Verstand und reicher Nachkommenschaft (»Wer blos verliebt ist«, läßt Fontane, in *Meine Kinderjahre,* seinen Vater sagen, »der sollte nicht heiraten«): wer all das bedenkt, der wird trotzdem erschrecken, wenn er

aus dem über Bräkers Autobiographie und die Diarien Verstreuten ein
Porträt Salome Ambühls zu rekonstruieren versucht: »Ey, der verdammte Ton!... Der tyrannische Donnerton! Und sie kanns nicht lassen, ist ihr
in die Seele eingeflochten.« »Ey, das verhaßte, endlose Henkersplap-
pern!« »Kein preußischer Kommendant spricht in einem gröberen Ton«:
»Du, du, Galgenvogel, du Bernhüter, du Filzjunker, du Schlingel, du, du
Flegel, du Tagdieb. Ich muß arbeiten; und du hockst da, steckst die
Rotznase in (deine) Bücher, Du Lümmel du, sollst Weib und Kinder
ernehren, im Schweiß deines Angesichts dein Brot essen... da sitzt er,
der Herr – der Philosoph, hübsch kommod, der Junker, der Graf: Ihro
Gnaden, seyen Sie so gütig und kommen zum Mittagessen...«
Schriftsteller-Probleme, im Tockenburgischen um 1780 – von Genie-
kult, zum Dienst am Werk, dem Frau und Familie ihren täglichen Tribut
zu zollen hätten, ist im Werk Uli Bräker des Jüngeren, wo die Frauen stark
und die Männer – nicht ganz so stark sind, keine Rede; eher schon von
Fontanescher Fron: »Da hält er sich nun immer für einen Dichter«, soll
Emilie Fontane, geb. Rouanet, dem jungen Gerhart Hauptmann bedeutet
haben, »und er ist nun doch einmal kein Dichter, nein wirklich, er ist
doch keiner.«
Genug des Ehe-Exkurses und Zeit für ein Fazit am Schluß: Wie immer
man's dreht und wendet – in seiner Widersprüchlichkeit und Unzeitge-
mäßheit, hier weit hinter der Aufklärung zurück, dort, wiederum, ihr
weit voraus, hier nahezu anachronistisch, dort hochemanzipiert, hier
Ausdruck des Feudalzeitalters, dort der klassenlosen Gesellschaft prälu-
dierend, bleibt das Werk Ulrich Bräkers, die Geschichte des Armen
Mannes voran, eines der faszinierendsten: weil gebrochensten Lebens-
zeugnisse des 18. Jahrhunderts im deutschsprachigen Raum... und
amüsant, bei aller Altvorderlichkeit, obendrein: kein Wunder, da Bräker
wie (fast) alle großen Realisten nicht nur die Genauigkeit beherrschte, die
sich dem Ingrimm und der Verzweiflung verdankt, sondern auch über
die Präzision des kaustischen (und keineswegs unfreiwilligen) Witzes
verfügt: »Die aufrichtige Bitte« deiner Mutter, so Bräker in einem Brief an
seinen Sohn, »gehet gewiß dahin: ›Laß doch dereinst mich und meinen
Mann einander im Himmel antreffen, um uns nie mehr trennen zu
müssen!‹ Ich hingegen bete: ›Bester Vater! In deinem Hause sind viele
Wohnungen; also hast du gewiß auch mir ein stilles Winckelchen bestimmt. Auch meinem Weibe ordne ein artiges; nur, (bitte) nicht zu nahe
bey dem meynigen.‹«
Der arme Mann im Tockenburg: ein Buch aus der Perspektive von
unten, der Sichtweise der geschundenen Kreatur – in tragischer und
tragikomischer Tonart: vorgetragen von einem Mann, aus dessen Werk,
exakter als aus hundert soziologischen Traktaten, gelernt werden kann,
wie man, in der Einöde: »unterm Schneehaufen«, gelebt hat, am Ende

des 18. Jahrhunderts *(Der arme Mann im Tockenburg* wurde im Todesjahr Lessings begonnen) – gelebt in der Welt, in der Arbeitsfron, im Krieg, im Angesicht des ständig präsenten Todes und an der Seite Salome Ambühls, deren Gegen-Klage leider nicht erhalten ist. Es wäre, steht zu erwarten, viel aus ihr zu lernen.

Anmerkungen

1 Vgl. Helmut Möller, Die kleinbürgerliche Familie im 18. Jahrhundert. Verhalten und Gruppenkultur, Berlin 1969, S. 70 ff. Hier der Nachweis, daß die Abnahme der Kindsmorde eine Folge der Tatsache war, daß Pfarrer, eine drakonische Kirchenbuße praktizierend, nicht mehr von der Kanzel »ausschändieren« durften.

2 Vgl. das kulturhistorisch besonders interessante Buch von Rolf Engelsing, Analphabetentum und Lektüre, Stuttgart 1973.

3 Die einzig lesbare Ausgabe: Samuel Voellmy, 3 Bde., Basel 1945. Eine knappe Biographie: Holger Böning, Ulrich Bräker. Der arme Mann aus dem Tockenburg. Leben, Werk, Zeitgeschichte, Kronberg 1985; der beste Essay: Hans Mayer, Ulrich Bräker, in: H. M., Von Lessing bis Thomas Mann, Pfullingen 1959.

4 Nachzulesen in Julius Hofmanns Arbeit über Hausväterliteratur (Berlin/Weinheim 1959).

KURT RINGGER

DER TENOR AUF DER KANZEL

Zu Stendhals Religionsverständnis

Ein religiöser Mensch war Stendhal gewiß kaum, und ein gläubiger schon gar nicht. Seine Kindheit jedenfalls – so erinnert sich der zweiundfünfzigjährige Schriftsteller, der eigentlich Henri Beyle hieß, in der *Vie de Henry Brulard* – war von zwei Frommen vergiftet worden: von seiner Tante Séraphie, einer »bigote enragée«[1], der abgrundtief gehaßten Schwester seiner im Rückblick förmlich vergötterten Mutter Henriette[2], sowie vom Abbé Raillane, dem als teuflisch »jesuitischen« Tyrannen empfundenen Hauslehrer:

> je haissais l'abbé, je haissais mon père, source des pouvoirs de l'abbé, je *haissais encore plus la religion* au nom de laquelle ils me tyrannisaient.[3]

Indem der kleine Henri – er ist erst siebenjährig, als Henriette Beyle stirbt – selbst aus der Optik des Erwachsenen noch Vater und Geistlichkeit für den Tod der Mutter so gut wie verantwortlich macht, schafft er sich fruchtbaren Nährboden für seinen Hader mit Gott; es ist ein Hader, den eine vom Abbé Rey, einem Freund der Familie, anläßlich seines Kondolenzbesuchs an den Vater gerichtete Trostbemerkung nachhaltig stiftet:

> »Mon ami, *ceci vient de Dieu*«, dit enfin l'abbé; et ce mot, dit par un homme que je haissais à un autre que je n'aimais guère, me fit réfléchir profondément. [...] Je ne comprenais pas ce mot. [...] Je me mis à dire mal de *God*.[4]

Indessen erscheint Stendhals Verhältnis zur christlichen Religion bei Lichte besehen[5] nun doch sehr viel differenzierter, als es manche harte autobiographische Äußerung vermuten läßt.[6] Trotz seines Abscheus gegenüber Geistlichen wie Raillane und Rey, finden sich nämlich in seinem Oeuvre neben tief gläubigen Figuren wie Clélia Conti aus der *Chartreuse de Parme* sogar durchaus positiv gezeichnete Priestergestalten wie etwa der Abbé Chélan, Julien Sorels freundschaftlicher Berater oder der Abbé Blanès, Fabrice el Dongos seherischer Mentor. Was außerdem wohl keinem Stendhal-Leser entgeht, ist die Faszination, die offenbar religiöse Themen, gläubige – und abergläubische – Menschen, Mystiker, sakrale Kunst und kirchliche Zeremonien stets auf den Romancier ausübten. »Toute ma vie les cérémonies religieuses m'ont *extrêmement ému*«[7], gesteht Stendal freimütig in seiner Autobiographie. Welch raffinierte Wirkungen Stendhal aus der Verbindung von Mystik, Erotik, Weihrauchduft und Politik im Rahmen einer geradezu opernhaft inszenierten und beleuchteten religiösen Feier zu erzielen versteht, hat neulich Philippe Berthier in einer detaillierten Analyse des Kapitels gezeigt, das Stendhal in *Le Rouge et le Noir*[8] dem Königsbesuch in der Abtei von Bray-le-Haut widmet.[9] Wenn da selbst der skeptische Julien »stupéfait d'admiration« vor einem Anblick bleibt, der ihm schließlich »fit perdre [...] ce qui lui restait de raison«, kann man es den vierundzwanzig vor der noch geschlossenen Kapellenpforte versammelten jungen Mädchen aus der besten Gesellschaft von Verrières verdenken, wenn sie, als die Tür sich plötzlich öffnet, um den Blick auf den im Schimmer von »über tausend Kerzen« glitzernden Altar freizugeben, »ne purent retenir un *cri d'admiration*«? Eine zwar empörend profane aber von der geistlichen Regie geschickt und bewußt ausgelöste Reaktion, die den sakralen Raum mit einem Schlag in ein Bühnenbild verwandelt.

Wie eng benachbart in Stendhals Einbildungskraft Kirche und Theater bleiben, das zeigt eine Episode aus dem zweiten Teil der *Chartreuse de Parme*, auf die in diesem Zusammenhang bereits Joseph-Marc Bailbé aufmerksam gemacht hat:[10]

Le sermon n'était annoncé que pour huit heures et demie, et à deux heures l'église étant entièrement remplie, l'on peut se figurer le tapage qu'il y eut dans la rue solitaire que dominait la noble architecture du palais Crescenzi. Fabrice avait fait annoncer qu'en l'honneur de Notre-Dame de Pitié, il prêcherait sur la pitié qu'une âme généreuse doit avoir pour un malheureux, même quand il serait coupable.

Déguisé avec tout le soin possible, Fabrice gagna sa loge au théâtre au moment de l'ouverture des portes, et quand rien n'était encore allumé. Le spectacle commença vers huit heures, et quelque minutes après il eut cette joie qu'aucun esprit ne peut concevoir s'il ne l'a pas éprouvée, il vit la porte de la loge Crescenzi s'ouvrir; peu après, la marquise entra; il ne l'avait pas vue aussi bien depuis le jour où elle lui avait donné son éventail. Fabrice crut qu'il suffoquerait de joie; il sentait des mouvements si extraordinaires, qu'il se dit: »Peut-être je vais mourir! Quelle façon charmante de finir cette vie si triste! Peut-être je vais tomber dans cette loge; les fidèles réunis à la Visitation ne me verront point arriver, et demain, il apprendront que leur futur archevêque s'est oublié dans une loge de l'Opéra, et encore, déguisé en domestique et couvert d'une livrée! Adieu toute ma réputation! Et que me fait ma réputation!«

Toutefois, vers les huit heures et trois quarts, Fabrice fit effort sur lui-même; il quitta sa loge des quatrièmes et eut toutes les peines du monde à gagner, à pied, le lieu où il devait quitter son habit de demi-livrée et prendre un vêtement plus convenable. Ce ne fut que vers les neuf heures qu'il arriva à la Visitation, dans un état de pâleur et de faiblesse tel que le bruit se répandit dans l'église que M. le coadjuteur ne pourrait pas prêcher ce soir-là. On peut juger des soins que lui prodiguèrent les religieuses, à la grille de leur parloir intérieur où il s'était réfugié. Ces dames parlaient beaucoup; Fabrice demanda à être seul quelques instants, puis il courut à sa chaire. Un de ses aides de camp lui avait annoncé, vers les trois heures, que l'église de la Visitation était entièrement remplie, mais de gens appartenant à la dernière classe et attirés apparemment par le spectacle de l'illumination. En entrant en chaire, Fabrice fut agréablement surpris de trouver toutes les chaises occupées par les jeunes gens à la mode et par les personnages de la plus haut distinction.

Quelques phrases d'excuse commencèrent son sermon et furent reçues avec des cris comprimés d'admiration. Ensuite vint la description passionnée du malheureux dont il faut avoir pitié pour honorer dignement la Madone de Pitié, qui, elle-même, a tant souffert sur la terre. L'orateur était fort ému; il y avait des moments où il pouvait à peine prononcer les mots de façon à être entendu dans toutes les parties de cette petite église. Aux yeux de toutes les femmes et de bon nombre des hommes, il avait l'air lui-même du malheureux dont il fallait prendre pitié, tant sa pâleur était extrême. Quelques minutes après les phrases d'excuses par lesquelles il avait commencé son discours, on s'aperçut qu'il était hors de son assiette ordinaire: on le trouvait ce soir-là d'une tristesse plus profonde et plus tendre que de coutume. Une fois on lui vit les larmes aux yeux: à l'instant il s'éleva dans l'auditoire un sanglot général et si bruyant, que le sermon en fut tout à fait interrompu.

Cette première interruption fut suivie de dix autres; on poussait des cris d'admiration, il y avait des éclats de larmes; on entendait à chaque instant des cris tels que: Ah! sainte Madone! Ah! grand Dieu! L'émotion était si générale et si invincible dans ce public d'élite, que personne n'avait honte de pousser des cris, et les gens qui y étaient entraînés ne semblaient point ridicules à leurs voisins.

Au repos qu'il est d'usage de prendere au milieu du sermon, on dit à Fabrice qu'il n'était resté absolument personne au spectacle; une seule dame se voyait encore dans sa loge, la marquise Crescenzi. Pendant ce moment de repos on entendit tout à coup beaucoup de bruit dans la salle: c'etaient les fidèles qui votaient une statue à M. le coadjuteur. Son succès dans la seconde partie du discours fut tellement fou et mondain, les élans de contrition chrétienne furent tellement remplacés par des cris d'admiration tout à fait profanes, qu'il crut devoir adresser, en quittant la chaire, une sorte de réprimande aux auditeurs. Sur quoi tous sortirent à la fois avec un mouvement qui avait quelque chose de singulier et de compassé; et, en arrivant à la rue, tous se mettaient à applaudir avec fureur et à crier: – E viva del Dongo!

Fabrice consulta sa montre avec précipitation, et courut à une petite fenêtre grillée qui éclairait l'étroit passage de l'orgue à l'intérieur du couvent. Par politesse envers la foule incroyable et insolite qui remplissait la rue, le suisse du palais Crescenzi avait placé une douzaine de torches dans ces mains de fer que l'on voit sortir des murs de face des palais bâtis au moyen âge. Après quelques minutes, et longtemps avant que les cris eussent cessé, l'événement que Fabrice attandait avec tant d'anxiété arriva, la voiture de la marquise, revenant du spectacle, parut dans la rue; le cocher fut obligé de s'arrêter, et ce ne fut qu'au plus petit pas, et à force de cris, que la voiture put gagner la porte.

La marquise avait été touchée de la musique sublime, comme le sont les coeurs malheureux, mais bien plus encore de la solitude parfaite du spectacle lorsqu'elle en apprit la cause. Au milieu du second acte, et le ténor admirable étant en scène, les gens même du parterre avaient tout à coup déserté leurs places pour aller tenter fortune et essayer de pénétrer dans l'église de la Visitation. La marquise, se voyant arrêtée par la foule devant sa porte, fondit en larmes.»Je n'avais pas fait un mauvais choix!« se dit-elle.

Mais précisément à cause de ce moment d'attendrissement elle résista avec fermeté aux instances du marquis et de tous les amis de la maison, qui ne concevaient pas qu'elle n'allât point voir un prédicateur aussi étonnant. »Enfin, disait-on, il l'emporte même sur le meilleur ténor de l'Italie!«»Si je le vois, je suis perdue!« se disait la marquise.[11]

Verkleidet und verliebt, in einer Loge ergriffen eine Oper genießen und dabei vor Wonne sterben: die Situation, in der uns Fabrice, der junge Aristokrat und zukünftige Erzbischof von Parma, hier gezeigt wird, gilt in Stendhals Welt als geradezu archetypisch. Was da der Romancier seinen Helden erleben läßt, hat er selbst unzählige Male in Europas Opernhäusern erfahren; und wie Clélia einem »tenor admirable« zu lauschen, dessen Melodien ihm alleine gelten – nichts hätte Stendhal, der unersättliche »Opernfan«, sich wohl sehnlichster gewünscht.

Doch die Aufführung findet diesmal nicht im Theater statt, sondern in der Kirche; dem »gefeierten Tenor«, dem Clélia in der Oper lauscht, entspricht der bleiche Predigtstar auf der Kanzel, den die verliebte Marquise allerdings nicht anzuhören wagt, denn »sehe ich ihn, so bin ich verloren«, denkt sie sich verstört. Zweifellos tut der Romancier hier alles, um in der kleinen, in »prächtiger Kerzenbeleuchtung« prangenden Kirche Opernhausstimmung zu schaffen: wie beim Gastspiel berühmter Solisten hat sich das Publikum bzw. die Gemeinde schon Stunden vor Vorstellungs- bzw. Predigtbeginn die Plätze gesichert; und ist es dann endlich soweit, begleiten die Zuhörer mit »verhaltenen Ausrufen der Bewunderung« und »lautem Schluchzen«, mitunter sogar »Weinkrämpfen« die Sätze des Predigers, als wären es besonders gelungene musikalische Phrasen. Wie im Theater die Oper, so unterbricht in der Kirche eine Pause die Predigt; ihr zweiter Teil gipfelt dann in einem solchen »Erfolg«, daß – wie in Bray-le-Haut – »die Ausbrüche christlicher Reue von ganz profanen Bewunderungsschreien verdrängt« werden. Ein Wunder, daß Stendhal, um wenigstens den Anschein »realistischer« Wahrscheinlichkeit zu wahren, den frenetischen Applaus der Gläubigen erst auf der Straße einsetzen läßt. Ihr »Evviva del Dongo!« steht für die Bravo-Rufe, mit denen Opernbesucher begeisternde Sänger feiern. Und Fabrice als gefühlvoller und von seiner eigenen Beredtsamkeit »tief bewegter« und nicht zuletzt deshalb so mitreißender »Predigerpoet«[12] hat mit seiner Kanzel-Arie sogar – Stendhal weist ja ausdrücklich auf die Analogie hin – »den besten Tenor Italiens ausgestochen«. Drei Tage später jedenfalls sitzt Clélia als Marquise Crescenzi unter den Gläubigen in Santa Maria della Visitatazione, um Fabrice predigen zu hören, obschon sie gelobt hatte, ihn nie mehr zu sehen. Und wie zuvor in der Oper der Tenor allein noch für Clélia gesungen hatte, so spricht jetzt Fabrice ausschließlich für die Marquise:

> Obwohl es so aussah, als wende er sich an die Allgemeinheit, sprach er doch nur für Clélia. Er beendete seine Predigt etwas früher als sonst, weil ihn trotz aller Anstrengungen die Tränen so übermannten, daß er nicht mehr deutlich zu sprechen vermochte. Leute, die etwas davon verstanden, fanden diese Predigt zwar seltsam, aber in ihrem Pathos der berühmten Predigt, die er bei Kerzenbeleuchtung gehalten hatte, mindestens ebenbürtig.[13]

Was Stendhal in der Bray-le-Haut-Sequenz aus *Le Rouge et le Noir* dem Leser bloß implizit suggeriert – den Bezug der gottesdienstlichen Predigtsituation zur theatralisch opernhaften Bühnenveranstaltung –, das gestaltet er in der *Chartreuse de Parme* explizit dank einer erzähltechnisch streng entwickelten Parallelführung von Motiven.

Daß die Einbildungskraft Stendhals als Romancier dem biographischen Atheismus Beyles zum Trotz solche Analogien und Parallelführungen hervorzubringen vermag, erklärt sich aus einem Religionsverständnis, das – was die eingangs erwähnte Bemerkung aus dem achtzehnten Kapitel der *Vie de Henry Brulard* belegt – in der außergewöhnlichen Fähigkeit zu intensiveren Gefühlserlebnissen verankert ist. Derart tiefe Gefühlserlebnisse sind allerdings für Stendhal stets auch ästhetische Erlebnisse; das gilt ebenso für religiöse Zeremonien:

> Je vois aujord'hui que ce'était la première forme de mon amour pour la *musique*, la *peinture*, et *l'art* de Viganò.[14]

Was den kleinen Beyle, der das *Neue Testament* in der lateinischen Übersetzung auswendig gelernt hatte[15], als Meßdiener des verabscheuten Abbé Raillane[16] an der katholischen Liturgie fasziniert, ist die darin zum Ausdruck kommende ästhetische Dimension, die den Siebenjährigen im Theater an Corneilles *Cid* so fesselte[17] und später dem siebzehnjährigen Leutnant im Opernhaus zu Novara Cimarosas *Matrimonio segreto* zum Inbegriff von »bonheur divin« werden ließ.[18] Insofern religiöse Inhalte und Erscheinungsformen Stendhals künstlerische Einbildungskraft (im buchstäblichen Sinn) zu »rühren« vermögen, gehören sie – wie all das, was Goethe zum Anschluß an seine *Le Rouge et le Noir*-Lektüre am 17. Januar 1831 im Gespräch mit Eckermann als Stendhals verzeihliche »Unwahrscheinlichkeiten des Details« bezeichnet – in den Bereich des *romanesque*, wo sich abenteuerlich unvernünftige Situationen wie ein Tenor auf der Kanzel als berückende Ver-rücktheiten darstellen. Nie wird, wer zum »parti prosaïque« gehört, verstehen können, daß – um Alains paradoxe Formel aufzugreifen[19] – Stendhal als Schriftsteller mit seinen Figuren (nach Clélias Tod zieht sich Fabrice immerhin in die Kartause von Parma zurück![20]) fromm bleiben mag, wo er doch von seiner Biographie her als unreligiöser Mensch dasteht: ein Umstand, der ihn freilich weder daran hinderte, mit dem Gedanken zu spielen, eine »histoire de la religion catholique, de Jesus à nos jours«[21] zu planen, noch das Manuskript seiner Memoiren, die *Vie de Henry Brulard*, fast ausschließlich mit Kupfern durchschießen zu lassen, die nach Gemälden gestochen wurden wie Garofalos *Auferstehung des Lazarus*, Raphaels *Madonna von Foligno* und *Joseph erzählt seinen Traum*, Domenichinos *Ecce Agnus Dei*, Mantegnas *Pietà*, Tizians *Martyrium des Hl. Petrus* oder Annibale Caraccis *Heilige Familie*. Bedenkt man, daß Stendhal sich in der *Vie de Henry Brulard* auch vornimmt, das »jeu compliqué des caractères de ma famille«[22] darzustellen, einer – wie wir eingangs gesehen haben – denn doch recht »unheiligen« Familie, so sieht man leicht ein, warum gerade psychoanalytisch geschulte Literaturwissenschafter sich so gerne dieses Schriftstellers annehmen, dem Nietzsche zu Recht »unschätzbar ehrlichen Atheismus« attestiert, nicht ohne ihn dabei freilich als »wunderlichen Epikureer und Fragezeichen-Menschen« zu bezeichnen.

Anmerkungen

1 Vie de Henry Brulard, Kap. 12, Oeuvres intimes, Bd. II, »Bibliothèque de la Pléiade«, Paris, 1982, S. 654.
2 Vgl. dazu Philippe Berthier, Stendhal et la Sainte Famille, Genève, Droz, 1983.
3 Vie de Henry Brulard, Kap. 8, a. a. O., S. 609.
4 Ebd., Kap. 4 a. a. O., S. 164.
5 Vgl. Francine Marill Albérès, Stendhal et le sentiment religieux, Paris, Nizet, ²1980 (1956); Alain Chantreau, Stendhal était-il athée?, in Livres de France, 19/1, 1968, S. 10–11; Henri-François Imbert, Stendhal et la tentation janséniste, Genève, Droz, 1970; Robert Soupault, Stendhal intime, Paris, Editions des Sept Couleurs, 1975, S. 193 ff. und Barry Cumberland, Stendhal et la religion, in Stendhal, le saint-simonisme et les industriels (Actes du XIIᵉ congrès international stendhalien), Editions de l'Université de Bruxelles, 1979, S. 199–202.
6 Vgl. Beatrice Didier, La religion d'Henry Brulard, in Cahiers Stendhal, nᵒ 1 (»Stendhal et la religion«), Kingston, 1984, S. 5–32.
7 Vie de Henry Brulard, Kap. 18, a. a. O., S. 709.
8 I, 18.
9 Vgl. Mystique, érotique et politique à Bray-le-Haut, in Cahiers Stendhal, 1, 1984, zit., S. 58–75.
10 Vgl. Sensibilité religieuse et rêverie profane chez Stendhal, in Cahiers Stendhal, 1, 1984, zit., S. 86–87.
11 La Chartreuse de Parme, II, 26, Oeuvres complètes, »Cercle du Bibliophile«, Genève, 1969, Bd. 25, S. 344–348. Der Bequemlichkeit halber sei hier noch die deutsche Fassung des Abschnitts in Erwin Riegers Übersetzung nachgetragen: Die Predigt war erst für halb neun Uhr angesetzt, aber nachmittags um zwei war die

Kirche schon voller Leute. Man kann sich den Lärm in der sonst so stillen Straße
vorstellen, die von der edlen Architektur des Palazzo Crescenzi beherrscht wurde.
Fabrizio hatte ankündigen lassen, daß er zu Ehren der schmerzensreichen Muttergottes über das Mitleid predigen werde, das eine edle Seele für jeden Unglücklichen, selbst wenn er schuldig sei, empfinden soll.

Mit aller möglicher Sorgfalt verkleidet, gelangte Fabrizio, gerade als die Türen
geöffnet wurden und noch das ganze Theater finster war, in seine Loge. Die
Vorstellung begann gegen acht Uhr, und einige Minuten später wurde ihm eine
Freude zuteil, die nur der verstehen kann, der Ähnliches empfunden hat. Er sah,
wie die Tür von Crescenzis Loge aufging. Gleich darauf trat die Marchesa ein. Seit
dem Tage, da sie ihm ihren Fächer schenkte, hatte er sie nie mehr gesehen. Fabrizio
glaubte vor Freude zu ersticken. Sein Herz schlug so stürmisch, daß er sich sagte:
Vielleicht werde ich sterben! Das wäre ein süßes Ende für dieses so traurige Leben!
Vielleicht breche ich hier in der Loge zusammen. Die in Santa Maria della Visitazione
versammelten Gläubigen werden vergeblich auf mich warten und morgen erfahren,
daß der künftige Erzbischof in einer Loge in der Oper verschied, und noch dazu als
Diener verkleidet und in Livree! Leb wohl, mein guter Ruf! Aber was liegt mir an
meinem guten Ruf?

Trotzdem machte sich Fabrizio gegen drei Viertel neun auf. Er verließ also seine
Loge im vierten Rang und hatte alle Mühe, zu Fuß den Ort zu erreichen, wo er seine
Dienertracht ablegen und ein passendes Gewand anziehen sollte. Erst gegen neun
Uhr traf er in Santa Maria della Visitazione ein, und zwar so bleich und erschöpft,
daß sich in der Kirche das Gerücht verbreitete, der Herr Koadjutor werde an diesem
Abend nicht zu predigen imstande sein. Man kann sich denken, daß ihm die
Nonnen am Gitter ihres inneren Sprechzimmers, wohin er sich geflüchtet hatte, die
beste Pflege angedeihen ließen. Diese Damen waren sehr geschwätzig. Fabrizio bat,
man möge ihn einen Augenblick allein lassen. Dann eilte er auf die Kanzel. Einer
seiner Untergebenen hatte ihm gegen drei Uhr mitgeteilt, daß die kleine Kirche
Santa Maria della Visitazione zwar bis auf den letzten Platz besetzt sei, aber von
Leuten, die den untersten Schichten angehörten und anscheinend von der prächti-
gen Kerzenbeleuchtung angelockt wurden. Als Fabrizio die Kanzel betrat, war er
angenehm überrascht zu sehen, daß junge Herren der Gesellschaft und hohe und
höchste Persönlichkeiten die Kirche füllten.

Mit ein paar Worten der Entschuldigung, die mit verhaltenen Ausrufen der
Bewunderung aufgenommen wurden, begann er seine Predigt. Dann folgte die
leidenschaftliche Schilderung des Unglücklichen, mit dem man Erbarmen haben
müsse, um die schmerzensreiche Muttergottes, die selber auf Erden so viel gelitten
habe, würdig zu ehren. Der Redner war tief bewegt. Mitunter vermochte er kaum
laut genug zu sprechen, um in allen Teilen dieser kleinen Kirche verstanden zu
werden. Alle Frauen und auch viele Männer sahen in ihm selber den Unglücklichen, mit dem man Mitleid haben sollte, so schrecklich bleich war er. Einige
Minuten nach den einleitenden Worten der Entschuldigung bemerkte man, daß er
heute anders war als sonst. Man fand, seine Traurigkeit sei an diesem Abend tiefer
und inniger als an anderen Tagen. Einmal sah man Tränen in seinen Augen.
Sogleich erhob sich unter den Zuhörern ein allgemeines und so lautes Schluchzen,
daß es die Predigt unterbrach. Dieser ersten Unterbrechung folgten zehn weitere
Rufe der Bewunderung. Einige Zuhörer bekamen Weinkrämpfe. Alle Augenblicke
hörte man Schreie wie: »O heilige Muttergottes! O großer Gott!« Die Rührung, die
sich dieser erlesenen Gemeinde bemächtigte, war so allgemein und unbezwinglich,
daß sich niemand schämte, aufzuschreien, und die Leute, die dazu hingerissen
wurden, wirkten auf ihre Nachbarn keineswegs lächerlich.

Während der Pause, die man in den Predigten einzulegen pflegte, erfuhr

Fabrizio, daß buchstäblich niemand im Theater verblieben sei. Nur eine einige Dame sehe man noch in ihrer Loge sitzen: die Marchesa Crescenzi. Während dieser Pause vernahm man plötzlich von der Kirche her heftigen Lärm. Es waren die Gläubigen, die dafür stimmten, dem Herrn Koadjutor ein Standbild zu errichten. Im zweiten Teil der Predigt war sein Erfolg dermaßen toll und weltlich, die Ausbrüche christlicher Reue wurden so sehr von ganz profanen Bewunderungsschreien verdrängt, daß er es für notwendig hielt, beim Verlassen der Kanzel seine Zuhörer zu tadeln. Daraufhin strömte alles in einer seltsamen und gemessenen Bewegung hinaus, und draußen auf der Straße begannen alle wie rasend zu klatschen und »Evviva del Dongo!« zu rufen.

Fabrizio sah rasch auf seine Uhr und lief an ein kleines vergittertes Fenster, das den schmalen Gang von der Orgel ins Innere des Klosters erhellte. Aus Höflichkeit gegen die riesige Menschenmenge, die die Straße füllte, hatte der Schweizer des Palazzo Crescenzi ein Dutzend Fackeln in die eisernen Halter stecken lassen, die man an den Straßenseiten mittelalterlicher Paläste sieht. Nach einigen Minuten, als die Rufe noch lange nicht verstummt waren, geschah, was Fabrizio mit so bangem Herzen ersehnte: Der Wagen mit der aus dem Theater heimkehrenden Marchesa erschien in der Straße. Der Kutscher war gezwungen, anzuhalten, und nur ganz langsam und unter fortwährenden Rufen erreichte der Wagen das Portal.

Die Marchesa war wie alle unglücklichen Herzen von der erhabenen Musik ergriffen, weit mehr aber noch, als sie erfuhr, warum sie so ganz allein der Vorstellung beigewohnt hatte. Mitten im zweiten Akt, als eben der gefeierte Tenor auf der Bühne stand, hatten sogar die Leute im Parterre ihre Plätze verlassen, um zu versuchen, noch in die kleine Kirche Santa Maria della Visitazione zu kommen. Als sich die Marchesa vor ihrer Tür von der Menge aufgehalten sah, brach sie in Tränen aus. »Ich habe keine schlechte Wahl getroffen«, sagte sie sich.

Aber gerade dieser plötzlichen Rührung wegen setzte sie dem Zureden des Marchese und aller Freunde des Hauses entschieden Widerstand entgegen, die nicht begreifen konnten, warum sie sich nicht einen so erschütternden Prediger anhören wolle. »Er hat sogar«, sagte man, »den besten Tenor Italiens ausgestochen!« »Sehe ich ihn, so bin ich verloren«, dachte die Marchesa.

Die Kartause von Parma, hg. von Michael Nerlich, Goldmann Klassiker, München, 1982, S. 478–481.

12 Vgl. Gert Otto, Rhetorisch predigen, Gütersloh, 1981, S. 14.
13 La Chartreuse de Parme, II, 28, zit. Übersetzung, S. 491.
14 Vie de Henry Brulard, Kap. 20, a. a. O., S. 717.
15 Vgl. Ebd., Kap. 20, a. a. O., S. 726.
16 Vgl. Ebd., Kap. 18, a. a. O., S. 709.
17 Vgl. Ebd., Kap. 5, a. a. O., S. 571.
18 Ebd., Kap. 45, a. a. O., S. 951.
19 Vgl. Stendhal, Paris, 1948.
20 Vgl. dazu Francine Marill Albérès, op. cit., S. 124–127.
21 Journal, 19. März 1808, Oeuvres intimes, Bd. I, »Bibliothèque de la Pléiade«, Paris, 1981, S. 499.
22 Vie de Henry Brulard, Kap. 4, a. a. O., S. 568.

URSULA BALTZ-OTTO

EXIL UND HEIMKEHR

Biographische und religiöse Elemente in der Dichtung Hilde Domins

Ohne hier die Problematik des biographischen Interpretationsansatzes aufzunehmen oder zu diskutieren[1], möchte ich für Hilde Domin die These vertreten: Die entscheidenden Interpretationsansätze für Hilde Domin liegen in ihrer *Biographie,* und diese Biographie ist ohne ihre Wurzel im *Judentum* nicht verständlich. Dies gilt in dreifacher Hinsicht:
– die spezifische Weise des *Judeseins,* das transzendiert wird in ein umfassendes Verständnis des Menschseins;
– die Erfahrung des *Exils;*
– die Erfahrung der *Heimkehr* »in das Land meiner Sprache«.[2]
Der größeren Deutlichkeit wegen werden diese drei Perspektiven hier auseinander gelegt, obwohl dies natürlich problematisch ist, weil die Autorin Hilde Domin (immer) von allen drei Perspektiven zugleich bestimmt ist. Ich ordne jeder Perspektive autobiographische Aussagen und Gedichte Hilde Domins zu, um die Verschränkung zu verdeutlichen. Dabei geht es nur um Interpretationsansätze, nicht um ausführliche Interpretationen der Gedichte.

1. »Hineingeboren«: Judentum

Hilde Domin sagt in »Hineingeboren«: »Judesein ist... keine Glaubensgemeinschaft für mich, keine Volkszugehörigkeit... Es ist eine Schicksalsgemeinschaft... Ich bin hineingestoßen worden, ungefragt wie in das Leben selbst«. Vor dieser Schicksalsgemeinschaft »kann sich der emanzipierte Mensch, der ›befreite‹, nicht drücken, die menschliche Solidarität gehört unabdingbar zu seinem Credo, ohne sie wäre er nichts als ein Objekt der Umstände... Mit seiner Zwangs- und Schicksalslage solidarisch zu sein..., darin besteht das, was andere Zeiten die Menschenwürde nannten und was auch ich so nenne: das Unverlierbare, ohne das Leben sinnlos ist«.[3] Es ist ihr eine »Quelle der Kraft«, die »Extremerfahrungen« mit sich brachte: »Als Jude weiß einer, daß er zum Lehrbeispiel des Menschen in seiner Hilflosigkeit gemacht werden kann, von einem Atemzug zum nächsten. Darin ist er der direkte Erbe Jesu, ganz ohne Kirche und Dogma: ›von je gekreuzigt und verbrannt‹«.[4] Hier schlägt die Selbstinterpretation *jüdischer* Herkunft unversehens in die Aufnahme *christlicher* Metaphorik um. Die geschichtlichen Erfahrungen des Judeseins werden für Hilde Domin in ihrer Abgründigkeit benennbar, indem sie sie im Geschick Jesu anschaubar macht. Darin ist Jesus der *Jude* schlechthin, und darin ist der Jude heute *Jesus* nahe, daß für beide gilt: »von je gekreuzigt und verbrannt«.[5] Der ausdrückliche Hinweis »ganz ohne Kirche und Dogma« ist eine Warnung vor jeglicher kirchlich-christlichen Vereinnahmung.[6]

Mit aller gebotenen Zurückhaltung kann man schon hier sagen, daß *religiöses Fragen* eine bestimmende Komponente in Hilde Domins Werk darstellt, und zwar nicht nur dort, wo religiöse (jüdische oder christliche) Metaphern verwendet werden. Anthropologische Themen – authentisches Leben, Identitätssuche, Grenzerfahrungen – sind im Kontext dieser Biographie immer auch religiöse Themen. Der innere Zusammenhang von Religion und Dichtung, die gegenseitigen Verweisungen oder, mit Martin Walsers Worten: »Literatur als Religion«[7] – dies ist es, was Hilde Domins Werk charakterisiert.[8]

Die Umschreibung der Möglichkeiten der Dichtung in der modernen Gesellschaft, also gewissermaßen die »Theorie« Hilde Domins, weist genau in dieselbe Richtung. Es geht um Identität als Voraussetzung von Kommunikation, Widerstand gegen neutrales Verhalten, die »aktive Pause«, um den »Atemraum der Freiheit«[9] zu gewinnen, die Kraft des Wortes, Sinneröffnung, Sinnerweiterung.

In dem 1966 geschriebenen »Offenen Brief an Nelly Sachs« spricht Hilde Domin diese Kraft des Wortes an. »Da wird einer verstoßen und verfolgt, ausgeschlossen von einer Gemeinschaft, und in der Verzweiflung ergreift er das Wort und erneuert es, macht das Wort lebendig, das Wort, das zugleich das Seine ist und das der Verfolger. Der vor dem Rassenhaß Flüchtende ist nur der Unglücklichste, der am meisten Verneinte unter den Exildichtern überhaupt. Und während er noch flieht und verfolgt wird, vielleicht sogar umgebracht, rüstet sich sein Wort schon für den Rückweg, um einzuziehen in das Lebenszentrum der Verfolger, ihre Sprache... Und er kann nicht anders als die Sprache lieben, durch die er lebt und die ihm Leben gibt. In der ihm doch sein Leben beschädigt wurde... Die Sprache ist das Gedächtnis der Menschheit... Die Dichter, vor anderen, halten diese Erinnerung lebendig und bunt... Sie erhalten sie virulent.«[10]

In diesem Kontext ist z. B. das Gedicht »*Ecce Homo*« aus dem 1970 erschienenen Gedichtband »Ich will dich« zu verstehen.

Ecce Homo
Weniger als die Hoffnung auf ihn
das ist der Mensch
einarmig
immer

Nur der gekreuzigte
beide Arme
weit offen
der Hier-Bin-Ich   (Ich will dich, 14)

Auffallend ist die Verknappung der Sprache. Die Sätze sind auf das Wesentliche reduziert. Jedes Wort erhält so Gewicht. Der Aufbau ist antithetisch: der Mensch hier, der Gekreuzigte dort:»Nur« verdeutlicht den Gegensatz. Das»Ecce Homo« erhält damit eine doppelte Funktion: Der Mensch einarmig, immer, der Gekreuzigte, beide Arme offen. Der amputierte Mensch bleibt mit sich allein, ist verstümmelt, in seinen Fähigkeiten gegenüber dem anderen verkürzt. Er ist unfähig zur Hingabe, ist immer»weniger als die Hoffnung«. Nur der Gekreuzigte hat beide Arme weit offen, umfängt und gibt sich gleichzeitig preis, ist da für den anderen und ihm auch wehrlos ausgeliefert.»beide Arme weit offen« symbolisiert bedingungsloses, vertrauensvolles Offensein, Präsenz: »Hier-Bin-Ich«. Am Beispiel des Gekreuzigten wird der Mangel an weltverändernder Liebe des Menschen deutlich. Naheliegt die Frage: Erfordert bedingungslose Offenheit das Annehmen des Kreuzes, des Leidens, der Nachfolge Jesu? Auffallend ist die Kleinschreibung bei»der gekreuzigte«. Die Kleinschreibung löst im Gedicht ein, was im Essay ausgeführt ist: Jesus als Symbol *aller* Gekreuzigten. Jeder Geschundene, Gemarterte und Verfolgte ist gemeint, jeder trägt Züge Jesu.

In»Hineingeboren« nimmt Hilde Domin Bezug auf eine Aussage von Nelly Sachs:»An uns übt Gott Zerbrechen« und erweitert diese Aussage. »An uns wird etwas mehr ›Zerbrechen‹ geübt als an anderen. Exemplarischer wird es geübt, wieder und wieder, soweit das Gedächtnis des Abendlandes reicht... ich glaube nicht, daß wir da sind, damit die Conditio humana an uns auf offener Bühne wieder und wieder vollstreckt werde, stellvertretend und ohne Milderung, Lehrbeispiel eines Weltenlenkers, der unser als Demonstrationsobjekt bedürfte. Die Theologen sehen da manchmal eine Art höheres Programm. Ich sehe nur die Tatsache, die sehr irdische Tatsache, ich stelle sie fest: und mit Grauen... Den Juden ist häufiger und krasser die Rolle des *Ecce homo* zugefallen, aufgedrängt worden, als anderen«.[11]

Hilde Domin lehnt das Schicksal der Juden als»höheres Programm« Gottes ab. Sie sieht in Jesus nicht den Erlöser der Menschen am Kreuz, sondern den Menschen in seiner Hilflosigkeit schlechthin. Der Mensch trägt die Züge des Gekreuzigten, und der Gekreuzigte trägt die Züge des leidenden Menschen. Der Mensch des Schmerzes, der Mensch in seiner Niedrigkeit und Verlassenheit ist der»offene« andere, jeder, der der Liebe bedarf.

Neben den unmittelbar biographischen Aussagen bieten sich immer

wieder die theoretischen Reflexionen Hilde Domins als Interpretations-
hilfen an. In »Wozu Lyrik heute« heißt es, daß der Lyriker kein »Preisen-
der« sein könne, »das Ja ist da als Potentialis seines Glaubens an die
Fortdauer seines Menschseins, der der Glaube an die Fortdauer der
Bereitschaft der anderen und an die Fortdauer des befreienden Worts ist.
Fast ein Glaube an ›Wunder‹. Ohne dies Ja, ohne die geheime Utopie
seiner eigenen Möglichkeit, die die Möglichkeit der andern mit einschließt, könnte kein Wort eines Gedichts heute noch geschrieben werden... Lyrik ist... eine Sache des ›Trotzdem‹ und damit Erziehung zur
Wahrhaftigkeit, zur Angst... und zur Freiheit von der Angst«.[12]

Die Erinnerung hat für Hilde Domin erlösende Funktion, weil sie der
Weg ist, mit dem ihr Widerfahrenen fertig zu werden. Sie entreißt die
Ereignisse dem Vergessen, indem sie sie benennt. In dieser Anschauung
ist Hilde Domin verbunden mit Th. W. Adorno und Max Horkheimer.
Die erlösende Funktion der Erinnerung beschreibt Horkheimer so: »Zwischen der bewußten Gestaltung jeder gesellschaftlichen und individuellen Einheit durch die Vergangenheit und ihrem ordnenden Gedächtnis,
das die früheren Erfahrungen formuliert und in den Dienst ihrer bewußten Arbeit an der Zukunft stellt, herrscht Wechselwirkung... Jetzt, wo
das Vertrauen auf das Ewige zerfallen muß, bildet die Historie das einzige
Gehör, das die gegenwärtige und selbst vergängliche Menschheit den
Anklagen der vergangenen noch schenken kann«.[13]

Gedichte können das Handeln nicht ersetzen, können die Wirklichkeit
nicht unmittelbar verändern. Aber sie können das Bewußtsein der Menschen für die Realität schärfen. Sie können etwas bewirken, »damit es
anders anfängt zwischen uns allen«. Dieses Motto, dem Gedichtband
»Ich will dich« vorangestellt, ist dem Gedicht »Abel steh auf« entnommen.
Es ist ein politisches Gedicht, ein Appell an die Brüderlichkeit unter den
Menschen. Daß Hilde Domin den Kain-Abel-Mythos zum Ausgangspunkt des Gedichts macht, zeigt, daß die Frage der Schuld nicht verdrängt werden kann, wenn Brüderlichkeit gelebt werden soll. »Ich bin
meines Bruders Hüter«: darauf konzentriert sich – optisch durch »die
schlanke Taille des Gedichts«[14] herausgehoben – die Aussage des Gedichts: »steh auf«, »Bruder«, »ich«, »dein Bruder«.

In denselben Zusammenhang gehören viele Gedichte, in denen das
Leid des Verfolgtwerdens anklingt oder thematisch ist, z. B.: »Wen es
trifft« (Nur eine Rose, 46 f.), »Die schwersten Wege« (Nur eine Rose, 60
f.), »Anstandsregeln für allerwärts« (Hier, 31), »Graue Zeiten« (Ich will
dich, 14 f.), »Das ist es nicht« (Ich will dich, 12 f.).

Die häufigen Anklänge an biblische Traditionsstücke und biblische
Sprachelemente sind evident. Ich stelle eine Reihe von Beobachtungen
zur Verdeutlichung als Beispiele nebeneinander.

– Oft verleihen biblische Namen der Aussage Nachdruck:

Der Bruder wird nie
das Feuer wie Abel richten
und doch immer gekränkt sein. (Nur eine Rose, 28 ff.)

Vor allem aber begründen sie Geschichte neu: »Abel steh auf« (Ich will
dich, 28 f.). Durch das Herauslösen aus dem überlieferten Zusammenhang ergeben sich neue Verweise und neue Bedeutungszusammenhänge.
– Oft werden Zitate zur Akzentuierung eingesetzt. So in »Die Heiligen«:

Denn wir essen Brot,
aber wir leben vom Glanz. (Nur eine Rose, 28 ff.)

Die Heiligen, die nicht müde geworden sind, widerstehen der Versuchung, aus den Kirchen zu emigrieren, weil Kinder Wunder brauchen:

Und darum gehen sie nicht:
damit es eine Tür gibt,
eine schwere Tür
für Kinderhände,
hinter der das Wunder
angefaßt werden kann.

Der Vergleich mit der Versuchungsgeschichte Mt 4, 1–4 legt sich nahe.
– Im Gedicht »Tunnel« sind die Anklänge an Lk 1, 29–33; Mk 5, 36 u. ö.
deutlich:

›Fürchte dich nicht‹
es blüht
hinter uns her. (Hier, 57)

– Im Gedicht »Osterwind« klingt die Hoffnung auf Auferstehung der
Toten an:

So wie der Vogel
innehält und sich wendet im Flug,
so jäh, so ohne Grund
dreht sich das Klima des Herzens,
Weiße Flügelsignale im Blau,
Auferstehung
all unserer toten
Blumen
im Osterwind
eines Lächelns. (Rückkehr, 23)

– In »Die schwersten Wege« klingt die Eucharistiefeier an:

Und die verlierbaren Lebenden
und die unverlierbaren Toten
dir das Brot brechen und den Wein reichen –   (Nur eine Rose, 60 f.)

Auch der Kontext dieser Verse – »Kerze«, »Katakomben«, »Licht«, »Wunder«, »Gnade« – ist religiös. Das Schicksal der frühen Christen wird mit dem Schicksal jedes Verfolgten in Verbindung gebracht.
– In »Gegenwart« wird der 91. Psalm stilistisch und motivisch aufgenommen, aber die Aussage ins Gegenteil verkehrt:

Doch fast erschreckt ihn der Trost
wenn sich ein sichtbarer Flügel wölbt,
sein zitterndes Licht
zu beschützen.   (Nur eine Rose, 57)

Der Verfolgte ist nicht mehr der Mensch des Glaubens. Die religiöse Sprache und Überlieferung wird verändert, ja verändert sich an neuer Realität. Ist diese Sprache verdächtig geworden? Wenn der Psalmist formuliert: »Du brauchst dich nicht zu fürchten vor dem Schrecken der Nacht, noch vor dem Pfeil, der am Tage fliegt, ... dich trifft es nicht; Schild und Schutz sind seine Treue... Denn deine Zuversicht ist der Herr« (Ps. 91, 3–8), dann kann Hilde Domin die Sprache der Tradition nur gegenläufig lesen.

2. Die Erfahrung des Exils

Exil
Der sterbende Mund
müht sich
um das richtig gesprochene
Wort
einer fremden
Sprache.   (Hier, 20)

Dieses Gedicht macht den existentiellen Einschnitt der Exilierung deutlich. Nicht nur aus der Heimat, der Geschichte, sondern auch aus der Sprache vertrieben, führt diese Situation zur Beschädigung und zur Identifikationskrise.

Im Exil befand sich Hilde Domin seit 1932. Die Emigration war für sie ein persönlicher Akt, der untrennbar mit ihrem Werk verbunden ist. 22 Jahre hat Hilde Domin im Exil gelebt, in Italien, England, der Dominikanischen Republik. Dazwischen lagen längere Aufenthalte in den USA. 1954 ist sie nach Deutschland zurückgekehrt.

Die Gedichte, die die Erfahrung der Ich-Behauptung und der Ich-Verwirklichung spiegeln, sind zahlreich. Die Auseinandersetzung mit

dem spanisch-südamerikanischen Kulturkreis, das Aufnehmen des Surrealismus und der Bildhaftigkeit spanischer Lyrik, die Übersetzungsar-
beit als Mitarbeiterin ihres Mannes und der Sprachunterricht als Dozen-
tin für Deutsch an der Universität Santo Domingo haben sie sensibel für
Sprache gemacht. Immer wieder wird die Sprache thematisiert, das Wort
umkreist: »Es ist kein Zufall, daß der Exildichter so leidenschaftlich von
der Sprache und von der Liebe spricht. Es ist ja der Haß, der den
ungeliebten, den nicht geduldeten, den ganz und gar verneinten Menschen ins Exil treibt. Der Exilierte kann gar nicht anders, als die Sprache
lieben. Sie garantiert ihm die Kontinuität seines Menschseins... Der hart
gepreßte Mensch muß sich befreien. Er befreit sich durch Sprache... Die
Dichter versuchten, sich in die fremde Sprache einzuleben, wobei Gedichte der beste Zugang sind. Die Sensibilität für die Sprache wuchs... Es
war eine Leidenschaft, sie standen dabei mit einem Fuß in ihrer Heimat,
mit dem anderen betraten sie Gastheimat. Denn wer so in die Sprache
geht, ist nicht mehr nur Fremder«.[15]

Hilde Domin wird durch das Exil zur Dichterin.[16]

Viele der Dichter, die die Heimat verließen oder verlassen mußten,
hatten den Verlust der Sprache, das Verstummen zu überwinden.

Hilde Domin ergreift in der Situation des Heimatverlustes, der geduldeten Existenz in der Fremde, der Gefahr des Vergessenwerdens das
Wort und befreit sich durch Sprache. Das Exil ist für sie die »Extremerfah-
rung der conditio humana«.[17] Es ist die verzweifelte Suche, in einer
Situation »allgemeiner Ortlosigkeit einen Lebensort« zu finden.[18]

> du,
> der Wanderer
> von Tag zu Tag
> und von Land zu Land,
> an dem das Wort
> von der Flüchtigkeit
> allen Hierseins
> Fleisch ward.
> Du, den jede Wand
> aufgibt,
> und den es oft nach des Zirkuskinds
> fahrbarer Höhle verlangt.   (Nur eine Rose, 10 ff.)

Besonders in den frühen Gedichten Domins steht diese Grunderfahrung
des Menschen, diese Extremsituation menschlicher Existenz im Vordergrund. Zwei Bildkreise bestimmen das Exilthema: Aufbruch und Verharren. Im ersten Bildkreis dominieren Wörter wie: »Luft«, »Wolken«,
»Wind«, »Wasser«, »Vogel«, »Taube«, »Füße«, »Rauch«, »Koffer«, im
zweiten: »Haus«, »Baum«, »Zimmer«, »Bett«, »Tisch«, »Stuhl«, »Teller«,
»Tasse«, »Stein«, »Grab«.

In dem Gedicht »*Bau mir ein Haus*« sind beide Bildkreise verknüpft. Die Diskrepanz zwischen Geborgenheit und Heimatlosigkeit, zwischen Verharren und Umgetriebensein, wird im Bild des Hauses deutlich. »Wind« steht für Zerstörung, für Vertreibung und Verfolgung. Er »kämmt die Blumen«, macht »die Blüten zu Schmetterlingen«, »zerschellt die Zugvögel an den Türen der Wolkenkratzer«. Die Verben »zerschellt«, »treibt«, »wirft« betonen Härte und Unerbittlichkeit, Ausgeliefertsein des Menschen. Die Zerstörung der psychischen Existenz, der Persönlichkeit durch die Erfahrung des Exils wird in den weiteren Versen dieses Gedichts zugespitzt:

> Ach, mein heller Körper aus Sand,
> nach dem ewigen Bild geformt, nur
> aus Sand.
> Der Wind kommt
> und nimmt einen Finger mit,
> das Wasser kommt
> und macht Rillen auf mir.
> Aber der Wind
> legt das Herz frei
> – den zwitschernden Vogel
> hinter den Rippen –
> und brennt mir die Herzhaut
> mit seinem Salpeteratem.
> Ach, mein Körper aus Sand!   (Nur eine Rose, 21)

Leiden, Flucht und Verlorenheit klingen hier an. Der Sand, der widerstandslos Wind und Wasser ausgesetzt ist, ist ein Bild für die Schutzlosigkeit und Unbehaustheit des Menschen.

Auffallend ist in der frühen Lyrik Hilde Domins, daß die Bilder vorwiegend der Natur entstammen.[19] Als häufige Metaphern erscheinen der »Vogel«, die »Taube«, der »Schmetterling«. Der Vogel steht einmal für Freiheit, zum anderen für Dunkles und Böses:

> Die Vögel, schwarze Früchte
> in den kahlen Ästen.   (Rückkehr, 17)

Vogel und Schmetterling sind gleichbedeutend mit Leichtigkeit und Flüchtigkeit der Existenz. Die Unsicherheit der Existenz, die Identitätskrise, drücken viele Gedichte aus, z. B.:

> Man muß weggehen können
> und doch sein wie ein Baum:
> als bliebe die Wurzel im Boden,
> als zöge die Landschaft und wir ständen fest.

> (Nur eine Rose, 9)

Wie wenig nütze ich bin,
ich hebe den Finger und hinterlasse
nicht den kleinsten Strich
in der Luft.

(Nur eine Rose, 23)

Ich muß mich von mir trennen.
Ich werde weggeführt
von mir.
Ich strecke die Hände aus
nach mir,
aber ich biege um eine Ecke
und verlasse mich, die ich weggeführt werde
in einem Sträflingskleid.

(Rückkehr, 26)

Von Herberge zu Herberge
Vergessenheit.
Der eigene Name
wird etwas Fremdes.

(Rückkehr, 47)

Das Gedicht »*Herbstzeitlosen*«, 1955 entstanden, hat als zentrales Thema das poetische und theologische Bild des Homo viator:

Für uns, die stets unterwegs sind
– lebenslängliche Reise,
wie zwischen Planeten –
nach einem neuen Beginn.

(Nur eine Rose, 13)

Die Suche nach dem Zuhause, aus dem der Mensch vertrieben wurde, die eigene leidvolle Erfahrung findet hier ihren Ausdruck. Den Heimatlosen, »denen der Pfosten der Tür verbrannt ist«[20], denen eine Rückkehr zur eigenen Kindheit verwehrt ist, die »keinen Baum in unseren Garten pflanzten«, »um den Stuhl in seinen wachsenden Schatten zu stellen«, bleibt die Natur:

Die wir am Hügel niedersitzen,
als seien wir zu Hirten bestellt
der Wolkenschafe, die auf der blauen
Weide über den Ulmen dahinziehen.

Der Spannungsbogen des Gedichts reicht von der Kindheit bis zum Herbst des Lebens, ja der Todesstunde.[21]

In den späteren Gedichten wird das Exilthema variierend aufgenommen, z. B. als Symbol für die Existenz des Menschen:

Die Toten und ich
wir schwimmen
durch die neuen Türen
unserer alten Häuser.

(Rückkehr, 19)

Unverlierbares Exil
du trägst es bei dir
du schlüpfst hinein
gefaltetes Labyrinth
Wüste
einsteckbar.   (Rückkehr, 28)

»Das Exil läßt man nicht irgendwo da draußen«.[22] Es ist ein Teil der
Biographie, Teil des Lebens. Hilde Domins Exilgedichte spiegeln die
Erlebnistiefe von Heimatferne und Sehnsucht nach Heimat, Liebe und
Entsagung, Angst und Todesahnung, Abschied und Hoffnung. Symbol
ist die Rose[23], »die allein noch stützt, auch als eben das, dem sie ihre
Sichtbarmachung dankt: sie ist der eine Widerspruch der Poesie selbst
und Beleg von deren Unverzichtbarkeit für das in seinen Atemnöten auf
Stützung angewiesene Subjekt«.[24]

Paul Celan erinnert in seiner Bremer Rede daran, daß das Gedicht als
Erscheinungsform der Sprache seinem Wesen nach dialogisch sei, eine
»Flaschenpost«, »aufgegeben in dem ... Glauben, irgendwo und irgendwann an Land gespült (zu) werden, an Herzland vielleicht«. Gedichte
sind unterwegs, »sie halten auf etwas zu ... Auf etwas Offenstehendes,
Besetzbares, auf ein ansprechendes Du vielleicht, auf eine ansprechbare
Wirklichkeit«.[25] Wenn man die Situation des Dichters im Exil betrachtet,
seine monologische Situation, dann ist er von dem Glauben und der
Hoffnung geleitet, gegen den Verlust anzuschreiben, gegen die Hoff-
nungslosigkeit und gegen den Tod. So gesehen ist Exilliteratur »Flaschenpost«.

Was heißt das im Falle Hilde Domins?

Durzak weist auf die Schwierigkeiten des Begriffes »Exilliteratur« hin.
Die Erforschung der deutschen Emigration steht noch am Anfang. In der
Bundesrepublik Deutschland hat die literaturwissenschaftliche Beschäftigung mit der Exilliteratur verspätet eingesetzt. Sie wurde durch die
politische Entwicklung verzögert. Dazu kam, daß die »moralisierende
Erbauungsliteratur" (Bergengruen, Reinhold Schneider, Stefan Andres,
Carossa, Schröder, Wiechert) bestimmend war und die Rückeingliede-
rung der Exilliteratur erschwerte.[26] Ich schließe mich der Definition von
Walter an, die zwischen 1933–1950 außerhalb Deutschlands geschriebe-
nen Werke deutscher Schriftsteller auf dem Hintergrund ihrer Entste-
hungsbedingungen zu interpretieren und als Einheit zu begreifen – als
Exilliteratur.[27] Walter zeigt, daß das Verhältnis zwischen westdeutscher
Nachkriegsliteratur und Exilliteratur problematisch geblieben ist. Wenige
(wie z. B. Zuckmayer, Broch, Musil, Thomas Mann, Brecht) erreichten
es, ins Bewußtsein des deutschen Nachkriegspublikums zu gelangen.
Andere (wie z. B. Heinrich Mann, Arnold Zweig, Alfred Döblin, Anna
Seghers) blieben lange »draußen vor der Tür«. Die Verflechtung von

Literatur und Gesellschaft, Kunst und Politik, Literatur als Ausdruck gesellschaftlich vermittelter Praxis kam nicht ins Blickfeld. Die deutsche Germanistik verhielt sich zu lange abstinent gegenüber der Exilliteratur. Dazu kam, daß die werkimmanenten Interpretationsmethoden zur Auseinandersetzung mit dem komplexen Phänomen der Exilliteratur ungeeignet waren. So hat Conrady diese Methode als ein »willkommenes Mittel zur Flucht aus den politisch-ideologischen Verstrickungen des Dritten Reiches« interpretiert.[28] Erschwerend für die wissenschaftliche Beschäftigung kam die Heterogenität der Exilliteratur hinzu. Große Verdienste um die Grundlagen zur Erforschung der Exilliteratur (außerhalb der Universitäten und ohne Beteiligung der Germanistik) haben die Deutsche Bibliothek in Frankfurt/M. und die Ausstellung »Exilliteratur 1933–1945«, die den eigentlichen Durchbruch für die Exilforschung in der Bundesrepublik Deutschland bewirkten.[29]

Hilde Domin schreibt im Exil. Ist sie eine Exildichterin?

Faßt man den Exilbegriff weit, im Sinne Walters oder im Sinne der Anthologie von Wolfgang Emmerich und Susanne Heil[30], dann ist sie eine Exildichterin. Aber die Schwierigkeiten der Rezeption ihres Werkes sind, verglichen mit anderen oben genannten, nicht vorhanden. Woran liegt das? Liegt es in der Tatsache, daß Hilde Domin die Sprache erst im Exil, Sprache als Befreiung in der Heimatlosigkeit fand? Oder liegt es an dem eigenen Lyrikverständnis? Sie kommt in Deutschland in eine Phase der Vorbehalte gegenüber Lyrik.[31] Ich vermute, daß ihr Schreiben *gegen* Verlust, gegen das Verstummen, sie vor der Gefahr gefeit hat, ungehört zu bleiben. Vielleicht kann man sagen: Hilde Domin ist aus politischen Gründen 1932 ins Exil gegangen; im Exil – erst dort! – hat sie zu ihrer Sprache, zur Dichtung gefunden; in der Sprache, in *ihrer* Sprache hat sie sich im Exil gefunden – und nach ihrer Rückkehr Gehör gefunden, trotz aller gegenläufigen politischen Tendenzen.

3. Die Erfahrung der Heimkehr »in das Land meiner Sprache«

Das Gefieder der Sprache
Das Gefieder der Sprache streicheln
Worte sind Vögel
mit ihnen davonfliegen.   (Hier, 39)

Hilde Domins Erfahrungen der Rückkehr sind weit stärker als die des Exils in ihr Werk eingegangen. Die Rückkehr ist das »große Erlebnis« ihres Lebens. Sie formuliert in »Hineingeboren«: »Wie konnte ich in den schlimmen Jahren des Exils das Vertrauen zu den Menschen bewahren und es auch mit nachhause bringen in dies Land, in dem unsagbare Furchtbarkeiten unter dem Schweigen und Wegsehen aller geschehen waren? Es ist eine Frage, die ich mir selbst nicht beantworten kann. Vielleicht hat mich das Glück der Rückkehr in das Land meiner Sprache, meiner Kindheit, also mein Land, blind gemacht. Ich war ja wie betrunken von so viel Wiedersehen ... Die Rückkehr, nicht die Verfolgung, war das große Erlebnis meines Lebens. Ein Erlebnis von äußerster Zerbrechlichkeit«.[32] Diese Zerbrechlichkeit, die Spannung zwischen Exil und Rückkehr, Geborgenheit und Aufbruch bestimmen die Gedichte der Rückkehr Hilde Domins, z. B. »Treulose Kahnfahrt« (Nur eine Rose, 56), »Rückkehr« (Rückkehr, 12), »Von Grün zu Gold« (Rückkehr, 29), »Mit leichtem Gepäck« (Rückkehr, 49), »Rückkehr der Schiffe« (Rückkehr, 55), »Heimkehrer« (Hier, 10), »Hier« (Hier, 24), »Rückwanderung« (Hier, 29), »Wir nehmen Abschied« (Hier, 51). Hier dominieren die Verben des Gehens, Schweben und Gleitens.

Gadamer hat Hilde Domin »die Dichterin der Rückkehr« genannt[33]. Rückkehr ist für ihn nicht »Wieder-da-Sein«, sondern »doppelter Abschied«. »Wer ... zurückkehrt, muß von etwas lassen, das sein zu werden begann ... Sie ist nicht ein Zurückbekommen dessen, was man verloren hatte, sondern zugleich neuer Verlust ... Die Rückkehr beschenkt mit Wiedererkennen, jedoch im gleichen Atemzug erschreckt sie durch Nichtwiedererkennen ... Rückkehr ... ist ein neuer Abschied – der dritte Abschied«.[34]

Lange, bevor Hilde Domin in die Heimat zurückkehrte, hatte sie die Rückkehr innerlich vollzogen als »Heimkehr in das Wort«. Das Wort aber war das Wort *ihrer* Sprache.[35] Ihr erster Gedichtband »Nur eine Rose als Stütze« läßt die Sprache als Stütze gegen Identitätsverlust erscheinen. Folgerichtig prägen die beiden Grunderfahrungen Exil und Rückkehr die Sprachauffassung Hilde Domins. Diese Spannung hat sie formuliert:

> Ich setzte den Fuß in die Luft,
> und sie trug.   (Nur eine Rose, 53)

Sprache ist »das Unverlierbare, nachdem alles andere sich als verlierbar erwiesen hatte. Das letzte, unabnehmbare Zuhause ... Zuhausesein, Hinzugehörendürfen ... Es bedeutet, mitverantwortlich zu sein. Nicht nur ein Fremder sein. Sich einmischen können ... Ein Mitspracherecht haben, das mitgeboren ist«.[36]

Welches Land ist es, in das Hilde Domin zurückkehrt? Sie sagt, daß es das Land Günter Eichs war, aus dem sie »keine Rückkehr mehr brauchte«.[37] Ihr Gedicht »*Rückwanderung*« erinnert an Günter Eichs »Inventur«[38], das durch Sachlichkeit gekennzeichnet ist, in dem der Besitz eines Besitzlosen aufgezählt wird: »Konservenbüchse«, »mein Teller«, »mein Becher«, der »kostbare Nagel«. »Rückwanderung« und »Inventur« – beide sind Heimkehrergedichte.

Rückwanderung
Gerade verlern ich
den Wert
der leeren
Konservendose.
Gerade habe ich gelernt
eine Blechdose fortzuwerfen
mit der meine Freundin Ramona
dem Gast
mit der meine Freudin Ramona
mir
das Wasser schöpft
aus dem großen irdenen Krug
in der Ecke der Hütten
wenn mich dürstet
am Rande der Welt.
Gerade lerne ich bei euch den Wert einer leeren
Blechdose
zu vergessen. (Hier, 29)

»Rückwanderung« steht in dem 1964 erschienenen Gedichtband »Hier«. Dieses Gedicht vollzieht Rückkehr, die Rückwanderung »vom Rande der Welt«, wo es sie »dürstet« (wie Jesus am Kreuz). Sie erinnert sich Ramonas, für die eine leere Konservendose von unschätzbarem Wert ist. Diese Frau, Hilde Domin nennt sie zweimal »Freundin«, »schöpft« das Wasser »aus dem großen irdenen Krug in der Ecke der Hütten«, um sie vor dem Verdursten zu retten. Geben und Nehmen symbolisieren hier ein Stück Rückkehr. Die Tendenz zum Sakralen wird durch die gleichen Strophenanfänge unterstützt, durch die sachlichen, einfachen Sätze und durch den psalmodierenden Klang. In Deutschland wandelt sich der Wert der Konservendose Ramonas. Sie »verlernt« ihn. Die erste Strophe korrespondiert mit der letzten Strophe. Aber aus »verlernen« wird »lernen«, ja es wird zugespitzt

Gerade lerne ich bei euch
...
zu vergessen.

Der Rhythmus der Strophenanfänge verstärkt die Aussage: »Gerade verlern ich« – »Gerade habe ich gelernt« – »Gerade lerne ich bei euch«. Diese Wiederholungen spiegeln Veränderungen, Ankunft und Verlust, Heimat mit ihren fragwürdigen Aspekten.

Für Hilde Domin bedeutet Lyrik vor allem Freiheit. Sie bezeichnet ihre Gedichte als »Erfahrungsmodelle«[39] im Umgang mit der Öffentlichkeit. Das öffentliche Gedicht gewinnt in den letzten Gedichtbänden »Hier« (1964) und »Ich will dich« (1970) zunehmend an Bedeutung. Das öffentliche Gedicht soll politische Erfahrung exemplarisch in Sprache umsetzen. Die gesellschaftliche Aufgabe des Gedichtes ist es, »den Menschen im Leser zu politisieren«.[40]

Der Glaube, die Welt, die Gesellschaft durch Schreiben verändern oder doch entscheidend mitprägen zu können, beflügelt seit Brecht und Benjamin immer wieder Autoren. Enzensberger schreibt seit den fünfziger Jahren (»Verteidigung der Wölfe«, »Landessprache«, »Blindenzeitschrift«) mit diesem Glauben.[41] Eich, Walser, Fried u. a. wollen auf ihre Weise Bewußtsein verändern. Aber ist denn Literatur, ja Kunst überhaupt »die gesellschaftliche Antithese zur Gesellschaft«, wie Adorno formulierte?[42] Adorno und Enzensberger haben die Autonomie des Ästhetischen gegenüber Herrschaftsinteressen und die Funktionslosigkeit der Kunst als Politikum ausgerufen.[43] Das bedeutet in letzter Konsequenz eine »politische Prämiierung« der Poesie pure[44], und man kann dann mit Hilde Domin behaupten, »daß alle Gedichte ihrer Natur nach ›öffentlich‹ sind, nämlich virulente = ›ansteckende‹ Formulierungen von Erfahrungsmodellen«.[45] Hilde Domin geht es um die literarische Überwindung des falschen Gegensatzes: »Das heißt, daß die politisch richtige Tendenz eine literarische Tendenz einschließt. Und ... diese literarische Tendenz, die implizit oder explizit in jeder *richtigen* politischen Tendenz enthalten ist – die und nichts anderes macht die Qualität des Werkes«.[46]

Hilde Domins zeitpolitisches Engagement, ihre politisch-kritische Zeitgenossenschaft führt zu einer zunehmenden Verknappung der Sprache und zur Betonung des Appellativen. Ihre Erfahrung des Exils und die der Rückkehr verbinden sich in der Situation des »Hier« mit politischer Wachsamkeit. »Hier« – das ist unsere Zeit, es ist Zeitgenossenschaft, Verantwortung, Parteinahme, »Aufruf gegen Verfügbarkeit, gegen Mitfunktionieren. Also gegen die Verwandlung des Menschen in den Apparat«.[47]

Mit dem 1970 erschienenen Band »Ich will dich« wird der Forderung nach Freiheit Priorität eingeräumt. Voraussetzung für Freiheit ist richtiges Benennen und Widerstand durch das Wort, um die Verlogenheit seines Gebrauchs offenzulegen.

»Freiheit / ich will dich / aufrauhen mit Schmirgelpapier / du geleckte / ... / Modefratz...« (Ich will dich, 7 f.). Nur so bleibt für sie Poesie auch Poesie und kann Bewußtsein verändern, eben wenn sie sich »den Atemraum der Freiheit« bewahrt und ermöglicht.

Hilde Domin kommt mit ihrer Rückkehr in die Situation der Ablösung der Benn- durch die Brecht-Ära. Benn betonte vor allem die Notwendigkeit der »Ausdruckswelt«, Brecht dagegen die Notwendigkeit der gesellschaftlichen Aufgabe von Dichtung. Nicht mehr der Kunstcharakter des Gedichts, sondern sein Gebrauchswert war gefragt. Dem Nein linker Autoren gegen Lyrik folgte das Nein der bürgerlichen Rechten zum gesellschaftskritischen Gedicht. Gegen *beide* Gruppen hat Hilde Domin 1968 ihre Essays »Wozu Lyrik heute« veröffentlicht. Poesie, Lyrik produziert eine andere »Ware« als die Konsumgüterindustrie, sie eröffnet eine andere Dimension. Lyrik gibt den Menschen Atem, sie ist »Antiware schlechthin«, »Atemraum der Freiheit«.[48] Gleichwohl ist auch für Hilde Domin Lyrik »Gebrauchsgegenstand«, aber mit dem Unterschied, daß das Gedicht von Form und Ästhetik bestimmt bleibt. Als Kriterien fungieren: »Authentizität«, »Besonderheit« und »Musterhaftigkeit«.[49]

Hilde Domin ist wesentlich an der Diskussion der Lyriktheorie beteiligt, vor allem in ihren Essays, z. B. in den Nachworten zu »Doppelinterpretationen« und »Nachkrieg und Unfrieden« und in der Sammlung »Wozu Lyrik heute«. Ihre theoretische Position ebenso wie ihre Lyrik ist »skeptischer als Brecht«, der mit Lyrik Wirklichkeit verändern wollte, »zuversichtlicher als Benn«, der Lyrik und Kunst als folgenlos betrachtete.[50] Hilde Domin hat ihren eigenen Standort »zwischen einer ekstatischen und innerlichen Lyrik einerseits und einer bloß machbaren, rhetorischen und politisch äußerlichen Lyrik andererseits«[51] gefunden:

> Hier
> Ungewünschte Kinder
> meine Worte
> frieren.
> Kommt
> ich will euch
> auf meine warmen
> Fingerspitzen
> setzen
> Schmetterlinge im Winter.
> Die Sonne
> blaß wie ein Mond
> scheint auch hier
> in diesem Land
> wo wir das Fremdsein
> zu Ende kosten.

(Hier, 24)

Schluß: Exil und Heimkehr

Blickt man auf Hilde Domins dichterisches Werk und auf ihre Biographie, so kann man sagen: »Exil« und »Heimkehr« haben sich in unseren annäherungsweisen Interpretationen als die beiden Leitworte erwiesen, mit deren Hilfe sich entscheidende Dimensionen des Verständnisses eröffnen. Nun sind aber »Exil« und »Heimkehr« nicht nur (obwohl das auch) Begriffe »instrumentellen Sprachgebrauchs«; sie bezeichnen nicht nur (obwohl dies auch) faktische Vorgänge. Im Sinne der Unterscheidung von Johannes Anderegg gehören beide Begriffe zugleich zum »medialen Sprachgebrauch«.[52]

Was heißt das für unseren Zusammenhang?

»Exil und »Heimkehr« sind über die Funktion hinaus, bestimmte *Fakten* zu nennen, *Metaphern*, die auf mehr verweisen, als die bloßen Fakten sagen. Sie transportieren Sinn, der über die Fakten hinausschießt; der noch anderes erfahren läßt, für die Betroffenen und Beteiligten, aber auch für spätere »Teilhaber«, also Leser, als man aus den Fakten herauslesen kann. Oder mit Johannes Anderegg: »Insofern die medialen Zeichen aus jenen Zeichen gebildet werden, die uns durch den instrumentellen Umgang mit Sprache vertraut sind, kann man von einer Verwandlung von der *Instrumentalität in die Medialität* sprechen, stellt der mediale Sprachgebrauch sich als ein verwandelter Sprachgebrauch dar«.[53]

Wenn wir mit »Exil« und »Heimkehr« als Leitworten für das Verständnis der Dichtung Hilde Domins arbeiten, dann benennen wir auf diese Weise den *Verwandlungsprozeß,* innerhalb dessen Hilde Domin zur Dichterin geworden ist – *und* wir benennen den Verwandlungsprozeß, auf den sich der Leser ihrer Gedichte heute einläßt.

Aber erst ein letzter Schritt läßt erkennen, was wir, zumal für Hilde Domin, mit »Exil« und »Heimkehr« sagen. Es sind ja nicht Metaphern, die irgendeinen Hintergrund haben, sondern es sind Metaphern, die *exemplarischer Ausdruck jüdischer Geschichte,* jüdischen Schicksals sind. Die Spannung zwischen Exil und Heimkehr ist ein Grundmotiv der Geschichte Israels – vor Zeiten, wie im Alten Testament nachlesbar, bis heute.

Die drei eingangs genannten Aspekte – Judentum, Exil, Heimkehr – erweisen sich damit als Komponenten eines *unauflösbaren* inneren Zusammenhangs. Dieser Zusammenhang findet im dichterischen Werk Hilde Domins seine gültige ästhetische Realisation.

Vielleicht darf man die These noch erweitern: Wenn die Vertreter der Exilliteratur fast ausnahmslos Juden waren, dann stellt sich in *Biographie* und *Werk* von Hilde Domin auf *exemplarische* Weise dar, was es heißt: deutsche(r) Dichter(in) im Exil gewesen zu sein – und was es heißt: mit der Erfahrung des Exils »in das Land meiner Sprache« heimzukehren.

Anmerkungen

1 Vgl. Erwin Leibfried, Kritische Wissenschaft vom Text. Manipulation, Reflexion, transparente Poetologie, Stuttgart ²1972.
2 Hilde Domin, Aber die Hoffnung. Autobiographisches aus und über Deutschland, München 1982, 70.

3 Hilde Domin, Hineingeboren, in: ebd. 66 f. Zuerst veröffentlicht in: Hans Jürgen
  Schultz (Hg.), Mein Judentum, Stuttgart 1978, 104–117. Vgl. auch die ganz ähnliche Perspektive bei Valentin Senger, Kaiserhofstr. 12, Darmstadt 1978, 140 f.:»Ich
  weiß nicht mehr, wie lange ich da stand und in die Flammen starrte. Ein Gefühl
  überwältigte mich, wie ich es bisher nicht gekannt hatte: auch ich war einer von
  denen, die da gequält und geschunden wurden. Noch nie war es mir so deutlich
  ins Bewußtsein gedrungen, daß ich zu ihnen gehörte. Es waren meine Brüder und
  Schwestern, denen man die Scheiben zertrümmerte, die Wohnungen demolierte,
  die Geschäfte zerschlug, die Gotteshäuser zerstörte, die Thorarollen schändete
  und denen man Schlimmes an Leib und Leben antat. Ihr Schicksal war mein
  Schicksal, auch ich war einer aus dem auserwählten Volk, gewiß keiner der
  tapfersten und edelsten, keiner der bekenntnisfreudigsten – aber aus der Tatsache
  selbst konnte ich mich nicht herauslügen. Ich wollte es auch nicht in diesem
  Augenblick«.
4 Ebd. 68.
5 Ebd. 68. Anläßlich der Verleihung des Leonce-und-Lena-Preises 1979 sagte Hilde
  Domin:»...ich glaube, wir Poeten sind sicher die geeignetsten, das Geschehen
  vom Geopferten her zu begreifen und begreifbar zu machen. Damit ersetzen wir in
  gewisser Weise, was an Religiosität im Sinne einer festen Religionsgemeinschaft
  uns fast allen abhanden gekommen ist«. (Hilde Domin, Zum Leonce-und-Lena-
  Preis 1979. Rede von Karl Krolow und Anmerkungen eines Jurymitgliedes zu den
  Prinzipien der Preisvergabe, in: ebd. 188).
6 Hilde Domins brüchige Identifikation mit dem Judentum hat auf andere Weise,
  aber vergleichbar Sigmund Freud formuliert:»Was mich ans Judentum band, war
  – ich bin schuldig, es zu bekennen – nicht der Glaube, auch nicht der nationale
  Stolz; denn ich war immer ein Ungläubiger...« Was dennoch für Freud blieb, und
  eben dies bleibt auch für Hilde Domin:»die klare Bewußtheit der inneren Identität,
  die Heimlichkeit der gleichen seelischen Konstruktion«. (Zitiert nach: H. J. Schultz
  (Hg.), Mein Judentum, 5).
7 Martin Walser versteht Literatur als »bastardisierte Religion«. Literatur sei entstanden »als Auslegung der Religion«. Das bedeutet:»Religion ist sprachliche Reaktion
  auf unser Dasein, so wie Literatur sprachliche Reaktion darauf ist. Religion und
  Literatur sind nicht Darstellung, sondern Antwort auf die Lebenssituation«. (Das
  wäre meine Religion. Nicht allein zu sein. Über den Katholizismus, ein Gottespro-
  jekt und das Nationale in der Literatur. Gespräch mit Martin Walser, in: Karl-Josef
  Kuschel, Weil wir uns auf dieser Erde nicht ganz zu Hause fühlen. 12 Schriftsteller
  über Religion und Literatur, München 1985, 146).
8 In anderer Weise läßt sich das am Werk Christa Wolfs zeigen. Vgl. U. Baltz, Notizen
  zu Christa Wolf. Die »Grenze« als Ort der Annäherung zwischen »Religion« und
  Dichtung, in: Themen der Praktischen Theologie – Theologia Practica 18/1983, H.
  3/4, 79–88.
9 Hilde Domin, Wozu Lyrik heute, München 1975, 31.
10 Hilde Domin, Offener Brief an Nelly Sachs. Zur Frage der Exildichtung, in: dies.,
  Von der Natur nicht vorgesehen. Autobiographisches, München 1974, 136–142.
11 A. a. O. 66.
12 Hilde Domin, Wozu Lyrik heute, 22.
13 Max Horkheimer, Kritische Theorie I, Frankfurt 1968, 198 f. Oder Th. W. Adorno:
  »Inhuman aber ist das Vergessen, weil das akkumulierte Leiden vergessen wird;
  denn die geschichtliche Spur an den Dingen, Worten, Farben und Tönen ist immer
  die vergangenen Leidens«. Th. W. Adorno, Ohne Leitbild. Parva Aesthetica,
  ^{2}1968, 35. Vgl. auch M. Horkheimer/Th. W. Adorno, Dialektik der Aufklärung,
  Frankfurt 1969, 234 ff.

14 So von Hilde Domin mündlich in einer Lesung am 13. März 1986 im Rabanus-Maurus-Gymnasium Mainz bezeichnet.

15 Hilde Domin, Die Paradoxie des Exils. Identitäts- und Sprachproblematik, in: Deutsche Akademie für Sprache und Dichtung, Jahrbuch 1983, 9–22.

16 Hilde Domin ist 1912 geboren. Ihr Elternhaus in Köln hat sie »mit dem Vertrauen versorgt, dem Urvertrauen, das unzerstörbar scheint« und aus dem sie »die Kraft des ›Dennoch‹« nimmt. Von »Sprache zu Sprache gewandert«, war ihr Leben eine »ständige Sprachherausforderung«. »Als ich nach dem Tod der Mutter . . . an eine Grenze kam, da hatte ich plötzlich die Sprache, der ich so lange gedient hatte. Ich wußte, was ein Wort ist. Ich befreite mich durch Sprache. Hätte ich mich nicht befreit, ich lebte nicht mehr. . . Schreiben war Rettung«. (Hilde Domin, Leben als Sprachodyssee, in: dies., Aber die Hoffnung, 23).
Nach 1945 befanden sich viele Dichter in der Sprachkrise – vorwiegend aus dem ideologischen Mißbrauch des Wortes im Nationalsozialismus. Hilde Domins Sprachverhältnis ist positiver. Sie hat nicht dieselben Erfahrungen gemacht. Statt Skepsis nimmt Hilde Domin Zuflucht zur Sprache. Schreiben wird für sie Atmen: »man stirbt, wenn man es läßt«. (H. Domin, in: Von der Natur nicht vorgesehen, 37).

17 Hilde Domin, Exilerfahrungen, Untersuchungen zur Verhaltenstypik: in: dies., Von der Natur nicht vorgesehen, 156.

18 Wolfgang Emmerich/Susanne Heil (Hg.), Lyrik des Exils, Stuttgart 1985, 40. Nelly Sachs, die Schicksalsgefährtin schreibt in ihrem Gedicht »In der Flucht«: »An Stelle von Heimat / halte ich die Verwandlungen der Welt«. (Nelly Sachs, Gedichte, Frankfurt 1977, 73). Bei Hilde Domin in »Meine Wohnungen – ›Mis moradas‹« findet sich dazu eine Parallele: »Außer dem Gehen kommt in meinen Gedichten, zumindest den ersten Bänden, vielleicht nichts soviel vor wie das Wohnen oder Wohnen dürfen. Bleiben dürfen. Die meisten Wohnungen in meinem Leben waren Fluchtwohnungen, Zufluchtwohnungen oder verwandelten sich plötzlich, aus scheinbar ganz normalen Behausungen«. (Hilde Domin, Von der Natur nicht vorgesehen, 63).
Elias Canetti spricht in vergleichbarer Weise vom Dichter: »Als erstes und wichtigstes würde ich sagen, daß er (scil.: der Dichter) der Hüter der Verwandlungen ist«. (Elias Canetti, Der Beruf des Dichters, München/Wien 1976, unpaginiert)
Manfred Durzak vergleicht die Schriftsteller im Exil mit Laokoons Söhnen, »die im Exil der äußersten Konsequenz des Verstummens auszuweichen versuchten, für die das Ringen mit der wirtschaftlichen, kulturellen und künstlerischen Entwurzelung in einem sich noch nicht selbst aufgebenden Kampf mit der Sprache führte. Sie waren nicht gewillt, die Vertreibung aus dem Mutterland auch als Vertreibung aus der Muttersprache hinzunehmen. Solange sie an der Sprache festhielten, gaben sie sich nicht künstlerisch und menschlich auf«. (M. Durzak, Laokoons Söhne. Zur Sprachproblematik im Exil, in: Akzente 21/1974, 53–63. 55).

19 Karl Krolow vermutet aus bestimmten poetischen Praktiken, z. B. der Behandlung des Bildes, der Metapher, bei Hilde Domin Spuren des (westlichen) Surrealismus. Krolow begründet das mit der im spanischen oder französischen Gedicht gebrauchten Metapher. (K. Krolow, »Ich will einen Streifen Papier«, in: Heimkehr ins Wort. Materialien zu Hilde Domin, hg. v. Bettina v. Wangenheim, Frankfurt 1982, 13 f.).

20 Das Zitat verweist auf den Passa-Ritus, vgl. 2 Mose 12. Daß die Pfosten der Tür (die mit dem Blut des Lammes bestrichen werden: 12, 5–7) »verbrannt« sind, kann nur heißen: Sie können das Passa nicht feiern – sie sind von der eigenen Geschichte getrennt. Härter geht es nicht!

21 Auch hier finden sich Anklänge an die Tradition: Hügel, Schatten, Hirte, Schafe, Reise.

22 Hans-Georg Gadamer, Hilde Domin, Dichterin der Rückkehr, in: Heimkehr ins Wort. Materialien, 31.

23 Die Rosenmetapher hat Walter Jens als die deutsche Sprache bezeichnet, die in den Jahren des Exils Halt gewesen sei. Vgl. W. Jens, Vollkommenheit im Einfachen, in: ebd. 57–60.

24 Horst Meller, Hilde Domin, in: ebd. 49.

25 Paul Celan, Ansprache anläßlich der Entgegennahme des Literaturpreises der Freien Hansestadt Bremen, in: ders., Ausgewählte Gedichte. Zwei Reden, Frankfurt ³1970, 127–129.

26 Vgl. zum Zusammenhang Manfred Durzak, Deutschsprachige Exilliteratur. Vom moralischen Zeugnis zum literarischen Dokument, in: ders., (Hg.), Die deutsche Exilliteratur 1933–1945, Stuttgart 1973, 9–26.

27 Vgl. Hans-Albert Walter, Zur Situation der Exil-Literatur-Forschung, in: Heinz Ludwig Arnold (Hg.), Deutsche Literatur im Exil 1933–1945, Bd. II: Materialien, Frankfurt 1974, 341–356.

28 Zitiert nach H.-A. Walter, a. a. O. 346.

29 Vgl. zum Zusammenhang die sozialgeschichtliche Darstellung von H.-A. Walter, Bedrohung und Verfolgung bis 1933. Deutsche Exilliteratur 1933–1950, Bd. 1, Darmstadt/Neuwied 1972; ders., Asylpraxis und Lebensbedingungen in Europa. Deutsche Exilliteratur 1933–1950, Darmstadt/Neuwied 1972 (beide Bände erscheinen demnächst als Bd. 1 der folgenden Ausgabe); ders., Deutsche Exilliteratur 1933–50, Bd. 2: Europäisches Appeasement und überseeische Asylpraxis, Stuttgart 1984.

30 W. Emmerich/S. Heil (Hg.), Lyrik des Exils.

31 Vgl. die Diskussion Enzensberger/Adorno, z. B. in Kursbuch 15.

32 Hilde Domin, Auf die Hoffnung, 70.

33 H.-G. Gadamer, a. a. O. 28–34.

34 Ebd. 29 f.

35 Hilde Domin, Von der Natur nicht vorgesehen, 34.

36 Hilde Domin, Aber die Hoffnung, 12 f.

37 Günter Eich war der erste Nachkriegsdichter, den Hilde Domin kennenlernte und dessen Gedichte sie schon in Santo Domingo lesen konnte. Ingeborg Bachmanns und Paul Celans Gedichte kaufte sie sich am zweiten Tag der Ankunft in Deutschland 1954. Vgl. Hilde Domin, Das Land Günter Eichs, in: dies., Aber die Hoffnung, 90–95.

38 Günter Eich, Abgelegte Gehöfte, Frankfurt 1948, 38 f.

39 Hilde Domin (Hg.), Nachkrieg und Unfrieden. Gedichte als Index 1945–1970, Darmstadt/Neuwied 1970, S. 125.

40 Ebd. 125.

41 Enzensberger hat in Anlehnung an Adornos »Rede über Lyrik und Gesellschaft« (vgl. Akzente 4/1957, 8–26) die These aufgestellt, »daß es die Sprache ist, die den gesellschaftlichen Charakter der Poesie ausmacht«, und der politische Auftrag des Gedichts, »sich jedem Auftrag zu verweigern und für alle zu sprechen, auch dort, wo es von keinem spricht, von einem Baum, von einem Stein, von dem, was nicht ist«. (Hans Magnus Enzensberger, Einzelheiten II, Frankfurt 1962, 113–137. 133. 136).

42 Th. W. Adorno, Ästhetische Theorie, Frankfurt ⁴1980, 19.

43 Der Hinweis Enzensbergers, daß in der Poesie gesellschaftliche und politische Prozesse ausschließlich im Medium der Sprache stattfinden, ist einleuchtend, denn ästhetische Werte sind gesellschaftlich vermittelt, d. h. ästhetische Prozesse stehen mit den Erfahrungen und Wahrnehmungen politischer Wirklichkeit in enger Korrelation.

44 Walter Hinderer, Probleme politischer Lyrik heute, in: Poesie und Politik. Zur Situation der Literatur in Deutschland, hg. v. Wolfgang Kuttenkeuler, Stuttgart 1973, 91–136. 94.

45 Hilde Domin, Das politische Gedicht und die Öffentlichkeit, in: dies., Nachkrieg und Unfrieden, 125. Hinderer hat nachgewiesen, daß das, was z. B. ein *Gedicht* zu einem

politischen macht, nicht an seinem politischen Inhalt und der politischen Intention liegt, die es mit ästhetischen Mitteln inszeniert, »sondern an seiner ideologischen Störfunktion oder genauer an der Tatsache, daß es sich jeder ideologischen Programmierung enthält«. Es sei gerade deshalb gesellschaftlich oder politisch, weil es sich nicht für gesellschaftliche oder politische Zwecke einspannen lasse«. (W. Hinderer, a. a. O. 105).

46 Walter Benjamin, Der Autor als Produzent, in: ders. Gesammelte Schriften, Bd. II/2: Aufsätze, Essays, Vorträge. Werkausgabe, Bd. 5, hg. v. Rolf Tiedemann/Hermann Schweppenhäuser, Frankfurt 1980, 613–701. 684 f.

47 Hilde Domin, Das politische Gedicht und die Öffentlichkeit, a. a. O. 166.

48 Ebd. 31.

49 Ebd. 62 f.

50 Hilde Domin, Das politische Gedicht und die Öffentlichkeit, a. a. O. 161.

51 Paul Konrad Kurz, Lyrik heute? Ein Bericht zur gegenwärtigen Lyrik-Diskussion, in: StdZ 182/1968, 274–278.

52 Johannes Anderegg, Sprache und Verwandlung. Zur literarischen Ästhetik, Göttingen 1985. Vgl. bes. 47 ff.

53 Ebd. 57. Hervorhebung dort.

III
Religion und Sozialisation

»Das Motiv der Frage nach Religion ist dabei doppelt
zu kennzeichnen:
– Einerseits stoßen wir auf Wirkungen von Religion,
  die uns zur Analyse um kritischer Aufarbeitung
  willen nötigen.
– Andererseits ist das Motiv ›experimenteller‹ Natur:
  Es gilt zu erfragen, unter den Bedingungen welcher
  Weiterentwicklung/Modifikation/Transformation
  Religion heute welche Wirkung haben könnte.
Interesse an Religion ist also kritisch-projektiv. Die
Frage ist *offen*, ob und wie Religion stimulierend für
Lebenspraxis wirken kann.« (Gert Otto, Praktische
Theologie als kritische Theorie religiös vermittelter
Praxis in der Gesellschaft, in: Ders. (Hg.), Praktisch
Theologisches Handbuch, Hamburg ²1975, S. 22)

HELMUT SPENGLER

BEKEHRUNG UND WISSENSCHAFTLICHE THEOLOGIE

In unseren Kirchengemeinden begegnet die Theologie als Wissenschaft immer noch erheblicher Skepsis, sofern sie die Grundlagen der religiösen Erfahrung erforscht und außer dem theologischen Zusammenhang auch deren historische, gesellschaftliche und psychologische Faktoren mit wissenschaftlichen Methoden zu verstehen sucht.

Besonders evangelikale Gruppen und Gemeinschaften, die sich dem Pietismus, seinen Traditionen und Weiterentwicklungen verpflichtet wissen, begründen ihre Kritik an der Kirche, ihre Sorge um eine schriftgemäße Verkündigung mit dem Vorwurf, die evangelische Theologie und mit ihr große Teile der von ihr ausgebildeten Pfarrerschaft hätten sich weithin einer völligen Relativierung des Glaubensgrundes durch die historisch-kritische Wissenschaft ausgesetzt. Nach dem Zweiten Weltkrieg hat der Streit um das Entmythologisierungsprogramm Rudolf Bultmanns und seiner Schüler zu heftigen Auseinandersetzungen geführt. Später verlagerte sich das Gespräch zwischen den Bekennenden Gemeinschaften und den Kirchen auf Themen der im breiten Strom der Seelsorgebewegung aufgekommenen Pastoralpsychologie. Gruppendynamik, Klinische Seelsorge und Selbsterfahrung auf dem Boden humanistischer Psychologie wurden als Bedrohung der religiösen Erfahrung empfunden, als Entwurzelung der Seele aus ihrem ureigenen Lebensgrund. Man warnte die Kirchen davor, Methoden zuzulassen, in denen der Mensch sich der Bereiche bemächtigte, die der ausschließlichen Herrschaft Gottes und seines Wortes unterstellt seien. Die Aussagen biblischer Anthropologie würden umgedeutet, ihre Ansprüche relativiert und damit verwässert.

Diese beiden Felder der zuweilen scharfen Auseinandersetzungen ließen sich noch weiter ergänzen, so z. B. durch den Streit um die politische Dimension der biblischen Verkündigung oder um aktuelle Fragen der Sozialethik die Ehe und Familie betreffend.

Auf einem weiten Felde also sieht sich die religiöse Erfahrung bedroht. Manchen historisch und theologiegeschichtlich gebildeten Laien will es kaum in den Kopf, daß fast drei Jahrhunderte nach der Aufklärung und ihrer theologisch-kirchlichen Rezeption und Aufarbeitung in kirchlichen Veranstaltungen immer noch heftig darüber gestritten wird, ob sämtliche Geschichten der Bibel im historischen oder nicht vielmehr im kerygmatischen Sinn »wahr« seien.

Solche Spannungen werden wahrscheinlich noch länger andauern und auch in jeder Generation neu entstehen. Denn Glaube und religiöse Erfahrungen sind immer auf Gewißheit angewiesen, brauchen in ihrer Vergewisserung Verankerungen, wenn denn geglaubt werden soll, daß der dreieinige Gott lebendig ist und mit seiner Offenbarung in unsere Wirklichkeit eingeht. Es werden also ausgewiesene Räume erwartet, angesichts derer man sagen kann: Hier und jetzt habe ich Gott erfahren. Die Erfahrung möchte sich nicht auf Ereignisse beziehen, die lediglich auf Gott hin gedeutet, die aber auch andere Interpretationen erlauben könnten. Wer auf religiöse Gewißheit aus ist, möchte sich auf ein Geschehen beziehen, das mit Gottes Handeln fraglos identifiziert werden kann. Religiöse Gewißheit in dieser Form sucht Eindeutigkeit, eine Forderung an die Verkündigung der Kirche, die heute nicht nur von pietistischen, charismatischen oder evangelikalen Gruppen erhoben wird. Zunehmend machen sich auch anderswo jedes »sic et non«, jedes »Ja – aber« verdächtig und scheinen der für das Evangelium angenommenen fundamentalen Eindeutigkeit nicht zu entsprechen.

Bezüglich der subjektiven und damit auch biographischen Verankerung religiöser Gewißheit ist die Bekehrung für die Frömmigkeit vieler Christen konstitutiv. In ihr werden die Nähe Gottes, seine Gnade, die Gegenwart Jesu Christi und das Wirken des Heiligen Geistes oft so tiefgehend erlebt, daß Theologie als eine Wissenschaft, die mit dem Grund und Bezugsrahmen des Glaubens, also der Bibel, der Kirchen-, Dogmen- und Frömmigkeitsgeschichte fragend, differenzierend und vor allem mit unterschiedlichen Methoden umgeht, als Bedrohung, Schwächung oder Relativierung der Glaubenserfahrung – ihrer ganzen Intensität des Willens, der Freude und der Liebe – erscheinen kann. Theologen sollten besonders gegenüber Nichttheologen sehr viel Verständnis dafür aufbringen und das Befremden gegenüber der scheinbaren Distanziertheit der Theologie zur Frömmigkeit nicht voreilig als Ängstlichkeit oder unevangelisches Sicherungsbedürfnis abwerten. Die Empfindung der Glut eines Feuers ist nun einmal etwas anderes als der analytische Umgang mit dessen chemisch-physikalischen Bedingungen.

Aber auch Bekehrungen von Theologinnen und Theologen können von der Spannung zwischen religiöser Erfahrung und wissenschaftlicher Theologie zu einer völligen Trennung zwischen beiden führen. Als Beispiel für unser Thema wähle ich eine Erklärung der Neutestamentlerin Dr. Eta Linnemann, die im »idea-spektrum«, einem Informationsdienst der Evangelischen Allianz, (Nr. 49/85, S. 27) veröffentlicht wurde – unter der Überschrift: »Von der radikalen Kehrtwende der Eta Linnemann – Eine Theologieprofessorin stieg aus.«

Es geht mir bei meinen Äußerungen zu diesem Text nicht um die Person der Autorin – soweit man Texte von deren Verfassern lösen kann. Gegenüber der Darstellung von Bekehrungen kann auch aus seelsorgerischen Gründen Schweigen und Zurückhaltung geboten sein. Nun ist aber der Text in einem Informationsdienst veröffentlicht, dessen Leserschaft sich in ihrem Mißtrauen gegenüber der Theologie bestärkt sehen muß, wenn eine kompetente Vertreterin historisch-kritischer Theologie eigene Veröffentlichungen verwirft, weil sie im Widerspruch zu ihrer neuen Christuserfahrung gesehen werden. Das »idea-spektrum« hat mit der Veröffentlichung dieser Erklärung einen kirchenpolitischen Beitrag zur Auseinandersetzung zwischen Bekennenden Gemeinschaften und Theologie gemacht. Er muß deshalb einer kritischen Betrachtung zugänglich sein.

Die Schilderung Eta Linnemanns setzt bei ihrer eigenen theologischen Karriere ein. Als ausgewiesene Neutestamentlerin habe sie mit ihrer theologischen Arbeit Gott einen Dienst tun wollen. Sie habe aber einsehen müssen, daß die historisch-kritische Arbeit am Text »Der Verkündigung des Evangeliums nicht dient.« Sie beschreibt, daß sie durch solche Beobachtungen (»anstatt im Wort Gottes gegründet zu sein, hat sie – die Theologie – Philosophien zu ihrem Fundament gemacht, welche sich entschieden haben, Wahrheit so zu definieren, daß Gottes Wort als Quelle der Wahrheit ausgeschlossen und der Gott der Bibel, der Schöpfer Himmels und der Erde und Vater unseres Heilandes und Herrn Jesus Christus, auf der Grundlage dieser Voraussetzung nicht denkbar ist.«) in eine tiefe Frustration geraten sei. Christen, die sich auf lebendige Glaubenserfahrungen beziehen konnten, hätten ihr geholfen, ihr Leben »unter Gottes Leitung zu stellen«. Sie beschreibt dann weiter, daß sie die buchstäbliche Erfüllung eines Jesuswortes im Leben und Dienst eines bedrängten Christuszeugen beobachtet habe, eines Wortes (Mk 13, 11), das sie vorher nur mit akademischem Interesse zur Kenntnis genommen habe. Jetzt wisse sie, daß »Gottes Verheißungen Realität sind«. Das führte zu der Entscheidung, »entweder die Bibel weiter durch meinen Verstand zu kontrollieren oder mein Denken durch den Heiligen Geist bestimmen zu lassen.« Konsequenz: »Theologische Sätze sind nur von akademischem Interesse«. Und: »Deshalb sage ich Nein zur historisch-kritischen Theologie.« Es folgt als Abschluß des Berichtes die Mitteilung über die Verwerfung ihrer Bücher »Gleichnisse Jesu« und »Studien zur Passionsgeschichte«.

Es liegt mir ferne, das Zeugnis Eta Linnemanns zu »kontrollieren«, wie sie das von ihrer ehemals wissenschaftlichen Arbeit an biblischen Texten beschreibt. Warum sollte ich es einem Christen ausreden, wenn die Erfahrung einer Bekehrung eine neue Identität von Text und Mensch schafft, die vielleicht vorher in dieser Weise nicht gegeben war, selbst bei einer Theologin? Ihr Bericht fordert gewiß jeden Theologen zur Frage heraus, ob die wissenschaftliche Arbeit an Texten die persönliche Beziehung zu der vom Text bezeugten Sache offen hält. Gefragt sind wir auch, ob wir unsere Theologie im Gegenteil nicht sogar als Mittel benutzen, um dem Stirb und Werde der Buße auszuweichen und damit unser persönliches Leben seiner Tiefe zu berauben. Muß es aber aufgrund von tieferen religiösen Erfahrungen zu einer Diastase zwischen Glauben und wissenschaftlicher Theologie kommen?

Die hier skizzierte Bekehrungsgeschichte hat eigene biographische Erinnerungen geweckt. Als fast 16jähriger habe ich im Jahre 1947 eine Bekehrung erlebt, die ich drei Jahre später in einem Lebenslauf für die Bewerbung zum Abitur geschildert habe: ».. . schon als Kind besuchte ich neben den Gottesdiensten sehr oft die Bibelstunden der Landeskirchlichen Gemeinschaft, so daß mir die Bibel schon früher bekannt war. Jedoch wurden diese ersten Eindrücke durch Einflüsse von Hitlerjugend und Schule so verdrängt, daß in mir ein wachsender Widerwille gegen das christliche Elternhaus erwachte. Auch Religionsunterricht und Konfirmandenunterricht vermochten nicht, diese Entwicklung aufzuhalten. So lehnte ich am Tage meiner Konfirmation wie alle meine Kameraden den christlichen Glauben restlos ab. Zwei Jahre später, im Frühjahr 1947, nahm ich an einer Freizeit des Jugendbundes für entschiedenes Christentum teil. Durch Vorträge eines Jugendpfarrers trat mir zum ersten Male in meinem Leben das Wort der Bibel lebendig entgegen. Ich erkannte, daß mein Leben einer Erneuerung bedurfte, die nur Jesus Christus vollziehen konnte, und erlebte diese Erneuerung. Ich entschloß mich, meine Berufspläne aufzugeben und die Aufgabe, anderen von Jesus zu sagen, zu meiner Lebensaufgabe werden zu lassen und will im nächsten Jahre mit dem Theologiestudium beginnen...«

Wie bin ich im Studium und später als Theologe und Pfarrer mit dieser religiösen Erfahrung umgegangen? Hatte sie die gleiche Ablehnung wissenschaftlichen Umgangs mit der Bibel zur Folge?

Nie habe ich daran gezweifelt, daß diese Bekehrung zur Identität meiner Person gehört, daß sie mich an den biblischen Christus und die Gemeinschaft der Christen gebunden hat. Sie war zweifellos ein den 16jährigen erschütterndes und veränderndes Erlebnis.

Es kam zunächst allerdings zu einer Subjektivität, der jede andere Glaubenserfahrung, die nicht mit einer Konversion einsetzte, suspekt war. Deshalb wohl auch das Bedürfnis, im Lebenslauf um die Zulassung zum Abitur darüber zu berichten. Das, glaube ich, geschah auch in der Auseinandersetzung mit der Theologie meiner jeweiligen Gemeindepfarrer und einiger Religionslehrer. Im Religionsunterricht vertrat ich fundamentalische Positionen. Noch gut erinnere ich mich, wie bedrohlich historisch-kritische Anmerkungen zur biblischen Urgeschichte auf mich wirkten.

Andererseits verstärkte sich der Konflikt aber auch durch unausweichliche Wahrnehmungen innerhalb meiner eigenen religiösen Sozialisation: die Unterschiedlichkeit und Wiederholung von Bekehrungen anderer Jugendlicher, deren nicht gerade immer in der Mitte der biblischen Botschaft verankerte Beschreibungen ihrer religiösen Erfahrungen, das Auseinanderklaffen von Anspruch und Wirklichkeit im Leben erwachsener Christen und vor allem in der eigenen Lebensführung. Nicht-theologische Faktoren der Frömmigkeit traten dabei ins Blickfeld und relativierten den Absolutheitsanspruch der eigenen Konversion, die auch bereits im zitierten Lebenslauf anders beschrieben wird als in einem zwei Jahre zuvor gegebenen persönlichen Zeugnis während einer Evangelisationsveranstaltung.

Gleiche Fragen und Zweifel traten bei der Bibellektüre auf, wenn ich als »Fundamentalist« den historischen Problemen des Pentateuchs nicht auszuweichen vermochte oder mich mit der synoptischen Frage konfrontiert sah. In welchem Verhältnis stand die geglaubte Wirklichkeit Gottes zu der sowohl in persönlicher Glaubenserfahrung erlebten als auch für die biblischen Texte postulierten Wirklichkeit? War die Verankerung des Glaubens von einer erwiesenen Göttlichkeit des Bodens abhängig? »Göttlichkeit« aber wohlgemerkt nicht im christologisch-kerygmatischen Sinne, sondern der Vorgabe des modernen Individuums entsprechend, das als Autorität nur Historizität, Richtigkeit und Widerspruchsfreiheit im positivistischen Sinne anerkennen kann. Offenbarung Gottes mußte so stimmig sein, wie man sich das mechanistische Weltbild vorstellte, so stimmig auch, wie sich der platte Rationalismus des Alltags Wahrheit und Wirklichkeit vorstellte: wahr und wirklich ist eine Geschichte nur dann, wenn sie sich so wie beschrieben ereignet hat. Eine biblische Sage, eine Legende, waren als Medium der geschichtlichen Offenbarung Gottes undenkbar. Im Zuge solcher Überlegungen entdeckte ich, daß die gedanklichen Voraussetzungen des Fundamentalismus noch »rationalistischer« waren als »die Kontrolle des Verstandes«, die ich ähnlich wie Frau Linnemann bei der historisch-kritischen Theologie als geheime Voraussetzung wähnte. Ich fragte mich, ob Christus wirklich das Subjekt meiner unter den Gehorsam des Glaubens gestellten Vernunft war oder ob ich nicht vielmehr das getan hatte, dessen ich die wissenschaftliche Theologie beschuldigte, nämlich der Vernunft die Funktion zuzuweisen, meiner Frömmigkeit und religiösen Erfahrung einen angeblich sicheren Boden zu garantieren. Jetzt kehrte sich die Frage um: Könnte nicht der Glaube an Christus bedeuten, daß sich die Frömmigkeit mit ihrer religiösen Erfahrung einer »vernünftigen« Betrachtung stellen darf? Könnten Frömmigkeit und Vernunft nicht füreinander eine befreiende und öffnende Funktion haben? Der Glaube muß nicht zerbrechen, wenn die psychologischen und soziologischen Faktoren in einer Bekehrungsgeschichte ebenso entdeckt werden wie die menschlichen und weltlichen Bedingungen des biblischen Zeugnisses. Denn was bedeutet es denn schließlich, daß das ewige Wort Fleisch, daß Gott Mensch geworden ist? Hat das etwa nichts mit der Profanität des irdischen Bodens zu tun, in dem der Glaube seine Verankerung sucht, der Glaube an die gnädige Offenbarung des dreieinigen Gottes? Hatte das nicht auch der ältere Blumhardt gemeint, wenn er dem Sinne nach sagte, der Christ müsse sich zweimal bekehren, nämlich zu Gott und dann wieder zur Welt? Wenn ich biographisch von einer weiteren Konversion rede (ohne den ersten Aufbruch zu schmälern), dann möchte ich von einer Umkehr zur biblischen Rechtfertigungslehre im lutherischen Verständnis reden, die es mir ermöglichte, ein spannungsvolles und deshalb fruchtbares Miteinander von Vernunft und Offenbarung auf den beschriebenen Feldern anzunehmen und gerade darin die Lebendigkeit theologischer Arbeit zu entdecken. Theologie kann auch als historisch-kritische, als sich im Gespräch mit den Wissenschaften befindliche, dabei bleiben, daß ihre theologische Vernunft voraussetzt: Die in der Bibel zu Wort kommende kirchengründende Predigt, der biblische und damit auch der gepredigte Christus ist verbindlicher Ausgangs- und Zielpunkt, nicht im Sinne einer unveränderlichen Dogmatik, sondern im Sinne des lebendigen Zeugnisses, das sich auf Menschen und ihre Kontexte einläßt. Es kommt auf den Glauben an, der die Bibel mit und unter wissenschaftlicher Betrachtung als Buch des Lebens annimmt, weil sie Jesus als das Leben bezeugt. Trotz dieser Bindung ist der Glaube offen und hilft gerade dadurch, daß auch die Vernunft offen bleibt und das Herz nicht zwingt, Wissenschaftlichkeit an sich zum Grund des Glaubens zu machen und so dem Anspruch des Ersten Gebotes davonzulaufen.

Das Bedauerliche am idea-Text Eta Linnemanns ist die Interpretation der wissenschaftlichen Theologie als »Kontrolle des Verstandes«, als eine in sich geschlossene Bemächtigung der Texte durch die Vernunft. An dieser Stelle möchte ich Gert Otto zitieren, der in seinem Buch »Vernunft« (Stuttgart 1970, S. 13) zur Offenheit der Vernunft schreibt:

> »Wie aber, wenn erst in solcher »Destruktion«, also im Abbau der Denkhindernisse, sich neuer, weiter Raum eröffnet?
>
> Freilich oft ein »Raum«, der anders bestellt sein will als die Gehäuse, aus denen man aufgebrochen ist. Das Wagnis liegt darin, Konsequenzen zu gewärtigen, die nicht immer zuvor feststehen. So mag es verständlich sein, wenn der Mut des Denkens Einzelner viele das Fürchten lehrt. Die beunruhigte, oft gestellte Frage: ›Was bleibt denn noch?‹, wenn jemand in der geistigen Durchdringung überlieferten Glaubens neue Wege geht – diese Frage verrät ja nur, was für das Ganze kennzeichnend ist: die Sorge, daß neues Bedenken zur grundlegenden Änderung des Gewohnten führen könnte.
>
> Dabei verweist das Stichwort Mut – als dynamische geistige Haltung – von vornherein darauf, daß aufklärerischer Geist in seinen entscheidenden Ausprägungen nicht auf das ein für allemal richtige Ergebnis aus ist, sondern auf

einen Prozeß, der als prinzipiell unabschließbar anzusehen ist. Wirklichkeit und Reflexion sind aus ihrer immer neu zu artikulierenden gegenseitigen Beziehung nie zu entlassen. So will Vernunft zur Gewohnheit werden; zu einer Gewohnheit, die den versteinerten Angewohnheiten, die die jeweils neue geistige Auseinandersetzung unnötig erscheinen lassen wollen, ebenso den Prozeß macht wie allen dogmatischen Setzungen, die den Anspruch auf zeitlose Allgemeingültigkeit erheben. Aufklärung ist nie Ende, sondern bleibender Anfang, bleibender Appell zu immer neuem Anfang.«

Als das genannte Buch Gert Ottos erschien, lernte ich ihn in der Kirchensynode der Evangelischen Kirche in Hessen und Nassau kennen, vor allem in Sitzungen des Theologischen Ausschusses, dessen Vorsitzender er später war. Wir waren uns trotz unterschiedlicher theologischer Ansätze einig, daß es für Kirche und Theologie kein Zurück hinter das Erbe der Aufklärung und damit kein Zurück hinter die historisch-kritische Arbeit an der Bibel geben könne. Gleichwohl verstand ich auch kritische Beurteilungen von Passagen wie der oben aus seinem Buch »Vernunft« zitierten. Schien hier nicht doch der Vernunft der angestammte Ort und die Bedeutung des Glaubens zugewiesen? Solche Befürchtungen mochten ihre Berechtigung darin haben, daß Otto es sich bewußt versagte, von den Inhalten des Glaubens in der hergebrachten Form zu reden, sondern ihn lediglich in seiner Funktion zur Vernunft in Beziehung setzte. Dabei wird leicht übersehen, wie sehr Otto darauf bedacht ist, seinem Gesprächspartner einen freien Raum zu überlassen, den Glauben für sich selber zu artikulieren und sich der Praxis des Lebens zuzuwenden.

Die eigene Biographie und die persönliche Geschichte mit der Bibel verpflichten mich, auf meine Weise vom Glauben zu reden und mit der sprachlichen Artikulation der christlichen Tradition »konservativer« umzugehen. Ich habe von Gert Otto gelernt, daß ich auf diesem Wege dem von der christlichen Botschaft Gemeinten nicht näher stehen muß als andere. Beim Hören der Predigten Gert Ottos habe ich es oft umgekehrt empfunden, weil er durch vernünftige Erkenntnis – so wie er sie dem Glauben verband – dem praktischen Interesse des Glaubens oft stärker auf der Spur war. Wieder zitiere ich ihn:

»Es könnnte ja so sein, daß kirchliches Handeln und theologisches Denken deswegen oft nicht nur flach bleiben, sondern lebensgefährlich werden, weil sie mit schlechtem Bestehenden verkettet sind. Warum das? Weil der metaphysisch verschlüsselte Impuls zur Offenheit, zur Veränderung, zum Überschreiten nicht nur des *Gesagten*, sondern auch dessen, *was ist*, von der Kirche traditionalistisch und von der Theologie zweckrational überhört wird.« (a. a. O. S. 45)

Religiöse Gewißheit, Bekehrung, Bindungen an Schrift und Bekenntnis sind gewiß unaufgebbar. Es wäre aber für deren Lebendigkeit fatal, wenn sie sich nicht der Herausforderung durch wissenschaftliche Theologie stellten. Wer Wissenschaft nur als Versuchung zur Vergötzung der Vernunft empfindet, wird oft nicht merken, daß er vielleicht schon längst anderen Versuchungen erlegen ist. Jede Form von Religiosität und Frömmigkeit ist der Versuchung ausgesetzt, daß ihre menschlichen Faktoren und Bedingungen insgeheim die Herrschaft ergreifen und so den Christen daran hindern, sich dem Geist Gottes zu öffnen. Der vom Geist lebendig gemachte Christus ist nie mit dem von uns erfahrenen Christus völlig identisch. Er ist diesem immer voraus. Das Christusbild trägt immer neue Züge, ohne das der biblische Christus seine Identität verliert. Der historisch-kritischen Theologie ist ebenso wie der Religionskritik überhaupt zu danken, daß wir nicht auf unseren religiösen Erfahrungen unangefochten sitzen bleiben und dabei unsere Frömmigkeit erstarrt. Wissenschaftliche Theologie trägt dazu bei zu erkennen, wer heute wirklich Jesus für uns ist. Adolf Schlatter hatte einst mit dem Titel eines Andachtsbuches gefragt: Kennen wir Jesus? In einer Bekehrung ergreift Jesus mit dem jeweils aus der Bibel vernommenen Zeugnis unser Leben in seiner Tiefe als der gnädige Versöhner. Weil er Subjekt dieses Geschehens sein will, öffnet sich ein Raum der Freiheit für Vernunft und Wissenschaft. Religiöse Gewißheit braucht sich nicht irritieren zu lassen oder ängstlich zu werden, sofern sie ihren Grund wirklich in der froh machenden Botschaft des Evangeliums hat, dessen einheitliche Autorität darin besteht, daß Gott menschliche Natur und vieldeutige Geschichte zum Gewand seiner Gnade gemacht hat.

DIETER STOODT

RELIGION IN DER LEBENSWELT
AM BEISPIEL EINES JUNGEN FUNDAMENTALISTEN

I

Unter Philosophen kann Heidegger als Fundamentalist gelten[1]; daß es unter den grünen Politikern Fundamentalisten gibt, steht in der Zeitung; und wenn Westeuropäer sich in Indien mit Inhalten vedischer Schriften identifizieren, als hätten sie ein direktes Verhältnis zu deren Inhalten, so fragt man sich: Fundamentalisten?

Solche Beispiele belegen die Universalisierung eines Begriffes, der etwas Bestimmtes suggeriert. Seine Ausweitung dürfte der des Begriffes »Chaot« in nichts nachstehen, von dem Karl Korn noch 1973 vermutete, er sei eine Sprachschöpfung des damaligen Frankfurter Oberbürgermeisters Arndt![2] Es ist wie mit der Ausweitung des (älteren) Ideologiebegriffes: Ideologen, Chaoten, Fundamentalisten sind stets die anderen. Das scheint mir für unsere heutige gesellschaftliche und auch kirchlich-religiöse Situation typisch zu sein und eine Überlegung herauszufordern.

Der Begriff Fundamentalismus verbreitete sich bekanntlich in den USA der 20er Jahre[3], als theologisch konservative Kirchen entstanden. Die Sache ist älter.

Die protestantischen Pfarrer unterschiedlicher Denomination, die sich, gruppiert um die Zeitschrift »Waymarks in the Wildernis« seit 1869 regelmäßig zu Bibelstudien trafen, gaben sich, nachdem sie ihre jährlichen Konferenzen am Niagara lokalisiert hatten, den Namen Niagara-Conference on Prophecy. Mehrfach formulierten sie Glaubensbekenntnisse und veröffentlichten noch vor dem 1. Weltkrieg ihre Schriftenreihe »The Fundamentals«, aus welchen Büchern im folgenden Jahrzehnt fünf fundamentale Glaubensaussagen herausgefiltert wurden, die umschreiben, was Fundamentalismus in diesem religiösen, protestantischen Sinne ist: Der Glaube an die Inspiration bzw. Irrtumsunfähigkeit der Bibel, an des Menschen Gefallensein, an die Erlösung durch Christi Blut, an die wahre Kirche als eine Gemeinschaft aller Gläubigen, schließlich der Glaube an das Wiederkommen Christi, wodurch er seine Herrschaft endgültig etablieren werde.

Geht man weiter zurück, stößt man auf Impulse aus dem Darbymus[4] und von den Plymouth-Brüdern[5] wie etwa die Notwendigkeit persönlichen Heiligungsstrebens sowie Trennung der Kirchen vom Staat und sogar Ablehnung fester organisatorischer und liturgischer Ordnungen der lokalen Kirchen. Von da her sind auch die Neugründungen der Adventisten[6], Zeugen Jehovas[7] und Mormonen[8] im 19. Jahrhundert mitbestimmt. Historisch sind alle Genannten von den Erweckungsbewegungen des 18. und 19. Jahrhunderts[9] abhängig und müssen als Reaktionen auf die Industrialisierung und Rationalisierung des Kontinents mit ihren ängstigenden und zerstörerischen Konsequenzen begriffen werden.

Seine eigentliche Kontur erhielt der Fundamentalismus allerdings dadurch, daß unter den Reaktionen auf die moderne kapitalistische Gesellschaft auch die liberale Theologie und Kirchlichkeit[10] zu finden waren, denen es darum ging, das evangelische Christsein mit der modernen Wissenschaft und der modernen Welt kompatibel zu halten.

Hier witterten die später sog. Fundamentalisten Verrat an der Sache des Christentums. Sie stemmten sich gegen die wissenschaftliche Bibelauslegung, verweigerten die Teilnahme an ökumenischen Bestrebungen, widerstanden der Auslegung der christlichen Hoffnung durch Fortschrittsglauben, vor allem aber machten sie Front gegen Darwinismus und Evolutionismus wie gegen die Rezeption asiatischer Traditionen durch Theosophen (heute weit verbreitet in der New-Age-Bewegung).[11]

Diese Einschätzung des Fundamentalismus als eine Reaktion sowohl auf die gesellschaftlichen Veränderungen als auch auf andere Reaktionen auf diese Veränderungen muß man in zwei Richtungen noch ergänzen: 1. ist das Gemeinsame der Fundamentalisten mit dem protestantischen Code in den USA[12] überwältigend; wir haben es nicht mit Exoten zu tun, sondern mit Varianten des Protestantismus. 2. ist es nicht zwingend, den Fundamentalismus mit der politischen Rechten zu identifizieren[13]; er verfügt auch über populistische und protestlerische Potentiale, die anders als in reaktionärer politischer Richtung aktivierbar sind und auch aktiviert wurden.

Versteht man den religiösen Fundamentalismus als einer Reaktionsbewegung im doppelten Sinn – als Reaktion auf den durch Modernisierung bedingten Wandel und als Reaktion auf andere Reaktionen auf diesen –, dann kann man sein Zentrum als Suche nach Gewißheit in einer unübersichtlich werdenden Welt bestimmen. Solche Gewißheit soll erlangt und festgehalten, produziert, verteidigt und an andere weitergegeben werden.

II

Auf einer ersten Ebene geht es um die Bibel als ein Dokument, das Gewißheit geben, und um ihr Verständnis, das diese Gewißheit unangreifbar machen soll:

A literal interpretation of the Bible regards the entire scripture as the inspired word of God. From Adam and Eve until the second coming of Jesus is all fact.

Man muß sich Toms um Zustimmung werbenden Blick der Vergewisserung an die Adresse seiner Freunde und seinen tadelnd-warnenden Ton an die, die sich noch nicht weiter erklärt hatten, hinzudenken. So traditionell diese Sätze einer Seminararbeit, die vorgetragen wurden, uns auch erscheinen mögen, für Tom waren sie eine Konfession. Inspirations- und positivistischer Tatsachenglaube erscheinen dabei als zwei Seiten derselben Sache und garantieren gemeinsam die gesuchte und gefundene Gewißheit.

Tom hält die im konfessorischen Akt bezeugte Problematik keineswegs für sein Problem; es ist ein weltweites, und er hat sich dessen nur angenommen:

A major problem exists throughout the world amongst people. This is the problem of what is the proper way to interpret the Bible. Some theologians say symbolic interpretation is the best way. Others feel the literal interpretation is the way. Because this problem deals with serions subject, matter and consequences, it must be dealt with.

Gegenüber der symbolischen, kontextuellen, historisch-kritischen, sozial- und politisch-kritischen Interpretation verhält Tom sich wie ein Verkäufer, der sicher ist, sehr gute Waren in seinem Angebot zu haben und die Konkurrenz nicht fürchten zu müssen:

In America, and I suppose in other parts of the world, sports is very much an interest shared by humans. A philosophy which has predominated is that if you are on a winning team, which of course is succesful, why change? It would be rather unthoughtful of an interested party to want to change a winning combination. A symbolic interpreter might say that his approach is better and this is why he must change. Well, it's going to be hard to convince the millions of Born-again-Christians in this country alone that they don't have the whole truth. In fact there exist two major television networks in this country (Christian Brodcasting Network; Praise the Lord Network) which alone are bringing the word of God Through TV to many countries throughout the world. Both are experiencing major achievements and succesful conversions to Christianity using the literal interpretation of the Word of God. This country is experiencing a spiritual revival! There has been a recent explosion in the music field... Many artists are now dedicated to bringing forth the Word of God trough their music. And they all are standing on the literal translation of the Word.

Toms Tendenz ist Abwehr. Weder die abgelehnten Interpretationen noch seine eigene Position werden inhaltlich präsentiert. Die Erfolgskampagnen der Gleichgesinnten überrennen mögliche Einsprüche. Das Sekuritätssyndrom verbunden mit dem Gruppenerlebnis sperrt Neugier auf das, was und wie andere denken und fühlen, aus und hält ängstlichironisch die eigene Sache von der Kritik fern. Das ist eine weit verbreitete Verhaltensweise: Demjenigen, dem es um Gewißheit geht, ist nichts zu schwierig. Er ist bereit, die alte Mythologie und deren Symbolik zu übernehmen, als bereite dies keine Probleme. Die alten Weltbilder werden widerstandslos übernommen, vedische oder biblische oder andere. Die Differenz zwischen dem einstigen Weltbild und dem heutigen nehmen Menschen dieser Denkungsart nicht wahr. Daß so etwas wie ein Faktenglaube bzw. Bibelpositivismus eine Reihe von schwierigen Problemen aufgibt und etwas spezifisch Modernes ist, gerade selber nichts Biblisches, bleibt unerkannt.

So wird hier die Bibel lebensweltlich definiert und praktiziert: zu ihr gehört das schlichte Gegebensein und die Fraglosigkeit. Als Systembestandteil wird sie nicht aufgefaßt – im Sinne eines wissenschaftlichen Untersuchungsgegenstandes oder als kirchenrechtlich verpflichtende Urkunde. Es gibt keine »Zwei-Naturen-Lehre« der Heiligen Schrift; sie ist nur ein Accessoire der Lebenswelt. Expertenwissen ist nur nötig, sie als solche zu sichern – gegen alternativen Gebrauch und Interpretation.

Didaktisch ist eine derartige Situation schwierig: Wie können beide »Naturen« der Bibel besprochen werden, ohne Tom und seine Freunde noch stärker auf Einfachheit und Eindeutigkeit zu fixieren? Wie können Mehrdimensionalität und Nichteindeutigkeit als positive Chancen gerade auch der Lebenswelt begriffen werden? Und vor allem: Wie können Gewißheitssehnsucht und Eindeutigkeitsstreben so aufgegriffen und weitergebracht werden, daß die Schüler in der Mehrdimensionalität unserer eigenen Traditionen etwas Gutes entdecken können? Wie gelingt es, über »richtig« oder »falsch« hinaus einen weiteren Reflexionsraum zu gewinnen?

III

Selbstverständlich hat Tom etwas mit der Bibel vor:

> We must also transform our lives according to the Word of God. Not the other way around. The Bible should be like a magnet in which we are attracted to it. Willing to change, to act or to believe anything it says.

Im Rückblick auf seine Kindheit und während der Auseinandersetzung um die richtige Bibelinterpretation gerät Tom seine Lebensgeschichte zu einer Geschichte vom Umgang mit der Bibel:

> When I was younger I was raised in a Catholic Church and School. I spent 12 years in a Catholic School. . . . I went to church and sang songs. I also dressed in a shirt and tie. By the time I reached High School I thought as much about the

Bible as I did for the people who were representing it. Which was not to much in a way of respect. I in no way under the sun wanted to be anything like what they represented.

Hier fallen die Reduktionen auf, die für derartige Berichte charakteristisch zu sein pflegen: Wir erfahren kaum etwas über die konkreten Verhältnisse im Elternhaus und in der Schule. Zwölf Jahre in einer katholischen Schule bedeuten je sechs Jahre Grundschule und Gymnasium in einer konfessionellen Privatschule; während dieser Zeit fügte sich Tom zunächst problemlos in die Schulordnung – jedenfalls in der ersten Hälfte. Der Bibelaspekt läßt andere Aspekte nicht durch. Sie war faktisch so wenig relevant wie der Lehrer (und Eltern? Der Vater ist Musiklehrer an einem Gymnasium): sie waren nicht »spirituell«.

Der Rückblick enthält keinerlei Bezug zu den politisch-gesellschaftlichen Vorgängen der zwölf Jahre (etwa von 1968 bis 1980), nichts vom Vietnamkrieg, nichts von den gewaltigen Störungen, die die Öffnung der High Schools für alle und die Desegregation mit sich brachten. Bei der Schilderung der High School-Zeit wechselt nun die Perspektive. Jetzt ist, ohne daß die Bibel zurücktritt, das Spirituelle der Leitfaden, an dem entlang der Bericht verläuft:

In High School I started looking elsewhere for some truth and happiness. I was introduced in a world of Rock'n Roll music, alcohol, marijuana, speed, cocaine, girls, and even LSD! Wow, all of a sudden I had a spiritual life. The whole time growing up I had no spiritual feelings. The minute I opened myself up to this new aquaintance I became spiritual. Because of this new spiritual awareness I was experiencing I honestly felt as if the truth was outside of Christianity and in the world of music, drugs etc....

I acted on this impulse and actually began turning others to this way of life. Believe me, there was power behind myself and my friends. We had a lot of influence on our mates, teachers and authorities around us. We lived in our own world and most others revolved and »wanted in« around our scene. The concerts, drugs and people were going all out to convince me that I was doing the right thing...

Through a series of events in my senior year of High School I began sensing that something was very wrong with this way of life. I began getting caught with marijuana which was a real inconvenience and hindrance to my peace of mind. The people I associated with were miserable if they weren't hig on something. The music I was listening to all of a sudden sounded more and more like death. I realized that there had to be something more than this. I wanted to know! I began to seek God through prayer. He answered miraculously. He gave me a new confidence in myself because of my trust in Him.

This was fine, but I was still involved with all the other things I had gotten into... I had faith in God, but really didn't equal the faith up with my lifestyle, because I really didn't know what was the best way to live. It was at this time I ran into an individual who spoke to me exclaiming that the truth and the way to

live is found in the Bible! He told me something about the world that really hit home, e.g. . . . »Rock'n Roll is preaching a life of destruction.«
I thought about all this and began looking in the Bible. I read it literally for the first time. I regarded it as the Holy Word of God written for all to learn the proper, correct, most satisfying way of life. I learned about Satan and his attempt to confuse the whole world. But most important I learned about Jesus who loves me so much. He died personally for me so that I might be able to enjoy a relationship with God. Jesus taught me to trust in Him for everything. To forsake my past and start new by simply trusting Him to guide me and lead me. He covered me with his blood and has promised to be with me always. Jesus is alive in my heart which at one time was empty.
Jesus gave me eyes of a different kind. I saw the world differently, the Bible became my authority on life and all of a sudden I was and still am today a happy, loving, concerned, honest, charitable individual. Jesus changed me for the better. He has given me the ability to do anything I want and the confidence that I need to do it. Jesus led me out of Egypt (Rock culture) and is leading me to the promised land (eternal life with Him!).

Der behütet aufgewachsene ehemalige Grundschüler gerät in der Fremde eines konfessionellen Gymnasiums gleichsam in eine andere Welt und fühlt nun zum ersten Mal, daß sein Leben auch etwas Aufregendes sein kann: »Spirituell« ist das Wort für dieses Abenteuerliche, wozu vor allem die Freundesgruppe und deren Unternehmungen und Ausstrahlungen nach innen und außen zählen. Der Stolz über dieses Gemeinschaftserlebnis und über die Adoleszenten, die es fertigbrachten, daß »etwas los war«, klingt noch durch, wenn Tom von dem Einfluß sogar auf Lehrer berichtet. Man wird Abstriche machen, denn das Schwarz-Weiß gehört zum Stil der Bekehrungsgeschichten. Es handelt sich auch weniger um Fakten als um factoids, d. h. »Schöpfungen, die nicht so sehr Lügen sind als vielmehr Erzeugnisse, die Emotionen hervorrufen sollen«[14], etwas Typisches für autobiographische Präsentation. Die Berichte spiegeln in einer gewissen Weise die damalige Lage: Aus den politischen Bewegungen der Bürgerrechtskämpfe und des Widerstandes gegen den Vietnamkrieg waren Hippymode und Pop-Kultur geworden, die Hippies durch den Markt gezähmt. So bleibt Tom in der distanzlosen Unmittelbarkeit, Erklärungen gibt er nicht: Der Druck des politischen und des ökonomischen Systems auf die Lebenswelt wird nicht registriert. Die Geschichte ist auf das subjektive Schicksal reduziert, sie wird religiös-subjektivistisch unterlaufen.

Der zweite Teil der Bekehrungsgeschichte beginnt mit dem Fehlschlag erlernter religiöser Routinen; nun wird die Bibel wieder zur Hauptsache. Am Ende steht der neue Mensch Tom, wie es der Stil der Bekehrungsgeschichte vorsieht. Aber ist es der neue Mensch – oder nur ein neuer Lebensstil, auf den das spirituelle Wesen des Christseins reduziert wird? Jedenfalls fühlt Tom, der seine Ohnmacht gegenüber den Verlockungen der Rock-Kultur erfahren hatte, sich dieser Schwäche entnommen, indem er die neue biblische Spiritualität erfährt. Doch bleibt die gefährdete Phase für sein künftiges Leben von ausschlaggebender Bedeutung: als die Erfahrung, daß die Welt vom Satan beherrscht wird. Damit kommen wir zum Kern des fundamentalistischen Weltbildes, dem Dualismus.

IV

Am Semesterende rechnete Tom mit mir, seinem Lehrer, ab:

> The class discussed the fall of Satan and our teacher said:»it's an invention, not an evil invention..., it was not so good a translation... Some people gave interpretation to this Latin interpretation, and if you try to find it back into the Hebrew translation, that's not right. The Bible says in Luke 10, 18...

Tom bezog sich auf eine Seminarsitzung über Jesaja 14, 12 – 15, ein Lied, das in Form einer Totenklage den Sturz des Weltenherrschers besingt, das Ende des hybriden babylonischen Reiches. Die Dichtung arbeitet mit aus fernen Mythologien stammenden Bildern, die im jetzigen Text illustrierenden Charakter haben:

> Ach, wie bist du vom Himmel gefallen, du strahlender Stern,
> des Morgenrots Sohn!
> Ach, wie bist du auf die Erde geschmettert worden, du,
> der alle Völker besiegt hatte.
> Du freilich hattest bei dir gedacht:
> ich steige zum Himmel empor, höher als Gottes Sterne
> errichte ich meinen Thron,
> ich setze mich auf den Versammlungsberg der Götter
> in des Nordens äußersten Bereich.
> Ich steige auf Wolkenhöhen,
> ich stelle mich dem Höchsten gleich.
> Aber ins Totenreich bist du gestürzt,
> in den hintersten Bereich der Grube.[15]

In der Vulgata hat Hieronymus »des Morgenrots Sohn« (Luther: »Du schöner Morgenstern«) mit »Luzifer« übersetzt. Die Kombination mit Lukas 10, 18 und Offb 12, 9, u. a. Stellen macht es möglich, vom vorzeitlichen Fall eines Engels zu erzählen, der nun als Satan die Welt beherrscht, bis der wiederkommende Christus ihn vernichtet. Diese Tradition, für die es bei Kirchenvätern wie Irenäus und Augustin Belege gibt und die indirekt auf jüdische Engelfall-Überlieferungen zurückweist, geht über mittelalterliche Haftpunkte – wie etwa bei Dante – in die angelsächsische Ideologie ein: So beginnt Miltons »Paradise Lost« (verfaßt 1658–1663) unmittelbar nach dem Sturz Luzifers und seines Gefolges, und in den Büchern 5 und 6 erzählt Raphael dem Adam die Geschichte von Rebellion und Verbannung Luzifers – er soll Adam vor den teuflischen Verführungskünsten des Satan warnen.

Diese Tradition gehört zum protestantischen Code der USA und ist auch dort vorauszusetzen, wo Miltons Dichtung nicht ausdrücklich bekannt ist. So auch bei Tom, der katholisch erzogen worden, später charismatisch-spirituellen Kreisen protestantischer Prägung begegnet war. Verbal hat sie ihren Haftpunkt in der offiziellen englischen Bibelübersetzung von 1611 mit der Übersetzung »Luzifer« Jesaja 14, 12 – 15 (während etwa die modernen amerikanischen Übersetzungen davon abrücken).

Die alte Engelfalltradition lebt gleichwohl kräftig weiter und wird unter anderem durch Comic-Heftchen, deren Leser Tom ist, verstärkt.[16] Eines davon erzählt etwa wie folgt:

> Gott schuf alle Engel, auch einen Engel namens Luzifer. Luzifer war vollkommen in Schönheit und Weisheit. Das Licht Gottes schien durch dieses Engels Körper hindurch und machte ihn zu einem Engel des Lichtes. In der Folgezeit will Luzifer selbst Gott werden, und in diesem Zusammenhang wird dann Jes 14 als biblischer Beleg dafür zitiert, daß Luzifer machtbesessen wurde und etwa ein Drittel der Engel des Himmels dazu brachte, ihm zu folgen, und zwar mit dem Plan, die Kontrolle über den gesamten Himmel zu übernehmen. Dann aber griff Gott ein und warf alle diese Engel aus dem Himmel heraus und gab ihnen einen neuen Aufenthaltsort, den Planeten Erde und die Atmosphäre um die Erde herum. Luzifer bekam dann noch neue Namen (Satan, Teufel, Fürst der Lüfte, Macht der Luft, der Gott dieser Welt). Dualistisch wird nun gesagt, daß Gott später dem Adam die Herrschaft über die Erde gab, daß aber Satan darüber entrüstet war, weil nicht er selber, sondern dieser Mensch über die Erde regieren solle. Darum überlegte Satan sich, daß und wie er Adam zum Sündigen bringen könne. So geschah es; Satan gewann die Kontrolle über die ganze Erde. Er haßte den Menschen im Garten Eden, und er haßt heute die Menschheit im Ganzen. Nach kurzer Zeit war die Menschheit so kaputt, geistig wie physisch, daß Gott sie durch die Flut zerstörte: Unter Satan war die Welt ein Irrenhaus geworden. Und so ist es geblieben, wie eine Reihe von weiteren Etappen schildern, z. B. die Gewaltherrschaft Nimrods, die ägyptische Mythologie mit Semiramis, die kanaanitische Mythologie mit Astarte – bis dann Gott schließlich das Volk Israel erschaffte, dessen Geschichte sich nahtlos hier einfügt. Gott will die Welt Satan wieder entreißen, und seitdem es das Volk Israel gibt, ist diese Geschichte im Gang; wir leben in der beginnenden Endzeit.

Als bekehrter Leser solcher Heftchen »glaubte« Tom an die Wahrheit dieses Weltbildes, ja seinem Selbstverständnis nach unterschied er sich gerade durch diesen »Glauben« von anderen Menschen. Als ich ihn darauf aufmerksam machte, daß in der Ursprache und in den deutschen Übersetzungen das Wort »Luzifer« nicht vorkommen und daß die Übersetzer der King-James-Version der Vulgata gefolgt und einem Irrtum unterlegen seien, wurde Tom aggressiv. Für ihn war die englische Übersetzung von 1611 *die* Bibel, das irrtumsfreie göttliche Wort.

Deshalb rechnete er gegen Semesterende mit mir ab und führte in seinem Referat etwa zwei Dutzend biblischer Stellen über Satans Wesen, Ursprung, tierische Charakteristiken, sein Weltherrschaftssystem einschließlich seiner Helfer, seine Niederlage am Kreuz, unsere Herrschaft über den Satan u. a. m. auf. Er faßte zusammen:

> The Bible says in I Cor 2, 12: Behind the physical, material realities of this world system, there is a spiritual system of evil which works to draw man from God.

Die dualistische Struktur ist durchweg zu beobachten: vor der Bekehrung – nach ihr; christliche Lehren sind entweder falsch oder richtig; alles in der Bibel ist entweder passiert und dann auch wahr oder es ist umgekehrt. Der Dualismus ist eine der grundlegenden Ergriffenheitsstrukturen der Menschen. Es gibt ihn nicht nur religiös sondern auch politisch, moralisch, in der Kunst usw.[17]

Es handelt sich bei diesem Lebensgefühl um Menschen, die sich ständig bedroht fühlen und daher kämpfen müssen – gegen das Böse, den Satan, für das Gute, Christus. Auch nach dem Erlebnis der Bekehrung geht dieser Kampf weiter, während Mystiker, die einer anderen Ergriffenheitsstruktur folgen, auch einmal von allem Kämpfen loslassen können. Im Hintergrund des dualistischen Bedrohungsgefühls steht ein Erwählungsglaube.

Es wäre falsch zu unterstellen, es gäbe keine dualistisch geprägten Schüler; zumindest der Leib-Seele-Dualismus ist in den meisten deutschen Schulklassen vertreten, und das folgende Gedicht stammt von einer deutschen Sechzehnjährigen:[18]

> Gott ist Luzifer,
> Als Getaufter und Konfirmierter muß ich mich eigentlich als Christ bezeichnen... aber... ich suchte mir einen anderen Gott... mein Gott ist Luzifer, der Herr der Hölle. Bin ich nun wahnsinnig, weil ich den Teufel anbete? Gibt es ihn wirklich? Für mich jedenfalls gibt es ihn! Er wird mir einmal die Unsterblichkeit übergeben, und dann beweise ich all denen, die mich verspotteten, mich auslachten und ausstießen, es gibt ihn, den Teufel!

Tom machte für seine Position geltend, daß alle Reformatoren – die er erst im Laufe dieses Seminars kennengelernt hatte – Fundamentalisten seien; sie hätten an den Satan, an Jesu vergossenes Blut, an seine Wiederkunft usw. geglaubt. Wie sollte ich ihm nahebringen, daß Glauben ein privilegierter Terminus ist, einzig auf des Menschen Verhältnis zu Gott anwendbar, nicht auf das zum Teufel? Wie sollte ich erklären, daß die Bedingung des Fundamentalismus das Entstehen des modernen Denkens sei, wie es grundlegend zuerst durch die drei Kritiken Kants formuliert worden ist? Daß vorher nicht etwa alle Menschen Fundamentalisten gewesen seien, sondern noch nicht in der Lage, modern zu denken und Wissenschaft, Ethik und Ästhetik zu unterscheiden? Tom war es unmöglich, auch nur zu erfassen, wovon die Rede war, wenn ich Glauben und Weltbild unterschied. So waren die Grenzen erreicht, die philosophisch und theologisch nicht vorgebildeten College-Studenten gezogen sind, übrigens nicht nur den fundamentalistisch festgelegten.

V

Versuchen wir nun zu erklären, was die dualistisch-fundamentalistische Position Tom und seinen Freunden in ihrer eigenen Lebenswelt bedeutet:

Zunächst einmal finden sie dort für fast alles Klarheit. Mit dem Teufel kann man alles erklären. Das eigene Verhalten oder das Gesellschaftssystem brauchen sie nicht zu analysieren. Aus dem satanologischen Erklärungssystem ist die Politik ausgeklammert, weil Satan hinter allem steckt.

Sofern es um Politik geht, blicken Tom und seine Freunde nicht auf das unserer Gesellschaft aufgenötigte Grundgesetz des Kaufens und Verkaufens mit allen seinen Konsequenzen. Es werden einzelne Personen verantwortlich gemacht für das, was sie tun, auch für das, was andere erleiden; letztlich ist es immer der Satan, der an allem schuld ist. Er hat seine Verschwörer überall: Jesuiten und der Papst vor allem, den ich in ganz Amerika nie härter kritisiert fand als in solchen »Heftchen«; Juden und Kommunisten, die Liberalen und die ökumenische Bewegung bis hin zur UNO. Die Liste ist lang. Überall, wo solche Verschwörer am Werk sind, ist es letztlich der Satan, der sich auf dieser Welt breit gemacht hat und durchsetzen will. Wahnvorstellungen in bezug auf den Kommunismus und den Nationalsozialismus, erst recht auf den Katholizismus, welcher jene beiden Ideologien und Mächte angeblich begründet habe, die Zeugen Jehovas und das Judentum begleiten derartige Welterklärungen, die an den Stürmer meiner Kindheit erinnern. Am Ende langte Tom bei einer Statistik an und verglich die Zahlen der psychisch Kranken der USA von 1955 und 1977: 1,7 Millionen zu 6,4 Millionen. Desgleichen betrachtete er das Verhältnis von Heiraten und Ehescheidungen: 1900 ein solches von 1:12, heute ein solches von 1:2. Aber er erwähnte auch Streß und Sorgen, Depression und Einsamkeit, Zusammenbrüche und Selbstmordversuche – daß alle Zahlen steigen, ist für Tom ein Beleg dafür, daß der Satan die Welt beherrscht.

Daraus leitet er ab, daß wir die satanischen Dinge wie Sex, Drogen, Kaffee, Alkohol, Völlerei usw. meiden und dies auch anderen Menschen als Lebensmöglichkeit vertraut machen müssen.

We have an obligation to give people the truth, to warn them of the danger they are in while being out of Christ. We must also go through this life carefully, praying constantly, reading the Bible and loving one another. It is no game we're playing but rather serious business.

Mit Bezug auf einige seiner wahnhaften Äußerungen warfen manche Seminarteilnehmer Tom vor, er projiziere seine eigenen inneren Konflikte nach außen und konstruiere so die böse Welt; umgekehrt benötige er die dualistisch-satanologische Welterklärung, weil er nur in ihr für sein Leben und für seine Perspektiven Stabilität, Gewißheit finden könne. Damit stehen wir vor einer ersten Erklärung:

Tom hat nach einigem Ringen den Entschluß gefaßt, der Auffassung (Meinung) zu sein, daß die King-James-Version der Bibel die richtige, authentische und irrtumsfreie Bibel sei; ferner daß seine Bekehrung aus ihm einen netten Menschen gemacht habe usw., kurz, das dualistisch-fundamentalistische Weltbild und die entsprechende Ergriffenheitsstruktur seien die Wahrheit. So ist es auch in den Heftchen allenthalben. Die Bibel wird libidinös besetzt, nämlich mit der Erwartung, daß man mit ihr nie in eine Verlegenheit kommen könne und daß sie das große Weltganze und die einzelnen Entscheidungen ordne, lenke, voraussage, durch ihre Anweisungen alles im Blick habe – und den wahren Christen in den Griff gebe.

So ist der Fundamentalismus eine Spielart der Meinungsreligion. Das Wahrheitsbewußtsein ist willkürlich, besteht in einer zufälligen Setzung, die für die Wahrheit gehalten und ausgegeben wird. Letztlich ruht die fundamentalistische Religiosität, wie andere Spielarten heutiger religiöser oder ideologischer Bindung, auf einem schlichten Subjektivismus – der freilich stets einer überlieferten Struktur, auch inhaltlich, folgt. Insoweit dies nicht nur für Fundamentalisten typisch ist, darf man sie nicht als monströse Exoten abtun. Was sie tun, tun andere auch, auf ihre Art. Man kann szientistische oder politische oder unterschiedliche religiöse Inhalte in derselben Weise subjektiv-willkürlich besetzen. Denn sie alle können kraft solcher Beschlüsse Sicherheiten verleihen.

Mit einem solchen Entschluß wird in einer Situation ohne Orientierung und Durchblick auf einmal die Wahrheit gewonnen: Man hat nun eine Perspektive, von der man sich allerdings nicht klar macht, daß auch sie ein Konstrukt ist. Man hält sie für die Wahrheit, und dann ist man die Wirklichkeit endlich los. Durch einen einzigen Willensakt ist das zu leisten. Allerdings tun die so Handelnden alles, um diesen Zustand zu maskieren, d. h. sich selbst zu verbergen, daß sie sich auf einen unbegründbaren eigenen Willensentschluß eingelassen und auf ihn ihr ganzes Weltbild gebaut haben.

So wird ja auch meistens die Bekehrung einerseits als schwer und groß dargestellt, als eine erstaunliche eigene Leistung. Gleichzeitig aber wird betont, daß man sie anderen verdankt, daß man selbst mehr passiv als aktiv dabei war, daß Gott über einen gekommen sei oder eben: die Musik plötzlich wie Todesmusik geklungen habe, die Tom vorher monatelang liebte. Auch dies gehört zu der Logik des eigenen Entschlusses: so wird er gänzlich ungreifbar und unangreifbar.

Ich nehme an, daß dahinter die Angst davor steckt, das Leben, so wie es nun einmal ist, zu übernehmen.

Wer Fundamentalist ist, kann und will nichts Neues im Alten sehen, sondern nur immer wieder das Alte des Neuen. Was heutzutage neu ist – die neuen Widersprüche und Brüche, die verfeinerten Macht- und Marktverhältnisse, die Gründe der Bedrohung der Lebenswelt, die sich gegen alle politischen Regeln durchsetzende ökonomische Eigendynamik mit ihren Folgen für alle –, kann der Fundamentalist nur im Schema des Alten begreifen, satanologisch. Das Neue im Alten – daß es Chancen gibt, den neuen Bedrohungen zu widersprechen: politisch und künstlerisch, wissenschaftlich und privat, und daß dies »biblisch« sein kann –, das leuchtet Tom nicht ein. Er ordnet lieber die Menschen und die gegenwärtigen Zustände in einen chiliastischen Zusammenhang ein und nimmt nicht wahr, daß er damit die Menschen als Subjekte mit eigenem Willen und Verstand abschafft. Hauptsache, er hat die unumstößliche Gewißheit, daß seine Meinung nicht widerlegbar sei.

Ich hätte gerne mit Tom darüber gesprochen, daß ich dies nicht für die Lösung des Gewißheitsproblems halten könne. Ist die eigene Entscheidung nicht das Unsicherste, das es gibt, und daher ungeeignet, eine Gewißheitsbasis zu geben? Aber dieses Gespräch, mehrfach begonnen, kam nicht weit. Daß es sich bei seiner Entscheidung um etwas Willkürliches, bei seinen Welterklärungsvorstellungen um menschliche Konstrukte handele, das zuzugeben war Tom unmöglich. Er hat mich wohl nicht verstehen können.

Ich suchte zu resümieren, was den Fundamentalismus konstituiert: das Ineinander von biographischen Zusammenhängen, traditionellen Vorgaben und Gruppenbindungen. Der sich darin ausdrückende Protest ist eine objektiv notwendige Reaktion auf die Gefährdung lebensweltlicher Inhalte. Doch verkennen Fundamentalisten wie Tom die politisch-ökonomischen Basisprozesse, die diese Gefährdung auslösen und vermitteln. Daher begreifen sie ihren eigenen Protest auch nicht als eine solche Reaktion, sondern stilisieren ihn als politisch und ökonomisch unbedingt.

Es waren nicht die fundamentalistischen Studenten, die sich gegen Semesterende zur Frage durchrangen, wie ich denn das Gewißheitsproblem löse. Eingeschüchtert von der Klarheit und der Militanz der Gruppe um Tom hatten sie sich öfter disqualifiziert gefühlt, und ich hatte Mühe darauf verwenden müssen, sie zu Beiträgen zu bewegen. Daß ihre Aussagen wichtig sein könnten, vermochten sie kaum zu glauben. Das Gespräch über die Gewißheit kreiste um das, was Glaube sein kann, wenn er nicht auf identifizierbaren Fakten in der Bibel, auf bestimmten Verhaltensleistungen und vorgeschriebenen Vorstellungen ruht; inwiefern dies keinen ideologischen Stillstand, aber den Verzicht auf missionarische Verbreitung eines bestimmten Lebensstils bedeutet, selbstbestimmte Teilnahme an politischem und kirchlichem Handeln ohne Zwanghaftigkeit. Einige atmeten auf – Tom kämpfte weiter.

Anmerkungen

1 J. Habermas, Der philosophische Diskurs der Moderne, 1985, S. 166: »In negativer Weise bleibt Heidegger... an den Fundamentalismus der Bewußtseinsphilosophie gebunden... Weil Heidegger den Hierarchisierungen einer auf Selbstbegründung erpichten Philosophie nicht widerspricht, kann er deren Fundamentalismus nur mit der Ausgrabung einer noch tiefer gelegenen... Schicht begegnen«.

2 Im Feuilleton der FAZ vom 17. 5. 1973 unter der Überschrift: »Chaoten«.

3 G. Melton, The Encyclopedia of American Religions, Wilmington (NC) 1976, I 424-433.

4 Ebd. I 411-417.

5 Ebd. I 418-424.

6 Ebd. I 462 ff.

7 Ebd. I 484 ff.

8 Ebd. II 8 ff.

9 Die Traditionen der Wiedertäufer, Puritaner, der deutschen Pietisten und der Methodisten mit ihrem Insistieren auf persönlicher religiöser Erfahrung, auf dem Allgemeinen Priestertum aller Gläubigen, dem Heiligungsstreben sowie mit ihrem Protest gegen das etablierte verweltlichte Kirchensystem gehen in die großen Erweckungsschübe von 1720–1750 und von 1795 bis 1835 und auch in die sich vom mainstream abspaltenden Neugründungen des 19. und des 20. Jahrhunderts ein. Zusammenfassend über die nordamerikanischen Erweckungen G. A. Benrath, TRE 10, 208 f.

10 Zu den Liberalen siehe Melton, I 153–158.

11 D. Stoodt, Fundamentalismus versus Modernismus im Jahre 1982. Beobachtungen zum Verhältnis von Religion und Öffentlichkeit in den USA, in: Jahrbuch der Religionspädagogik 1, 1985, 191–204.

12 D. Stoodt, Wie amerikanische Studenten Religion lernen, in Past Theol 74 (1985), 250–263.

13 Es ist längst Mode geworden, Fundamentalisten politisch rechts einzustufen; s. zuletzt die Time-Titelstory vom 2. 9. 1985: Thunder on the Right. The Growth of Fundamentalism, p. 48–61. Leider noch nicht ins Deutsche übersetzt ist die material- und aspektenreiche Darstellung von F. Colombo, Il Dio d'America, Milano 1983.

14 N. Mailer, zit. nach D. J. Winslaw, Glossary of Terms in Life Writing, in: Biography 1, Honolulu 1978, p. 76.

15 H. Wildberger, Jesaja, BKAT X,532.

16 Die vierzehn Hefte der Serie »The Crusaders« erschienen zwischen 1974 und 1982 in den Chick Publications, Chino Calif., und sind in den USA weit verbreitet; siehe meinen Kurzbericht in: Reformatio, 1986 (Aprilheft).

17 W. Philipp, Die Absolutheit des Christentums und die Summe der Anthropologie, 1959, 142 f; ders., Religiöse Strömungen unserer Gegenwart, 1963, 81 f. 245 f.

18 Deutsche Shell AG (Hg.), Jugend vom Umtausch ausgeschlossen. Eine Generation stellt sich vor, Reinbek 1984, 87.

SIEGFRIED VIERZIG

FRAUEN UND MÄNNER:
GESCHLECHTSROLLENIDENTITÄT UND
RELIGIÖSE SOZIALISATION

Was sich an religiösen Autobiographien beobachten läßt.

Seit der Frankfurter Psychoanalytiker Tilman Moser 1976 mit der Schilderung seiner religiösen Karriere in einer schwäbischen Pfarrerfamilie in Theologie und Kirche für einigen Wirbel sorgte[1], beginnt sich so etwas wie eine religiöse Enthüllungsliteratur zu etablieren. Das ist neu, denn bisher gab es nur spärliche literarische Einblicke in religiös bestimmte Lebensgeschichten.[2] Religiöses rangiert mit Sexuellem an der Spitze des Intim-Bereichs. Alice Miller macht noch auf einen anderen Grund für die Zurückhaltung in der Offenlegung religiöser Lebensläufe am Beispiel Tilmann Mosers aufmerksam.

Noch in Mosers 1974 veröffenlichtem Analyse-Bericht »Lehrjahr auf der Couch« taucht die Problematik seiner religiösen Sozialisation überhaupt nicht auf. A. Millers Erklärung dafür erscheint plausibel:

»... aber sein nächstes Buch »Gottesvergiftung« zeigt, daß die Aggressionen gegen die Eltern in der Analyse nicht erlebt werden konnten, weil offenbar sowohl der Analytiker als auch die Eltern geschont werden mußten.«[3]

Die Zeit der Schonung geht vorüber. In der Flut der autobiographischen »Bekenntnisliteratur«, die Jürgen Lott zu Recht als Teilphänomen der »neuen Innerlichkeit« deutet[4], tauchen immer häufiger die lebensgeschichtlichen Anteile religiöser Sozialisation auf.[5] Bei der Durchsicht dieses autobiographischen Materials fällt auf:

– Es sind mehr Frauen als Männer, die das Bedürfnis haben, den Intimbereich öffentlich zu machen.

– Die Geburtsjahrgänge der Autoren sind vorwiegend die vierziger und fünfziger Jahre. Die von ihnen beschriebene religiöse Sozialisation hat kurz vor Ende des Krieges bzw. nach dem Krieg stattgefunden.

– Besonders bei den Frauen ist als Motiv für die Veröffentlichung der »Versuch einer Befreiung« auszumachen. Bei den feministisch orientierten Autorinnen, wie H. Göttner-Abendroth, J. Jannberg, U. Krattiger, L. Puntigam, D. Sölle ist die Schilderung der in der religiösen Sozialisation erfahrenen Beschädigungen Teil ihres Veränderungsprozesses, der Neudefinition ihrer Frauenidentität – Schreiben aus Leidensdruck, Schreiben als Trauerarbeit ist ein hervorstechender Zug.

– Männer schreiben deutlich distanzierter, mehr als Rechenschaftsbericht denn als Beichte. Tilmann Moser ist eine Ausnahme, sein auch in der Sprache sich ausdrückendes emotionales Betroffensein macht seine »Gottesvergiftung« zu einem literarischen Ereignis.[6]

– Protestantische und katholische Sozialisationsbeschreibungen halten sich in etwa die Waage. Für den protestantischen Leser ist die strukturelle Ähnlichkeit der Verläufe überraschend, jedenfalls was den Grad der Restriktionen anbelangt.

– Der Anteil der Pfarrerskinder ist signifikant hoch.

Für alle Autobiographien gilt, daß die Schilderung der objektiven Gegebenheiten und Tatsachen, die subjektiven Erlebnisse und die interpretierenden Reflexionen eine Einheit bilden. In dieser Einheit stellt jede Autobiographie eine je eigene Realität dar. Was in der Biographie-Forschung nahezu selbstverständliche Voraussetzung ist, scheint Theologie und Religionspädagogik Schwierigkeiten zu bereiten. Aus dem Bedürfnis, das Selbstverständnis der christlichen Tradition als Ideal-Norm zu betonen, wird die individuelle Wirkungsgeschichte dieser Tradition im Sozialisationsprozeß als »nur« subjektives Geschehen relativiert. Dagegen spricht zweierlei: Einmal haben die religiösen Biographien durchaus kollektiven Charakter, oft gleichen sie sich in frappierender Weise; zum anderen ist religiöse Tradition immer nur in ihrer lebens- und wirkungsgeschichtlichen Aneignung greifbar, das gilt ja sogar für die christliche Primärtradition, die Bibel. Wenn sich Religionspädagogik mit der Analyse religiöser Sozialisationsverläufe befaßt, dann hat sie es immer mit drei Ebenen zu tun:

– den institutionellen Vermittlungsinstanzen,

– den kollektiven Symbolisierungen,

– und den subjektiven Aneignungsprozessen.

Um die letztere Ebene soll es vornehmlich gehen, wenn eine bisher kaum beachtete Differenzierung des subjektiven Verarbeitungsprozesses, die geschlechtsspezifischen Unterschiede in den Sozialisationsverläufen, untersucht wird. Frauen und Männer sind mit den gleichen Instanzen und den gleichen Symbolisierungen besetzt worden, aber ihre Aneignungsstrukturen sind geschlechtsspezifisch verschieden.

Die in dem vorliegenden autobiographischen Material sich präsentierende Ausgangslage ist relativ einheitlich: Sie ist bestimmt durch die hinlänglich bekannten Merkmale der »autoritären Religion«[7] und den ihr entsprechenden klassischen Sozialisationstyp der rigiden Über-Ich-Prägung.

Das Gottessymbol ist eindeutig besetzt: Er ist der »Herr-Gott«, der »Vater-Gott«, dessen vornehmliche Funktion das Kontrollieren und Strafen ist. Das gesamte Leben steht unter dem Anspruch Gottes, ihm bleibt nichts verborgen, er sieht alles. Die Eltern sind mit den übrigen Erziehungsinstanzen, wie Schule und Kirche, die Repräsentanten Gottes.

> »Die Lehrerinnen bilden mit den Eltern und dem lieben Gott eine Verschwörergemeinschaft, aus der es kein Entrinnen gibt.«[8] (Annette Dröge, Zum Teufel mit der Kirche) »... durch die Mutter begegnete Gott, beide – Mutter und Gott machten Angst, blieben unverständlich.«[9] (Eva Gottschaldt, Mutter Gott)

Diese metaphysische Überhöhung der elterlichen Autorität hat gravierende Folgen für das Eltern-Kind-Verhältnis. Die Eltern werden »Fremde«, sie exekutieren einen überweltlichen Willen. Konkrete Gefühlsbeziehungen müssen erst diesen Panzer überwinden oder entstehen erst gar nicht.

> »Vater und Mutter stellen mehr dar als sich selbst... Durch sie handeln die Göttlichen Personen wirklich. Sie sind also deren sichtbare und wirksame Präsenz.«[10] (Johannes Glötzner, Das Vierte und Sechste)

Gesetz und Gehorsam werden zu den Konstituenten der Eltern-Kind-Beziehung:

> »... daß es im wesentlichen mein Vater (Pfarrer von Beruf, Verf.) oder besser: das durch ihn exekutierte Gesetz war, das mich zu dem gemacht hat, der ich heute bin...«[11] (Hans-Martin Lohmann, Im Namen des Vaters)

Die Identifizierung von Gottes Gesetz und Vater-Mutter-Gesetz hat weitere fatale Folgen. Das Gesetz Gottes erhebt einen Totalitätsanspruch, wie ihn die »irdischen« Eltern nie begründen könnten. Gottes Gebote sind letztlich unerfüllbar. Das schafft ein permanentes Insuffizienz-Gefühl:

> »Es war eine fundamentale Unsicherheit in mir, ob ich nicht etwa mir gar nicht ganz einsehbare Normen verletzt hätte... Du hattest so viel an mir verboten, daß ich nicht mehr zu lieben war. Deine Bedingungen waren zu hoch für mich, und niemand hat sie gemildert...«[12] (Tilmann Moser)

Soweit die kurze Charakterisierung dieser patriarchal-autoritären Religion in ihren typischen Symbolisierungen.

Auf der Basis zweier exemplarischer Autobiographien – Eva Gottschaldt »Mutter Gott«[13] und Hans-Martin Lohmann »Im Namen des Vaters«[14] sollen die spezifischen Eigenarten von Frauen- und Männersozialisation dargestellt werden. In einer weiteren Eingrenzung wird vornehmlich nach der geschlechtsspezifischen Entwicklung der Über-Ich-Strukturen gefragt. Hypothetische Voraussetzung ist: die deutlich erkennbaren Geschlechtsunterschiede gehen nicht primär auf eine eventuelle Verschiedenheit der äußeren Sozialisationsbedingungen zurück, sondern haben etwas zu tun mit den geschlechtseigenen, subjektiven Aneignungs- und Verarbeitungsweisen. Im Klartext lautet die These: Religiöse Sozialisation hat aufgrund verschiedener psychischer Ausgangslagen bei Frauen eine andere Wirkung als bei Männern. Methodisch gesehen kann es sich bei dem Vergleich exemplarischen Materials nur um eine erste Problemerhellung, nicht um einen schlüssigen Nachweis handeln.

Mit S. Freud ist davon auszugehen, daß das »Über-Ich« durch Verinnerlichung der elterlichen Forderungen und Verbote sich bildet, ob im Zuge des ödipalen Prozesses, wie Freud angenommen hat, oder aber bereits auf den präödipalen Stufen kann zunächst dahingestellt sein.[15] Als dem Ich gegenüberstehende Instanz erfüllt das Über-Ich zwei Funktionen: eine kritische Richterfunktion, die über die Einhaltung der Gebote wacht und eine identifikatorische Funktion, der Herausbildung eines Ich-Ideals.

Zum Merkmal »Über-Ich als kritische Instanz«

Frau: Rigide Über-Ich-Beziehung, strenge Kontrolle. (Jg. 53)

»Den Eltern und Gott bleibt nichts verborgen. Sie fragen aus den Kindern heraus, was sie wissen wollen. ER sieht alles, auch wenn man ganz allein ist, das ist unheimlich. Man darf auch nicht darum beten, unentdeckt zu bleiben, wenn man etwas Verbotenes getan hat.« (Deg., S. 55)

Neigung zu Selbstbestrafung:

»Vom schlechten Gewissen getrieben, bat ich den Französischlehrer, meine Note runterzusetzen, weil mir Mitschüler die Vokabeln vorgesagt hatten.« (Deg., S. 59)

Mann: Die Über-Ich-Besetzung ist erheblich schwächer. Das »väterliche Gesetz« bleibt äußerlich. Kühle Distanz zu den »unsinnigen« Ge- und Verboten. (Jg. 44)

»Dein protestantischer Rigorismus . . . ist früher als tatsächlich in sich zusammengebrochen.« (Pf., S. 146)
»Zwischen 1960 und 1970 brach die Autorität des väterlichen Gesetzes, das bis dahin mein Elternhaus und meine Jugend unumschränkt beherrscht hatte, ziemlich vollständig in sich zusammen.« (Pf., S. 153)
»Es sollte noch Jahre dauern, bis meine Mutter, unter heftiger und parteilicher Assistenz von uns Kindern begriff, daß ihr rigides protestantisches Über-Ich sie daran hinderte, ihr eigenes Leben zu leben.« (Pf., S. 154)

Zum Merkmal »Über-Ich: Ich-Ideal«

Frau: Die geringe Distanz zu den elterlichen Normen behindert die Ausbildung eines Ich-Ideals, sie hat leidende Abhängigkeit von der Rigorosität der Mutter zur Folge.

»Einmal sperrte sie mich im Winter auf den Balkon aus und ›befahl‹ mir, die Zelttuchplanen, die den Balkon gegen die neugierigen Nachbarn abschirmten, neu zu verschnüren. Meine Hände waren blaugefroren und taten weh, die steifen Zeltplanen schlugen mir ins Gesicht. Ich heulte vor Wut, weil ich mich mit 17 Jahren immer noch nicht gegen sie wehren konnte. Als sie mich wieder reinließ, sagte sie: ›Du hast keine Demut. Was bist du nur für ein falscher Christ.‹ Das wirkte sofort: Mein Trotz brach zusammen.« (Deg., S. 60)

Mann: Flexibler Umgang mit dem Über-Ich, dadurch mehr Möglichkeit zur Ausbildung eines Ich-Ideals.

»Daß ich so bin, wie ich bin, hat sicher viel mit Dir zu tun, aber eben nicht nur mit Dir, sondern genauso mit mir, mit meiner persönlichen Wahl. Ich lehne es ab, mich einfach als Dein Opfer zu sehen. Für meine Neurose fühle ich mich allein verantwortlich: Fröste der Freiheit.« (Pf., S. 157)

Zum Merkmal »Identifikationsmuster«

Frau: Hoher Grad der Verinnerlichung der Normen des »Muttergottes«. Starke Identifikation mit den normsetzenden Instanzen. Verflochtensein in Beziehungen, Verantwortungsgefühl für andere.

»Eine kleine Minderheit begann eine Schülerzeitschrift herauszugeben. In der ersten Nummer starteten sie eine Aufklärungsserie mit dem Stichwort ›Onanie‹. Zusammen mit einem Deutschlehrer formulierte ich meinen Protest gegen diese Zumutung, zog das Flugblatt auf der Abzugsmaschine im Büro unserer Kirchengemeinde ab, und verteilte dies Plädoyer für Sauberkeit und ›Meinungsfreiheit‹ vor dem Unterricht. Die Eltern waren stolz auf ihre mutige Tochter, daß ich mich dadurch von den Mitschülern isolierte, daran dachten sie nicht.« (Deg., S. 58)
»In der ersten Klasse des ›Gymnasiums für Mädchen‹ bekomme ich eine Mark Taschengeld in der Woche, viel zu wenig für den klassenüblichen Standard an Postkarten mit Fotos aus Karl-May-Filmen und Süßigkeiten. Es ist nicht schwer, das Taschengeld beim Einkaufen mit Groschen aus Mutters Geldbeutel aufzubessern. Bald ahmt die Schwester dies nach, und ich – zu Tode erschrocken – beschwöre sie, das niemals wieder zu tun. Ich habe Angst, sie vom rechten Weg abgebracht zu haben, durch ihre Sünden schuldig zu sein. An einem Nachmittag nach dem Mittagsschlaf ruft die Mutter mich zu sich ans Bett und sagt: ›Ich glaube, deine Schwester stiehlt. Weißt du, was ich tun soll?‹ In Tränen aufgelöst gestehe ich sofort.« (Deg., S. 56)

Mann: Die Eltern-Normen sind etwas Äußerliches. Sie werden äußerlich akzeptiert, innerlich abgelehnt.
Die Identifizierung mit normsetzenden Bezugspersonen ist gering.

»Eine wahre Geschichte. Ich war, das weiß ich noch genau, bestimmt schon sechzehn oder siebzehn Jahre alt, also kein Unschuldslamm mehr, als mich mein Vater eines Tages mit jenem unbeschreiblichen Gesichtsausdruck, der nichts Gutes verhieß, in sein Studierzimmer zitierte. Vor ihm auf dem Schreibtisch lag ein schmales Taschenbuchbändchen, und wenn mich mein Gedächtnis jetzt nicht im Stich läßt, dann handelte es sich bei besagtem Buch (dessen Inhalt ich im übrigen vollkommen vergesse habe) um Maupassants ›Ein Mädchen erwacht zur Frau‹. Ein harmloses Werk der gehobenen erotischen Literatur vermutlich, harmlos und anregend – gewiß nicht übermäßig auf oder erregend – wie fast alles von Maupassant. Mein Vater hatte das Bändchen auf den brieflich gegebenen Wink meines Internatsleiters in meinem Zimmer, ich war auf Ferienbesuch zu Hause, gefunden. Er zerriß es vor meinen Augen mit der kategorischen Erklärung, er wolle nicht, daß ich ›derartige Literatur‹ lese, ich solle mich gefälligst auf die Schule konzentrieren. Es stimmt, ich war damals ein miserabler Schüler, das heißt, ich war es eigentlich immer; aber der wahre Grund dafür, daß mein Vater den Maupassant zerriß, lag in seiner Überzeugung, daß ›solche Bücher‹ des Teufels seien.« (Pf., S. 148)

Zum Merkmal »Schuldproblematik«

Frau: Schuld- und Angstgefühle als Dauerzustand.

»Überhaupt hat Beten mit Strafe und Angst zu tun: Als Fünfjährige schlage ich der Schwester im Streit ein blaues Kinderstühlchen auf den Kopf. Die Kleine brüllt, die Putzfrau rennt nach einem Messer, dessen Schneide die dicke Beule kühlen wird. Ich muß zur Strafe ins Bett: ›Du mußt jetzt da drin bleiben, bis ich dir erlaube aufzustehen. Deine Schwester wird vielleicht sehr krank.‹ Die Stunde im riesigen Bett der Eltern ist qualvolle Einzelhaft: ›Lieber Gott, laß Ulrike nicht sterben.‹ Dieses Sterben muß etwas Schreckliches, Angstmachendes sein, nicht das friedliche ›in den Himmel gehen‹, was mit Großvater wenig später geschieht. Noch jahrelang der gleiche Alptraum, immer wieder: Ich töte die Schwester, ohne es zu wollen, ohne es zu merken, sie schreit auch nicht, ist nur einfach tot. Ich wache auf und horche auf das Atmen der Schwester, um wieder schlafen zu können.« (Deg., S. 55)

Mann: Mentaler Vorbehalt gegenüber Normen. Weniger Selbst-Schuldzuweisung. Keine artikulierten Angstgefühle.

»Irgendwann, glaube ich, kommen Kinder, Heranwachsende solcher Ignoranz und solchen Täuschungsmanövern auf die Spur. Zu welchem Zeitpunkt bei mir dieser Prozeß des Enttarnens und Durchschauens einsetzte, kann ich heute nicht mehr genau angeben.« (Pf., S. 150)

Zum Merkmal »Ablöseprozesse«

Frau: Die Ablösung ist bis ins Erwachsenenalter ein Problem, schmerzhaft und schwierig. Starke Gefühlsbindung in ambivalenter Form.

«Lange Gespräche mit Freunden, die Arbeit an diesem Bericht, Therapie – all dies hilft endlich – nach mehr als zehn Jahren außerhalb des Elternhauses –, mich von Ängsten und Verhaltensweisen zu lösen, die mir zu Hause anerzogen wurden. Aber noch ist dies nicht ganz gelungen. Die Spuren: ein Selbstbewußtsein, das viel Pflege braucht. Angst vor Trennung, Kritik, Strafe, die zur Anpassung verleitet. Und Angst vor dem Sterben, vielleicht eine Folge des Verlustes jeder Jenseitshoffnung. Ruhiger Umgang mit der Mutter ist nicht möglich. Ich habe den Kontakt abgebrochen. Mit Schuldgefühlen, versteht sich. Sie soll in meinem Leben nichts mehr zu suchen haben. Aber so einfach geht das eben nicht.« (Deg., S. 64)

Mann: Ablöseprozesse gehen relativ reibungslos vor sich und sind in der Adoleszenzphase weitgehend abgeschlossen. Freundlich distanzierte Beurteilung der erfahrenen Sozialisation.

»Fragen: Warst Du ein besonders strenger protestantischer Vater? War meine Kindheit in Deinem Haus besonders schlimm? Ich bin grundsätzlich mißtrauisch, wenn von einer ›schönen Kindheit‹ oder einer ›unbeschwerten Jugend‹ die Rede ist. Schön und unbeschwert ließ es sich unter Deinem Dach bestimmt nicht leben. Vergiß nicht, wie oft Du mir eine Ohrfeige verpaßt hast, wenn ich gelogen oder eine Sechs in der Mathematikarbeit unterschlagen hatte. Vergiß nicht, daß ich in Bergneustadt so lange im stockdunklen Keller eingesperrt blieb, bis ich wieder ›lieb‹ sein wollte. Vergiß nicht, welche Demütigung es bedeutete, wenn wir Kinder in einem Alter, wo ›man‹ eigentlich nicht mehr ins Bett macht, mit dem eingenäßten Bettuch überm Kopf am Gartentor stehen mußten, der Neugierde und dem schadenfrohen Spott der anderen Kinder ausgesetzt. Solche Dinge, darin wirst Du mit mir inzwischen übereinstimmen, bleiben irgendwo hängen, prägen, belasten. Aber war es nicht trotz allem auch schön in Deinem Haus? Hatten wir nicht auch Entfaltungsmöglichkeiten, die viele andere nicht hatten? Gab es nicht die Kinderparadiese, die heimlichen Verstecke im Obstgarten, die sich Deiner väterlichen Macht entzogen? Ich bin mißtrauisch gegenüber Erklärungen, die alles individuelle Leiden, alles Unbehagen an der Gegenwart, alle gegenwärtige Lebensunfähigkeit als Resultat elterlichen Ungenügens und Versagens hinstellen.« (Pf., S. 156)

Zusammenfassende Beurteilung:

Tendenziell lassen sich die Unterschiede zwischen Frauen- und Männersozialisation, auf den Ausschnitt religiöser Über-Ich-Formung bezogen, so zusammenfassen: Frauen neigen:
– zu stärkerer Internalisierung elterlicher Normen,
– zu intensiverer Identifizierung mit den Bezugspersonen und Bindung an Beziehungen,
– zu stärkerer Emotionalität: Angst- und Schuldgefühle, Selbstquälerei, Zweifel, Selbstvorwürfen, Skrupel,
– zu undeutlichen Ablöseprozessen, Entscheidungsschwierigkeiten und Rücksichtnahmen.

Männer neigen:
- zur früheren Distanzierung von elterlichen Normen,
- zu leichterer Ablösung von den Bezugspersonen,
- zu abstrakt-formalen Beziehungsverhältnissen,
- zu geringerer Gefühlsintensität,
- zu stärker mentalen Problemlösungen,
- zur Abspaltung des Inneren vom Äußeren.

Solche geschlechtsspezifischen Unterschiede gelten natürlich nicht speziell für religiöse Sozialisation, sondern für die Sozialisation der Geschlechter ganz allgemein, aber sie schlagen eben gerade auch im Umgang mit den religiösen Symbolen durch. Wenn man A. Lorenzers Unterscheidung von Symbol, Klischee und Zeichen[16] zugrundelegt, dann läßt sich auch eine geschlechtsspezifische Desymbolisierungsform ausmachen.

Frauen neigen mehr zur Klischeebildung, Männer mehr zur Zeichenbildung.

Für Eva Gottschaldt ist das Symbol »Beten« neurotisch zwanghaft mit »Strafe« verbunden. So hat sie es an ihrer Mutter erlebt, so hat sie es verinnerlicht.

»Tischgebet ist auch Strafritual. Manchmal betet die Mutter: ›Mach, daß meine Kinder wieder lieb sind‹.
Überhaupt hat Beten mit Strafe und Angst zu tun.« (Deg., S. 55)

Oder folgende Szene:

»Abends, wenn wir schon im Bett liegen, steigen beide Eltern die Treppe zum Kinderzimmer unter dem Dach hoch, um mit uns das Abendgebet zu sprechen. Manchmal reißt die Mutter vorher noch unsere Schränke auf, wirft alle Sachen auf den Fußboden und befiehlt uns, alles wieder einzuräumen. Der jähe Wechsel von Gebrüll und Gebet, die unverständliche Hysterie, ängstigen mich noch lange, jahrelang, bis ich zu Hause ausziehe.« (Deg., S. 57)

Für Hans-Martin Lohman dagegen ist das Symbol Beten zu einem bedeutunglosen Zeichen geworden.

»Vielleicht war ich fünfzehn oder sechzehn, als mir der sonntägliche Kirchgang, die Teilnahme am Abendmahl, das Beten immer lästiger und unangenehmer wurden.« (Pf., S. 150)

Der Neigung von Frauen zu gefühlsambivalenten Bindungen entspricht die Klischeebildung, der Abspaltungstendenz der Männer die Desymbolisierung zu formalen Zeichen. Das kann man in den beiden Autobiographien auch für das Gottessymbol überhaupt nachweisen: Eva behält die Angst vor Gott wie die Angst vor der Mutter. Hans-Martin ist schon mit fünfzehn ›praktischer Atheist‹.

Theorie-Ansätze zur Erklärung

In den letzten Jahren hat es Theorie-Ansätze zur Erklärung des Geschlechterunterschiedes in der Sozialisation gegeben, die noch kaum zur Kenntnis genommen worden sind, obwohl sie geeignet sind, das bisherige anthropologische Konstrukt vom universellen »Menschen« umzuwerfen.

So hat Carol Gilligan, amerikanische Psychologin, die kognitivistische Theorie zur Entwicklung moralischen Bewußtseins von L. Kohlberg einer grundlegenden Kritik unterzogen.[17] In Kohlbergs empiristischen Untersuchungen, in denen Probanden verschiedenen Alters und Geschlechts ein Moral-Problem zur Lösung vorgelegt wurde, schnitten Mädchen meist schlechter ab als Jungen. Sie verblieben mit ihren Lösungen auf der konventionellen Stufe der Moralentwicklung, während die gleichaltrigen Jungen schon auf die postkonventionelle Stufe der prinzipiengeleiteten Moral vorgerückt waren. Wähend die Frauen in Kohlbergs Stufenschema der universellen Moralentwicklung defizitär erschienen, wies C. Gilligan in umfangreichen empirischen Untersuchungen nach, daß Frauen anders denken und urteilen als Männer. Männer lösen ein ethisch-moralisches Problem tendenziell nach einer formalen Gerechtigkeitsmathematik, Rechtsansprüche werden gegeneinander abgewogen. Frauen dagegen lösen die Konflikte nicht abstrakt sondern situationsbezogen, sie versuchen zu vermeiden, daß andere verletzt werden, daß Bindungen zerstört werden. Sie urteilen aus dem Kontext persönlicher Interaktion heraus, nicht nach einem Formal-Prinzip. Was sich in Kohlbergs Entwicklungstheorie, die die männliche Variante kognitiver Struktur zur universellen erhob, als weibliche Retardierung darstellte, ist in Wirklichkeit Ausdruck eines Andersseins der weiblichen Struktur.

Rücksicht, Fürsorge und Verantwortung statt abstrakter Prinzipien als Triebfeder ethisch-moralischen Verhaltens von Frauen: bei Eva Gottschaldt drückt es sich aus in den Rücksichtnahmen auf die Mutter, das Sich-verantwortlichfühlen für die Schwester, auch mit dem negativen Effekt des Verhaktseins, des Nicht-loskommens. Der Mann Hans-Martin Lohmann ist frei von solchen Bindungen:

> »Während Du Dir Sorgen über meine negative Schulkarriere machtest, pflückte ich die Blumen des Bösen, wo immer ich sie fand.« (Pf., S. 150)

Gilligans Untersuchungen könnten die Abkehr von einer geschlechtsneutralen Anthropologie bedeuten. Sie haben ein enorm wichtiges Phänomen zur Geschlechterdifferenzierung verdeutlicht, sie erklären nicht die Ursache für den Sozialisationsunterschied. Dies wird von zwei unabhängig voneinander arbeitenden und zeitgleich zu den gleichen Ergebnissen kommenden Forscherinnen versucht, der Soziologin Nancy Chodorow[18] und der Psychologin Dorothy Dinnerstein.[19] Ausgehend von einer kritischen Auseinandersetzung mit der psychoanalytischen Sozialisationstheorie Freuds ist ihre Grundthese: Der Sozialisationsprozeß von Mädchen und Jungen verläuft asymmetrisch. Freud dagegen hat die weibliche Sozialisation immer nur in Parallele zu der als Norm angesehenen männlichen Sozialisation beschrieben. Die von Chodorow und Dinnerstein behauptete Asymmetrie der Entwicklung hat ihre Ursache darin, daß die Mutter für beide Geschlechter die primäre Beziehungsperson ist.[20] Das hat für die Identifikations- wie für die Ablöseprozesse Konsequenzen. Das Mädchen wächst in der engen Gefühlsbeziehung zum gleichgeschlechtlichen Elternteil auf, die Identifikation mit der Mutter ist quasi naturwüchsig. Auf der anderen Seite erwachsen daraus Ablöseprobleme. Wird die Mutter mit negativen Gefühlen erlebt, dann stellt dies immer die eigene weibliche Identität in Frage, darum gelingt die Ablösung nur partiell, nicht generell, es bleibt die Beziehung zur Mutter als notwendigem Identifikationsobjekt. Beim Jungen dagegen verläuft die Ablösung von der Mutter über die Identifikation mit dem Vater. Ablösen heißt für den Jungen, das Anderssein als die Mutter zu erleben. Seine Ablösung läuft auf wirkliche Trennung hinaus. Männliche Identität wird im Gegensatz zur Mutter entwickelt. Männlichkeit ist das, was nicht weiblich ist. Der daraus folgende geschlechtsspezifische Sozialisationsverlauf läßt Frauen stärker gefühlsbezogen und gefühlsabhängig werden, während Männer der Abwehr und Abspaltung von Gefühlsbeziehungen zuneigen, was gesellschaftlich gesehen Vorteile hat, daß Männer stärker als Frauen sich als eigenständige Personen erleben können.

Diese hier notwendig abgekürzte Darstellung der Chodorow-Dinnerstein-Theorie läßt zumindestens einige Sozialisationsunterschiede der Geschlechter – wie sie an dem autobiographischen Material beobachtet waren – plausibel und erklärbar erscheinen. Eine Weiterarbeit zur Überprüfung dieser Theorie könnte gerade für die Erforschung religiöser Sozialisation zunehmend wichtig werden.

Anmerkungen

1 T. Moser, Gottesvergiftung, 1976, 1977³.
2 z. B.: S. de Beauvoir, Memoiren einer Tochter aus gutem Haus, 1960. J. P. Sartre, Die Wörter, 1968.
3 A. Miller, Du sollst nicht merken, 1983, S. 28.
4 J. Lott, Handbuch Religion II, 1984, S. 64.
5 – D. Scherf (Hg.), Der liebe Gott sieht alles, 1984. – M. Greiffenhagen (Hg.), Pfarrerskinder, 1982. – J. Richter, Himmel, Hölle, Fegefeuer, 1985. – U. Krattiger, Die perlmutterne Mönchin, 1983. – J. Jannberg, Ich bin ich, 1982. – H. Göttner-

Abendroth, Du Gaia bist ich, in: Feminismus, Handbuch, hg. v. F. Pusch, 1983. – L. Puntigam, Alpträume, in: Religion heute, 4+5 (1983), S. 175 ff. – H. E. Richter, Der Gotteskomplex, 1979, darin: IV. Teil »Eine Psychoanalyse als Lehrstück«. – D. Sölle, Vater, Macht und Barbarei, in: Concilium 17 (1981). – T. Eggers, Erinnerungen an Gott, 1980.

6 Tilmann Moser hat so gut wie keine angemessene kirchlich-theologische Antwort bekommen. Einmütiger Tenor der Reaktionen auf die »Gottesvergiftung« war: So ist christlicher Glaube doch nicht. Das ist einseitig, übertrieben, abartig. Diese Kritiker müssen alle den Vorspruch Mosers überlesen haben: »Freut euch, wenn euer Gott freundlicher war.«

7 Die von E. Fromm vorgenommene Unterscheidung zwischen »autoritärer und humanitärer Religion« hat einen begrenzten heuristischen Wert, auch wenn sie die immer wirksame ambivalente Funktion von Religion unterschlägt. E. Fromm, Psychoanalyse und Religion, 1966, S. 41 ff.

8 D. Scherf (Hg.), Der liebe Gott sieht alles, S. 65. Im weiteren zitiert: Deg.

9 Deg., S. 54

10 Deg., S. 46.

11 M. Greiffenhagen (Hg.), Pfarrerskinder, Autobiographisches zu einem protestantischen Thema, 1982, S. 144. Im weiteren zitiert: Pf.

12 T. Moser, Gottesvergiftung, S. 19.

13 Deg., S. 54-64.

14 Pf., S. 143-157.

15 Der Begriff »Über-Ich« wurde von Freud in der Schrift »Das Ich und das Es« von 1923 eingeführt: G. W. Bd. XIII, 1960, S. 121 ff. vgl. auch: J. Laplanche/J. B. Pontalis, Das Vokabular der Psychoanalyse, 1975[2], Bd. 2, S. 540 ff.

16 A. Lorenzer, Symbol, Sprachverwirrung und Verstehen, Psyche 24. Jg. 1970, S. 906.

17 C. Gilligan, Die andere Stimme, 1984.

18 N. Chodorow, Das Erbe der Mütter, 1985.

19 D. Dinnerstein, Das Arrangement der Geschlechter, 1979.

20 vgl. A. Meulenbelt, Wie Schalen einer Zwiebel oder wie wir zu Frauen und Männern gemacht werden, 1985, S. 172 ff.

JÜRGEN LOTT

LEBENSWELT VON MÄNNERN UND RELIGION

Ich beschäftige mich im folgenden mit dem Zusammenhang von Religion mit geschlechtsspezifischer Sozialisation und männlicher »Normalbiographie«.

Dabei gehe ich davon aus, daß *Geschlecht* im wesentlichen eine *soziale* Kategorie ist, die an der Anatomie des Körpers eines Menschen festgemacht wird und frage nach dem sozialen *Inhalt* von »Mann« und »Männlichkeit«, nach dem Prozeß, in dem sich dieser »Inhalt« in einer Person reproduziert sowie nach Beteiligungen von Religion am Prozeß des Zustandekommens und Weiterlebens von »Männlichkeit«. Bezugspunkt ist unsere nachchristliche, westlich-industrielle Gesellschaft.

Entgegen älteren, aber bis heute fortlebenden Vorstellungen vom passiven Sozialisiertwerden vorrangig durch Eltern, gehe ich von einem Konzept der Ontogenese durch *Aneignung* der historisch gewordenen Welt aus. Das Selbst-Konzept des Kindes wird keineswegs nur durch die Eltern geprägt, vielmehr macht sich das Kind auf die Gesamtheit seiner sozialen Welt seinen Reim. Wir sind aktiv am Prozeß unserer Entwicklung beteiligt; wir bauen im Umgang mit Personen und Dingen (gemäß den gesellschaftlichen Rahmenbedingungen) allmählich eine den objektiv-strukturellen Anforderungen (mehr oder weniger) entsprechende subjektive Struktur (Persönlichkeitsstruktur) auf, die sich in bestimmten Bedürfnissen, Fähigkeiten/Fertigkeiten, Wahrnehmungsweisen etc. manifestiert.

Wenn es mir um die *im Prinzip* differierenden Sozialisationsbedingungen von Männern und Frauen geht, heißt das nicht – um das beliebte Mißverständnis auszuräumen –, daß jeder Mann im Vergleich zu jeder Frau und zu jeder Zeit seines Lebens andere Bedingungen erfährt; ein Mann kann eine am Prinzip der »communio« (vgl. unten I. 4)) orientierte Sozialisationserfahrung als Kind oder im Beruf machen – ebenso wie manche berufstätige Frau »männliche« Erfahrungen machen und sich über »männliche« Leistungsideale identifizieren kann. Die Lebensbedingungen sind so eindeutig und bruchlos »männlich« und »weiblich« nicht, ganz abgesehen davon, daß sich der einzelne den Lebensbedingungen nicht vollständig unterwerfen muß, indem er sich *zu* ihnen und nicht nur *in* ihnen und ihnen gemäß verhält. Aussagen über Geschlechtsunterschiede bedeuten im folgenden also stets: Männer verhalten sich signifikant häufiger ... d. h. etliche verhalten sich auch anders.

I

ZUM ERWERB MÄNNLICHER GESCHLECHTSIDENTITÄT

1. Männer werden nicht als Männer geboren, Männer werden zu Männern gemacht.[1]

Wesentliche Teile des menschlichen Verhaltens sind nicht angeboren, sondern werden gelernt. Dieses Lernen geschieht innerhalb eines Kommunikations-, Interaktions- und Erziehungsprozesses. Bezugspersonen leben ein Verhalten vor, das Kind lebt es in Teilen oder als Ganzes nach. In diesem Prozeß eignen sich kleine Menschen mit männlichem Körper das an, was wir »Männlichkeit« nennen. Erwartungshaltungen von Eltern und Familienangehörigen, Stillgewohnheiten, Spielzeug, Kleidung, Stereotypen im Fernsehen, in Bilderbüchern, Kindergarten- und Vorschuleinrichtungen, Lesebüchern, gleichaltrigen Gruppen (die häufiger rigider sind als die der Eltern) – alles läuft auf das Fabrizieren des »kleinen Unterschieds« hinaus, der so klein dann doch nicht ist: Männer gehen anders als Frauen, sprechen anders, sitzen anders, fühlen, denken, arbeiten, lieben und leben anders, haben ein anderes Verhältnis zur Religion. Dies alles ist nicht Ursache, sondern Folge geschlechtsspezifischer Lebenswelten und Erziehung.

2. Männer sind (wie Frauen) soziale Wesen, Produkt von Umwelteinflüssen und Lebenswelten. Ihre biologische Ausstattung dient der Zuweisung einer Geschlechtsidentität.

Geschlecht ist im wesentlichen eine *soziale* Kategorie, die an der Anatomie des Körpers festgemacht wird. Menschen mit männlich aussehendem Körper werden zu Männern erzogen. Der soziale Inhalt von Mann, das, was bei uns als »männlich« gilt, ist die Rolle des in unserer Gesellschaft herrschenden Geschlechts. Schritt für Schritt reproduziert sich der soziale Inhalt von »Mann« ontogenetisch in der Einzelperson.[2] Das beginnt im Mutterleib: Strampelt der Fötus besonders lebhaft, heißt es: »Das wird ein Junge«. Es setzt sich beim Stillen fort: Kleine Männer dürfen ihren Trinkrhythmus finden (Mädchen müssen schneller trinken und werden früher entwöhnt). Jungen werden zunächst mehr gestreichelt, auf den Arm genommen, ihre Muskelaktivität wird stärker gefördert. Es ist eine empirisch überprüfte Realität: Schon früh akzeptiert die Mutter unbewußt die Autorität und Autonomie des kleinen Mannes; in den jeweiligen Phasen werden alle für die Entwicklung förderlichen

Zuwendungen Jungen ausreichender zuteil. Mütter und Väter reproduzieren ihr eigenes, gesellschaftlich vermitteltes Rollen- und Selbstverständnis und erweisen dem kleinen Mann schon früh die Referenz des stärkeren Geschlechts. Über hormonell bedingte Unterschiede in Lernbereitschaft und Aneignungsformen von Mann und Frau wird zwar immer wieder spekuliert[3], Verläßliches wissen wir wenig. Wenn es sie gibt, dürften sie jedoch von geringerer Bedeutung sein als die sozialen Modellierungen des menschlichen Organismus, die während des gesamten Lebenslaufs stattfinden.

3. *»Männlich« und »weiblich« sind relative Unterschiede und keine absoluten Gegebenheiten; biologisch betrachtet, ist der Mensch ein bisexuelles Lebewesen.*

Aus der Sexualitätsforschung wissen wir, daß Bisexualität eine grundlegende Gegebenheit aller Lebewesen ist, die sich sexuell fortpflanzen.[4] Mit der Befruchtung tritt eine sexuelle Differenzierung in zwei Formen auf, die im allgemeinen als männlich oder weiblich bezeichnet werden. Die jeweilige Ausprägung muß nicht lebenslänglich gelten. Jede Zelle und jedes Lebewesen hat die Fähigkeit, sowohl weibliche als auch männliche Merkmale auszubilden. Sie sind nicht nach dem Alles-oder-nichts-Prinzip entweder männlich oder weiblich, sondern verschieden stark männlich oder weiblich ausgeprägt. Die Erkenntnisse der Embryologie zwingen zudem dazu, die eine der beiden biblischen Schöpfungserzählungen umzukehren: nicht die Frau ist aus dem Mann entstanden, sondern der Mann aus der Frau. Bei allen Embryos sind in den ersten Lebenswochen die äußeren Geschlechtsorgane anatomisch weiblich angelegt. Je nachdem, ob eine bestimmte Chromosom- bzw. Hormonkonstellation vorhanden ist, kann etwa ab der siebten Lebenswoche eine Vermännlichung des Körpers einsetzen.

4. *»Männlichkeit« ist Ergebnis eines individuellen Entwicklungs- und Aneignungsprozesses auf einer gesellschaftlich vorgezeichneten Entwicklungsbahn; diese Bahn könnten beide Geschlechter durchlaufen, Patriarchat und Kapitalismus reservieren sie prinzipiell für den Mann.*

Organisierende Momente geschlechtsspezifischer Sozialisation sind *Arbeitsteilung* nach Geschlecht in ihrer historisch gewordenen Form (Männern ist Berufsarbeit – die anerkannte gesellschaftliche Form von Arbeit/Produktion – zugewiesen, Frauen vorrangig – die minderbewertete – private Reproduktion wie Hausarbeit, Kindererziehung, Beziehungsarbeit), die normativen *Rollen und Charaktervorstellungen* sowie die damit verbundene gesellschaftliche *Macht* und *Bewertung* – sie konstituieren für

Männer andere Lebensbedingungen und Lebenswelten als für Frauen innerhalb derselben Gesellschaft, derselben Eltern-Familie, Schulklasse, eigenen Familie. Von Geburt an werden männliche und weibliche Individuen mit unterschiedlichen Lebenswelten konfrontiert, unterschiedlichen Beziehungsformen, differierenden »Normalbiographien«, unterschiedlichen Weisen des Umgangs mit sich und der Welt. Von Geburt an beginnt der Prozeß der Sozialisation von Männern eher als Subjekt, als ermutigter Akteur und eigenständiges Individuum, der von Frauen als mehr vom Handeln anderer Abhängige, dem Willen anderer unterworfen und sich dreinfügend (die Unterdrückung der Selbständigkeit durch Erziehungspersonen setzt sich dann in aktive Selbstunterdrückung, Unterwerfung und Selbstverachtung um). In der Sozialisationsforschung hat es sich eingebürgert, die typisch männlichen und weiblichen Aneignungsweisen als Prinzipien zu charakterisieren[5]:

– »*agency*«, das männliche Prinzip, eng verbunden mit der protestantisch-kapitalistischen Ethik: Aktivität, Wissensdrang, manipulativer Umgang mit Welt, vor allem Beherrschung von Natur, Abgrenzung, Ich-Erhöhung, Leistung, Kompetenz usw. gegenüber

– »*communio*«, dem weiblichen Prinzip: Fusion mit anderen, Sensibilität, Expressivität, Kooperation (ohne Vertragsgrundlage), Nähe zur Natur, zum Leben, Wärme, Emotionalität, Ganzheitlichkeit, Fürsorge usw.

Das weibliche Prinzip gehört offensichtlich zur Sphäre der Reproduktion, das männliche zu dem der Produktion. Diese Prinzipien sind noch immer gültig, wenn auch nicht ohne Widerspruch. Entsprechend unterscheiden sich Art und Reichweite der aus diesem lebenslangen Sozialisationsprozeß entstehenden Handlungsfähigkeiten, Erlebnisweisen, Interaktionsformen, Selbstkonzepte.

5. Das gesellschaftliche Sein bestimmt auch das sexuelle Sein.

S. Freud und W. Reich waren sich – trotz vieler Meinungsverschiedenheiten – darin einig, daß das sexuelle Sein das gesellschaftliche bestimme. Dies war ihr grundlegender Irrtum. Jeder Mensch, einerlei mit welcher sexuellen Ausstattung er auch geboren sei, wächst in eine bereits bestehende Gesellschaft hinein, wird von ihr geprägt und eignet sie sich an. Seine sexuelle Entfaltung erfolgt innerhalb der Möglichkeiten und Grenzen, die ihm seine Lebenswelt setzen. Dies gilt auch für die Deutung der eigenen Geschlechtsrolle.[6]

Die sexuelle Entwicklung des Menschen läßt sich insgesamt nicht von der sozialen und emotionalen Entwicklung trennen. Männliche Sexualität war und ist gesellschaftlich eng mit Aktivität, Aggressivität und Unterordnung von Frauen verbunden, daran haben auch modifizierte Eherechtsnormen bisher wenig zu ändern vermocht. Männliche sexuelle

Identität manifestiert sich gern in Macht-, Kraft-, Aggressivitäts- und Potenzdemonstrationen. Zärtlichkeit, Weichheit, Emotionalität, Zerfließen passen nicht in das Bild des sachbezogenen »männlichen« Mannes. Das macht Männer so unfähig für Beziehungsarbeit. Angesichts entsinnlichter und belastender Arbeitsbedingungen ist der Mann befriedet, wenn er eine sich ihm einigermaßen anpassende, ihn versorgende und ihm sexuell zur Verfügung stehende (Ehe)Frau hat. Resultat für beide ist eine der Gegenseitigkeit beraubte, den andern verrechnende Sexualität. Selbst ihre eher auf Anpassung oder Verweigerung hinauslaufenden Strategien, mit dieser Situation umzugehen, ihre »Sexualstörungen« (Frigidität, Ejakulatio praecox, Impotenz, Trennung von Sexualität und persönlicher Beziehung) spiegeln noch die gesellschaftliche Funktionalisierung der Sexualität. Angesichts dieser Strukturen heterosexueller Beziehungsformen werden von manchen homosexuelle und lesbische Beziehungen als potentiell befriedigender angesehen.[7]

6. Männlichkeit und »Fortschritt«

Sein ganzes Leben ist der Mann angestrengt bemüht, sich Männlichkeit mit Hilfe von allerlei Ritualen anzueignen. Jeder Mann denkt, alle anderen Männer haben Männlichkeit, sind richtige Männer, nur er sei der einzige Mann, der kein richtiger Mann ist. Mann strebt deshalb nach immer gigantischerer Männlichkeit. Überall body-building der Muskeln, Taten und Techniken. Mit irrwitzigen Apparaten zwingt Mann Männlichkeit in sich hinein und aus sich heraus. Er produziert todbringende Männerkonstruktionen, Zeugnisse seines pathologischen Dranges nach Männlichkeit und (Natur-)Beherrschung. Die Rollenerwartungen sind internalisiert, der Kreis ist geschlossen, wir sitzen in der Falle unseres männlichen Fortschrittdenkens, mitten in einer beispiellosen intellektuellen, moralischen und spirituellen Krise, die sämtliche Dimensionen unseres Lebens berührt, das gesamte Leben auf der Erde mit der Auslöschung bedroht und diesen Planeten für Jahrmillionen unbewohnbar machen kann.

II

MÄNNLICHKEIT UND RELIGIÖSE LEBENSGESCHICHTE

Religiöse Motive sind maßgeblich am Prozeß der Sozialisation beteiligt, in dessen Verlauf das Bild von »Männlichkeit« aufgebaut und gelebt wird. Stets sind die Fäden religiöser Prägungen mit denen der sonstigen

Erfahrungen verwoben. Sie blieben als »Lebenskolorit« auch dort vorhanden, wo man ihrem Zugriff entronnen zu sein glaubt.
Einige signifikante Zusammenhänge will ich benennen:

1. Religion und Gehorsam

Gehorsam, in dem für denjenigen, der gehorchen soll, die Frage, warum er eigentlich gehorchen soll, nicht vorgesehen ist, gilt in Kirche und Gesellschaft nach wie vor als *Tugend*. Die begründungslose Devise »Ordnung muß sein«, Haus- und Schulordnungen, militärische Gehorsams- und Befehlstradition, kirchliche Predigten, in denen Glaube als Gehorsam interpretiert wird, zeigen beispielhaft, daß die Befähigung (oder gar Ermutigung) zur Überprüfung und Infragestellung von Anordnungen, zur Selbstverantwortlichkeit oder gar zu begründetem Ungehorsam nicht die Erziehungsziele unserer Sozialisationsagenturen sind. Erziehung ist insgesamt so ausgerichtet, daß Machtverhältnisse nicht gefährdet werden. Dies setzt sich durch bis in zwischenmenschliche Beziehungen, strukturiert von Unter- und Überordnung. Religiöse Erziehung paßt sich da gut ein. Im männlich unbedingten Gehorsams- und Autoritätsverständnis spielen in unserem Kulturkreis christliche Implikationen eine entscheidende Rolle. Die Rede von Gott als dem allmächtigen Herrn über alle Welt, das Verständnis des Glaubens als Gehorsam, die christliche Auffassung vom »Dienen« – dies sind Beispiele einer patriarchalen Gehorsams- und Autoritätsstruktur, die über das Gott-Mensch-Verhältnis hinaus starke Prägekraft in vielfältigen säkularen Beziehungen gewonnen hat und sich tief in die männliche Psyche eingräbt.

2. Religion und Sexismus

Eine ausschließlich männliche Symbolik für Gott, für die Vorstellung der Menschwerdung Gottes und für die Beziehung zwischen Mensch und Gott, all das verstärkt die geschlechtsspezifische Hierarchie und produziert im Mann die entsprechenden Überlegenheitsgefühle und Allmachtsphantasien. Wenn es auch bei Paulus heißt – worauf Kirchenmänner nicht müde werden hinzuweisen –: »In Christus ist nicht Mann noch Weib«, so wird in der gesamten christlich-patriarchalen Tradition und Gegenwart diese Unterscheidung doch sehr wohl gemacht. Luthers Bemerkung, Gott habe Adam als Herrn über alle lebenden Geschöpfe geschaffen, ist immer entsprechend interpretiert worden. »Wenn Gott männlich ist, muß... das Männliche Gott sein.«[8] Der patriarchale Jhwh, der dem Mann versichert: »Du wirst über alle herrschen, aber über dich wird niemand herrschen«, regelt auch die Liebesbeziehung nach den gleichen Strukturen: »Du wirst ihr Herr sein; aber das Weib soll Verlangen nach dir zeigen« (Gen, 3,16). Die Verachtung des anderen Geschlechts, die Verdinglichung der Frau ebenso wie die Gottebenbildlichkeit des Mannes gipfeln in Luthers Rat: »Wenn das Weib sich weigert, lasse man die Magd kommen.« E. Sorge hat recht: »Die Säulen, auf denen diese patriarchale Frömmigkeit ruht, sind die asketische ›Lust‹ an gewaltförmiger Herr- und Knechtschaft und die unbewußte ›Lust‹ an Leiden und Zerstörung, nicht nur des Lebens und des Leibes, sondern auch des eigenen SELBST, der Seele.«[9]

3. Religion und Sexualität

An dem Zwang, eindeutige Geschlechtsrollen ausprägen zu sollen, und an der Körperfeindlichkeit sind christlich-religiöse Erziehungsprinzipien maßgeblich beteiligt. Ihre körperfeindliche Moral ist Produkt einer klerikalen Männerwelt, die an Geschlechtsangst leidet.[10] Sie braucht eine sexual- und körperfeindliche Moral, um ihre Ängste religiös zu legitimieren. Der verhängisvolle Dualismus Geist-Leib und Religion-Sexualität prägt kirchliches Denken und Handeln. Von Augustin bis heute gilt Sexualität als Feind der Religion.[11] Das übliche leichtfertige Hantieren mit dem Begriff »Sünde« vertieft die Diskrepanz zwischen Religion und Sexualität ebenso wie die unsägliche Aufspaltung von Liebe in Agape (christliche Liebe, Gottesliebe) und Eros (sexuelle/unzüchtige Liebe). Die verhängnisvollen psychischen und gesellschaftlichen Konsequenzen solch sexualfeindlicher Theologie kann jeder in historischen wie gegenwärtigen Lebensgeschichten studieren. Wer sich für Religion entscheidet, muß die Sexualität verdrängen. Daß sich dies seit Augustin nicht wesentlich geändert hat, belegen die nachkonziliare Enzyklika »Humanae vitae« ebenso wie die Denkschrift der EKD zur Sexualethik (1971) oder neuere kirchenamtliche Stellungnahmen zum Thema »Ehe« oder »Homosexualität« (von Pfarrern). Die Minderwertigkeitskomplexe der Männerwelt (argwöhnisch werden Menstruation, Schwangerschaft und Geburt als unheimliche Kräfte der Frau beäugt) werden durch die Verteufelung von Körper und Frau zu männlichen Überwertigkeitskomplexen umfunktioniert. Nicht die Männer haben Angst vor ihrem eigenen und dem anderen Geschlecht, nein, Frau und Körperlichkeit sind böse und gefährlich. Solch religiös herabgewirtschaftetes Bild der Frau läßt den unkörperlichen Mann in Gottebenbildlichkeit erstrahlen.

4. Religion und Emotionalität

Mit Körperlichkeit und Weiblichkeit werden wichtige Dimensionen des Menschseins abgespalten. Unter dieser Abspaltung leiden wir Männer bis heute. »Zum Mann erziehen« bezeichnet einen Prozeß, in dem

Menschen in mitunter durchaus religiös motivierter Erziehung so verbogen werden, daß sie allenfalls die Hälfte ihrer Möglichkeiten entwickeln können. Der zum Mann gemachte Mensch unserer Kultur ist einer, der die Hälfte seiner selbst verloren hat. Erziehung ist so angelegt, daß der Mann seinen Körper wie seine Emotionalität als Gegner erfährt, die er bezwingen und überwinden muß. Schulsport, peer-group und Militär üben ihn darin ein.[12] Als »Angsthase« gilt, wer zögert, abwartet, sich schont oder gar fürchtet. In der Regel lernen wir Männer es nicht, unseren Körper von innen heraus zu erleben[13], seine Signale zu erkennen, die uns Versteinerungen und Zumutungen anzeigen. Wir sind nicht Leib, sondern haben einen Körper, den wir eher wie eine Maschine[14] benutzen – auch als Waffe. Obwohl die Untersuchungen der Einstellung von Müttern zu männlichen Kindern zeigen, daß diese keineswegs emotional zu kurz kommen, haben Männer in der Regel keine Beziehung zu ihren Gefühlen. Sie werden nicht mitgeteilt und entsprechend hilflos gehen wir mit ihnen um, wenn wir ihnen nicht mehr ausweichen können. Auch unsere Sprache leidet darunter. Sie erschöpft sich im Technischen unseres Alltags und ist nichts Lebendiges, nichts Kreatives, nichts, was uns hilft, mit uns und anderen weiterzukommen.

5. Religion und Transzendenz

Es gibt vielleicht keinen Bereich, in dem die Verstümmelung des Mannes so augenfällig ist, wie in dem der Religion. Religionspraxis ist Weiberkram; dem technokratischen Männlichkeitsbild unserer Gesellschaft entspricht allein eine logozentrische, symbol- und bilderfeindliche Theologie.[15] An die Stelle von In-sich-gehen (Meditation) und Über-sich-hinausgehen (Grenz-Erfahrung) treten Atomkernspaltung und Genforschung, Wühlen im Bio- und Materieinnern nach den Lebensgesetzen, die sich aber mit Zerspalten und Eindringen nicht finden lassen. Grenz- und Transzendenzerfahrung übernehmen Rakete und Satellit. Nicht eingelöste Lebenserwartungen werden weggeschoben. Zuletzt verlangt ein verängstigtes Sicherheitsbedürfnis nach dem »Schutz« durch die abschreckende Gewalt. Herrschende Lebensformen verstellen den Blick für weitergehende Lebenserwartungen. Damit schneidet sich der Mann selber von jeder Art der Transzendenz dessen ab, was der Fall ist. Er nimmt sich individuell die Möglichkeiten der eigenen Weiterentwicklung, so daß er die Fähigkeit verlernt, sich in seinen Wünschen zu transzendieren – die gesellschaftlichen Konsequenzen dokumentiert der menschenverachtende Zynismus der Herrschenden. Mit dem Verlust von Körperlichkeit, Gefühl und expressiver Sprache verliert er den Traum und die Hoffnung auf das Land, »wo der Löwe neben dem Lamm ruht«. Solche Träume gehören nicht zur männlichen Welt. Solcher Verlust der Fähigkeiten, sich zu transzendieren, ist aber eine Voraussetzung, die unser System braucht, um Versuchen zu begegnen, nach Erleben, Denken und Handeln jenseits von männlicher Zweckrationalität, Gigantonomie und Herrschaft zu fragen, nach umweltverträglichem und menschenfreundlichem Leben, nach Weltgerechtigkeit, nach Rettung des Friedens privat und universell. Insofern sind die gegenwärtige Vertreibung von Poesie und Philosophie, Musik und bildender Kunst, Religions-, Geistes- und Sozialwissenschaften aus unseren Lernfabriken Schule und Universität durchaus männlich-konsequent.

III

DIE VERTREIBUNG VON PHANTASIE UND SINNLICHKEIT AUS DER MÄNNLICH DOMINIERTEN RELIGION

Der Psychoanalytiker und Soziologe A. Lorenzer hat in der Arbeit des Zweiten Vatikanischen Konzils[16] eine »religiöse Wende« aufgezeigt, die für unsere Überlegungen zur Lebenswelt von Männern und Religion instruktiv ist. An Veränderungen in der Strategie einer für mehr als eine halbe Milliarde Menschen bedeutsamen Sozialisationsagentur können Folgen für die Persönlichkeitsstruktur deutlich gemacht werden. Ich greife beispielhaft ein Phänomen heraus: Die Liturgiereform mit ihrer Umgewichtung im Verhältnis von Symbolen und symbolischen Interaktionsformen einerseits und Lehre und Dogmatik andererseits.

> »Der Meßordo soll so überarbeitet werden, daß der eigentliche Sinn der einzelnen Teile und ihr wechselseitiger Zusammenhang deutlich hervortreten und die fromme und tätige Teilnahme der Gläubigen erleichtert werde.« (Art. 50)

Aufschlußreich für die sich in der Liturgiereform manifestierende Allianz von Pädagogisierung, Ethisierung und männlich-logozentrischer Zerstörung von Ritualen zugunsten platt-lebensanweisender Zielsetzung ist der Kommentar zu Art. 52:

> »...Im freien Anschluß an den Text einer der Lesungen oder einer... Einzelheit in Wort und Ritus der Liturgie... soll eine gewiß weniger systematische, aber darum nicht unvollständige Unterweisung für das religiöse und sittliche Leben der Gläubigen geboten werden. Sie wird in den beiden Festkreisen des Kirchenjahres mehr den Heilstatsachen und ihren Auswirkungen zugewendet, außerhalb derselben aber umso mehr für alle Fragen der sittlichen Lebensordnung offen sein.«

Entsprechend heißt es in Art. 34:

»Die Riten mögen den Glanz edler Einfachheit an sich tragen und knapp, durchschaubar und frei von Wiederholungen sein. Sie seien dem Fassungsvermögen der Gläubigen angepaßt...«.

Das Ritual wird, seiner poetisch-subjektiven Dimensionen entkleidet, zum Vehikel pastoraler Volksbelehrung und ethischer Reglementierung: einfach, knapp, durchschaubar, der Fassungskraft der Gläubigen angepaßte Belehrung. Liturgie als Glaubensschule nach der pädagogischen Strategie »Du sollst nicht merken...«.

Die Absage der konziliaren »Versammlung von Junggesellen« an alles Weiblich-Sinnliche ist asketisch-männlich-gründlich und auf der Höhe des Zeitgeistes. In der christ-katholischen Welt hatten sich im religiösen Leben Nischen einer sinnlichen Kultur erhalten. Gründlich räumt das Konzil diese »heidnischen« Nischen aus. 450 Jahre nach Wittenberg opfert Rom das Wechselspiel zwischen sinnlich-unmittelbaren Symbolen und sinnlich-symbolischen Interaktionsformen männlich patriarchalem Rationalismus und Indoktrination. Mit der weitgehenden Ausschaltung der Symbole verändern sich Sprache und Bewußtsein. Sie verlieren ihre transzendierende Kraft, »sie verschieben sich in Richtung auf technische Verfügbarkeit, Kalkulation, Buchhaltung«.[17] Logozentrische Religion wird gegen »befreite Subjektivität« gesetzt, die sich gesellschaftlich verordneter Logik entziehen und Autonomieräume eröffnen könnte. Aus der Sozialisationstheorie wissen wir, daß die Persönlichkeitskräfte, die gegen allfällige Verfügungen aktivierbar sind, um symbolisch-sinnliche Interaktionsformen zentriert sind. Eine Bewegung weg von allein logozentrischer Ausrichtung hin zu größerer sinnlicher Autonomie – wie sie z. B. Teile der feministischen Theologie versuchen – könnte Voraussetzungen zu höheren Entfaltungsmöglichkeiten individueller wie kollektiver Existenz schaffen. Dem aber arbeitet die Konzilstrategie gezielt entgegen. Ihre Umstrukturierung religiöser Formen, die Curricularisierung von Symbolen, Mythen und Ritualen zielt auf einen Typ des Gläubigen, der an dem Bild ausgerichtet ist, das in unserer Gesellschaft vom männlichen Mann herrscht. Dieser Typus besitzt keine äußeren und inneren Bilder mehr, über die er sich selbst und andere verstehen könnte, die ihn daran erinnern könnten, wie Leben auch sein kann. Seine Religion wird zur Technik, abstrakt, ohne Anschaulichkeit, monologisch, didaktisch durchstrukturiert, ein Formalismus ohne lebendige Form, phantasie- und emotionslos, kurz: männisch. Sozialisationsziel ist der allseits fungible, gleichgültigbrauchbare, durchsystematisiert-folgenlose Glaube neuer Art. Rational und zugleich reflexionsunfähig, weltanschaulich standardisiert, abgesichert gegen alle Irritationen, von denen Transformationen der Lebenspraxis ausgehen und ein kritisches Bewußtsein entstehen könnte.

Ich komme zum Schluß: Neue Formen des Zusammenlebens von Menschen, des Verständnisses von Mann-Sein (und Frau-Sein) können nur in bewußter und aktiver Auseinandersetzung mit der Geschlechtsrolle und den gesellschaftlichen Institutionen, die an ihrer Bewahrung interessiert sind, entwickelt werden. Dabei dürfen gesellschaftliche Verhältnisse nicht personalisiert werden, sonst kann – in Wiederholung bestimmter Trends der Frauenbewegung – neue Männlichkeit nur unter Männern entwickelt und letztlich auch nur mit ihnen gelebt werden. Mann rückt dabei unter veränderten Vorzeichen wieder auf Kosten der Frau in den Vordergrund des Interesses und alles beginnt von vorn. Von der Frauenbewegung können Männer m. E. etwas Wichtiges lernen: Viele Frauen wollen nicht nur den gleichen Anteil vom ganzen Kuchen, sie ahnen vielmehr, daß noch ganz andere Kuchen gebacken werden können als die derzeitigen.

Die Überwindung schlechter Verhältnisse setzt voraus, daß man sie mit Bewußtsein durchschaut. Eine Analyse der objektiven gesellschaftlichen Strukturen allein ist nicht hinreichend, sie muß sich vielmehr auch gegenüber den »inneren Verhältnissen« in den Individuen bewähren. Eine Untersuchung der objektiven strukturellen Bedingungen der Deformationen des Mannes erfordert auch die genaue Kenntnis des subjektiven Gefüges, macht die Analyse der Rolle von Religion in diesem Gefüge erforderlich. Denn, Religion ist auf vielfältige Weise am Prozeß des Zustandekommens von lebensbedrohender »Männlichkeit« beteiligt, weshalb nach wie vor »... die Kritik der Religion... die Voraussetzung aller Kritik« (K. Marx) ist.

Anmerkungen

1 Was U. Scheu für Frauensozialisation formuliert, gilt auch für die Sozialisationsprozesse von Männern: U. Scheu, Wir werden nicht als Mädchen geboren – wir werden dazu gemacht. Zur frühkindlichen Erziehung in unserer Gesellschaft, Frankfurt 1977. Vgl. dazu auch H. Bilden, Das unhistorische Subjekt, Weinheim 1978. – C. Hagemann-White, Sozialisation: Weiblich – männlich?, Opladen 1984.
2 Vgl. J. Money/A. Ehrhard, Männlich – weiblich, Reinbek 1979 .– T. Kürthly, Geschlechtsspezifische Sozialisation, 2 Bde., Paderborn 1978. – U. Lehr, Die Rolle der Mutter in der Sozialisation des Kindes, Darmstadt 1974.
3 Vgl. E. E. Maccoby/C. N. Jacklin, The psychological sex differences, Stanford 1974. – B. Bierhoff-Alfermann, Psychologie der Geschlechtsunterschiede, Köln 1977. – E. Kloehn, Typisch weiblich? Typisch männlich?, Hamburg 1979.
4 Ch. Wolff, Bisexualität, Frankfurt 1979; vgl. auch H. Kentler, Die Menschlichkeit der Sexualität, München 1983.
5 Vgl. etwa D. Bakan, The duality of human existence, Chicago 1966. – J. Bernard, Models for the relationships between the world of woman und the world of men, in:

L. Kriesberger (Ed.), Research in social movements, conflicts and change, Greenwich 1978, S. 291 ff.

6 Vgl. H. Kentler, Sexualität und Sozialität, in: ders. (Hg.), Texte zur Sozio-Sexualität, Opladen 1973, S. 13 ff. – V. E. Pilgrim, Manifest für den freien Mann (eine um »Manifest 1983« ergänzte Ausgabe von »Manifest 1977«, Reinbek 1983). – A. Mend/ V. E. Pilgrim, Das Paradies der Väter, Weinheim 1980.

7 W. H. Masters/V. Johnson,: Homosexuality in perspective. Boston 1979; vgl. auch V. E. Pilgrim a. a. O. (1983).

8 M. Daly, Jenseits von Gottvater, Sohn & Co (1973), München 1980, S. 33.

9 E. Sorge, Religion und Frau. Weibliche Spiritualität im Christentum, Stuttgart 1985, S. 82.

10 D. Savramis, Religion und Sexualität, München 1972.

11 S. H. Pfürtner, Kirche und Sexualität, Reinbek 1972. – J. Lott, Sexualität, in: Handbuch religiöser Erziehung, hg. von W. Böcker u. a., Düsseldorf 1986.

12 Vgl. z. B. K. Theweleit, Männerphantasien, 2 Bde., Frankfurt 1977.

13 Vgl. R. zur Lippe, Am eigenen Leibe. Zur Ökonomie des Lebens, Frankfurt 1978. – L. Boltanski, Die soziale Verwendung des Körpers, in: D. Kamper/V. Rittner (Hg.), Zur Geschichte des Körpers, München 1976, S. 138 ff.

14 Vgl. etwa M. F. Fasteau, Die Männlichkeitsmaschine, in: Die Harten und die Zarten. Das neue Verhältnis zwischen den Geschlechtern, Weinheim 1983, 2. Aufl. (Sonderheft der Psychologie heute – ›Redaktion).

15 Vgl. D. Sölle: Über die Unterdrückung des Mannes. In: Der Mann. Almanach 11 für Literatur und Theologie. Wuppertal 1977, S. 9–15.

16 A. Lorenzer, Das Konzil der Buchhalter. Die Zerstörung der Sinnlichkeit. Eine Religionskritik, Frankfurt 1981; besonders kritisch S. 179 ff.

17 A. Lorenzer, a. a. O., S. 245.

JOACHIM SCHARFENBERG

DAS »ALLGEMEINE« UND DAS »PERSÖNLICHE« IN DER PRAKTISCHEN THEOLOGIE

Gedanken über eine psychohistorische Betrachtungsweise »nach Auschwitz«

»Wie kann der christliche Glaube lebenspraktische Bedeutung gewinnen?« Über diese Frage denkt der Praktische Theologe unablässig nach. Er befindet sich dabei oft in einem merkwürdigen Gegensatz zu seinen exegetisch und historisch ausgerichteten Kollegen, weil er sich ständig in die Rolle gedrängt fühlt, den »garstigen Graben«, den sie eifrig aufzureißen bemüht sind, genauso eifrig wieder zuzuschütten und damit Theologiestudenten in eine geradezu schizophrene Existenz hinein zu manipulieren oder es ihnen wenigstens unendlich zu erschweren, die Integrationsaufgabe der verschiedenen theologischen Disziplinen in eine theologische Identität hinein zu vollbringen. Manchmal frage ich mich sogar, ob nicht der Rückzug auf unser spezielles Fachgebiet auch die Funktion haben könnte, den Mangel einer solchen theologischen Identität, die vor Jahrzehnten noch die Zugehörigkeit zu einer theologischen Schule garantierte, zu überdecken. Wenn aber unser Wandel im Himmel sein soll, wenn unsere Lebenspraxis dem Leben Jesu anverwandelt werden soll, wenn die Aufgabe der praktischen Theologie (oder der Theologie überhaupt?) darin bestehen soll, den Lebensweg Jesu für uns »begehbar« zu machen: welche wissenschaftlichen Konzepte könnten uns helfen, dieser Aufgabe besser gerecht zu werden?

Vor wenig mehr als einem Jahrzehnt hat uns Gert Otto noch sehr geholfen mit der griffigen Formel von der Praktischen Theologie als einer »kritischen Theorie religiös vermittelter Praxis in Kirche und Gesellschaft«. Allein zu einer Team-Arbeit aller theologischen Disziplinen an einem solchen »Projekt« ist es nie gekommen, und die drängenden Fragen seitens der Studenten und der Gemeindemitglieder nach einem »persönlichen Glauben« wurden immer dringlicher bis an die Grenzen von kirchenspaltenden Tendenzen. Besteht der »garstige Graben« heute vielleicht nicht mehr sosehr im Gegensatz zwischen dem »Einst« und dem »Jetzt« als vielmehr zwischen dem »Allgemeinen« im Einst und Jetzt, das sich zur Not noch durch gesellschaftspolitische Theorien überbrücken ließe, und dem »Persönlichen«, das die Formel von den »zufälligen Geschichtsereignissen« und den »ewigen Vernunftwahrheiten« nicht mehr zu lösen vermag?

Hier könnte die Beachtung einer grundsätzlichen Wandlung im methodologischen Bewußtsein der Geschichtswissenschaft in Gestalt einiger ihrer Vertreter vielleicht hilfreich sein.

Seit Wilhelm Dilthey haben die Historiker gewußt, oder sollten es wissen, daß »die äußere Organisation der Gesellschaft in den Verbänden der Familie, der Gemeinden, der Kirche, des Staates aus dem lebendigen Zusammenhang der Menschenseele hervorgegangen sind, so können sie schließlich auch nur aus diesem verstanden werden. Psychische Tatsachen bilden ihren wichtigsten Bestandteil, ohne psychische Analyse können sie also nicht eingesehen werden«[1]. Allein Dilthey ging von zwei Grundvoraussetzungen aus, die in der Folgezeit problematisiert werden sollten: Einmal von der Überzeugung einer zu allen Zeiten und an allen Orten gleichen Menschennatur, für deren Verstehen er zum anderen das »einfühlende Verstehen«, für das er selbst eine Hermeneutik entwarf, als völlig ausreichend ansah. Das »Erklären«, das heißt die Rückführung auf Naturgesetze, die kausal wirken, lieferte er den Naturwissenschaften aus und trennte sie streng von den Geisteswissenschaften. Wir können aber heute schwerlich die Grundannahme von einer prinzipiellen Gleichheit der Menschennatur an allen Orten und zu allen Zeiten nachvollziehen, und gerade die Frage nach der Wechselwirkung von gesellschaftlichen Veränderungen und psychischer Struktur ist in den Mittelpunkt des Interesses getreten. Auch die Vorstellung eines auf Hermeneutik gegründeten »einfühlenden Verstehens« als dem einzigen Mittel der Menschenerkenntnis hat sich nicht durchsetzen können. Schließlich stehen wir in allen Bereichen wissenschaftlicher Erkenntnis vor der Einsicht, daß die klare Scheidung zwischen Naturwissenschaft und Geisteswissenschaft, so bestechend sie auch wirken mußte und so unermeßliche »Fortschritte« sie auch gezeitigt hat, heute an allen Fronten an ihre Grenzen gestoßen ist. In den Humanwissenschaften scheint man sich – wie Jürgen Körner mit wünschenswerter Klarheit ausführt – darauf geeinigt zu haben, daß wir über menschliche Tätigkeiten nur in zwei verschiedenen Sprachen sprechen können:

» – Zum einen sprechen wir von kausalen Ursachen, von Determinismus und Voraussagbarkeit, und wir meinen das Verhalten eines Menschen.

– Zum anderen sprechen wir von Beweggründen, denen Menschen folgen können, deren Voraussage nur unter eingeschränkten Bedingungen möglich ist, und wir meinen das Handeln eines Menschen«.[2]

Diese Unterscheidung von Verhalten und Handeln scheint sich auch in der Geschichtswissenschaft eingebürgert zu haben, wo sich die Erkenntnis durchsetzt, daß Handeln kein »unmittelbarer Naturablauf ist; wo Handeln ist, ist auch Reflexion und damit die Möglichkeit, sich so oder anders zu bestimmen. Die Wirklichkeit des Handelns impliziert die Möglichkeit anders zu handeln; ein Satz, der nichts anderes besagt, als daß Handeln schon seinem Begriff nach immer motiviert, niemals aber im Sinne eines bloßen Naturablaufes determiniert ist.«[3] Gegenstand der Historie ist also »nicht das an sich seiende unmittelbar Gewesene, sondern die in diesem Faktischen als ihrem gegenständlichen Resultat eingesargte Freiheit sich wissenden und motivierenden Handelns.«[4]

Was hat dies noch mit unserer Eingangsfrage zu tun, wie der christliche Glaube in der Gegenwart lebenspraktische Bedeutung gewinnen könne?

Der christliche Glaube ist uns auf keine andere Weise zugänglich als in seinen historischen Manifestationen, die es zu verstehen und zu interpretieren gilt. Die bisherigen und gegenwärtig noch gültigen Methoden historisch-kritischer Forschung haben jedoch die unbestreitbare Tendenz, diese Texte in eine weite, schwer zu überbrückende Ferne zu rücken, die in einem zweiten Schritt erst wieder als »persönliche Aneignung« zu bearbeiten wäre. Von einer psychohistorischen Betrachtungsweise wäre zu erwarten, daß sie »zweisprachig« ist, daß sie sowohl allgemeine Gesetzmäßigkeiten als auch das unverwechselbar Persönliche ihrer Gegenstände zur Sprache zu bringen vermag, und es ergibt sich von daher die Frage, welche dieser beiden »Sprachen« als das einem Praktischen Theologen angemessene Instrumentarium anzusehen ist, oder in welchem Mischungsverhältnis sie auftreten müssen, um geeignet zu sein, den »garstigen Graben« der Aufklärung, als deren Erben wir uns wohl oder übel zu verstehen haben, zu überwinden. Ich möchte das an zwei der bedeutendsten Vertreter der psychohistorischen Betrachtungsweise zu zeigen versuchen.

1) Auf den ersten Blick sieht es so aus, als ob Erik H. Erikson mit seiner psychohistorischen Betrachtungsweise, die er am Beispiel des jungen Mannes Luther exemplifiziert,[5] nichts anderes tut, als die individuelle Motivation eines »großen Mannes«, der Geschichte gemacht hat, mit Hilfe des »Allgemeinen« der psychoanalytischen Theoriebildung zu erklären. Bei näherem Hinsehen enthüllt sich jedoch ein unendlich komplexerer Vorgang, der sich keineswegs darauf beschränkt, das »Rätsel« eines geschichtlichen Vorganges dadurch zu lösen, daß er das zunächst Unbegreifliche (warum Luther so handeln mußte) durch Rückgriff auf das Bekannte, uns gesetzmäßig Erschlossene aufzulösen und zu erklären sucht. Er schließt vielmehr das historische Phänomen, den Lebenslauf Luthers, vermittels einer sinnstiftenden paradigmatischen Sichtweise seiner ganzen Epoche so mit der inneren Problematik des Psychohistorikers als dem Repräsentanten seiner Epoche zusammen, daß ein mehrgliedriger hermeneutischer Zirkel entsteht, der die symbolische Bearbeitung eines zeitgenössischen Konfliktes mit Hilfe des historischen Materials zuläßt. Wie kann diese komprimierte Behauptung im einzelnen belegt werden?

a) In Erikson's Sichtweise wird Luther nicht zum »großen Mann«, der aus rätselhaften Motiven heraus den Einflüssen seiner Umwelt die Stirn geboten hätte, sondern zum Repräsentanten und möglichen Vorläufer einer epochalen Geistigkeit, die wir uns angewöhnt haben als das Kennzeichen der »Neuzeit« anzusehen. Seine Biographie ist nicht nur »ein durch Geburt und Tod begrenzter Lebenslauf« sondern »ein erlebbarer Zusammenhang, der die Glieder des Lebenslaufes« verbindet, und zwar durch einen ›Sinn‹ verbindet«.[6] Dieser Sinn wird in der Freiheit gesehen, der »realen Möglichkeit, ich selbst zu sein – der eigentliche Sinn auch von Autonomie im Sinne Kants als Ausdruck meiner Identität als Vernunftwesen«.[7] Mit der Fokussierung der Biographie Luthers auf die Identitätsproblematik wird zugleich das Lebensgefühl des neuzeitlichen Menschen thematisiert, der sich aus den elterlichen Schutzmächten der Tradition herausarbeitet und in dessen Identitätskrise die Last und der Zwang der Vergangenheit geschichtsmächtig werden. Seine Mission wird durch den inneren Konflikt geprägt, bis die inneren Nöte im Dienst an der Gesellschaft und an der Kirche ihre Versöhnung finden. Sie sind getragen von der glühenden Sehnsucht nach Rechtfertigung im Sinne einer Anerkennung seines inneren Wertes und so zugleich Ursache für religiöse Bekehrung und Rebellion. Nach Erikson konnte Luther »Gott seine Vaterrolle verzeihen und ihm Rechtfertigung widerfahren lassen«.[8] Er löste damit in paradigmatischer Weise die religiösen und emotionalen Nöte seiner Zeit durch eigenen inneren Kampf.[9]

b) Aber Erikson sucht nicht nur nach der Regel, der das erklärungsbedürftige Ereignis Luther zu gehorchen scheint, seine Aufmerksamkeit gilt nicht nur dem Allgemeinen, in dem das Besondere des erwartungswidrigen Geschehnisses sich auflösen läßt; er sucht auch »die Besonderheit des Einzelfalles«, benennt gerade dasjenige, »was die zunächst unverstandene Lebensäußerung abhebt von dem schon gewußten, regulären«.[10] Er folgt damit den Regeln des hermeneutischen Verstehens, indem er seinen Gegenständen einen Sinn *für sich selbst* verleiht, den sie bislang nicht hatten; er stellt etwas Neues her und bringt sich selbst darin zur Geltung. Ein Blick auf die Biographie Eriksons läßt erkennen, daß die Fokussierung auf die Identitätsproblematik zugleich den eigenen inneren Konflikt zu bearbeiten versucht, sie ist introspektiv gewonnen.[11]

c) Was schützt aber den Historiker davor, daß er die eigene Problematik so unbewußt einfach in den Gegenstand der historischen Untersuchung hineinprojiziert? Nach Diltheys hermeneutischen Regeln lediglich das zirkuläre Hin- und Herschwingen zwischen dem sich selbst bewußt gemachten Vorverständnis und dem eigentlichen Gegenstand des Verstehens. Erikson selbst stößt überall da an die Grenzen der Regelhaftigkeit seines Verstehens, wo er, ohne es selbst zu merken, sogenannte »historische Fakten« unmerklich verzerrt, so daß Luthers Vater eher die

Züge eines typischen amerikanischen »Aufsteigers« annimmt als die eines mittelalterlichen Handwerkers und Unternehmers.[12] Allein, man muß sich deutlich zu machen versuchen, daß Erikson nicht in erster Linie daran interessiert ist, einen Beitrag dazu zu leisten, »wie es tatsächlich war«, sondern sich Luther als ein Paradigma für die Lösung eigener Konflikte sowie die Konflikte der ihm anbefohlenen jungen Menschen zu verstehen. Indem er sich Luther in seinen Texten, in seiner Geschichte, in seiner Biographie anzueignen versucht, betrachtet er ihn vorwiegend unter semantischem Aspekt oder – wenn man so will – als ein Symbol, das zur Bearbeitung zeitgenössischer Konflikte herangezogen wird. Er gerät damit in eine strukturelle Nähe zur Aufgabenstellung der Praktischen Theologie und einer ihr angemessenen wissenschaftlichen Einstellung ihren eigenen Quellen gegenüber. Freilich bleibt zunächst ungelöst die Frage nach einer kritischen Instanz, die die Angemessenheit eines solchen Unternehmens wiederum zu überprüfen in der Lage wäre. Doch wenden wir uns zunächst dem anderen Vertreter der psychohistorischen Betrachtungsweise zu.

2) Auch Lloyd deMause verfolgt die Methode einer Introspektion durch Identifikation und vice versa. Er will als Historiker seine »Fähigkeit zur gefühlsmäßigen Identifikation in wissenschaftlicher Weise im Forschungsprozeß anwenden«.[13] Der herkömmlichen Geschichtswissenschaft gegenüber als einer »narrativen Disziplin«, die darzustellen versucht, wie es gewesen ist, und dabei von der Annahme ausgeht, das Neugeborene bringe einen Geist als tabula rasa mit, wird mit Verve die Umkehrung dieser Sichtweise vertreten: Die Welt wird als tabula rasa angesehen und »jede neue Generation wird in eine Welt sinnloser Objekte hineingeboren, welche mit Sinn begabt werden müssen«.[14] Der Fokus der Aufmerksamkeit wird damit in die früheste Phase der menschlichen Entwicklung verlagert, in die intrauterine Existenz, aus der die Motive für die Sinnfindungsprozesse abgeleitet werden; denn die intrauterinen Erfahrungen sind furchterregend und katastrophal und »der Kampf um die Befreiung aus dem Schmerz verursachenden Mutterleib formt den Prototyp menschlicher Psychologie«.[15] Später formieren sich die Individuen zu Gruppen, um das Fötus-Drama zu wiederholen und zu bewältigen.[16] Doch die Geschichte der Kindheit ist nur als ein einziger »Alptraum« anzusehen (deMause bietet eine ausführliche Dokumentation von Kindesmißhandlungen durch alle Jahrhunderte der Geschichte hindurch!). Als Kompensation für die im Mutterleib erfahrene Unbill sucht der Mensch nicht primär nach Geld oder nach Macht, sondern nach Beziehung und Liebe. Das Movens der Geschichte ist nach deMause das Ausagieren von Gruppenphantasien, die sich auf Motivationen gründen, die aus der Evolution der Kindheit hervorgingen.

Leider fehlen mir die biographischen Einzelheiten zu deMause, um den hermeneutischen Zirkel in analoger Weise zu Erikson zu rekonstruieren. Ich muß mich auf einen einzigen Hinweis beschränken, der allerdings von größter Wichtigkeit und Tragweite sein könnte: Zur Charakterisierung der introspektiven Fähigkeiten des Psychohistorikers stößt deMause keineswegs wie Erikson auf den »Luther in uns«, sondern vielmehr auf den »Hitler in uns«.[17]

Dies heißt doch wohl, daß der Psychohistoriker unserer Tage sich in entscheidender Weise dazu herausgefordert sieht, seine Theorie und damit sein »Vorverständnis« einer Gegenwartslage anzupassen, die mit dem Stichwort »nach Auschwitz« eine Geschichtsperiodisierung vornimmt und nicht mehr meint, sich von der unmittelbaren geschichtlichen Vergangenheit am besten auf dem Wege der Verdrängung »befreien« zu können, wie dies hierzulande schon fast zur Gewohnheit geworden zu sein scheint.

Eriksons Fokussierung des Lutherbildes auf die Identitätsproblematik lebt von Freuds genialem Einfall, die Ontogenese und die Phylogenese in einer Weise zu parallelisieren, daß die kulturelle Bearbeitung eines Grundkonfliktes im Ödipus-Drama zum hermeneutischen Schlüssel für das Verständnis des neuzeitlichen Menschen werden konnte. Sie konnte sowohl in der eigenen Biographie, in der Biographie von »Patienten«, wie in der Biographie eines zum »Paradigma« erhobenen »großen Mannes« wiedergefunden werden. Dies konnte auf überzeugende Weise zu einem hermeneutischen Zirkel zusammengeschlossen und zum motivierenden Geschichtsprinzip erklärt werden.

Wie aber, wenn das unerwartete und unvermutete Hervorbrechen der schieren Barbarei in einer großen »Kulturnation« das Ende der Neuzeit mitsamt ihres noch stark vom Deutschen Idealismus geprägten Menschenbildes signalisierte? Den Psychohistoriker in seiner »Zweisprachigkeit« nötigen solche Überlegungen sowohl zur Änderung seiner psychologischen Theorie, die den Grundkonflikt nicht mehr sosehr im kulturell vermittelten Bezugsrahmen als vielmehr phylogenetisch und ontogenetisch früher in einem »Jenseits« der kulturellen Einflüsse ansiedelt und zu einer vertieften Selbstwahrnehmung des Psychohistorikers in Richtung auf den »Hitler in uns« anleitet. Es will mir deshalb nur konsequent erscheinen, wenn in den psychologischen Grundlagen der psychohistorischen Betrachtungsweise jene Phase der menschlichen Entwicklung ins Blickfeld gerät, die der kulturellen Bearbeitung des menschlichen Konfliktes vorausliegt, als das ungesteuerte Hervorbrechen von Narzißmus und narzißtischer Wut, das am Ende der Neuzeit mit Auschwitz geschichtlich manifest geworden ist,[18] und die vertiefte Selbstwahrnehmung des Psychohistorikers in Bereiche vorantreibt, die der kulturellen Wahrnehmung bisher verschlossen geblieben sind, weil sie an den Grenzen des menschlichen Erinnerungsvermögens liegen.

Doch kehren wir nach solchen etwas spekulativen Ausflügen in die
»Tiefen« der psychohistorischen Betrachtungsweise zu den Problemen
des Praktischen Theologen zurück! Dietrich Rössler hat soeben in bewun-
dernswerter Klarheit seine Aufgaben in dem dreifachen Aspekt der
Bezogenheit auf den einzelnen, die Kirche und die Gesellschaft beschrieben und mit großer integrativer Kraft sowohl historisch wie psycholo-
gisch begründet.[19] Allein das Buch mutet mich an wie eine letzte abschließende Zusammenfassung einer zu Ende gehenden Periode – eben des
neuzeitlichen Christentums – und entläßt mit der unruhig machenden
Frage: Wo liegen die Ansatzpunkte zu einer Erschließung der Zukunft,
die unsere unmittelbare Vergangenheit tatsächlich Vergangenheit sein
lassen kann, weil ihre inneren Konflikte ein Stück weit bearbeitet wurden?

Ich wünsche mir eine Praktische Theologie, die an der »Zweisprachigkeit« ihrer Theoriebildung festhält, die wissenschaftliche »Paradigmen«
entwirft, die das Allgemeine zu benennen vermögen, das die inneren
Konflikte des Menschen unserer Tage mit der in den Symbolen der
Überlieferung gespeicherten Weisheit zu verbinden vermöchte; zum
anderen aber auch Kunstregeln beachtet, die ein Verstehen der ganz
persönlichen Aspekte ermöglicht und so meine vertiefte Selbstwahrnehmung mit der Einfühlung in andere und dem »Neuen«, das im Verstehen
der alten Texte entstehen könnte, zu einem überzeugenden hermeneutischen Zirkel verbindet.[20] Es müßte eine Praktische Theologie sein, in der
der schwerpunktmäßige Gegensatz des individuellen, des kirchlichen
und des gesellschaftlichen Bezuges ihre Plausibilität verloren hat.

Um wenigstens die Richtung anzudeuten, in der eine solche Aufgabenstellung in Angriff zu nehmen wäre, möchte ich noch einmal das
Unbehagen artikulieren, mit dem der Praktische Theologe das Anliegen
der Psychohistorie aufnimmt, den Punkt zu bezeichnen versuchen, an
dem er einen anderen Weg einschlägt und dies abschließend an einer
Fallgeschichte erläutern.

Wir hatten bewußt die Frage nach den Kriterien einer Falsifizierung
oder Verifizierung der Fokusbildung in der psychohistorischen Betrachtungsweise ausgeklammert. Im Falle Eriksons läßt sich die Konzentration
auf die Identitätsproblematik als zentralem Ausdruck des typisch neuzeitlichen Selbstverständnisses ohne weiteres nachvollziehen. Sie hat ja
auch inzwischen gleichsam ihre systematische und praktisch-theologische Bestätigung gefunden.[21]

Anders jedoch bei deMause: Zwar läßt sich das Phänomen kollektiver
Größenphantasien mit den Stichworten »Narzißmus und narzißtische
Wut« benennen und die Forderung festhalten, daß derartige Phänomene
nur »verstanden« werden können im qualifizierten Sinn, wenn wir uns
dem »Hitler in uns« stellen; aber warum der intrauterine Zustand primär

nicht als Stadium höchster Seligkeit, sondern als ein Ort des Grauens angesehen werden solle, das entzieht sich beharrlich jeder wissenschaftlichen Überprüfbarkeit.[22]

Es scheint sich nun gegenwärtig immer stärker die Einsicht durchzusetzen, daß die vorwissenschaftlich-mythologische Betrachtungsweise der kurzen Periode einer wissenschaftlichen Welt- und Menschensicht nicht nur historisch »voraus« liegt (»Das Kind ist der Vater des Mannes«), sondern auch aus den tieferen Schichten von Ablagerungen unserer individuellen Entwicklungsgeschichte abrufbar ist. Im Falle Freuds war es der Rückgriff auf das tragische Menschenverständnis der Antike, das ihn das Ödipus-Drama zum Fokus seines Menschen-, Selbst- und Geschichtsverständnisses werden ließ. Für Erikson lassen sich auch noch so etwas wie »lutherische Wurzeln« in Gestalt seines nur schattenhaft vorhandenen leiblichen dänischen Vaters vermuten, die ihn unbewußt motiviert haben könnten, sich später Luther als den Repräsentanten der typisch neuzeitlichen Identitätskrise auszuwählen. Bei deMause bin ich, wie gesagt, auf Vermutungen angewiesen: Ich könnte mir jedoch vorstellen, daß ein post-neuzeitlicher Mensch, der in seiner Identität auf das Schwerste erschüttert ist, die Notwendigkeit den »Hitler in sich« selbst finden zu müssen, nur zwei Möglichkeiten sieht: Entweder sich der unstrukturierten Barbarei in sich selbst in ungezügeltem Narzißmus anheim zu geben oder sich nach Symbolen umzusehen, an denen sich ein ganz persönlicher Glaube festmachen kann, der trotz allen Sinnlosigkeiten sich an der Gewißheit einer guten Schöpfung und eines sinnvollen Leidens halten kann. Ich hege nun gegen mich den bestimmten Verdacht, daß mein Unbehagen an der Vorstellung von der intrauterinen Frühzeit als Chaos im Tiefsten geprägt ist von den Erfahrungen, die ich ganz persönlich mit dem Verstehen zweier Symbolgeschichten gemacht habe: der Erzählung von Schöpfung, Paradies und Sündenfall einerseits und der Erzählung von der Gottverlassenheit des Gekreuzigten andererseits (um nur zwei Brennpunkte meiner »Lebensgewißheit«[23] zu benennen). Nur im Schutze dieser Symbolgeschichten vermag ich mich der Aufgabe zu stellen, den »Hitler in mir« zu entdecken und mit Hilfe des »Neuen«, das diese Geschichten angesichts einer solchen schier übermenschlichen Aufgabe aus sich entlassen, zu bearbeiten.

Dies scheint sich auch in der praktischen Seelsorge und Therapie zu bestätigen: Ich betreue zur Zeit einen 40jährigen Mann, der sein Leben in einer fieberhaften und asketischen Arbeitswut zu verbringen scheint, aber alle »menschlichen« Qualitäten wie Engagement für eine Idee, sinnvolle Gestaltung von Beziehungen oder auch die »generative Funktion« daraus entfernt hat.[24] Es fiel nicht so schwer, das »Allgemeine« an dieser Biographie zu erkennen und zu benennen: Es bestand in der unbewußten Identifikation mit einem ins Grandiose verzerrten Vater, der als »toter Held« nur in Gestalt eines »Portraits über dem Klavier« gegenwärtig war, in Wahrheit jedoch als Anhänger der Nazi-Ideologie gelebt und als Aufseher in einem KZ 1945 ums Leben gekommen war. Zu einer persönlichen Lebenshilfe konnten diese Einsichten jedoch erst in der Solidarität der gemeinsamen Entdeckung des »Hitler in uns« werden, die nur im Schutze der großen Symbole eines persönlichen religiösen Glaubens aufgesucht, trotz allem sinnvoll verstanden und bearbeitet werden konnten.

Ich wünsche mir eine Praktische Theologie, die in ihrer prinzipiellen Zweisprachigkeit auch in ihrer Theoriebildung bis in diese Dimensionen vorzudringen vermag, und sehe darin die letzte und tiefste Herausforderung durch eine psychohistorische Betrachtungsweise.

Anmerkungen

1 Wilhelm Dilthey, Gesammelte Schriften, Bd. V, 1. Hälfte, Göttingen[2] 1957, S. 147f.
2 Jürgen Körner, Vom Erklären zum Verstehen in der Psychoanalyse, Göttingen 1985, S. 39.
3 Erich Heintel, »Wie es eigentlich gewesen ist«, Ein geschichtsphilosophischer Beitrag zum Problem der Methode der Historie; in: Erkenntnis und Verantwortung, Festschrift für Theodor Litt, Düsseldorf 1960, S. 224.
4 A. a. O., S. 226.
5 Erik H. Erikson, Young man Luther: a study in psychoanalysis and history, New York[2] 1958 (deutsch: Der junge Mann Luther, Frankfurt/M. 1975).
6 Jürgen Habermas, Erkenntnis und Interesse, Frankfurt/M. 1968, S. 191.
7 W. Pannenberg, Anthropologie in theologischer Perspektive, Göttingen 1983, S. 233.
8 Erikson, a. a. O., S. 213.
9 A.a.O., S. 15.
10 Vgl. Jürgen Körner, A. a. O., S. 16f.
11 Vgl. Erik H. Erikson, Autobiographisches zur Identitätskrise; in: Psyche, 27, 1973, S. 793–831.
12 Hier setzt dann auch der Protest der Historiker »vom Fach« ein, die von diesem Gesichtspunkt aus die gesamte psychohistorische Betrachtungsweise aus den Angeln zu heben versuchen (vgl. hierzu auch: J. Scharfenberg, Luther in psychohistorischer Sicht; in: Wege zum Menschen, 37 , 1985, S. 15–27).
13 Lloyd deMause, Foundations of psychohistory, New York 1982, S. 102 (deutsch: Grundlagen der Psychohistorie, Frankfurt/M. 1983).
14 A. a. O., S. 63.
15 A. a. O., S. 256.
16 A. a. O., S. 261.
17 A. a. O., S. I.
18 Vgl. zu diesen Veränderungen der psychologischen Grundlagen vor allem: H. Kohut, Narzißmus, Frankfurt/M. 1974.
19 Dietrich Rössler, Grundriß der Praktischen Theologie, Berlin 1986.
20 Vgl. zu diesen Zusammenhängen: J. Scharfenberg, Einführung in die Pastoralpsychologie, Göttingen 1985 (UTB 1382), S. 223ff.

21 So bei Pannenberg, a. a. O., S. 75 ff.
22 Das sieht wohl auch deMause selber. Vgl.: Lloyd deMause, The fetal origins of history; in: The Journal of Psychohistory, Bd. 9, Nr. 1, 1981, S. 1–89.
23 Vgl. Rössler, a. a. O., S. 188 ff.
24 Ich teile diese und das Folgende nur mit ausdrücklicher Genehmigung des Klienten mit.

IV
Beruf und Religion

»Nein, solange Welt so ist, *muß* Kirche, müssen *wir* in der Kirche uns anders verstehen. Kirche ist der Ort in der Welt, an dem der *Motor*, der *Beweger* in Gang gehalten werden muß. Motor, Beweger wofür? Für menschlicheres Leben, für etwas so Elementares wie ein bißchen weniger Angst und Not und ein bißchen mehr Glück für *alle* Menschen. Kirche muß, so verstanden, ein *unruhiger* Ort sein, denn es gibt zu viel, was unerledigt ist, obwohl es mancher gern ablegen würde. Kirche ist nicht ruhige Heimat, sondern unruhige Durchgangsstation.« (Gert Otto, Kirche und Theologie, Hamburg 1971, S. 76)

MANFRED JOSUTTIS

DAS HEILIGE LEBEN

»Religion und Biographie« prallen im Leben des Pfarrers/der Pfarrerin
aufeinander, manchmal mit Folgen, die für die religiösen Repräsentanten
wie für die religiöse Gemeinschaft gleichermaßen beschwerlich sind. Für
den Protestantismus konzentrieren sich diese Konflikte im Pfarrhaus, das
in den beiden letzten Jahrzehnten dramatische Veränderungen im Lebensstil seiner Bewohner gesehen hat. Zunächst wurden auch sie erfaßt
von der allgemeinen Tendenz zur Liberalisierung sexualethischer Normen. Pfarrerinnen sind eingezogen, Pfarrfrauen haben sich selbständig
gemacht, Pfarrerehen sind zerbrochen, Paare ohne Trauschein, Homosexuelle sogar wollen darin gemeinsam leben. Zunehmend zeichnet sich
jetzt ein Gegentrend ab.

Der Arbeitsmangel wird dazu führen, daß männliche Theologen gegenüber den Frauen bei der Pfarrerwahl bevorzugt werden, daß die Zahl
der richtigen, weil nicht berufstätigen Pfarrfrauen steigen wird und daß
sich die Diskussion über alternative Lebensformen im Pfarrhaus von
selbst erledigt.

Das Erstaunliche und auch wieder Selbstverständliche an diesen Veränderungen ist, daß sie sich in beiden Richtungen nicht als Ergebnis
theologischer Reflexionen oder kirchlicher Frömmigkeitsbewegungen
vollzogen haben, sondern als Reflex auf gesellschaftliche Entwicklungen,
speziell im Zusammenhang mit der Lage am Arbeitsmarkt. Die leidenschaftliche Diskussion um die Pfarrerin brach abrupt ab, als nicht genügend männliche Bewerber für den Beruf zur Verfügung standen.[1] Sie ist
zwar auch heute, zur Zeit der »Theologenschwemme«, noch weiterhin
tabuisiert; aber die Regelungen in den einzelnen Landeskirchen werden
häufig dazu führen, daß Frauen trotz der offiziell proklamierten Gleich-
berechtigung auch in der Kirche geringere Beschäftigungschancen haben.

Arbeitslosigkeit dient also auch hier zur Wiederherstellung ordentli-
cher Verhältnisse. Das Disziplinierungsmittel kann aber auch zum Inter-
pretationsinstrument werden, weil sich in der Krisensituation lange Zeit
verdeckt gebliebene Forderungen und Wünsche an die religiösen Repräsentanten wieder ans Licht wagen. Die Verquickung von Markt und
Moral legt jene Vorstellungen vom heiligen Leben frei, die das Verhältnis
von Religion und Biographie in der Existenz des Pfarrers/der Pfarrerin
prägen, die zum Berufsrisiko gehören und deren innere Verarbeitung
lebenslange Aufgabe bleibt. In den folgenden Überlegungen soll es

darum gehen, einige Gesichtspunkte zur Begründung, zur inhaltlichen
Füllung und zur Wandelbarkeit dessen, was hier »heiliges Leben« genannt wird, in der gebotenen Kürze zu skizzieren.

I

Wer die Bedeutung dieser in der Kirchengemeinde wie in der Öffentlichkeit vorhandenen Vorstellungen vom heiligen Leben angemessen ein-
schätzen will, muß sie im Rahmen der Forderungen an den religiösen
Beruf insgesamt verstehen. Der Pfarrer/die Pfarrerin ist darin mit anderen
Figuren der Religionsgeschichte vergleichbar, daß auch zu seiner Arbeit
eine dreifache Aufgabe gehört:

– er/sie vollzieht die heiligen Riten,[2]
– er/sie erzählt die heiligen Mythen,
– er/sie führt das heilige Leben.

Die Lebensführung des Amtsträgers ist demnach konstitutiver Bestandteil seines Amtes. Was dogmatische Konzeptionen postulieren und kirchliche Dienstanweisungen festschreiben, nämlich die Übereinstimmung
von Lehre und Leben, läßt sich auch religionsphänomenologisch verifizieren. Im religiösen Beruf erfolgt die Darstellung des wahren Lebens.
Insofern ist es nichts Außergewöhnliches, daß soziale Erwartungen und
Zwänge auch das Leben des protestantischen Amtsträgers bis in seine
Familienbeziehungen hinein determinieren. Wer diesen Beruf ergreift,
läßt sich nicht einfach auf einen Job ein, den man nach Feierabend
vergessen kann, sondern begibt sich in den Wirkungsbereich eines
Gesetzes, das unter Umständen zerstörerische Kraft über das eigene
Leben gewinnen kann. Das Heilige fordert ein heiliges Leben. Religion ist
kein Konsumartikel, Religion kostet die eigene Person. Als »heilig« kann
ein vom religiösen Beruf erwartetes Leben dann bezeichnet werden,
wenn es ihn von den anderen Mitgliedern der religiösen Gemeinschaft
unterscheidet und in den zentralen Symbolen des religiösen Systems
verankert ist.

In der Darstellung des heiligen Lebens zeigt der Pfarrer/die Pfarrerin,
daß er/sie zum Vollzug der heiligen Riten und zur Weitergabe der heiligen
Mythen bevollmächtigt ist. Man ist als Theologe immer wieder verwun-
dert, wie ungebrochen, ja wie naiv die Erwartungen an die besondere
Lebensführung des Amtsträgers ausgedrückt werden kann. Umso wichtiger ist es, diese Erwartungen nicht einfach abzuwehren, weil sie erhebliche Ansprüche an die eigene Person anmelden, sondern in ihrer inneren
Struktur und in ihrem sachlichen Recht wahrzunehmen. Der Pfarrer/die
Pfarrerin soll tun, was er/sie sagt. Er/sie wird dafür bezahlt, daß er/sie so

lebt, wie man leben soll und wie die anderen aus verschiedenen Gründen nicht leben wollen oder nicht leben können. Damit demonstriert er/sie die Lebensfähigkeit der Religion. Damit zahlt er/sie den Preis für das Privileg, für den Dienst am Heiligen gesellschaftlich freigestellt zu sein. Damit erweist er/sie aber auch die eigene Vollmacht, die er/sie für den Vollzug der heiligen Handlungen und die Weitergabe der heiligen Geschichten benötigt. Natürlich wird auf diesem Hintergrund deutlich, daß viele theologische Distinktionen etwa der Sakraments- und Rechtfertigungslehre nicht nur der Vergewisserung der Verkündigung dienen, sondern auch als Schutzmaßnahmen der kirchlichen Amtsträger, als Versuche der Selbstentlastung, zu interpretieren sind.

Wenn der vorausgesetzte Zusammenhang zwischen heiligen Riten, heiligen Mythen und dem heiligen Leben zutrifft, dann ist die Person des Pfarrers/der Pfarrerin zugleich auch Indikator für das, was in der protestantischen Religiosität als Bestandteil des heiligen Lebens akzeptabel ist. Man kann es ganz simpel ausdrücken: Gut ist das, was der Pfarrer/die Pfarrerin tun darf, böse das, was er/sie auf keinen Fall praktizieren darf. Homosexualität z. B. gilt für die theologische Ethik, aber auch für kirchliche Verlautbarungen kaum noch als »Sünde« oder als »Perversion«; dennoch will die Kirche verhindern, daß der Pfarrer, wie es die VELKD ausgedrückt hat, zum »Wegweiser in die Homosexualität«[3] wird. Hier wie auch am Beispiel der sogenannten »Ehen ohne Trauschein« zeigt sich das Dilemma der Kirche in der Gegenwart. Sie kann solche Lebensformen nicht mehr eindeutig verurteilen, sie kann sie aber auch noch nicht für die kirchlichen Amtsträger freigeben. Wobei aber auf jeden Fall deutlich ist: Erst die Duldung in der Lebenspraxis des Pfarrers/der Pfarrerin würde die ethische Legitimation solcher Lebensformen für den kirchlichen Raum ausdrücken. Was sie bei ihren Gemeindemitgliedern inzwischen zu tolerieren gezwungen ist, sucht sie dort, wo sie die ökonomische und bürokratische Macht besitzt, mit allen Mitteln zu verhindern, so daß man zwei Arten kirchlicher Integration problematischer Phänomene unterscheiden kann. Die einen, die früher vielleicht Objekte von Verfolgung und Unterdrückung gewesen sind, sind heute zu Objekten von Betreuung und Beratung geworden. Wirklich akzeptiert ist aber in der Kirche nur das, was beim Subjekt der Verkündigung zugelassen ist.

Das heilige Leben, dessen Normen sich nach den Gesetzen des Arbeitsmarktes gegenwärtig verschärfen, steht gleichwohl zu den Lebensbedingungen in der kapitalistischen Gesellschaft in einem relativen Widerspruch. Die erzwungene Einheit von Beruf und Privatsphäre, die das Pfarrerdasein bestimmt, ist zugleich archaisches Relikt und humane Utopie in einer Gesellschaft, in der ansonsten die strikte Trennung beider Bereiche herrscht. Die gesellschaftliche Aufspaltung von Arbeit und

Freizeit, von Beruf und Familie ist hier immer noch nicht total vollzogen, und viele Bewohner des Pfarrhauses leiden darunter. Im heiligen Leben geht es um die Darstellung der Einheit des Lebens, das ist der Fortschrittsaspekt, der das Pfarrerdasein enthält. Aber diese Einheit steht gegenwärtig unter dem Vorzeichen der Erwartung, des Zwangs, des Gesetzes. Diese Mischung von Freiheitsmöglichkeit und Unfreiheitsrealität muß ein Leben lang innerlich ausbalanciert werden. Warum das beschwerlich ist, kann deutlicher werden, wenn man nach den Inhalten des heiligen Lebens fragt.

II

Daß sich die Problematik der pastoralen Existenz gegenwärtig so stark im Zusammenhang sexualethischer Fragestellungen aufdrängt, ist sicher kein Zufall. Denn das heilige Leben hat sich an den Konfliktzonen des menschlichen Daseins zu bewähren, und das heißt auch: bei der sozialen Gestaltung der Triebe.

Gewiß ist es nicht ausschließlich auf diesen Bereich beschränkt. Im heiligen Leben soll auch die repräsentative Bewältigung narzißtischer Konfliktkonstellationen[4] gelingen. Das Verhältnis von Macht, Allmacht und Ohnmacht, die Polarität von Einheit und Andersheit spielen deshalb für den religiösen Beruf immer eine konstitutive Rolle. Ebenso bedeutsam sind diejenigen Aspekte, die sich aus der Entwicklung der Ich-Identität[5] ergeben, also die Beziehung von Individuum und Gemeinschaft, von Emotionalität und Rationalität. Aber insofern die Triebe die reale Ermöglichung und die reale Bedrohung jeder Menschengemeinschaft bilden, gehört zur grundlegenden Aufgabe des heiligen Lebens die Darstellung ihrer in der Religion fundierten sozialen Gestaltung. Daß der Lebensvollzug des christlichen Glaubens durch die Liebe bestimmt sein soll, schließt in schwer zu bestimmender Weise sowohl den Verzicht auf das Ausagieren von Aggressivität als auch das Postulat einer Sublimierung von Sexualität ein.

Die allgemeine Annahme freilich, daß es bei der sozialen Gestaltung der Triebe im Rahmen des heiligen Lebens vorrangig oder ausschließlich um ethische Aufgaben geht, dürfte schon eine erhebliche Problemreduzierung bedeuten. Denn auch wenn man hier wie in anderen Fällen in der Art ethischer Reflexion nach den Motiven und Folgen einzelner Handlungsformen fragt, erfolgt die Bewertung solcher Verhaltensformen mindestens bei der religiösen Figur immer auch im Zusammenhang mit speziell religiösen Vorstellungen, vornehmlich im Zusammenhang mit Gottesbildern. Die problematische Kalkulation über die moralische Qualität menschlichen Handelns ist eingebettet in den universalen Horizont einer Gottes- und Weltanschauung. Gut und infolgedessen in das heilige Leben integrierbar sind nur jene menschlichen Handlungsformen, die dem Handeln Gottes direkt oder indirekt entsprechen.

Das gilt, wie die folgenden Varianten zeigen, nicht zuletzt für die sexuelle Praxis des religiösen Berufs. Der Priester/die Priesterin vollzieht sexuelle Handlungen innerhalb des Kults, wenn in die zentralen Gottesvorstellungen der religiösen Gemeinschaft sexuelle Praxis einbezogen ist. Ihm/ihr sind sexuelle Handlungen außerhalb des Kultus gestattet, wenn die Gottesvorstellungen keine sexuelle Praxis enthalten, aber der Übergang in den Kult durch Reinigungsprozeduren gesichert wird, wie das im alttestamentlichen Priestertum der Fall war. Dem Priester ist keine sexuelle Praxis gestattet, wenn er einen asexuellen Gott der Gemeinde gegenüber repräsentiert; als Beispiel dafür kann man die römisch-katholische Lösung anführen. Dem Pfarrer/der Pfarrerin ist sexuelle Praxis außerhalb des Kults gestattet, weil er seine besondere Stellung gegenüber der Gemeinde verloren hat und sofern er die Normen der die Religion tragenden Schicht, beim Protestantismus also die des Bürgertums, einhält. Auch wenn die rationale Begründung des jeweiligen Verhaltens den Zusammenhang mit den Gottesvorstellungen nicht deutlich zum Ausdruck bringt, darf man daraus nicht schließen, daß ein solcher Zusammenhang nicht mehr besteht. Mindestens im Fall des Christentums kann man verständlich machen, warum eine theo-logische Interpretation von Sexualität beinahe unmöglich geworden ist, so daß sich das Phänomen auf die moralische Problematik reduzieren mußte. Die dogmatische Reinigung des Gottesbildes von Sexualität mündet notwendigerweise in eine ethisierende Verengung des Wahrnehmungshorizonts.[6]

In den zentralen Symbolen der biblischen Überlieferung nämlich ist die Integration von Aggressivität besser gelungen als die von Sexualität. Pointiert formuliert: In Israel wurde der heilige Krieg geführt,[7] aber die heilige Hochzeit bekämpft. Die Rituale der biblischen Tradition haben, wie die Opfer im Alten Testament und das Abendmahl in der Kirche beweisen, den heiligen Mord zum Zentrum. In die Gottesvorstellungen sind aggressive Aspekte einbezogen, wie die Rede vom Zorn Gottes, von seinem Gericht, von der endzeitlichen Vernichtung der Feinde belegt. Erst in der zivilisierten und dadurch auch domestizierten Neuzeit hat der christliche Glaube mit diesen Vorstellungen derartige Schwierigkeiten bekommen, daß er sie kaum noch nachzuvollziehen vermag. Konsequenterweise bedeutet für aktuelle theologische Entwürfe das Kreuz Jesu nicht mehr, daß Gott tötet, sondern daß er leidet.

Auf der einen Seite läßt sich also eine weitreichende Integration von Aggressivität in das Zentrum der christlichen Riten und Mythen konstatieren. Auf der anderen Seite muß man eine beinahe totale Tabuisierung von Sexualität feststellen. Gott liebt, und Gott will, daß die Menschen einander lieben. Aber immer geht es dabei um Agape[8] und nicht um Eros oder gar Sexus, und nur an den Rändern der Kirche hat es immer wieder Versuche gegeben, Sexualität in mystisch sublimierter oder orgiastisch praktizierter Weise in das religiöse Leben einzubeziehen. Diese unterschiedliche Integration von Triebaspekten in den symbolischen Kosmos des christlichen Glaubens dürfte für das Trieberleben bis heute beträchtliche Folgen haben. Im Zorn kann sich der Christ, der gegen das Böse kämpft, mit seinem Gott identifizieren. In der sublimierten Liebe kann einer dem anderen zum Christus werden, wie Luther es ausgedrückt hat.[9] Mit wem identifiziert sich der Christ im sexuellen Geschehen? Ist die Subjektivierung des sexuellen Erlebens, die sich aus seiner Desakralisierung ergeben hat, angesichts der darin enthaltenen Erlebnisstruktur von totaler Entgrenzung überhaupt tolerabel? Oder hat die Desakralisierung die Dämonisierung nicht zur unausbleiblichen Folge gehabt?

Nun ist die Frage, woher das problematische Verhältnis der christlichen Religion zur Sexualität rührt, bis heute nicht befriedigend formuliert, geschweige denn annähernd beantwortet. Vor allem in der letzten Generation hat sich ein apologetisches Argumentationsmuster eingebürgert, das zwei Feststellungen enthält. Der biblische Glaube selber habe demnach die Geschöpflichkeit der Sexualität entdeckt und freigegeben, die leibfeindlichen Tendenzen dagegen seien durch fremde Einflüsse oder durch die individuellen Schwierigkeiten einzelner Überlieferungsträger in das biblische Zeugnis geraten. So beginnt G. Barczay seinen Überblick über »Die biblische Sicht der Geschlechtlichkeit« mit dem Satz: »Die Entstehung der christlichen Tradition über die Sexualität wird heute weitgehend auf die Einflüsse der hellenistischen Umwelt zurückgeführt«; am Schluß hat er bei der Behandlung der wichtigsten Stellen »nichts entdeckt..., was eine negative Bewertung der Geschlechlichkeit rechtfertigen könnte«.[10] Auch die Vermutung, die entsprechenden Aussagen des Paulus seien als Reaktionsbildung im Zusammenhang einer latenten Homophilie zu verstehen,[11] könnte im Sinne einer Entlastung der sonstigen biblischen Tradition rezipiert werden.

Derartige Erklärungen, so zutreffend sie im Detail auch sein mögen, können letztlich aber nicht verständlich machen, warum das Christentum im Laufe seiner Geschichte durch sexualitätsfeindliche Tendenzen immer wieder infizierbar gewesen ist[12] und warum bei der Bestimmung des heiligen Lebens sexuelle Probleme immer im Zentrum gestanden haben. Daß die biblische Tradition bei der inhaltlichen Füllung des Gottesbildes auf sexuelle Phantasien fast vollständig verzichtet hat, ist dafür deswegen noch keine zureichende Erklärung, weil aus einer solchen Zurückhaltung nicht unbedingt und in jedem Fall ein Verbot folgen muß. Die Kombination von Aggressivitätsvollzug und Sexualitätsverbot, wie sie in der Kirche immer wieder zu beobachten ist, ist nur im Rahmen jener Hypothese theoretisch verständlich zu machen, die S. Freud unter der Bezeichnung Ödipuskomplex entwickelt hat.[13] Der Sohn, der den Vater töten und die Mutter sexuell besitzen will, entwickelt ein Schuldbewußtsein, das ihn selber zum Tode verurteilt und sein sexuelles Begehren von Grund auf als böse denunziert. Im Ödipus-Konflikt sind die Sünde als Rebellion, der Opfertod als Strafe und die sexuelle Restriktion aufs engste miteinander verwoben. In der sexualethischen Normierung des heiligen Lebens würde sich demgemäß eine Logik manifestieren, die ihre lebensgestaltende und lebensbeschränkende Kraft nicht nur aus dem theologischen Verhältnis von Indikativ und Imperativ, Urbild und Abbild bezieht, die vielmehr wesentlich auf der auch kollektiv wirksamen Verschränkung von Tötungswunsch und Sexualverbot beruht. Die affektive Aufladung von Sexualität, die sich in den Auseinandersetzungen um die Lebensführung von Pfarrern bis heute bemerkbar macht, ist Ausdruck einer elementaren Konfliktkonstellation, die auch das symbolische Zentrum des christlichen Glaubens bestimmt. Der religiöse Repräsentant hat ein Leben zu führen, das jenseits aller Triebverwirrungen abläuft. Übertritt er die sozialen Normen der Sexualrestriktion, verfällt er dem sozialen Aggressionspotential. Wer mit seiner Ehe scheitert, wird aus der Gemeinde verstoßen. Das heilige Leben hat nicht nur seinen Preis, sondern auch seine – zugegebenermaßen – abgründige Logik.

III

Der Arbeitsmarkt verschärft die Ansprüche an das heilige Leben, gerade auch in jenem Bereich, in dem es vom Kern der heiligen Riten und Mythen geprägt wird. Muß eine solche Analyse, die aktuelle Tendenzen interpretieren will, nicht gegen die eigene Absicht diese Tendenzen auch legitimieren? Wie kann man die Wandelbarkeit der Ansprüche an das heilige Leben erwarten, wenn diese sowohl in der gegenwärtigen gesellschaftlichen Entwicklung als auch in wichtigen Teilen der religiösen Überlieferung begründet sind?

In der Tat ist die Annahme, man könne durch theologische Aufklärung oder reformerische Maßnahmen die besonderen Ansprüche an die Lebensführung der kirchlichen Amtsträger beseitigen, illusionär. Der Vollzug der heiligen Riten, die Weitergabe der heiligen Mythen läßt sich von der Darstellung des heiligen Lebens nicht trennen. Arbeitsteilung und Repräsentanzbedürfnis bilden die sozialpsychologische Basis, auf die man sich mit einer solchen Berufswahl einläßt, und die man in der beruflichen Tätigkeit immer zu berücksichtigen hat.

Aus dieser harten Realität, daß die Darstellung des heiligen Lebens zur beruflichen Aufgabe des Pfarrers/der Pfarrerin gehört, darf man andererseits aber nicht folgern, daß die Inhalte des heiligen Lebens, vor allem die Normen, die seinen Vollzug bestimmen, unveränderlilich feststehen müssen. Ein Blick in die Kirchengeschichte lehrt, wie wandelbar die Idealbilder der »Nachfolge«[14] gewesen sind. Und noch in den ersten Nachkriegsjahren war es in manchen Gemeinden für die Pfarrer unmöglich, ins Kino zu gehen oder in der Gemeinde öffentlich zu tanzen. Auch das heilige Leben ist der Veränderlichkeit der gesellschaftlich gültigen Normen nicht entzogen.

Ein deutliches Indiz für derartige Veränderunen ist die Begründung, mit der die Einstellung homosexueller Theologen, die in einer festen Partnerschaft leben, derzeit abgelehnt wird. Die klassischen Argumente, daß Homosexualität theologisch gesehen Sünde bzw. medizinisch-psychologisch ausgedrückt Perversion sei, tauchen in den kirchlichen Erklärungen und Entlassungsschreiben nicht mehr auf.[15] Neue theologische, medizinische und psychologische Einsichten haben die Repetition der alten Ablehnungsgründe auch für die Kirche unmöglich gemacht. Daß demgegenüber nun die »christliche Lehre von der Ehe« in einer Weise ins Zentrum gerückt wird, daß man sie fast zum Glaubensartikel erhebt, zeigt nur die kirchliche Verlegenheit an. In einer Situation, in der die herkömmlichen Argumente gegen die Homosexuellen ihre Plausibilität verloren haben, gerät die Kirche, wenn sie die Abwehr ihnen gegenüber fortsetzen will, in die Gefahr der ketzerischen Setzung neuer Glaubensartikel.[16] Gleichzeitig wird man aber konstatieren dürfen, daß in einer solchen Situation der Kampf um die Zulassung homosexueller Theologen zum Pfarramt sinnvoll ist, weil sich mindestens auf der rational argumentativen Ebene zeigt, daß gesellschaftliche Veränderungen auch für das kirchliche Denken nicht ohne Folgen geblieben sind.

Hinzu kommt, daß es im Einsatz für die Wandelbarkeit der Ansprüche an das heilige Leben immer auch um die Anerkennung kirchenspezifischer Aspekte durch die Kirche geht. Denn das heilige Leben im Sinne der neutestamentlichen Tradition kann gerade kein reines, von Schuld und Versagen freies Leben sein.[17] Darf der Pfarrer/die Pfarrerin, der/die jeden Sonntag auf der Kanzel behauptet, daß alle Menschen Sünder sind, konkrete Schuld auf sich laden, ohne verstoßen zu werden? Am Beispiel der Ehescheidung, die in manchen Landeskirchen fast automatisch die Versetzung aus der Gemeinde nach sich zieht, stellt sich diese Frage in aller Dringlichkeit. Die Vorteile einer solchen generellen Regelung liegen auf der Hand. Es gibt keine Prüfung des Einzelfalls und damit auch keine Schnüffelei in der Privatsphäre und keine Auseinandersetzung in der Gemeinde; die Möglichkeit eines deutlichen Neuanfangs ist auch in beruflicher Hinsicht gesetzt. Auf der anderen Seite ist der Verdacht schwer auszuräumen, hier komme im Raum der Kiche das Vergeltungsprinzip wieder zu Ehren. Die eine Trennung – der Ehe – wird durch die andere Trennung – von der Gemeinde – bestraft. Müßte nicht gerade ein bibliches Verständnis des heiligen Lebens den Pfarrer/die Pfarrerin, der/ die in seiner/ihrer Ehe gescheitert ist, der Gemeinde zumuten wollen? Für das Neue Testament jedenfalls schließt Schuld nur im Extremfall aus der Heiligkeit des Gemeindebereiches aus.

Die Wandelbarkeit des heiligen Lebens ergibt sich aber nicht nur aus den gesellschaftlichen Entwicklungen und biblischen Überlieferungs- komplexen; sie ist vor allem begründet in jenem Respekt vor der pastora- len Individualität, der auf der wechselseitigen Auslegung von Religion und Biographie resultiert. Die Berufung des einzelnen in der Religion und die Darstellung der Religion durch den einzelnen müssen, wenn Religion mit der Biographie nicht identifiziert, aber von ihr auch nicht getrennt werden soll, von allen glorifizierenden Tendenzen freigehalten werden. Was das für den Vollzug apostolischer Existenz bedeutet, dar- über hat Paulus mit seinen Gemeinden gestritten.

Der Apostel sieht sich in Korinth mit Erwartungen konfrontiert, die seine Person kritisieren, weil sie bei ihm die Darstellung des neuen, geisterfüllten, insofern wirklich heiligen Lebens vermissen. Daß hierbei gloriose Tendenzen am Werk sind, zeigt sich an den Vorwürfen, die er zurückweist. Er ist weder ein überzeugender Redner noch ein eindrucks- voller Wundertäter noch hat er überwältigende ekstatische Erfahrungen anzubieten. Den Anspruch, der sich in diesen Vorwürfen ausdrückt, akzeptiert der Apostel. Wer das Evangelium verkündigt, muß es in seiner Existenz repräsentieren. Paulus ist überzeugt, daß er genau dieses tut. Seine persönliche Schwachheit ist sachgemäße Darstellung der Erschei- nung Jesu. Auch und gerade er führt ein heiliges Leben; aber es ist nicht bestimmt von der Herrlichkeit des Erhöhten, sondern steht im Schatten des Kreuzes.[18] Die Menschlichkeit des Apostels ist für ihn also keine Störung und Gefährdung seiner Verkündigung, sondern deren wesentli- cher Bestandteil, weil sie den Hörer vom Zeugen auf das Zeugnis verweist (2. Kor 4,7). Im Gefolge des Kreuzes gewinnt die Biographie religiöse Relevanz durch den Verzicht auf religiöse Potenz.

Daß Paulus die Differenz zwischen dem Leben des Zeugen und dem Inhalt des Zeugnisses durchzuhalten versucht, zeigt sich nicht nur dort, wo er sich selber in Verteidigungsstellung befindet. Auch in denAnsprü- chen, die er anderen gegenüber formuliert, ist er bemüht, sie zur Geltung zu bringen. 1. Kor 7 betont er immer wieder, wie sehr er den Stand der Ehelosigkeit für glaubensgemäß hält. Aber er verzichtet darauf, seine eigene Meinung zum Gesetz des Herrn zu erheben (7,25) und toleriert, wenn auch mit großen inneren Schwierigkeiten, die Ehe von Christen (7,36). Seine Charismenlehre bewahrt ihn davor, das heilige Leben zu uniformieren. Nur eine Kirche, die diese doppelte Differenz respektiert, die also den Unterschied zwischen der Heiligkeit des Bezeugten und der auch schuldhaften Schwachheit des Zeugen sowie den Unterschied zwischen menschlichen Vorstellungen von heiligem Leben und dem Gebot Gottes beachtet, nur eine solche Kirche entgeht der Gefahr, im Kampf für die Durchsetzung des heiligen Lebens ihr eigenes heiliges, aber auf Vergebung beruhendes Wesen zu verraten.

G. Otto hat an den »Kirchlichen Lebensordnungen« kritisiert: »Daß Ordnung die Funktion haben müßte, neue Lebensformen freizusetzen, ist ein fremder Gedanke. Wer sich nicht einpaßt, muß mit Sanktionen rechnen. Daß das Evangelium Freiheit erschließt, Freiheit vom Gesetz, wird hier jedenfalls niemand entdecken. Stattdessen aber präsentiert sich ein sicheres, unerschütterbares kirchliches Gefüge – bei dem nur eine Frage offen bleibt: Welche Realität deckt diese Ordnung eigentlich?«[19] Die Erinnerung an die biblische Tradition könnte die Kirche davor bewahren, in den aktuellen Auseinandersetzungen um das heilige Leben zur moralischen Anstalt zu werden und die sachlich gebotene Verknüpfung von Religion und Biographie für ihre Amtsträger zum lebensfeindlichen Zwang zu erheben. Die Gesetze des Marktes befördern auch in der Kirche Tendenzen zur Moralisierung. Aber so wie der Pfarrer/die Pfarrerin in der Praxis des heiligen Lebens das Gleichgewicht zwischen sozialer Erwartung und individueller Gestaltung immer wieder neu herstellen muß, so hat die Kirche als Ganze immer wieder die Aufgabe, bei der Normierung des heiligen Lebens die befreiende und vergebende Absicht des Evangeliums zur Geltung zu bringen.

Anmerkungen

1 Vgl. J. Chr. Janowski, Umstrittene Pfarrerin. Zu einer unvollendeten Reformation der Kirche, in: M. Greiffenhagen (Hg.), Das evangelische Pfarrhaus. Eine Kultur- und Sozialgeschichte, Stuttgart 1984, 83 ff., bes. 104 ff.
2 Daß nicht alle Übergangsriten an den religiösen Mittler gebunden sind, hat F. Ahuis, Der Kasualgottesdienst. Zwischen Übergangsritus und Amtshandlung, Calwer Theologische Monographien C/12, Stuttgart 1985, 141 ff., gezeigt. Die Klerikalisierung der Eheschließung beschreiben G. Duby, Ritter, Frau und Priester. Die Ehe im feudalen Frankreich, Frankfurt 1985, und M. Schröter, »Wo zwei zusammenkommen in rechter Ehe...«, Sozio- und psychogenetische Studien über Eheschließungsvorgänge vom 12. bis 15. Jahrhundert, Frankfurt 1985.
3 Lutherisches Kirchenamt der VELKD (Hg.), Vorläufige Stellungnahme des Theologischen Ausschusses der VELKD zum Problem der Homosexualität von Pfarrern, in: H. Kentler (Hg.), Die Menschlichkeit der Sexualität. Berichte – Analysen – Kommentare ausgelöst durch die Frage: Wie homosexuell dürfen Pfarrer sein? München 1983, 78.
4 Vgl. zuletzt G. Schneider-Flume, Narzißmus als theologisches Problem, ZThK 82, 1985, 88 ff.
5 Vgl. M. Klessmann, Identität und Glaube. Zum Verhältnis von psychischer Struktur und Glaube, München/Mainz 1980.

6 Vgl. J. Evola, Metaphysik des Sexus, Frankfurt 1983, 194 ff.

7 Das Problem, welche historischen Sachverhalte hinter Dtn. 20 stehen, ist dabei nur von sekundärer Bedeutung.

8 Noch immer aufschlußreich, wenn auch kaum noch zitiert: A. Nygren, Eros und Agape. Gestaltwandlungen der christlichen Liebe, Gütersloh 1954².

9 Daß Luther an der bekannten Stelle (WA 7, 35 f.) die Metapher des Fließens verwendet, deutet eher auf libidinöse als auf narzißtische Implikationen.

10 G. Barczay, Revolution der Moral? Die Wandlung der Sexualnormen als Frage an die evangelische Ethik, Zürich/Stuttgart 1967, 58; er bezieht sich dabei ausdrücklich auf die inzwischen übersetzte Arbeit von W. G. Cole, Sexualität in Christentum und Psychoanalyse, München 1969. Differenzierter ist das Urteil von I. Grabner-Haider, Eros und Glaube. Ansätze einer erotischen Lebenskultur, München 1976, 80 ff.

11 So H. Fischer, Gespaltener christlicher Glaube. Eine psychoanalytisch orientierte Religionskritik, Hamburg 1974, 52 ff.

12 Auch die von M. Foucault konstatierte Transformation von medizinisch begründeten Empfehlungen für ein asketisches Leben, die in der Spätantike verbreitet sind, in die sexualitätsfeindliche religiöse Normierung des frühen Christentums wird verständlicher, wenn man annimmt, daß diese Ratschläge durch die Verbindung mit den aggressionsgeladenen Symbolen der Christologie eine neue Qualität gewinnen müssen; vgl. M. Foucault, Wahrheit und Sexualität, Bd. 2, Der Gebrauch der Lüste, Band 3, Die Sorge um sich, Frankfurt 1986.

13 S. Freud hat seine These, »daß im Ödipus-Komplex die Anfänge von Religion, Sittlichkeit, Gesellschaft und Kunst zusammentreffen«, vor allem in: Totem und Tabu. Einige Übereinstimmungen im Seelenleben der Wilden und der Neurotiker, Gesammelte Werke 9, 188, ausgeführt. Die bleibende Bedeutung dieser inzwischen von vielen für überholt erklärten These zeigt sich nicht zuletzt darin, daß sie die aktuellen Konflikte um das heilige Leben zu erhellen vermag.

14 Vgl. R. Strunk, Nachfolge Christi. Erinnerungen an eine evangelische Provokation, München 1981.

15 Vgl. M. Josuttis, Die wechselseitige Annäherung und das wechselseitige Verstehen unterstützen. Ein theologisches Gutachten, in: H. Kentler (Hg.), a. a. O. 111 ff.

16 Daß für Luther der Papst und die Schwärmer deswegen Ketzer sind, weil sie weltliche Satzungen und Ordnungen zum Glaubensartikel erklären, zeigt K. G. Steck, Lehre und Kirche bei Luther, FGLP 10/XXVII, München 1963, 81 ff.

17 Vgl. D. Stollberg, Von der Glaubwürdigkeit des Predigers, oder: Das Proprium christlicher Predigt und die Glaubwürdigkeit des Zeugen, WPKG 68, 1979, 9 ff.

18 Vgl. E. Käsemann, Die Legitimität des Apostels. Eine Untersuchung zu II Korinther 10–13, ZNW 41, 1942, 33 ff, zitiert nach: K. H. Rengstorf (Hg.), Das Paulusbild in der neueren deutschen Paulusforschung, Darmstadt 1964, 501: »der Gegner Recht ist zugleich sein Ruhm. Er will, kann und muß sich gerade seiner Schwachheit rühmen. Denn das hier in Erscheinung tretende Ärgernis trägt er nicht zum ersten Male in den Kosmos«.

19 G. Otto, Vernunft. Aspekte zeitgemäßen Glaubens, Stuttgart 1970, 122.

WOLFGANG KRATZ

»DIE SCHWERE STUNDE DES BEAMTEN«

Von der Versuchung zur Seelsorge im herrschafts-unfreien Raum

I

Wie eine gläserne Wand standen seine Angst und sein Mißtrauen zwischen uns. Dagegen konnte auch die Tasse Kaffee nichts ausrichten, die ich ihm angeboten hatte. Meine Versuche, freundlich zu sein, machten ihn nur noch mißtrauischer. Er war gekommen, weil er kein Geld mehr hatte. Sein Vater hatte aufgehört zu zahlen. Er wußte nicht, wie er weiterstudieren sollte. Bald müßte er sich zum Examen melden... – lauter Fragen, über die wir sinnvoll nur persönlich, offen, in einer Atmosphäre des Vertrauens reden konnten. Aber ich war Oberkirchenrat, Vertreter einer Institution. Ich hatte eine, wenn auch begrenzte, Macht: Ich konnte ihm eine Beihilfe gewähren; demnächst würde ich in der Prüfungskommission über sein Schicksal mitentscheiden. Wie sollte er da mit mir über seine Angst vor der Prüfung, über Erfolge oder Mißerfolge im Studium oder gar über die Beziehung zu seinem Vater reden!? Die gläserne Wand war nicht wegzubewegen. Sie schützte ihn. Auch mich?

II

In seinem Roman »Das Schloß« beschreibt Franz Kafka im 18. Kapitel den Konflikt eines Amtsträgers zwischen Macht und Hilfsbereitschaft. (X)

In einem schäbigen Dorfhotel halten die Sekretäre des Schlosses Sprechstunde ab. Dahin bestellen sie sich die recht- oder hilfesuchenden Parteien, meistens mitten in der Nacht. Manchmal freilich gerät eine Partei auch durch Zufall in ein verkehrtes Zimmer. Denn die Türen der Sekretäre sind nicht verschlossen. »Das hat freilich seinen Grund. Weil nach einem alten Spruch die Türen der Sekretäre immer offen sein sollen.«

So geschieht es auch dem Landvermesser K., der um 4.00 Uhr in der Nacht in das Zimmer des Schloßsekretärs Bürgel gerät. Der liegt im Bett; und weil er nun doch nicht mehr schlafen kann, fordert er den Eindringling auf, sich auf den Bettrand zu setzen. K. ist müde, möchte sich am liebsten hinlegen und schlafen, aber Bürgel redet unaufhörlich auf ihn ein

oder vor sich hin. Sein Thema ist das Für und Wider solcher Nachtverhö-
re: »Die Nacht ist deshalb für Verhandlungen mit den Parteien weniger
geeignet, weil es nachts schwer oder geradezu unmöglich ist, den amtli-
chen Charakter der Verhandlungen voll zu wahren. Das liegt nicht an
Äußerlichkeiten, die Formen können natürlich in der Nacht nach Belieben ebenso streng beobachtet werden wie bei Tag. Das ist es also nicht,
dagegen leidet die amtliche Beurteilung in der Nacht. Man ist unwillkür-
lich geneigt, in der Nacht die Dinge von einem mehr privaten Gesichtspunkt zu beurteilen, die Vorbringungen der Parteien bekommen mehr
Gewicht, als ihnen zukommt, es mischen sich in die Beurteilung gar nicht
hingehörige Erwägungen der sonstigen Lage der Parteien, ihrer Leiden
und Sorgen, ein; die notwendige Schranke zwischen Parteien und Beamten, mag sie äußerlich fehlerlos vorhanden sein, lockert sich, und wo
sonst, wie es sein soll, nur Fragen und Antworten hin- und widergingen,
scheint sich manchmal ein sonderbarer, ganz und gar unpassender
Austausch der Personen zu vollziehen...«

»...Es ist eine Lage, in der es schon bald unmöglich wird, eine Bitte
abzuschlagen. Genaugenommen ist man verzweifelt; noch genauer genommen, ist man sehr glücklich. Verzweifelt, denn die Wehrlosigkeit,
mit der man hier sitzt und auf die Bitte der Partei wartet und weiß, daß
man sie, wenn sie einmal ausgesprochen ist, erfüllen muß, wenn sie
auch, wenigstens soweit man es selbst übersehen kann, die Amtsorganisation förmlich zerreißt: Das ist ja wohl das Ärgste, was einem in der
Praxis begegnen kann... Es ist die schwere Stunde des Beamten.«

III

»Genaugenommen ist man verzweifelt; noch genauer genommen, ist
man sehr glücklich.« Weil es »die Amtsorganisation förmlich zerreißt«,
andererseits »wachsen uns gewissermaßen auch die Amtskräfte«.

Das ist genau der Konflikt von Macht und Hilflosigkeit, in den der
Amtsträger gerät, der nicht nur verwalten, sondern helfen, nicht nur
dienstlich verfügen, sondern persönlich beraten will. Klienten kommen
zu einem von Amts wegen, weil er über Macht verfügt.

Aber kann er, soll er seine Befugnis menschlich, persönlich, seelsor-
gerlich ausüben? Wird dadurch seine Macht am Ende erst eigentlich
unberechenbar und bedrohlich? Es kann einem passieren, daß er um so
mehr Mißtrauen weckt, je mehr er um Vertrauen wirbt.

Das Dilemma von Macht und Vertrauen ist allenthalben virulent, in
Kirche und Gesellschaft. Ist Seelsorge trotzdem möglich, in einem in der
Regel nicht herrschaftsfreien Raum?

»Der Dekan ist von seinem Dekanat beauftragt, die Gemeinden seines

Bezirks regelmäßig zu besuchen und die Seelsorge an den Pfarrern des Dekanats wahrzunehmen«, heißt es in Artikel 29,1 der Kirchenordnung der Evangelischen Kirche in Hessen und Nassau. Überraschenderweise wird der nächste Satz als Schlußfolgerung formuliert: »*Daher* gehören zu seinen Aufgaben insbesondere: a) die Sorge für die Einhaltung der gesamtkirchlichen Ordnung...« Artikel 30 fährt fort:

»Als Beauftragter der Kirchenleitung im Dekanat hat der Dekan insbesondere die folgenden Aufgaben zu erfüllen:

a) Die allgemeine Dienstaufsicht über die Pfarrer.«

Die Doppelfunktion Seelsorge und Dienstaufsicht ist bei keinem kirchlichen Amtsträger so unverblümt beschrieben wie bei dem des Dekans. Aber faktisch sind fast alle Ämter davon betroffen. Jeder Gemeindepfarrer ist zugleich Vorgesetzter. Auch über die Gemeindeglieder, die von ihm nicht abhängig sind, übt er Macht aus, wenn sie zu ihm ins Pfarramt kommen, um eine Taufe oder eine Beerdigung anzumelden. Selbst wenn der Pfarrer oder die Pfarrerin nur einen Krankenbesuch macht, ist er, und sie nicht weniger, überlegen und beugt sich von oben über den Patienten herab.

Besonders hart trifft es die Pröpste, weil sie mehr Macht haben, als ihnen wahrscheinlich lieb ist. Im Auftrag des Leitenden Geistlichen Amtes sind sie sowohl für »die Einhaltung der kirchlichen Ordnung« wie für »die Seelsorge an Pfarrern und Dekanen und deren Beratung« verantwortlich (Artikel 52,1 und 56, 1 KO).

Daß diese doppelte Funktion die damit Beauftragten oft in ein unlösbares Dilemma führt, ist kein Geheimnis.

»Wenn eine Personalfrage im Leitenden Geistlichen Amt diskutiert wird, in der ich vorher als Seelsorger tätig gewesen bin, gehe ich einfach solange aus der Sitzung raus«, sagte mir neulich ein Propst. Eine faire Lösung, zweifellos, aber doch nur eine Notlösung.

Eine Notlösung, an die offenbar auch Franz Kafka gedacht hat: »Das Geheimnis steckt in den Vorschriften über die Zuständigkeit. Es ist nämlich nicht so und kann bei einer großen lebendigen Organisation nicht so sein, daß für jede Sache nur ein bestimmter Sekretär zuständig ist. Es ist nur so, daß einer die Hauptzuständigkeit hat, viele andere aber auch zu gewissen Teilen eine, wenn auch kleinere Zuständigkeit haben. Wer könnte allein, und wäre es der größte Arbeiter, alle Beziehungen auch nur des kleinsten Vorfalles auf seinem Schreibtisch zusammenhalten? Selbst was ich von der Hauptzuständigkeit gesagt habe, ist zuviel gesagt. Ist nicht in der kleinsten Zuständigkeit auch schon die ganze? Entscheidet hier nicht die Leidenschaft, mit welcher die Sache ergriffen wird? Und ist die nicht immer die gleiche, in voller Stärke da? In allem mag es Unterschiede unter den Sekretären geben, und es gibt solcher Unterschiede unzählige, in der Leidenschaft aber nicht; keiner von ihnen wird sich zurückhalten können, wenn an ihn die Aufforderung herantritt, sich mit einem Fall, für den er nur die geringste Zuständigkeit besitzt, zu beschäftigen.«

Was von den Sekretären gilt, gilt wohl auch von den Pröpsten. Geteilte Zuständigkeit und ungeteilte Leidenschaft, – das ist der Grundgedanke, der in der Kirchenordnung der Evangelischen Kirche in Hessen und Nassau zur Konstruktion des Leitenden Geistlichen Amtes geführt hat. In der verfassungsgebenden Synode erklärte Martin Niemöller 1947 in Friedberg dazu:

»Gedacht ist dabei an ein brüderliches, in der brüderlichen Gemeinschaft geübtes Amt. Das ist entscheidend, nicht ein monarchisches Episkopat, vor dem ich Horror habe. Sie bringen den Mann, dem sie ein monarchisches Episkopat übertragen, in eine Versuchung, der nur die Allerwenigsten gewachsen sind. Ich möchte nicht zum Seelsorger gemacht werden über 900 Pastoren.«[1]

Nicht nur die Zusammensetzung, sondern auch die Aufgabenbeschreibung sollte das LGA und seine Mitglieder vor dem Dilemma zwischen Seelsorge und Disziplinargewalt verschonen. Nicht Entscheidungs-, sondern Beratungsfunktionen wurden diesem damals sieben-, heute neunköpfigen Gremium zugewiesen. Martin Niemöller sagte in der Debatte: »Ich glaube, daß eine geistliche Leitung nicht mit Kompetenzen disziplinärer, ordnungsmäßiger Natur ausgestattet sein darf. Es ist nicht gut, Männer hinzustellen, die geistlich leiten sollen, mit dem Wort leiten sollen, die zugleich mit der Ordnung der Kirche belastet sind. Es ist deutlich auseinanderzudividieren, was geistliche Leitung und ordnungsmäßige Zuständigkeit ist«[2].

Es ist bemerkenswert, daß in dieser Begründung nicht »Seelsorge«, sondern »geistliche Leitung« als Gegensatz zu den »Kompetenzen disziplinärer, ordnungsmäßiger Natur« genannt wird. Der Begriff der geistlichen Leitung ist weiter als der der Seelsorge. Geistliche Leitung ist nach Martin Niemöller Leitung »mit dem Wort«, verzichtet also auf unmittelbare Machtausübung. Geistliche Leitung faßt zusammen, was in Artikel 52, KO im einzelnen als Aufgabe des Leitenden Geistlichen Amtes beschrieben wird: »Die Seelsorge für...«; »die Verantwortung für...«, »die Mitwirkung bei...«, »die Vorbereitung von...«. Seelsorge wird hier als eine besondere Form der geistlichen Leitung angesehen. Sie muß auf Zwangsgewalt mit entsprechenden disziplinären Maßnahmen verzichten, aber herrschaftsfrei ist sie nicht. Leitung, ob geistlich oder nicht, schließt bestimmte Formen der Abhängigkeit ein, konstituiert sie vielleicht sogar. Non-directiv kann diese Seelsorge jedenfalls nicht sein!

IV

Es erstaunt mich, daß sich die neuere Fachliteratur zur Seelsorge über den Konflikt von Seelsorge und Macht weithin ausschweigt, obwohl doch in der Praxis dieser Konflikt allenthalben begegnet. 1953 hat Hans Liermann in einem Aufsatz über »das evangelische Bischofsamt in Deutschland seit 1933« noch unbekümmert geschrieben: »Es ist keineswegs so, daß Seelsorge und ein irgendwie geartetes Gewaltverhältnis sich grundsätzlich ausschließen.

Das zeigt sich nicht nur beim katholischen Bischof, der die Jurisdiktionsgewalt in seiner Diozöse ausübt und von dem zugleich ›zelus animarum‹ gefordert wird, sondern ebenso auch im schlichten seelsorgerlichen Verhältnis christlicher Eltern zu ihren unmündigen Kindern. Die Idee des pastor pastorum braucht also keineswegs durch die kirchenfremde und hier gar nicht angebrachte Forderung einer ›Gewaltenteilung‹ verwässert zu werden‹[3].

Ich vermute, daß diese Sätze heute nicht mehr so unbekümmert formuliert werden könnten, aber so harmlos und selbstverständlich, wie sie da stehen, hätten sie eigentlich schon damals nicht hingeschrieben werden dürfen! Werner Schütz weist darauf hin, daß keineswegs erst die moderne Seelsorgebewegung die Freiheit und Selbstverantwortung der Menschen vorausgesetzt hat: »Die Aufklärung und der Pietismus, Schleiermacher vor allem, aber auch Harnack und viele andere haben nachdrücklich darauf hingewiesen, daß Seelsorge den tiefen Respekt vor der Freiheit und Selbstverantwortung des Menschen, vor seiner Mündigkeit und Selbständigkeit voraussetzt, daß sie sich mit nichts so schlecht verträgt wie mit Bevormundung, Zwang und Strafe, die Widerstand brechen und Überzeugungen überfahren wollen«.[4] Freilich fährt Werner Schütz anschließend einschränkend fort: »Dieser Kampf ist noch längst nicht in der Praxis der Kirche und in ihrer Seelsorge ausgekämpft.«

Woran liegt es, daß der Konflikt von Seelsorge und Herrschaft zwar von vielen Betroffenen beklagt, aber auf der wissenschaftlichen Ebene so wenig diskutiert wird? Weil er unlösbar ist? Oder paßt er nicht in die Landschaft, in der die Utopie vom herrschaftsfreien Dialog den Begriff der Seelsorge weithin beherrscht? Ist er den Fachleuten suspekt, weil er ihr Verständnis von Seelsorge, und den Leitungspraktikern peinlich, weil er ihr Berufsethos als Seelsorger ins Wackeln bringen könnte? Ich weiß es nicht. Ich sehe nur, daß wir uns häufig mit ähnlichen Notlösungen wie jener zitierte Propst zu helfen versuchen und daß wir nicht selten den Konflikt mit Worten besänftigen. »Begleiten« ist ein solches Wort; es gibt noch andere. Nach Artikel 56,2 KO gehört zu den Aufgaben der Pröpste: die Beratung, die Förderung, die Koordination, die Regelung, die Begleitung. Aber während in anderen Zusammenhängen diese Wörter öfter etwas verschämt klingen, werden sie hier durchaus selbstbewußt aufgezählt. Der bestimmte Artikel vor ihnen deutet darauf hin, daß es sich durchaus um bestimmte und bestimmende Tätigkeiten handelt, die, einmal angeboten, auch in Anspruch genommen werden müssen. Daß es dabei um praktische und wirksame Formen der Seelsorge geht, wird nicht bezweifelt. Herrschaftsfrei ist diese Seelsorge zwar nicht, aber doch durchaus Seelsorge, in der Entscheidungen nahegelegt und vorbereitet, vielleicht unausweichlich werden. Hier taucht ein Verständnis von Seelsorge auf, wie es den Reformatoren, ob Lutheranern oder Reformierten, selbstverständlich war. »Nicht vom Bußsakrament her bestimmt und nicht nur Tröstung des angefochtenen Gewissens«, schreibt Werner Schütz über die erste protestantische Seelsorgetheorie, Martin Bucers Schrift: »Von der wahren Seelsorge und dem rechten Kirchendienst 1538«. »Diese Lehre von der Seelsorge ist grundsätzlich und konkret, sie umfaßt beides, das Seelische und das Leibliche, die Kirchlichkeit und die Innerlichkeit des Glaubens, sie richtet sich an den einzelnen und die Gemeinde als Ganzes, sie will Vergebung und zugleich Heilung; sie hält das Gesetz in seiner Unerbittlichkeit aufrecht und stellt doch das Evangelium über das Gesetz; sie kann unnachgiebig sein und ist doch voll zarten Verstehens und voller Rücksichtnahme; biblische Begründung verbindet sich mit praktischer seelsorgerlicher Erfahrung.«[5]

V

Der Konflikt zwischen Seelsorge und Macht ist offenbar ebensowenig aufzulösen wie der zwischen Evangelium und Gesetz. Im Einzelfall mag ein Kompromiß gelingen. Da verzichtet ein Amtsträger vorübergehend auf die Ausübung von Macht, um Seelsorger sein zu können. Schwieriger dürfte es den meisten fallen, vorübergehend auf die seelsorgerliche Gelegenheit zu verzichten, weil es gilt, Entscheidungen zu treffen.

»Gehen Sie doch«, sagte der nicht zuständige Sekretär Bürgel zu K. und schickte ihn zu seinem zuständigen Amtskollegen ins Nachbarzimmer hinüber. »Gehen sie doch; wer weiß, was sie drüben erwartet, hier ist ja alles voll Gelegenheiten. Nur gibt es freilich Gelegenheiten, die gewissermaßen zu groß sind, um benützt zu werden, es gibt Dinge, die an nichts anderem als an sich selbst scheitern. Ja, das ist staunenswert. Übrigens hoffe ich jetzt doch, ein wenig einschlafen zu können. Freilich ist es schon fünf Uhr, und der Lärm wird bald beginnen. Wenn wenigstens Sie schon gehen wollten!«

Anmerkungen

1 Kirchentag... und verfassunggebende Synode der Evangelischen Kirche in Hessen
und Nassau, Teil 1, 1949, Seite 173.

2 Ebd. S. 174.

3 Hans Liermann, Das Evangelische Bischofsamt in Deutschland seit 1933, in: Zeitschrift für Ev. Kirchenrecht, 3. Band 1953/54, S. 26.

4 Werner Schütz, Seelsorge. Ein Grundriß, 1977, S. 64.

5 Ebd. S. 22.

X Franz Kafka, Die Romane, Frankfurt/M. 1965, S. 710 ff.

DIETHARD HELLMANN

KIRCHENMUSIK HEUTE

(Der Kirchenmusiker und die Aufgaben seines Amtes)

> Dem Freunde Gert Otto im Gedenken
> an gemeinsame Überlegungen und Ge-
> spräche, die in diesem Aufsatz ihren
> Niederschlag finden. – Der »Mainzer
> Universitätsgottesdienst«, begründet
> von Manfred Mezger und von ihm zu-
> sammen mit Gert Otto verantwortlich
> durchgehalten, ist Zeugnis für eine
> mögliche Verbindung von Wort und Kir-
> chenmusik in unseren Tagen.

Das Amt des Kantors ist ein historisch gewordenes und gewachsenes;
seine Inhalte im Sinn von Ursprung und Ziel sind unaustauschbar und
unaufgebbar. Im Gang durch die Geschichte verändert sich lediglich das
Gewand. Es ist zu überlegen, wie dieses Amt mit seiner Bindung in
unseren Tagen Gestalt gewinnen und damit zugleich auch für den
heutigen Menschen vielfältiger Kraftquell sein kann. Die klassische Formulierung für diesen Auftrag und jene Vielfalt findet sich in den Worten
Johann Sebastian Bachs, die er seinem »Orgelbüchlein« auf dem Titel-
blatt vorausschickt:»Dem Höchsten Gott allein zu Ehren, dem Nech-
sten, draus sich zu belehren.« Wir können dies in modernere Sprache
fassen, aber das Anliegen kaum gültiger umschreiben. Kirchenmusikalischer Dienst und erzieherisches, durchaus auch erzieherisch-belehren-
des Moment bilden den festgefügten Einheitsboden des Kantorenamtes,
gleichviel ob hier oder da der Akzent sich stärker nach der einen oder
anderen Seite verlagert. Diese Verflochtenheit des Verkündigungsauf-
trages mit dem der Erziehung und Menschenbildung dürfte eine Besonderheit sein, die im musikalisch-künstlerischen Bereich sonst nirgends
anzutreffen ist. Sie gibt dem, der sich diesem Auftrag in ganzer Verantwortung verpflichtet, auch durchaus Probleme auf, die zum einen in der
Besonderheit der Bindung dieses Amtes liegen, zum anderen sich aus
zeitbedingten Situationen erklären; denn Kirchenmusik und Kirchenmusiker befinden sich keineswegs in der Lage einer »heilen Welt«,
sondern stehen in den gleichen Unsicherheiten und der gleichen Ange-

fochtenheit, wie die Kirche selber – wie könnte es auch anders sein; nostalgische Rückschau ist ebensowenig effektiv wie schwärmerisches Sehnen nach dem utopischen Ziel eines Paradieses in dieser Welt. Mut und Hoffnung liegen im Zuruf Sartres: »Vielleicht gibt es schönere Zeiten, aber diese ist die unsrige!« Die geistliche und liturgische Situation des Gottesdienstes als des primären Arbeitsfeldes des Kirchenmusikers ist vielerorts durch Unklarheit, Unsicherheit und Undeutlichkeit gekennzeichnet. Wesentliche Gründe hierfür sind: die geistliche und praktisch-theologische Situation des Gottesdienstes in der Gemeinde in seiner inhaltlichen und liturgischen Gestaltung; das fehlende Bewußtsein des inneren Verhältnisses von Religion, Kultur und Kunst in Kirche und Theologie sowie ein Mangel an breiter, vor allem ästhetischer Bildung und Information bei Pfarrern und Kirchenvorstehern; das Ausgeliefertsein an Dienstvorgänge in den Kirchengemeinden, die oftmals Kenntnisse und Einfühlungsvermögen in die besonderen Bedingungen musikalischer und künstlerischer Arbeit vermissen lassen. Eine Zerstörung der großen und gewachsenen liturgischen Gestalt des Gottesdienstes ist die negative Konsequenz. Weithin hat man verlernt, in geschichtlichen Kategorien zu denken; mancherlei Varianten aus der Geschichte des Gottesdienstes sind lehrreich. Vor den negativen Folgeerscheinungen immer wieder ähnlicher Fehlentwicklungen ist zu allen Zeiten gewarnt worden. So berichtet Goethe im 7. Buch von »Dichtung und Wahrheit«: »Der protestantische Gottesdienst hat zu wenig Fülle und Konsequenz, als daß er die Gemeinde zusammenhalten könnte; daher geschieht es leicht, daß Glieder sich von ihr absondern und entweder kleine Gemeinden bilden oder, ohne kirchlichen Zusammenhang, neben einander geruhig ihr bürgerliches Wesen treiben. So klagte man schon vor geraumer Zeit, die Kirchgänger verminderten sich von Jahr zu Jahr...«

Das vielfach fehlende Gespür dafür, daß lebendiger Gottesdienst ein Stück echter Feier – nicht etwa sentimentaler Feierlichkeit – sein muß, daß liturgische Form und kultisches Geschehen nicht langweilige Schablonen, sondern mit Leben zu füllende Gefäße sind, hängt zusammen mit dem Mangel an ästhetischer Bildung und zum Teil fehlendem Umgang oder auch nur Berührung mit dem Bereich der Kunst. Innerhalb der Kultur ist Kunst ein der kirchlichen Verkündigung besonders naheliegendes, weil angemessene Materialien bereitstellendes Feld. Viel zitiert ist Paul Tillichs Wort »Kultur ist die Erscheinungsform der Religion«. In der Konsequenz fordert dies die Erkenntnis, daß »im Bereich Kultur sich die Tradition und weitgehend auch die Proklamation der christlichen Botschaft vollzieht, die sich der Gestalt menschlicher Sprache, menschlicher Schrift sowie eines kultisch geordneten Mahles bedient.«[1] Feind der Kunst wie der Botschaft des Evangeliums gleichermaßen ist sowohl das öde Einerlei, als auch das ständige Experimentieren um des Experimentierens willen, ist das einschläfernde Bestätigen des Wirklichen, ist jener-Primitivismus, der seichte Texte und kitschige Melodien anbietet, um sie als Attribute wahrer Moderne und Fortschrittlichkeit anzupreisen. Zu Recht stellt sich die bange Frage: »Wird das Christliche überzeugender, wenn es anspruchsloser wird?«[2]

Das ungelöste Problem von Theologie und Ästhetik geht zu Lasten der Kirchenmusik, deren Arbeit sich unter der ihr ohnehin eigenen dialektischen Spannung zwischen Kirche und Kunst vollzieht. Es sind zwei Zentren, die ihr aufgegeben sind: die Gemeinde im engeren Sinne und die heute so viel zitierte Gesellschaft – wenn man so will, die Gemeinde im weiteren Sinne. Die ursprüngliche Einheit ist schon lange zerfallen – wer wollte das leugnen. Noch bis vor wenigen Jahren hat man gern das eine gegen das andere ausgespielt und kirchenmusikalisch-konzertantes Geschehen nicht gelten lassen wollen. Der Terminus »Kirchenkonzert« war verpönt. Es ist hier nicht der Ort, die Entwicklungsgeschichte des Kirchenkonzertes zu untersuchen; es ist jedoch kein Zufall, daß ein puritanischer Gottesdienst, daß das Bilderstürmertum der Reformierten zum entscheidenden Geburtshelfer des vom Gottesdienst losgelösten Kirchenkonzertes geworden ist. Wir können nicht hinter die Schranken der Geschichte zurück und etwas wiederholen wollen, was lange verloren ist. Will die Kirchenmusik heute breitere Schichten der Menschen erreichen, so muß ihr Auftrag eine doppelte Ausrichtung erfahren. Söhngen[3] spricht in diesem Zusammenhang von »Kirchenmusik« als jener, die ihren Ort im Gottesdienst hat, geprägt ist von den Forderungen der Liturgie, des cantus firmus und des de tempore, eine Musik des Lobpreises und der Anbetung, die »noch in andere Koordinatensysteme hineingehört als in das der allgemeinen musikalischen Entwicklung«. Dieser »Kirchenmusik« stellt er die »Geistliche Musik« gegenüber, deren Partner und Gegenüber nicht in erster Linie die Gemeinde, sondern die Gesellschaft ist. Zugleich sieht er in dieser Musik eine neue Möglichkeit für die Ausbreitung der frohen Botschaft des Evangeliums inmitten der Welt und sagt zusammenfassend: »Mag die ›Geistliche Musik‹ auch, entwicklungsgeschichtlich das Tor zur ›Verweltlichung‹ der Musik aufgestoßen habe, heute, unter dem verschlossenen Himmel unserer technokratischen Zivilisation, wird sie uns nicht mehr als Gegenspielerin, sondern als dankbar begrüßte Verbündete der Kirchenmusik gelten.«

Das aufgezeigte breite Feld kirchenmusikalischer Möglichkeiten zeigt, daß es eines Musikers bedarf, der – sowohl von der Begabung als auch von der Ausbildung her – befähigt ist, in Vollmacht und Konkurrenz die Aufgaben zu erfüllen, die ihm gestellt sind. Ausgangs- und Mittelpunkt seiner Amtspflicht muß der Gottesdienst sein; weil sich jedoch die alte Einheit der Gemeinde verändert und die musica sacra sich von der ausschließlichen Bindung an den Gottesdienst gelöst hat, dennoch aber

als »Geistliche Musik« gleichsam in der Erbfolge der »Kirchemusik« steht
und von der Zeugniskraft der biblischen Botschaft genährt ist, sollte sie
wesentlich von der Kirche und ihren Musikern verantwortet werden.
Wenn die Kirche die musica sacra in all ihren Bereichen vollmächtig in
Verantwortung nehmen will, bedarf sie also eines hauptamtlichen Kirchenmusikers, der hinsichtlich der Ausbildung und des künstlerischen
Formats dem qualifizierten Generalmusikdirektor (GMD) in nichts nach-
steht. Keineswegs ist damit gesagt, daß der Kirchenmusiker als GMD
auszubilden wäre oder hier gar ein Austausch erfolgen könnte; es muß
aber deutlich werden, daß die gestellten Aufgaben nur dann überzeugend und gültig zu lösen sind, wenn eine Ausbildung dafür die notwendig handwerklich-technischen Voraussetzungen schafft, d. h. wenn jener Kirchenmusiker-Typus nach der musikalisch-technischen Seite hin
eine ähnlich umfassende Ausbildung erfährt, wie sie dem Kapellmeister
zukommt und ihm gegenüber im besten Sinne des Wortes »konkur-
renzfähig« ist. In einem denkwürdigen Brief vom 24. Februar 1943 an das
evangelisch-lutherische Landeskirchenamt in Dresden stellt Thomaskan-
tor Karl Straube im Blick auf die deutschen Kantoren und Organisten des
19. Jahrhunderts fest, daß im allgemeinen deren »Begabung, Wissen und
Können zu gering waren, als daß sie sich im allgemeinen Musikleben
hätten durchsetzen können ... Hier eine Änderung herbeizuführen, war
das Ziel meines Bemühens. Es zu erreichen war nur möglich, indem die
Forderungen erhoben wurden: daß die deutschen Kirchenmusiker ... in
ihrer Ausbildung so umfassend geschult sind, um den Forderungen der
neuen musikalischen Entwicklungen von 1750 bis zur Gegenwart Genü-
ge leisten zu können. Sie sollen Musiker sein, die in ihrem Wirken die
Tradition der Väter weitergeben und dabei allen Bestrebungen der Gegenwart verständnisvoll und wissend gegenüberstehen ... Eine Minderung in den Bemühungen um die Erhaltung und Pflege dieser großen
Kunst (der Kirchenmusik) würde eine Minderung in den kulturellen
Lebenswerten unseres Volkes sein, deshalb muß die Kirche um ihrer
selbst willen alles tun, um solche Möglichkeit zu verhindern. Läßt sie die
Dinge gehen wie sie gehen, so werden spätere Geschlechter ihr mit Recht
den Vorwurf machen, sie sei ein schlechter Haushalter gewesen.«
Die falsche Meinung, eine Zunahme geistlicher Werke im allgemeinen
Musikschaffen der dreißiger, vierziger und fünfziger Jahre sei ebenso
Zeichen einer neuen christlichen Ära wie das zahlenmäßig beachtliche
Anwachsen der kirchenmusikalischen A-Stellen, führte auf dem Gebiet
der Kirchenmusik zu einer Entwicklung, die allmählich nahezu inflatio-
näre Züge annahm. Bloße Stellenvermehrung ohne fundierte Zielsetzung hat eher das Gegenteil bewirkt von dem, was man wollte, und zu
wenig sinnvollem Verschleiß von Begabungen, Kräften und Sachmitteln
geführt. Die Musikpflege seitens der größeren Städte ist weitaus überzeu-

gender und ökonomischer verfahren, indem dort nach wie vor *ein* Generalmusikdirektor (GMD) amtiert, d. h. es ist *ein* Musiker für jene Aufgaben zuständiger Verantwortungsträger, die nicht beliebig aufspaltbar oder multiplizierbar sind. Die Kirche hat in den vergleichbaren Städten in der Regel mehrere oder gar viele A-Stellen mit der Konsequenz, daß sich Aufführungen der großen geistlichen Musikwerke häufen und überschneiden (erinnert sei in diesem Zusammenhang etwa nur an Bachs Passionen und sein Weihnachts-Oratorium). Da die meisten A-Stellen mit viel zu geringen Sachmitteln ausgestattet sind (bei der Vielzahl auch gar nicht genügend ausgestattet sein können!), scheitert ein hohes Aufführungsniveau der Chor/Orchester-Literatur (von der Möglichkeit größer besetzter Aufführungen moderner oder gar avantgardistischer Werke ganz zu schweigen) schon an der Unmöglichkeit der Verpflichtung hochqualifizierter Vokalsolisten und Orchestermusiker. Qualifizierte Aufführungen der großen kirchenmusikalischen Werke sind deshalb heute oftmals nicht mehr im Kirchenraum, zumindest nicht mehr in der Trägerschaft der Kirche zu finden, sondern wandern wieder, wie schon einmal in der zweiten Hälfte des 18. und im 19. Jahrhundert, in den Konzertsaal ab. Es ist der Kirche vorzuwerfen, daß sie eine der ihr zugewachsenen wichtigen Wirkungsmöglichkeiten aus der Hand gibt, für die gerade in unserer Zeit viele Menschen offen sind. Indem sie als Konkurrent im allgemeinen Musikleben nicht mehr ernst genommen wird, fördert sie zugleich den Dilettantismus und läßt es – als Folge der sinnlosen Wiederholungsaufführungen eines sehr begrenzten Kanons von Werken – zu einer kirchenmusikalischen Steriliät kommen. Den Vorwurf eines schlechten Haushalters muß sie sich gewiß schon heute gefallen lassen.

Verschiedentlich beginnt man aber zu erkennen, daß der A-Musiker und seine Stelle auf solchem Hintergrund zu sehen und zu verantworten ist. Aufgrund der besonderen Aufgaben fällt dem A-Musiker eine Spitzenfunktion zu. Der Typus des allgemeinen hauptamtlichen Kirchenmusikers wird immer mehr und selbstverständlicher der B-Musiker sein, dessen Ausbildung in den letzten Jahren sehr an Qualität und Intensität zugenommen hat. Daß dies nicht Abwertung bedeutet, sondern sinnvolle Gliederung, wird erkennbar, wenn man das Berufsbild des Kirchenmusikers auf dem Hintergrund seiner geschichtlichen Entwicklung betrachtet: Jahrhunderte hindurch war sein Amt verbunden mit der pädagogischen Tätigkeit im Dienste der Schule. Mit dem Chor der Schule führte er die allsonntägliche, oftmals von ihm komponierte Kirchenmusik aus, meist unterrichtete er zudem noch in einem wissenschaftlichen Fach. Wie auch Bachs Amtsbezeichnung »Cantor an der Thomasschule« verrät, war er als Kantor Angehöriger des Lehrerkollegiums und in solcher Eigenschaft zur Durchführung der Musik im öffentlichen Gottesdienst verpflichtet. Daneben beschäftigte die Kirche für alle organistischen Dienste einen Organisten.

Teilweise dem kirchenmusikalischen Verfall im 19. Jahrhundert, vor allem aber den unguten politischen Entwicklungen in den dreißiger Jahren unserer Epoche ist die Verbindung Kirchenmusik/Schulmusik, Kantor/Schulmeister zum Opfer gefallen. In Vergessenheit geraten ist zugleich ein organisatorisches Modell: Es war nicht Ziel früherer Kirchenmusikpflege, in jeder einzelnen Stadtgemeinde allumfassende eigenständige Konditionen für die gottesdienstliche Kirchenmusik zu entwickeln; vielmehr erreichte man mittels geschickter Organisation und Zusammenfassung der Kräfte ein hohes Maß an kirchenmusikalischer Möglichkeit. Während jede Kirche ihren eigenen Organisten hatte, waren Kantor und Chor an mehrere Kirchen gebunden; so versorgten z. B. Telemann oder Ph. E. Bach die Gottesdienste der Hamburger Hauptkirchen mit Motette und Kantate sowie choristisch-liturgischem Dienst, während J. S. Bach gleiche Aufgaben in Leipzig zufielen. Eine modifizierte Weiterführung dieses historischen Modells wäre des Überdenkens wert; denn durch Konzentration ließe sich eine Zusammenfassung der Kräfte erreichen, die Begabungen der Kirchenmusiker als Kantoren, Organisten und Pädagogen könnten infolge entsprechenden Einsatzes zu voller Entfaltung gelangen, Zersplitterung der Kräfte und Wirken in die Breite ließen sich abfangen und zu einem Wirken in die Tiefe führen. Zweifelsohne wäre ein für die gesamte Kirchenmusik wesentlich effektiveres Ergebnis zu erzielen, wenn Ökonomie nicht auf der Basis des Zufalls geschehen würde, sondern eine Neuordnung und Neuaufgliederung der kirchenmusikalischen Stellen überlegt und realisiert werden könnte. Schließlich ist es – recht betrachtet – auch kaum möglich, daß ein Kirchenmusiker gleichzeitig das umfangreiche Repertoire der Orgelmusik, der Chorliteratur und der geistlichen Chor/Orchesterwerke beherrscht und sich in solcher Breite ständig auf dem Laufenden hält (auch hier sei nochmals der Seitenblick auf den Kapellmeister erlaubt), zumal dieses Repertoire sowie die musikalisch-technischen Forderungen seit dem Ende des 2. Weltkrieges in immenser Weise angewachsen sind. In einem sehr bedenkenswerten Gutachten »Kirchenmusik und pädagogischer Auftrag«[4] sagt Christoph Richter in Zusammenhang mit Überlegungen über Möglichkeiten kirchenmusikalischer Berufsbilder: »Die Notwendigkeit zu erweiterter Berufskompetenz zwingt in allen Berufen zu Spezialisierung. Auch bei einer Neubesinnung des Kirchenmusiker-Berufsbildes müssen solche Möglichkeiten geschaffen werden, wenn auch einzuräumen ist, daß einerseits gerade die Vielseitigkeit bisher die Attraktion dieses Musikberufes darstellt und andererseits die kirchengemeindliche und gesellschaftliche Struktur in vielen Fällen einen umfassend gebildeten Musiker verlangt.«

Unsere bisherigen Überlegungen lassen sich wie folgt zusammenfassen:

1. Vielfältiger Verunsicherung und rückläufigen Erscheinungen in manchen traditionell kirchlichen Arbeitsgebieten steht ein reges Interesse an einer qualifizierten und verschieden akzentuierten Kirchenmusik gegenüber.

2. Verantwortete Kirchenmusik erfährt nach wie vor ihre Verankerung im Gottesdienst. Sie hat damit zugleich die Möglichkeit, Menschen – gerade auch junge Menschen – in unmittelbaren Kontakt mit Gottesdienst und Evangelium zu bringen und sie zu Mitträgern gottesdienstlichen Geschehens zu machen. Die Kirchenmusik repräsentiert einen legitimen und heute besonders lebendigen Bereich in der Kirche, der umgekehrt aber auch von der Kirche erwarten darf, als solcher akzeptiert und verantwortungsbewußt gepflegt zu werden.

3. Dem Trägerkreis der Kirchenmusik – Kantor, Organist, Chor sowie Verwalter der Sachmittel – ist es aufgegeben, der Pflege der nicht primär für den Gottesdienst bestimmten oder heute dort nicht mehr anzusiedelnden ›Geistlichen Musik‹ ebenfalls nachzugehen und sie neu zu ordnen, um damit einer Verantwortung nachzukommen, die ihm auf diesem Sektor gegenüber der Gesellschaft unserer Tage zugewachsen und aufgetragen ist.

4. Die Aufgaben der verschiedenen kirchenmusikalischen Ämter sind zu einem großen Teil mit musikpädagogischem Tun eng verflochten, beim Kantor zumeist in noch stärkerem Maße als beim Organisten. Die sich vollziehenden Veränderungen im Leben der Gesellschaft als auch der Kirche erweitern den Aufgabenbereich des Kirchenmusikers nach Seiten der allgemeinen Musikerziehung. Dies ist für Kirche und Kirchenmusiker durchaus eine Chance, fordert aber zugleich fachgerechte Zurüstung. Auch hier ist ein Schwerpunktdenken sinnvoll, indem kirchenmusikalisches Amt sich verbinden läßt mit musikpädagogischer Tätigkeit an Schule, Fachschule oder Hochschule.

Aus all dem ergeben sich Überlegungen, die nach Inhalt und Zielsetzung der Ausbildung für dieses Amt fragen.

Zwei Gefahren liegen nahe: einmal die totale Überfrachtung mit einer Fülle von Anforderungen und Sachgebieten, zum anderen radikale Spezialisierungstendenzen und zu frühes Spezialistentum.

Der große »Organistenmacher« unseres Jahrhunderts, Karl Straube, hat mit der Begründung des »Kirchenmusikalischen Instituts« am damaligen Landeskonservatorium in Leipzig im Jahr 1927 den Grundstein für die systematische und gezielte Kirchenmusikerausbildung gelegt. Wie er selbst bekennt, war es stets sein Bestreben, das Ansehen des deutschen Kirchenmusikers zu heben, die Kantoren und Organisten wieder zu einem Berufsstand zu erheben. Es ging ihm um die Heranbildung künstlerischer Persönlichkeiten, die aufgrund ihres Persönlichkeitsbildes und ihrer künstlerischen Leistung von Kirche und Welt angenommen werden. Er verfolgte dieses Ziel, indem er den Studierenden in strenger Schule eine hervorragende spieltechnische Ausbildung und eine breite allgemein-musikalische Bildung vermittelte. Oft hat man dieser Ausbildung eine zu ausgeprägte Einseitigkeit vorgeworfen in Richtung auf den Typus des Virtuosen am Instrument; jedoch hat Straube deutlich erkannt, daß es biologisch begründet und sachlich gerechtfertigt ist, wenn ein geradezu übergroßer zeitlicher Anteil dem instrumentalen Vorwärtskommen gewidmet sein muß, da die technische Durchbildung der Hand in der Mitte des dritten Lebensjahrzehnts im wesentlichen abgeschlossen ist. Es wäre töricht, wollten wir heute anders verfahren und die entscheidenden Jahre, also etwa den Zeitraum zwischen dem 16./17. und 23./24. Lebensjahr, nicht für eine hochintensive manuelle Ausbildung nutzen. Jegliche Reform am Lehrplan kirchenmusikalischer Ausbildung kann nur unter dem Aspekt der Erreichung eines hohen geistig-künstlerischen Niveaus als Voraussetzung für spätere Leistungsmöglichkeit gesehen und verantwortet werden. Veränderungen, die zu künstlerischem Qualitätsverlust führen, sind abzulehnen; auch die unbestimmte Hoffnung, mit neuem Planen oder anderer Methode *vielleicht* ein besseres Resultat zu erzielen, ist keine ausreichende Voraussetzung. Die hohe Verantwortung gegenüber dem jungen Menschen verbietet, ihn zum Objekt unausgegorener Experimente zu machen, die allenfalls in die Werkstatt gehören, der Praxis aber keine positiven Dienste leisten. Damit ist keineswegs gemeint, »alles müsse hübsch beim Alten bleiben«. Es ist vielmehr zu untersuchen, inwieweit die Ausbildung des A-Kirchenmusikers den Gegebenheiten und Forderungen des heutigen Berufsbildes entspricht. Strengere Auswahlkriterien vor einem Eintritt in das Studium sollten daher das Persönlichkeitsbild in die Mitte der Betrachtungen einbeziehen, um falsche Hoffnungen abzubauen und die Zahl der Auszubildenden nicht unverantwortlich in die Höhe zu treiben.

Es ist deutlich geworden, daß

1. die alte Vorstellung, die meint, das Kirchenmusikeramt mit dem Aufgabenkatalog gottesdienstliches Orgelspiel, Chorleitung, Singen mit Kindern und gelegentlicher geistlicher Abendmusik erschöpfend umreißen zu können, nicht mehr der heutigen Situation und ihren Anforderungen entspricht;

2. die musikalischen Umweltbedingungen ebenfalls nicht mehr denen vergangener Zeiten entsprechen;

3. diese veränderte Situation nachdrücklich in die kirchenmusikalische Region hinein wirkt. Technische und künstlerische Maßstäbe, die im allgemeinen Musikleben gesetzt worden sind, werden auch für die Kirchenmusik zur unausweichlichen Voraussetzung;

4. eine Kirchenmusik, die infolge von Stagnation und Leistungsabfall nicht mit den anderen musikalischen Bereichen verantwortlich konkurrieren kann (oder will), von selber den Anspruch verliert, als gewichtige Äußerung ernst genommen zu werden. Die Geschichte beweist die Richtigkeit solcher These: Während bis ca. 1750 die Kirchenmusik in Deutschland eine Spitzenfunktion im allgemein-musikalischen Prozeß einnahm, fiel sie danach in die totale Bedeutungslosigkeit ab, um sich erst 150 Jahre später sehr allmählich zu erholen. Da Kirchenmusik Medium für Anbetung und Lobpreis und nicht unwesentlich »rufende Stimme« ist, hätte eine erneute Talfahrt wohl gerade heute noch negativere Konsequenzen.

Das Ziel jeglicher Reform – ob in Ausbildung oder Amt – kann einzig darauf gerichtet sein, die Voraussetzungen dafür zu schaffen, daß sich Kirchenmusik für unsere Zeit überzeugend und wirkungsmächtig entfalten kann, um auf solche Weise ihren ewig alten und ewig neuen Auftrag zu erfüllen. Das Engagement für diese Kirchenmusik und den dafür notwendigen Kirchenmusiker läßt sich begründen mit einem Wort Manfred Mezgers: »Wenn das Evangelium, zu dem wir uns bekennen, die beste Sache von der Welt ist, ist die beste Musik dazu gerade gut genug.«

Anmerkungen

1 Helmut Kornemann, Der Kirchenmusiker in Gemeinde und Gesellschaft, in: Der Kirchenmusiker, 1974, S. 174.
2 Hermann Volk, Der Christ als geistlicher Mensch, Mainz 1974, S. 7.
3 Oskar Söhngen, Kirchenmusik und Geistliche Musik als Gegenspieler und Verbündete, in: Der Kirchenmusiker, 1971, S. 201 ff.
4 In: Der Kirchenmusiker, 1974, S. 13.

HERMANN DEXHEIMER

PUBLIZISTEN MIT UND OHNE TALAR

Es war an einem Spätherbsttag Anfang der fünfziger Jahre. Im Alzeyer Pfarrhaus herrschte eine Betriebsamkeit, wie sie sonst nur im Vorfeld hoher kirchlicher Feiertage zu registrieren war. Der Anlaß schien in der Tat einem dieser besonderen Feste im sonst monotonen Ablauf der Amtsregularien eines kleinstädtischen Pfarramts vergleichbar. Kirchenpräsident Martin Niemöller hatte sich nach einer Gemeindeversammlung zum Besuch angesagt.

Während des für solche Anlässe im kirchlichen Bereich üblichen bescheidenen Mahls kreisten die Gespräche der geistlichen Herren um Themen der Friedenspolitik im Schatten der Atombombe und um die Stellung der Kirche im politisch geteilten Land.

Der junge Mann, Gast der Pfarrfamilie, folgte dem Tischgespräch mit großem Interesse, wobei ihn die Ausdruckskraft des »Bischofs« ebenso faszinierte wie die Vergegenwärtigung des vom U-Boot bis zur Kanzel führenden Lebenswegs dieses ungewöhnlichen Kirchenmannes. Dann erkundigte sich Niemöller plötzlich nach den Berufswünschen des gegenübersitzenden Abiturienten. Der reagierte seiner Situation entsprechend unsicher. Er schwanke noch und wisse nicht, ob er ein Theologiestudium beginnen oder aber den Journalistenberuf ansteuern solle.

Das Stichwort Journalismus interessierte den Kirchenpräsidenten sichtlich. Er ließ sich von den ersten Arbeiten als freier Mitarbeiter einer Regionalzeitung berichten, fragte sachkundig nach Glossen und Reportagen und schien auch angetan von den theologischen Neigungen des jungen Mannes und dessen langjähriger Aktivität als Leiter einer evangelischen Jugendgruppe. Unvermittelt neigte sich Niemöller dann plötzlich über den Tisch direkt dem Unschlüssigen zu: »Auch wenn Sie nicht Pfarrer werden, können Sie für Kirche und Glauben dennoch viel tun. Denken Sie doch einmal daran, daß später Hunderttausende Ihre Artikel lesen könnten, während der Pfarrer sonntags, wenn's hoch kommt, vielleicht hundert Zuhörer unter seiner Kanzel versammelt sieht...«

Noch lange sprach man an diesem Abend über Kirche und Öffentlichkeit und wie das christliche Element in der modernen Gesellschaft vitalisiert werden könne. Niemöller, selbst ein begnadeter, produktiver Schreiber, verwies auf die Nachbarschaft von theologischer Verkündigung und journalistischer Information und Interpretation. Christliches Engagement in den Medien als Möglichkeit des Brückenschlags auch zu jenen Teilen der Massengesellschaft, die von den Kirche nicht mehr erreicht werden. Der Publizist mit Talar verstärkt durch den Publizisten ohne Talar, der täglich in den Massenmedien mit der gesamten Bevölkerung im Kontakt steht.

An diesem Abend mit dem kirchlichen »Publizisten« Martin Niemöller, dem wortgewaltigen Prediger und ausdrucksstarken Schreiber, wußte der suchende junge Mann plötzlich, welchen Weg er gehen sollte. Das Medium Zeitung war sein Ziel.

Schon früh stellte sich dann dem Nachwuchsjournalisten die Frage nach der Stellung des Christen in den weltlichen Ordnungen, vor allem in der Politik. Von Martin Luther nahm er die Ermunterung auf, gerade wegen aller Herausforderungen und Risiken gesellschaftlichen Engagements sollte der Christ in allen für ihn zugänglichen Institutionen »des weltlichen Regiments« aktives Handeln beweisen. Entgegengesetzte Forderungen, vor allem aus dem reformatorischen Lager, die strikte politische Abstinenz der Christen verlangten, hat er geradezu als »Ketzerei« verurteilt. Ausgerüstet mit dem Glauben und der aus ihm Kraft und Klarsicht erlangenden Vernunft kann sich der Christ nach Martin Luthers Überzeugung in der Welt, in jedem Amt und Beruf stets so verhalten, daß er sowohl Gottes Reich als auch dem Reich der Welt »genugtut«. Diese Wegweisung war und ist für den Journalisten eine um so wirksamere Hilfe, als auch der Reformator stets als Publizist gewirkt hat, ganz gleich, ob er am Katheder oder von der Kanzel in Wittenberg redete oder eine Flut von Briefen, Flugschriften und theologischen Abhandlungen in die Welt schickte.

Wo nun sieht der christliche Mann der Medien seine wesentliche Aufgabe? Zum Sehen geboren, zum Schauen bestellt, diese Gewißheit, dieses Lebensgefühl hat den Wächter in Goethes »Faust« auf den Turm geführt und bewahrt ihm den klaren, weitschauenden Blick. Das Arbeitsinstrument des Journalisten ist das geschriebene Wort, die sorgfältig und verantwortungsvoll recherchierte, redigierte und dann veröffentlichte Information. Schon das Wort Nachricht besagt, daß der Leser sich in seinem Verhalten und Leben danach richten können sollte. Glaubwürdigkeit und Vertrauen sind die Basis der Kommunikation zwischen Redaktion und Leser. Was für die Nachricht gilt, das gilt in verstärktem Maße auch für Leitartikel und Kommentare. Die Anerkennung der Meinungsspalten einer Zeitung hängt unmittelbar von den Erfahrungen ab, die Leser langfristig in ihrem Blatt im Zusammenhang mit Faktentreue, Unabhängigkeit, Objektivität und Zuverlässigkeit gesammelt haben.

Dabei kommt es ganz gewiß nicht darauf an, stets nur mit dem Strom zu schwimmen, um das Ufer des Erfolgs zu erreichen. Gerade in Zeiten der Veränderung und des Umbruchs ist die unabhängige Stimme des seriösen Journalismus mehr denn je gefragt. Paul Sethe, der große liberale Publizist der fünfziger und sechziger Jahre, antwortete auf die Frage, welche Eigenschaften denn erforderlich seien, damit man als Publizist hoffen könne, der großen Aufgabe gewachsen zu sein, mit einem einzigen Wort: Mut! Was die Männer in den Redaktionen der Presse vor allem brauchen, ist Mut.

Als Gottfried Keller eine Laudatio auf den Größten unseres Berufes hielt, rief er aus: »Komm, tapferer Lessing!« Keine Erwähnung von Geist, Begabung oder Phantasie, sondern er sagte schlicht und einfach nur »tapferer Lessing«.

Mut vor allem gehört auch heute dazu, wenn ein Schreibender in einem Tagesmedium den Ruf seines Kollegen Matthias Claudius im »Wandsbecker Boten« aufnimmt: »Es gibt was Bessres in der Welt!« Etwas Besseres nämlich als die Jagd nach Geld und Gut, nach Ehre, Ansehen und Macht.

Viele Zeichen signalisieren trotz wachsenden Wohlstands im Land Ziellosigkeit und Unsicherheit. Nur einige Stichworte seien dafür genannt: Anspruchsinflation, Konsumgier, Aussteigermentalität, Flucht aus der Wirklichkeit, Infragestellen aller Autoritäten, aller Bindungen und Verpflichtungen. In dieser Situation stellt sich die Sinnfrage allen menschlichen Tuns mit neuer Eindringlichkeit. Karl Barth schrieb darüber bereits 1922 in »Zwischen den Zeiten«: »Zwischen den Zeiten weiß man, daß die Traditionen nicht mehr tragen und die Institutionen keine Sicherheit mehr geben. Man spürt die Krise des Bestehenden und fördert sie durch rückhaltlose Kritik. Zwischen den Zeiten weiß man aber nicht, was kommen wird. Man weiß noch nicht einmal, was kommen soll. Darum ist man zwischen den Zeiten stark in der Negation und schwach im Positiven«.

In einer solchen Epoche des Schwankens und Suchens ist der christliche Publizist in besonderem Maße gefordert, allen Tendenzen der Selbstzerstörung in der Demokratie den Mahnruf, »Es gibt was Bessres in der Welt!« entgegenzusetzen. Auch wenn der Trend zum Konflikt- und Katastrophen-Journalismus der sog. »positiven Nachricht« nur noch einen versteckten Winkel in manchen Zeitungen einräumen möchte, muß man sich einer solchen Entartung umso entschiedener entgegenstellen. Es gibt beileibe nicht nur Negatives und Krisenhaftes im Tagesgeschehen. Auch die positive Nachricht einer guten Tat findet hohes Leserinteresse, wenn man sie im Blatt gut plaziert. Matthias Claudius druckte in seinem »Wandsbecker Boten« auf Seite 1 die »Meldung«: »Gestern schlug hier die erste Nachtigall.« – Welch' eine glückliche Zeit, in der man noch die Flöte der ersten Nachtigall im Park journalistisch zu feiern verstand...

Von Tocqueville stammt die Aussage, nur das Bündnis von Demokratie und Religion verbürge eine geordnete Gesellschaftsentwicklung. Gerade in Zeiten des geistigen und geschichtlichen Umbruchs dürfen Verbindung und Blick zur Transzendenz nicht verloren gehen. Christliche Wertvorstellungen in Politik für die Menschen umsetzen, damit Vertrauen und Hoffnung den Hang zur Negation überwinden – dazu können und sollen auch Publizisten entscheidend beitragen. Und zwar Publizisten mit und ohne Talar, jeder auf seine Weise von der gemeinsamen Basis aus. Wobei die Bergpredigt eine ständige Kraftquelle sein kann. Aus ihr sprudelt weit mehr Heilsames empor als die »Goldene Regel« des weltlichen Naturrechts aussagt: »Alles, was ihr wollt, daß euch die Leute tun, das tut ihr ihnen auch«.

Hoffnung, Liebe und Vertrauen sind auch heute möglich, wenn das Bekenntnis zu den christlichen Grundwerten vorgelebt und nicht nur als feiertägliche Pflichtübung absolviert wird.

V
Biographie und kirchliche Praxis

»Was Theologie jeweils zu bedenken hat, was der
Glaube jeweils sagen kann, als sein Wort in der Zeit,
das ergibt sich nicht allein aus der Konzentration auf
Theologie oder innertheologische Überlieferung und
ihre möglichst wortgetreue Wiederholung, sondern
genau umgekehrt ist es: Was heute notwendige Theologie oder die notwendige Aussage des Glaubens ist,
das ergibt sich immer erst, wenn ich mich mit der
Überlieferung auf die Situation der Zeit einlasse. Oder
noch konkreter, und darin streng rhetorisch gedacht:
Was ich zu sagen habe, etwa als Prediger, wird allererst vernehmbar in der Hinwendung zum redenden
und hörenden Menschen in seiner, meiner jeweiligen
konkreten Situation. Theologie, die sich auf Rhetorik
einläßt, kennt also den Glauben nicht als fertige, situa-
tionslose Substanz, sondern erfährt ihn in vielfältigen
Dialogen, die über die Mauern der Theologie hinaus-
führen.« (Gert Otto, Von geistlicher Rede, Gütersloh
1979 S. 20)

INGO WITT

LEBENSGESCHICHTE UND ALLTAG

Zum Verständnis der Amtshandlungen in der Volkskirche

Und nun die Werbung:

> »Festlich glänzt die Hochzeitstafel
> und es strahlt das junge Paar.
> So verwöhnt wie nie wird heut jeder Gast,
> ja das Fest ist wunderbar.
> Doch die Krönung all der schönen Stunden
> ist der köstliche Kaffee,
> ja die Krönung der schönsten Stunden
> ist die Krönung von Jakobs-Kaffee.«

Ähnlich reizende Weisen singt der bärtige Schlagerbarde zur Kommunion, Konfirmation, Trauung, und im Verlauf des Jahres auch zur Weihnachtszeit und zu Ostern.

Tatsächlich: Volkskirchliche Amtshandlungen sind Lebenswirklichkeit. Sogar – oder besonders – in der Werbung. Täglich, alltäglich auf dem Bildschirm und im Rundfunk. Marketingfachleute scheinen die über zehn Jahre alten Analysen und Ergebnisse der empirischen Untersuchungen zur Kirchenmitgliedschaft[1] gründlich bedacht und gedeutet zu haben. Sie gehen auf die besonderen Zäsuren und »Knotenpunkte«, aber auch auf besonders bedeutsame Ereignisse im Jahresablauf ein. Sie strahlen ihre Botschaften vom köstlichen Kaffee mitten in den alltäglichen Lebensablauf und versuchen zugleich, die besonderen Stimmungslagen des Nicht-Alltäglichen, des Feierlichen aufzufangen und für ihre Zwecke zu verwenden.

Soweit. Was aber hat dies alles mit Amtshandlungen und Lebensgeschichte zu tun? In den folgenden Überlegungen sollen zunächst die in der Diskussion um die volkskirchlichen Amtshandlungen wichtig gewordenen Begriffe *Lebenslauf, Lebenszyklus* und *Lebensgeschichte* überdacht werden.

Der weitere Gedankengang wird uns in das weite Feld der sog. Lebenswelt, mitten in den »Alltag« führen.

Aus dieser Perspektive bieten sich interessante Aspekte, über Theologie als Theologie im Alltag nachzudenken und so Möglichkeiten der Amtshandlungspraxis aufzuzeigen.

1. »Die Menschen gehen daran zugrunde, daß sie Ende und Anfang nicht zu verknüpfen verstehen.«[2]

Die Begriffe Lebenszyklus und Lebensgeschichte spielen im Zusammenhang mit den volkskirchlichen Amtshandlungen eine wesentliche Rolle. Das hat J. Matthes in seiner Auswertung zur ersten EKD-Untersuchung nachgewiesen.[3]

Hier soll zunächst eine erste assoziative Annäherung an das Wortfeld rund um den Begriff des *Lebenszyklus* versucht werden:

Zyklus, das wirkt periodisch, regelmäßig wiederkehrend und sich wiederholend. Da gibt es abgeschlossene Einheiten, Typisierungen, die in festgelegten Zeit-Abschnitten pulsierend immer wiederkehren. Zeit kann in Quantitäten gemessen werden. Zyklisches kann berechnet und geplant werden.

So definiert Matthes Lebenszyklus als »die gesamtgesellschaftlich geregelte und geltende Bestimmung des ›normalen‹ Lebenslaufes mit seinen ›typischen‹ Einschnitten, Höhepunkten und Krisen«[4]. Das impliziert die Überlegungen, »wie in einer gegebenen Gesellschaft der natürliche Wachstums- und Alterungsprozeß der Gesellschaftsmitglieder im Zusammenhang mit den in der Gesellschaft ablaufenden Produktionsprozessen... gegliedert – *und* wie diese Gliederung in institutionalisierte Überleitungsregelungen mit sie begleitenden Ritualen umgesetzt wird.«[5]

Diese Gliederung in feste Abfolgen und Zeitabschnitte allein würde menschliches Leben jedoch nur unvollständig beschreiben. Neben den lebenszyklischen Elementen des Lebenslaufes gilt es besonders, auch die je eigenen Lebensgeschichten der Menschen in den Blick zu nehmen.

Solche »Geschichten« liegen quer zum festen Zyklus. Sie ereignen sich immer neu und immer anders. Mitten im Leben, täglich, alltäglich. Oft spontan, aber auch als langer Prozeß sich entwickelnd als ein Unterwegssein im Leben. Auch die täglichen Geschichten haben ihre Zyklik, ihre Geregeltheit – und doch ereignet sich das Leben genauso zwischen den festen Abläufen.[6]

Im Gegensatz zur festgelegten Zeit im Begriff des Lebenszyklus ist bedenkenswert, daß die *Wahrnehmung von Zeit* in den »erlebten Geschichten« eine gänzlich andere, geringere Rolle spielt: Hier kommt es vielmehr auf die Intensität einer Erfahrung, einer Begegnung an. In Erlebnissen besonderen Glückes oder großer Trauer schmilzt die meßbare, quantifizierbare Zeit zur Unkenntlichkeit zusammen. Ein Augenblick wird wie eine Ewigkeit empfunden; Stunden gerinnen zu Momenten. Wer könnte schon sagen, wie lange ein besonderes Glückserlebnis dauerte?

Erst solche ge- und erlebten Geschichten machen die gesellschaftlich vorgegebene schemenhafte Typik menschlichen Lebens zur je eigenen Biographie, zur unverwechselbaren Lebensgeschichte von Individuen.

Lebensgeschichte passiert, indem sie zur Zeit passiert und indem Passiertes revue passiert.

Matthes definiert Lebensgeschichte als »die biographische *Verarbeitung* der lebenszyklischen ›Vorgabe‹ in der konkreten Lebenserfahrung des einzelnen Gesellschaftsmitglieds«.[7]

Lebensgeschichten bilden das Korrelat zum Zyklischen. Sie füllen das Leben zwischen den »besonderen« Zeiten.

Gleichsam ragen sie jedoch auch als deren Bestandteil in jene »besonderen« Zeiten hinein.

In diesem Sinne ist Matthes' Forderung nach einer schärferen Trennung beider Begriffe nur bedingt zuzustimmen.[8]

Die zwei »Bereiche« lassen sich in ihrer Wirkweise gerade nicht voneinander abgrenzen. Eine klare Trennungslinie ließe sich kaum ausmachen. Wir bewegen uns hier in einem Gebiet mit fließenden Grenzen, das durch zeitliches Nacheinander *und* Ineinander beider Bereiche verzahnt und als Überlappung wahrgenommen werden muß.

Für die Frage nach den volkskirchlichen Amtshandlungen heißt das, daß diese zwar besondere gesellschaftlich normierte und geordnete Einschnitte und Zäsuren darstellen, an ihnen aber gleichsam Menschen als Individuen *beteiligt* sind, die ihre je eigenen Lebensgeschichten haben. Lebenszyklus und Lebensgeschichte sind in den Amtshandlungen miteinander verknüpft. Im Versuch, diese Verknüpfung zu deuten, entwickelt sich Biographie als »jene auf Kommunizierbarkeit angelegte ›Theorie‹..., die sich Menschen über ihren Lebenslauf machen und innerhalb derer der Ablauf der Lebensereignisse und deren Deutung zu einer unzertrennbaren, künftiges Handeln vororientierenden Einheit verschmelzen.«[9]

Die bisherigen Veröffentlichungen zur Theorie und Praxis der Amtshandlungen übergehen den Tatbestand der Verknüpfung von Lebenszyklus und -geschichte zur Biographie gänzlich. Überhaupt fällt auf, daß das Thema trotz seiner großen Bedeutung im Kontext der volkskirchlichen Situation eher marginal verhandelt wird. Handbücher trennen die einzelnen Amtshandlungen voneinander und verkennen somit deren Zusammengehörigkeit über das Ganze des Lebensbogens. Monographien oder Gesamtentwürfe, die das Amtshandlungsgeschehen im Spannungsfeld zwischen Lebenszyklus und Lebensgeschichte wahrnehmen, gibt es bisher nicht.

Zum einen mag das am systemtheoretischen Vorgehen der EKD-Umfragen liegen. Dieser Ansatz versperrt wichtige Perspektiven, indem er in seiner Intention rein funktional auf Bestehendes orientiert ist (so schon in der Titel-Fragestellung »Wie stabil ist die Kirche?«) und die jeweiligen Lebensgeschichten höchstens quantitativ zur Kenntnis nehmen kann. Sich damit zufriedenzugeben hieße: funktionale Bestimmung kirchlicher Praxis; Bedürfnisbefriedigung im Sinne einer bloßen Dienstleistung. Dann allerdings – so steht es zu fürchten – wird sich die Kirche langfristig der Konkurrenz einer expandierenden Unterhaltungsindustrie anpassen und sich im Chor mit Werbung, Dallas und Schwarzwaldklinik wahrlich »zu Tode amüsieren«.[10]

Die Berücksichtigung besonderer Qualitäten gelebter Lebensgeschichten in ihren je individuellen Ausprägungen und zukünftigen Möglichkeiten eignet diesem Ansatz jedoch kaum.[11]

Zum anderen mag die beobachtete Vernachlässigung der Amtshandlungsthematik an der Komplexität des Themas selber liegen. Der Begriff der Lebensgeschichte, und damit verbunden der Lebenswelt, erscheint unübersichtlich und kaum systematisierbar. Der Weg durch dieses wahrhafte Labyrinth der Lebenswelt bleibt rätselhaft. Das Ergebnis ist ein verengter Blickwinkel, der allein binnenkirchliche Aspekte zur Kenntnis nimmt, kerngemeindlich ausgerichtet bleibt und die Mehrzahl der »Volkskirchlichen« als Distanzierte oder Randsiedler wahrnimmt. Eine kritische Reflexion religiöser Bedürfnisse, die an den Amtshandlungen zutage treten, hat gerade deren Ursachen und Entstehungsgründe *in der jeweiligen Lebenswelt*, eben im »normalen Leben«, zu hinterfragen. Wird die Verknüpfung und Untrennbarkeit von Lebenszyklus und Lebensgeschichte in den Amtshandlungen erkannt, so ist damit gleichsam der Raum gewiesen, in dem das gesamte Amtshandlungsgeschehen zu reflektieren ist: Dies kann *nicht allein* der kirchliche sein (besonders nicht in seiner eng und exklusiv gefaßten Kerngemeindegestalt[12]). Das Ernstnehmen der Amtshandlungen verlangenden Menschen fordert eine Orientierung auf das weite Feld, in dem sich lebenszyklische Vorgaben und Einschnitte in ihren lebensgeschichtlichen Deutungsversuchen zur Biographie verdichten. Dieser Raum ist der Alltag, die Alltagswelt, das Alltägliche, das jedermann überall Passierende und Passieren Könnende. Hier bietet sich ein unerschöpfliches Reservoir an Möglichkeiten, den diakonisch-seelsorgerlichen Auftrag der Kirche am Ganzen des Lebensbogens zu orientieren, damit Menschen nicht mehr »daran zugrunde gehen, daß sie Ende und Anfang nicht zu verknüpfen verstehen.«[13]

2. Im Alltag

»Dieser Tag ist für mich voller Vorgänge, die sich wiederholen, der gute Alltag. Ich frage mich, ob es ›nötig‹ ist, noch weitere hundert oder tausend Wiederholungen dieser gleichen Vorgänge zu erleben.« (Christa Wolf)[14]

Der Weg in das weite Feld des Alltags führt uns in unwegsames Gelände. Das Bild des Alltags ist labyrinthisch. »Die Welt des Alltags gehört jedem und keinem. Die Anonymität alltäglicher Strukturen verfügt über uns, noch bevor wir überhaupt den Versuch machen können, sie in den Blick zu bringen und unsererseits über sie zu verfügen.«[15] Zur ersten Orientierung in diesem unübersichtlichen Gebiet soll zunächst eine begriffliche Bestandsaufnahme hilfreich sein.

Alltag, alltäglich: das klingt zunächst abwertend, im Sinne etwa von »alltäglichen Kleinigkeiten«. In dieser Wertung schwingt zugleich ein gedachtes Gegenüber mit: Dem Alltäglichen korrespondiert etwas Besonderes, Nicht-Alltägliches. Alltag ist man gewöhnt, ist etwas Gewöhnliches, ist routinisiert. Nicht-Alltag hingegen ist ungewöhnlich, gar außergewöhnlich.

Bei näherem Hinsehen erweist sich diese Trennung jedoch als Schein. Zugegeben, ein recht schöner Schein, besonders für Theologen. Fühlen wir uns als solche im Dienste der Kirche doch gerade als Sachwalter des Besonderen, der Offenbarung, des Heiligen im Gegenüber zum Profanen; des Sonntags im Gegenüber zum Alltag und meinen oftmals, auf die genannte Trennung angewiesen zu sein. Doch sie bleibt Schein und nimmt Lebenswirklichkeit damit einseitig wahr.

Eine solche Trennung von Alltag und Nicht-Alltag scheint mir begrifflich nicht möglich. Das soll exemplarisch am Begriffspaar Arbeit/Freizeit aufgewiesen werden.

Geht man davon aus, daß Arbeit zu den alltäglich zu verrichtenden Dingen zählt, so ist der Alltag sicherlich gerade am Arbeitsplatz präsent. Auch das Drumherum, der Weg zur Arbeit, die Pausen, der Heimweg, das alles zählt zum Alltäglichen. Doch auch da, mitten im Alltag passiert Besonderes, Ungewöhnliches, Komisches oder Trauriges. In Gesprächen und Begegnungen wird Ungewohntes, Neues erlebt, ohne daß damit ein anderer Bereich als der des Alltäglichen betreten würde. Nach Beendigung der Arbeit beginnt die Freizeit. Doch auch diese ist nicht etwa unalltäglich, weil die Arbeit alltäglich ist. Auch Freizeit bleibt alltäglich. Vom Arbeitsplatz getrennt, oft weiter entfernt, befindet sich der Wohnraum. Und dort? Natürlich auch Alltag. Täglich wiederholte Tätigkeiten, routinisierte oder ritualisierte Alltäglichkeiten. Alltag läßt sich keinem Nicht-Alltag gegenüberstellen.[16]

Was ist eigentlich nicht Alltag? Alltag ist alles! Alles ist Alltag! Damit kann jedoch nicht gemeint sein, dem Alltäglichen jegliche Dialektik abzusprechen. Hier gilt es zunächst, Spannungen *innerhalb* des Alltags wahrzunehmen. Alltag konstituiert sich durch immer wiederkehrende Abläufe *und* ungewöhnliche, spontane Momente zugleich.

Ein Blick auf verschiedene Entwürfe zum Thema Alltag/Lebenswelt[17] zeigt die Ambivalenz in der Einschätzung des Begriffs: Zum einen erscheint eine *Kritik am Alltag* immer wieder notwendig (Lefèbvre), zum anderen erweist sich Alltag gleichwohl als *kritisches Korrektiv* jeglicher überfremdeter Lebenszusammenhänge (Husserl).

Nachdem die Ambivalenz des Alltäglichen erkannt ist, fragt es sich nun, wie denn mit diesen Spannungen umgegangen werden muß; ob, und wenn ja, wie sie ausgehalten werden können? Zunächst scheint es mir wichtig, davor zu warnen, nach Patentrezepten zu suchen. Gleichwelcher Art sie auch sein mögen: weder soziologische, psychologische und andere humanwissenschaftliche Methoden noch theologische Programme vermögen die geschilderte Spannung zu mildern oder gar aufzulösen. Die dialektische Erscheinungsform des Alltäglichen, das »Ungeregelte im Geregelten«[18] bleibt immer konstitutiv für das menschliche Leben, und das nicht etwa nur an partikularen Punkten menschlicher Existenz, sondern in der ganzen Erstreckung des Lebensbogens.

Wenngleich die geschilderten Spannungen nicht *gelöst* werden können, so meine ich doch, daß wir daran nicht scheitern müssen; daß wir in diesem Labyrinth des Alltags nicht verloren sind.

Nicht das Auflösen der Spannung ist die Lösung sondern das Aushalten! Ich meine: Gerade *in* seiner ambivalenten Konstitution, *in* seiner Widersprüchlichkeit wird der Alltag für uns Menschen spannend. Weil wir uns in ihm gleichsam mit unserer eigenen Widersprüchlichkeit inszeniert sehen, können wir uns *in seinen Strukturen* zurechtfinden und unsere Fragmentarität und Brüchigkeit aushalten.[19]

Damit ist zugleich gesetzt, daß keine alltägliche Lebenswirklichkeit zu profan wäre, um nicht Gegenstand der Reflexion über das Alltägliche zu werden. Dieser Tatbestand impliziert wichtige methodische Konsequenzen für das weitere Vorgehen: Es kann nicht darum gehen, von irgendeiner Theorie her das Alltägliche zu reflektieren, sozusagen von einer Meta-Ebene auf den Alltag zu blicken und sich von dort erhaben über das tägliche Tun letzten Endes doch hinwegzusetzen.[20] Gerade weil *jeder* Mensch ein Teil des Alltags ist und ihn so mitkonstituiert, gilt es, gleichsam »von unten«, die konkreten Lebenswirklichkeiten wahrzunehmen, so daß Alltag nicht länger zum »verobjektivierten« Wissenschaftsgegenstand wird, der keiner Praxis standzuhalten vermag.

3. Lebensgeschichte ist Geschichten erzählen.

Sich glaubhaft den Menschen als Subjekten des Alltags zuzuwenden birgt wichtige Konsequenzen: In Sachen Alltag kann es keinerlei Inkompetenz geben. Jeder ist beteiligt. Jeder gehört dazu und prägt somit auf seine Weise die Alltagswelt. Als konkrete Subjekte des Alltags nehmen *alle* Menschen ihre je eigene und individuelle Lebenswirklichkeit wahr.

So finden wir uns auf eben jener – oftmals diskreditierten – »unteren Ebene« des Alltäglichen wieder und sind nun, selbst mitten im Alltag zu fragen in der Lage, *wie* sich jene allgemeine Kompetenz im Alltag äußert;

mit anderen Worten: Welches Handeln bildet die Verstehensgrundlage der alltäglichen Lebensgeschichten aller Menschen?

Ein solcher »größter gemeinsamer Nenner«, so scheint es mir, wird am ehesten im Umfeld des Begriffspaares »Geschichten/Erzählen« aufzuspüren sein. Erzählen soll hier vornehmlich, dem Gegenstand des Alltags entsprechend, in seinen tagtäglich auftretenden Formen bedacht werden – was natürlich nicht heißen kann, daß z. B. die literarische Form der »Erzählung« für den Alltag keine Rolle spielt.

Erzählen ist alltäglich.

Nach dem Wochenende erzählen die Kollegen von ihren Erlebnissen und Unternehmungen. Der Alltag des Privaten und Familiären wird im Arbeitsalltag noch einmal dargestellt und reflektiert.

Beim Bummel durch die Stadt begegnen wir Menschen: »Du, ich muß dir unbedingt erzählen, was mir neulich in Köln passiert ist...«

Am Telefon erzählen wir Geschichten. Wir teilen uns erzählend mit und teilen damit unseren Alltag mit anderen.

Kinder erzählen nach dem Kindergarten oder nach der Schule, was sie gelernt und erlebt haben.

Wir erzählen uns Geschichten von Bildern, die uns in unserem Leben berühren oder erregen.

Damit ist aber zugleich klar: *Erzählen konstituiert Alltag.*

Und dies mit seiner ganzen inhärenten Spannung. Erzählen fordert zu Anteilnahme, Identifikation auf, und zugleich läßt es immer auch die Möglichkeit der Abgrenzung, des Widerspruchs oder der Distanz offen. Das, was Menschen erzählen, stellt zugleich einen Teil der alltäglichen Erfahrungen und Lebenswirklichkeiten in ihren Spannungen und Unausgeglichenheiten dar. Damit hat Erzählen eine wichtige, wenn nicht die wichtigste Funktion im Leben: Es *hilft, den Alltag zu verstehen und* ihn in seiner Ambivalenz *auszuhalten.* Erzählen ist mehr als nur Darstellen von Lebenswirklichkeiten. Es ist zugleich auch immer Deutung und Bewältigung. Ein schreckliches Widerfahrnis verliert seine bannende und ängstigende Wirkung, indem es Mitmenschen erzählt wird. Es hilft zur Bewältigung von Konflikten und Ärger, wenn der Vater nach der Arbeit zu Hause erzählt, wie er dem Vorgesetzten endlich mal die Meinung gesagt hat – auch wenn das so gar nicht stimmen mag. Es ist *doch* die Wahrnehmung und Deutung des Vaters. Sie stellt sich oftmals fiktiv dar und gewinnt somit ihre Bedeutung für das Aushalten des Alltäglichen. K. Ehlich beschreibt das Erzählen als »eines der prominentesten Mittel, mit denen der *Transfer von Erfahrung* bewältigt werden kann... Erzählen überwindet Isolation und konstituiert gemeinsame Teilhabe am Diskurswissen, mit dessen Hilfe die gesellschaftliche Praxis realisiert wird.«[21]

Fragt man in diesem Zusammenhang nun nach dem Gegenstand des Erzählens, so dürfte klar werden, daß es sich dabei nicht um »irgendwelche Geschichtchen« handelt – wäre das so, dann bliebe der eigentliche Inhalt hinter der Darstellung zurück – sondern um die je eigenen *Lebensgeschichten* konkreter Menschen. In ihnen werden Erlebnisse und Erfahrungen gedeutet und auf einen möglichen Sinn hin interpretiert.

Erzählte Lebensgeschichten – gerade auch in ihrer Fiktivität – helfen den Menschen, die Ambivalenz des Alltäglichen auszuhalten und ihr einen Sinn zu geben.

Die Bedeutung solch erzählter Lebensgeschichten für die Sozialwissenschaften, nämlich als »Instrument soziologischer Feldforschung« hat W. Fischer hervorgehoben.[22] Fischer geht dabei, im Gegensatz zur bisher bekannten biographischen Methode, nicht von einzelnen Biographien aus, um diese auf die Alltagswelt zu projizieren, sondern er versucht, erzählte Lebensgeschichten *in* ihren lebensweltlichen Provinzen zu verorten, um somit alltagsweltliche Deutungsstrukturen zu analysieren.[23]

Daß dem Thema Alltag und Lebensgeschichte immer auch eine theologische Dimension impliziert ist, mag an manchen Stellen angeklungen sein; besonders da, wo wir nach Möglichkeiten und Wegen gesucht haben, im Alltagslabyrinth uns zurechtzufinden. In der abschließenden Betrachtung sollen nun einige explizit theologische Gedanken reflektiert werden.

4. (Praktische) Theologie als Theologie im Alltag

Mit der Wahl dieser Überschrift soll eine grundsätzliche Weichenstellung für die Möglichkeiten praktisch-theologischen Denkens im Kontext alltagsweltlicher Erfahrungen markiert werden. Eine »Theologie des Alltags« im Sinne einer weiteren »Genitiv-Theologie« zu fordern, scheint mir ebenso der falsche Weg zu sein wie die andere Möglichkeit, vom Alltag auf die Theologie zu schließen. In beiden Vorgehensweisen blieben Alltag und Theologie voneinander getrennt und gegenüberliegend gedacht. Im hier favorisierten Ansatz sollen beide als ineinanderliegend und strukturell verwoben verstanden werden. So kann Praktische Theologie als Theologie *im* Alltag sehr wohl der volkskirchlichen Situation gerechtwerden, ohne dabei fürchten zu müssen, neben anderen Humanwissenschaften ihre eigene Identität einzubüßen. Daß dabei Theologen und Theologinnen sich selbst als ein Teil dieses Alltäglichen erkennen lernen müssen, scheint mir ebenso unabdingbar wie die Notwendigkeit, die eigene Biographie gerade auch im Hinblick auf die religiöse Sozialisation zu erinnern und zu hinterfragen.

Die Berechtigung eines solchen Vorgehens läßt sich gerade auch am biblischen Zeugnis aufzeigen.

G. v. Rad hat eindrücklich dargestellt, wie Israel lernte, daß Jahwe sich besonders auch im Alltäglichen äußerte und daß sein Heilshandeln *alle* Lebensbereiche durchzog.[24] Dies zu erkennen und immer wieder sich zu vergegenwärtigen, bediente sich Israel einer uns schon bekannten Praxis: des Erzählens. Israel *erzählt* von den alten großen Siegen (Josua, Richter, Samuel, Könige), um sich so in Zeiten diffuser staatlicher Identität der Nähe Jahwes zu vergewissern. Israel *erzählt* das Urbekenntnis aus Dtn 26 und erinnert damit, gleichsam die jeweilige historische Situation deutend, an die Kontinuität des Heilshandelns Jahwes. In den erzählten Lebensgeschichten Israels werden Lebenswirklichkeiten in ihrem geschichtlichen Sinn verarbeitet und über Generationen verknüpft. Aus den ursprünglich mündlichen Nacherzählungen wurden über Jahrtausende durch Ablagerungen und Deutungen die schriftlichen Zeugnisse, die uns heute vorliegen. In diesem Sinne weiterführende Beobachtungen lassen sich auch für den Bereich der Schriften des Neuen Testaments machen:

Wird die Verkündigung Jesu als Sprachgeschehen gedacht, in dem die Form nicht von ihrem Inhalt zu trennen ist[25], so weist uns das ein weiteres Mal auf das Erzählen als ursprünglichste Möglichkeit, Leben zu reflektieren und zu deuten. Wie sonst wären uns Wunder- und Heilungsgeschichten heute überliefert, wenn sich darin nicht Menschen mit ihren eigenen Geschichten wiedergefunden hätten, so daß sie immer wieder nach- und weitererzählt wurden. Eine Theologie im Alltag, die die labyrinthische Verfaßtheit der Lebenswelt wahrnimmt und nach Wegen sucht, wie Menschen in ihrer widersprüchlichen Alltäglichkeit leben können, darf sich dann gerade auch auf die paulinischen Gedanken von der Rechtfertigung der Sünder beziehen. Durch den Zuspruch der Gnade Gottes darf der Mensch in den gesetzten Strukturen des Alltags leben und muß sich doch nicht mit Bestehendem zufriedengeben, weil Jesus Christus als Gottes zur Welt kommendes Wort immer auch »die *elementare Unterbrechung* des Zusammenhanges der Wirklichkeit der Welt« ist.[26] Eine so verstandene »heilsame Störung der *ganzen* Lebens- und Wirklichkeitsbezüge«[27] gibt immer aufs Neue kritische Impulse zur stetigen Veränderung des Bestehenden.

Was die hier skizzierten Gedanken zu Lebensgeschichte und Lebenswelt für das Praktisch-Werden der Theologie im Alltag bedeuten, soll in einem perspektivischen Ausblick zusammengefaßt werden.

Eine Theologie, in der biblische Überlieferungen als erzählte Lebensgeschichten von Menschen und ihrem befreienden Gott verstanden werden, fordert eine Praxis, die heutige Menschen in *ihren* Geschichten ernstnimmt und deren gesamte Biographie im Alltag als religiöse geleitet und besetzt verstehen lernt; gerade auch an Punkten, die rational nicht faßbar scheinen.

Eine vorschnelle und pauschale Disqualifizierung volkskirchlicher Bedürfnisse ist damit rundweg abzulehnen. Unter einer verkrusteten Schicht aus Konvention und Unbewußtheit verbergen sich Wünsche, Sehnsüchte und Träume vom »eigentlichen« Leben. Jene Schicht abzutragen und nach solch elementarer Religiosität zu fragen, scheint mir die vornehmlichste Aufgabe einer lebensgeschichtlich orientierten Praktischen Theologie zu sein. Die Möglichkeiten der Amtshandlungen scheinen damit in einem völlig neuen Licht. Bezogen auf die Alltagserfahrungen der Menschen können sie in einem viel weiteren Sinn als bisher verstanden werden. Der Übergang in neue Lebensabschnitte und das Austreten aus alten Lebenszusammenhängen[28] eröffneten neue Perspektiven, das sehr punktuelle Angebot bisheriger Amtshandlungen, dessen Bedeutung hier keineswegs bestritten wird, auszuweiten und wirklich am Ganzen des Lebensbogens zu orientieren.

Die dem Alltäglichen anhaftende Kompetenz *aller* Beteiligten, von ihren je verschiedenen Lebensgeschichten zu erzählen, hat eine zweifache seelsorgerliche Dimension: Zum einen ermöglicht es dem *Erzählenden*, indem er seine eigene Biographie verstehen und in seiner Umwelt zu deuten lernt, das Bewußtwerden seiner selbst. Erfahrungen werden mitgeteilt und somit transparent. Zum anderen wird der *Zuhörende* in den Geschichten des anderen seine eigenen Geschichten entdecken und zu entschlüsseln versuchen.

Im offenen Prozeß des gegenseitigen Erzählens und Nacherzählens, Zuhörens und Deutens entspinnt sich der rote Faden, der die Ängste bannt, uns im Labyrinth des Alltags zu verlieren.

Anmerkungen

1 G. Schmidtchen, Gottesdienst in einer rationalen Welt, Stuttgart 1973.
  H. Hild (Hg.), Wie stabil ist die Kirche?, Gelnhausen/Berlin 1974.
  J. Hanselmann u. a. (Hg.), Was wird aus der Kirche?, Gütersloh 1984.
2 E. Lange, Bildung als Problem und als Funktion der Kirche, in: ders. Sprachschule für die Freiheit, München 1980, 159–200, 200.
3 J. Matthes, Volkskirchliche Amtshandlungen, Lebenszyklus und Lebensgeschichte, in: ders. (Hg.), Erneuerung der Kirche – Stabilität als Chance?, Gelnhausen/Berlin 1975, 83–112.
4 A. a. O., S. 88/89.
5 A. a. O., S. 89. Vgl. zu »Lebenszyklus«: J. Friedrichs, K. Kamp, Methodologische Probleme des Konzeptes »Lebenszyklus«, in: M. Kohli (Hg.), Soziologie des Lebenslaufs, Darmstadt/Neuwied 1978, 173–190.
6 Zur Thematik des Tagesablaufs vgl. H. Timm, Zwischenfälle, Gütersloh 1983.
7 A. a. O., S. 89.
8 A. a. O., S. 88 f.

9 A. a. O., S. 101, Anm. 11.

10 N. Postman, Wir amüsieren uns zu Tode, Frankfurt 1985. Vgl. auch I. U. Dalferth, Kirche in der Mediengesellschaft – Quo vadis?, in: ThP 20 (1985), 183–194 und P. Cornehl, Zustimmung zum Leben und Glauben, in: PTh 74 (1985), 410–425, hier: 425.

11 Zur Kritik am funktionalen Ansatz G. Otto, Praktische Theologie als kritische Theorie, in: ThP 9 (1974), 103–115, besonders 108 f. Zum Thema insgesamt J. Habermas, N. Luhmann (Hg.), Theorie der Gesellschaft oder Sozialtechnologie, Frankfurt 1971. J. Habermas, Der philosophische Diskurs der Moderne, Frankfurt 1985, 408–412 und 426–445.

12 Zur Kritik am Kerngemeindegedanken N. Mette, Gemeinde – wozu?, in: Gemeindepraxis, N. Greinacher u. a. (Hg.), München 1975, 91–107 und Chr. Bäumler, Erwägungen zur Zielbestimmung der Gemeindearbeit, in: EvTh 36 (1976), 325–344.

13 Siehe Anmerkung 2.

14 Voraussetzungen einer Erzählung: Kassandra, Darmstadt/Neuwied 1983, 93.

15 B. Waldenfels, Im Labyrinth des Alltags, in: ders., In den Netzen der Lebenswelt, Frankfurt 1985, 153–178, 153.

16 Vgl. K. Kosik, Dialektik des Konkreten, Frankfurt 1967, 71 ff.

17 Auf eine ausführliche Darstellung der Entwürfe muß hier wegen der gebotenen Kürze verzichtet werden. Einen pointierten Überblick bieten B. Waldenfels, a. a. O. sowie K. Hammerich, M. Klein in ihrer Einführung zum Band: Materialien zur Soziologie des Alltags, Sonderheft 20/1978 der Kölner Zeitschrift für Soziologie und Sozialpsychologie, Opladen 1978, 7–21 Aufschlußreich auch. Kursbuch 41: Alltag, Berlin 1975. Besonders der Beitrag von K. Laermann, Alltags-Zeit, 87–105, in dem die geschichtliche Entwicklung des Alltagsbegriffs dargelegt ist.

18 B. Waldenfels, a. a. O., S. 154.

19 Zur Fragmentarität menschlicher Existenz vgl.: H. Luther, Identität und Fragment, in: ThP 20 (1985), 317–338.

20 Vgl. K. Hammerich, M. Klein, a. a. O., 12. J. Szczepański, Reflexionen über das Alltägliche, in: Materialien zur Soziologie des Alltags, A. a. O. 314–324, 318 ff. In diesem Sinne auch W. Lippitz, »Lebenswelt« oder die Rehabilitierung vorwissenschaftlicher Erfahrung, Weinheim/Basel 1980.

21 Der Alltag des Erzählens, in: ders. (Hg.), Erzählen im Alltag, Frankfurt 1980, 11–27, 20.

22 Struktur und Funktion erzählter Lebensgeschichten, in: M. Kohli (Hg.), Soziologie des Lebenslaufs, Darmstadt/Neuwied 1978, 311–336, 313.

23 Zur biographischen Methode J. Szczepański, Die biographische Methode, in: Handbuch der empirischen Sozialforschung, R. König (Hg.), Bd. 1, Stuttgart 1967, 551–569.

24 Theologie des Alten Testaments, Bd. 1, München 1982[8], 64–67 und 185.

25 E. Jüngel, Paulus und Jesus, Tübingen 1979[5], 135.

26 Ders., Die Bedeutung der Predigt angesichts unserer volkskirchlichen Existenz, in: ders., Anfechtung und Gewißheit des Glaubens, München 1976, 61.

27 A. a. O., 63.

28 Hier seien beispielhaft genannt: Einschulung, Wohnortwechsel, Trennung von Partnern, Eintritt in Ruhestand oder Arbeitslosigkeit etc.

BERND PÄSCHKE

FRATERNITÉ DE LA NUIT – ODER DER BIOGRAPHISCHE ORT ZURÜCKGEWONNENER THEOLOGISCHER IDENTITÄT

I

»Sagen Sie in Deutschland die Wahrheit über El Salvador.« Es war am Tage vor seiner Ermordung am 24. März 1980, als mir Oscar Arnulfo Romero nach seinem letzten Sonntagsgottesdienst in der Basilika von San Salvador diesen Satz zurief. Angesichts der auch bei uns verbreiteten Falschinformation über die Situation Zentralamerikas hat er meine politische und theologische Arbeit in den folgenden Jahren immer mehr bestimmt. Der Versuch, die Wahrheit über Zentralamerika zu sagen, mußte zu Konflikten hier führen, machte andererseits den direkten Kontakt mit den Betroffenen in El Salvador, Nicaragua, Guatemala und Honduras über einen einmaligen Besuch hinaus notwendig. Durch das zeitweilige Zusammenleben und die Gespräche mit Flüchtlingen, mit Frauen und Männern christlicher Basisgemeinden, Volksorganisationen und Hilfskomitees wurde ich Zeuge ihres alltäglichen Widerstandes und Überlebenskampfes.

II

Angesichts der vorherrschenden Teilnahmslosigkeit und des Versagens von Theologie und Kirche hier gegenüber einer auch durch unsere Regierung nicht nur hingenommenen sondern unterstützten Großmachtpolitik der Zerstörung ganzer Völker bleiben für mich Bonhoeffers im Mai 1944 in der Tegeler Gefängniszelle notierten Worte weiter gültig:

> »Unsere Kirche, die in diesen Jahren nur um ihre Selbsterhaltung gekämpft hat, als wäre sie ein Selbstzweck, ist unfähig, Träger des versöhnenden und erlösenden Wortes für die Menschen und für die Welt zu sein. Darum müssen die früheren Worte kraftlos werden und verstummen, und unser Christsein wird heute nur in zweierlei bestehen: Im Beten und im Tun des Gerechten unter den Menschen.« (D. Bonhoeffer, Widerstand und Ergebung, München 1961, S. 206 f.)

III

Die Leidens- und Befreiungsgeschichte der zentralamerikanischen Völker konfrontiert Theologie heute mit ihrer historischen Basis, der Leidens- und Befreiungsgeschichte des Gottesknechtes. Im eindeutigen und praktischen Solidarischsein mit der Sache der um ihr Recht auf Leben Kämpfenden, in der Auseinandersetzung mit den ideologisch und religiös verbrämten Strategien militärisch durchgeführten Völkermords begegnet uns die Herausforderung Jesu, für die Geringsten einzutreten, in ihrer zentralamerikanischen Gestalt.

Was heute den Menschen in Guatemala und El Salvador, in Nicaragua und Honduras im Namen der Freiheit des Westens angetan wird, bedeutet für europäische Christen Infragestellung und Herausforderung. Nicht nur weil es hier um Folgen europäischer Christentums- und Kolonialgeschichte geht, sondern weil mit unserer Haltung und unserer Praxis diesem Skandal gegenüber die Glaubwürdigkeit unseres Glaubens und unserer Theologie auf dem Spiele steht.

Wir sind Zeitzeugen des Kampfes der zentralamerikanischen Völker um ihr Recht auf Menschsein, auf Leben und Selbstbestimmung. Wir sind Zeugen der militärischen und ökologischen, rassistischen und kulturellen Projekte des Todes, mit denen die kapitalistische Weltmacht Nr. 1 in Zentralamerika ihren »Hinterhof« überzieht; Hand in Hand mit den auf sie angewiesenen Oligarchien und Militärdiktaturen, unterstützt von ihrem treuesten NATO-Vasallen, unserer eigenen Regierung.

Der Schrei der von diesen Projekten des Todes Getroffenen wird trotz aller Versuche von Solidaritätsgruppen und Menschenrechtsorganisationen, trotz aller Proteste vor der UNO, trotz aller »Tribunale der Völker« immer mehr zum Schweigen gebracht. Er wird regierungsamtlich bzw. in den Medien immer wieder im Interesse des ideologischen Ost-West-Konfliktes instrumentalisiert, wie im Fall von Nicaragua. Er wird verleugnet oder verschwiegen und so aus der Welt geschafft, für nicht-existent erklärt, wie im Fall von Guatemala.

Der Schrei dieser Völker fordert europäische Solidarität dazu heraus, die nicht zufällige, sondern organisierte internationale Vergeßlichkeit zu durchbrechen, jene Nebelwand von gezielter Desinformation, Verschleierung, Irreführung, Verschweigen; aber auch von mangelnder Kompetenz des Herzens, den Schmerz der anderen zu teilen. Hier liegen Aufgaben theologischer Praxis, die nicht einfach an Menschenrechts- und Solidaritätskomitees delegiert werden können. Zwar bedarf Solidarität keiner theologischen Legitimation, aber eine Theologie, die die hier gemeinte Solidarität als etwas Nicht-Theologisches anderen überließe, verlöre ihre biblische Basis. Mit dem Gott, der den Schrei der Armen und Unterdrückten hört, hätte sie jedenfalls nichts mehr zu tun.

Der durch solidarische Praxis hergestellte und immer wieder neu herzustellende Zusammenhang mit den Armen und Vergessenen dieser Erde erweist sich als konstitutives, mobilisierendes und kritisches Element jeder theologischen Reflexion und Praxis, der es um Gott geht.

IV

Wer ist unser Gott? Ist es der Gott, der Leben und Befreiung, Gerechtigkeit und Frieden für die arm und rechtlos Gemachten will? Oder sind es die staats- und weltmarkttragenden Götzen des Todes und der Unterdrückung, des Geldes und der Waffen – auch im christdemokratischen Gewand –, wenn es darum geht:

– die durch U.S.-Waffen und -Dollars ermöglichten Bombardierungen einer schutzlosen Zivilbevölkerung zu rechtfertigen bzw. zu leugnen (El Salvador);

– den mühsamen, gerade begonnenen Selbstbefreiungsprozeß eines jahrhundertelang unterjochten, armgemachten und mißbrauchten kleinen Volkes wirtschaftlich und militärisch zu strangulieren (Nicaragua);

– die indianische historisch-kulturelle Identität eines Volkes durch ein System militärischer, wirtschaftlicher und psychologischer Totalkontrolle auszulöschen (Guatemala);

– das (statistisch) ärmste Volk Lateinamerikas als militärische Aufmarschbasis gegen seine Nachbarvölker zu mißbrauchen (Honduras)?

Der Gott Jesu Christi ist historisch definiert als der Gott, der den Schrei eines gequälten und ausgebeuteten Volkes hört. Er ist der Gott, an den der Schrei des einzelnen aus der Not der Tiefe dringt – von den Betern alttestamentlicher Psalmen bis hin zu den Gefangenen in den Kerkern und Folterkammern unseres Jahrhunderts. Reale Gottverlassenheit wird erfahren als Verlust von Solidarität; die Bitte um das Erbarmen, die Zuwendung Gottes wird nicht zufällig im Kyrie der salvadorianischen Messe des Volkes wie der Messe der nicaraguanischen Campesinos als Bitte um die Solidarität Gottes mit den Unterdrückten gesungen.

»Der Herr hört den Schrei des Blutes Abels,
das Klagen des Volkes erwacht in Mose.
Den Schrei, der in unserem Inneren entsteht,
wollen sie mit Tausenden von Betrugsversuchen
zum Schweigen bringen.
Erbarm Dich, Herr,
hab Erbarmen mit Deinem Volk.«
»Herr, solidarisiere Dich mit uns
und nicht mit denen, die uns unterdrücken.«

Das im »Knecht Gottes« komprimierte und so in der Gestalt eines einzelnen fühlbar und begreifbar gemachte Elend und Ausgestoßensein eines ganzen Volkes erreicht seinen tiefsten Punkt in der Erfahrung des völligen Solidaritätsverlustes, der dem Opfer den Mund verschließt, den Schrei um Solidarität erstickt (Jes 53).

V

Die Armen Zentralamerikas leben in ihrer eigenen Existenz das Teilen des Brotes, den Glauben an die Menschwerdung Gottes unter den arm und rechtlos Gemachten, den Glauben an den in ihren Völkern gekreuzigten und auferstandenen Christus, die Hoffnung auf Befreiung ihres Volkes, von der viele wissen, daß sie selbst sie nicht mehr erleben werden. Ihre Erfahrung, nicht aufzugeben, sondern weiterzukämpfen, hat für sie nach einem halben Jahrtausend Unterdrückungserfahrung Auferstehungsglauben möglich gemacht. Nicht nur was fehlt an den Leiden Christi (Kol 1,24), sondern auch was fehlt an seiner Auferstehung, wird von ihnen »erfüllt«: Die Praxis Jesu, die heute weitergeht.

Können wir uns zu dem gekreuzigten und auferstandenen Christus bekennen, ohne mit den heute gekreuzigten Völkern in der Dritten Welt solidarisch zu sein? Können wir das Vaterunser beten, ohne das Schicksal derjenigen vor Augen zu haben, deren Erfahrung nicht das tägliche Brot, sondern das täglich erfahrene Böse ist? Wenn wir es nicht hinnehmen wollen, daß diese Völker wegen ihres Versuchs sich zu befreien heute noch einmal gekreuzigt werden, dann müßte unserer durch die Praxis der lateinamerikanischen Christen induzierten theologischen Reflexion eine theologische Praxis der Solidarität entsprechen als Widerspruch und Widerstand

– gegen die Kriegspolitik und den Staatsterrorismus der USA, die die militärische, soziale und kulturelle Vernichtung der Befreiungsbewegungen Zentralamerikas und darüber hinaus in der Dritten Welt zum Ziel haben;

– gegen die ideologische und praktische Unterstützung dieser Politik durch unsere eigene Regierung;

– gegen die Inanspruchnahme des Christentums und der Bibel für die Rechtfertigung einer Politik des Todes;

– gegen die heutigen Großinquisitoren, die den Schrei der Armen nach Solidarität ersticken wollen, indem sie jene Christen, Gemeinden und Theologen, die sich an den Revolutionen ihrer Völker, den Kämpfen der Armen für Gerechtigkeit und Frieden beteiligen, aus ihren Kirchen exkommunizieren.

Im Handlungs- und Kommunikationszusammenhang gegenseitiger

Solidarität erfahren europäische Christen durch die »Verdammten dieser Erde« die Chance
- an einer neu entstehenden »Ökumene von unten« mitzuarbeiten;
- als Zeitzeugen und Beteiligte Situationen der Unterdrückung und Befreiung als Impuls und Thema theologischer Reflexion und Praxis zu erfahren;
- den in einer authentischen christlichen Reflexion hergestellten Zusammenhang gegenwärtigen Befreiungshandelns und -leidens unterdrückter Völker mit biblisch vermittelten Situationen und Traditionen von Befreiung und Unterdrückung von den Betroffenen selbst zu lernen;
- die eigene, in einer bürgerlich-eurozentrischen Theologie undeutlich gewordene, verlorene christliche Identität zurückzugewinnen.

VI

Der Schrei der Armen Guatemalas, Honduras, El Salvadors und Nicaraguas – und all der anderen geschundenen und vergessenen Völker dieser Erde: Kurdestan, Eritrea, Ost-Timor, Afghanistan als Hinterhof bzw. strategischer Korridor der UdSSR, die schwarze Bevölkerungsmehrheit Süd-Afrikas, um nur diese zu nennen – meint nicht paternalistische Hilfe, nicht Mitleid von oben herab, sondern Beteiligtsein (compartir) an ihren Kämpfen und Leiden. Von den Frauen dieser Völker können wir lernen,
- mitleidend (compasivos) und mitkämpfend (combatientes) zu sein, schließt sich nicht aus – es bedingt sich gegenseitig (Vgl. B. Päschke, Salvadorianische Passion. Semana Santa in El Salvador, Münster 1985, S. 52).;
- ihren Schrei zu hören und ihm Gehör zu verschaffen;
- ihre Hoffnung auf Befreiung zu teilen;
- sie in ihrem Leiden und Kämpfen nicht allein zu lassen;
- sie nicht dem Grab des organisierten Vergessen zu überlassen.
Das ist die Solidarität, die sie von uns erwarten. Denn »... heute kann man sich nicht auf Staaten... verlassen. Heute geht es darum, eine ›fraternité de la nuit‹ zu schaffen, eine Brüderlichkeit der Nacht, d. h. die Solidarität an der Basis. Und nur wenn es gelingt, diesen Aufstand des Gewissens im Zentrum zu provozieren, auf Grund der Erkenntnis der Identität aller Menschen – ich bin der andere und der andere ist ich – und daß jede Geburt, egal ob wir hier geboren sind oder dort, Zufall ist; nur wenn es gelingt diesen Aufstand des Gewissens hier vorzunehmen, können wir die antiimperialistische Front schaffen mit jenen, die unsere Werte... an der Peripherie verteidigen.« (J. Ziegler, Sechs Thesen zur Weltwirtschaftsordnung, in: Nicaragua und El Salvador im Vergleich. epd-Dokumentation.)

In dem Maße wie Christen im Zentrum der Ersten Welt diese Herausforderung annehmen, werden sie im »Beten und Tun des Gerechten unter den Menschen« von den Unterdrückten jene neue Sprache lernen, wie sie Dietrich Bonhoeffer im Tegeler Gefängnis erhoffte:
- »befreiend und erlösend wie die Sprache Jesu
- die Sprache einer neuen Gerechtigkeit und Wahrheit
- die Sprache, die den Frieden Gottes mit den Menschen und das Nahen seines Reiches verkündigt«. (B. Bonhoeffer, a. a. O., S. 207.)

ALBRECHT UND ELISABETH GRÖZINGER

VON DER SCHWIERIGEN MÖGLICHKEIT, AUF DER KANZEL »ICH« ZU SAGEN

Die Frage nach dem »Ich« auf der Kanzel wurde zumeist in der sehr dünnen Luft homiletisch-abstrakter Prinzipien verhandelt. Bereits die epochale Kontroverse zwischen Orthodoxie und Pietismus um die Bedeutung der Person des Predigers für die Verkündigung, wie sie Martin Schian in seiner Studie von 1912 »Orthodoxie und Pietismus im Kampf um die Predigt« plastisch nachgezeichnet hat, bewegt sich auf dieser prinzipiellen Ebene. Das empirische Ich des Predigers, der lebensweltliche Kontext seiner Predigtarbeit geraten dabei jedoch weniger in den Blick.[1] »Biographie« ist der »Homiletik« eher nachgeordnet denn zugeordnet. Eine solche *Zu*ordnung wollen wir hier versuchen, indem wir den Ausgang nehmen von einer ganz konkreten und profilierten Situation, in der einer von uns beiden zu predigen hatte. Diese Situation versuchten wir in einer gemeinsamen Lektüre von Texten Christa Wolfs zu reflektieren und nach den homiletischen Konsequenzen für das »Ich« auf der Kanzel zu fragen. Die folgenden Seiten sind die protokollarische Bilanz dieses Prozesses.

I

Ich (E. G.) las »Kassandra« von Christa Wolf zum ersten Mal zu meiner Zeit als Vikarin in Mutlangen, als es um die Stationierung der Pershing II dort ging. Damals setzten sich viele Menschen, die das lange Zeit nicht mehr getan hatten oder dies in ihrem Leben noch nie tun mußten, mit der Möglichkeit eines Atomkrieges in Europa auseinander. Ich hatte in dieser Zeit zu predigen.

In der Gemeinde wurde die Raketenfrage diskutiert. Es gab gegensätzliche Meinungen. Das wußte ich. Ich hörte, wie engagiert »in allen Lagern« die jeweiligen Ansichten zu dieser Frage vertreten wurden, wie betroffen die Menschen – Gegner und Befürworter der Stationierung – versuchten, mit der Raketenstationierung und der damit verbundenen Bedrohung zurechtzukommen. Da, wo die Pershing II abgelehnt wurden, fühlte ich mich unterstützt. Die Erwartungen, als kirchliche Amtsperson eindeutig Stellung zu nehmen, empfand ich als berechtigt. Ich weiß heute übrigens nicht mehr, ob solche Erwartungen tatsächlich an mich herangetragen wurden oder ob ich meine Anforderungen an mich selbst nur als von außen an mich gestellte zulassen konnte.

Wie dem auch sei: Die einmal bewußt gewordene Erwartung von Eindeutigkeit machte mir auch Angst. Ich kannte und mochte auch Menschen, die bereit waren, mit der Pershing II zu leben, weil sie eine Eskalation der Kriegsgefahr mit der Stationierung der neuen Raketen nicht für gegeben hielten, ja, einen verbesserten Schutz davon erhofften. Die Beziehung zu diesen Menschen in der Kirchengemeinde wollte ich nicht aufs Spiel setzen. Dazu kam meine eigene Unsicherheit. Ich fühlte mich nicht kompetent genug, um den Ängsten und Einstellungen der Befürworter der atomaren Raketen entgegentreten zu können. Vor allem schreckte ich davor zurück, ihre Meinung als eindeutig unchristlich zu brandmarken.

Ich konnte die Eindeutigkeit, die ich selbst in der Predigt von mir erwartete und die – wie ich meinte – auch viele Hörer gern gehört hätten, nicht aufbringen. Ich habe diesen Zwiespalt für mich selbst so gelöst, daß ich in der Predigt verstärkt den Frieden, Verständigung und Verständigungsbereitschaft, die Feindesliebe als die zentralen Orientierungspunkte für ein Leben als Christ herausarbeitete. Ich hoffte so aufzeigen zu können, welche Sehnsüchte Befürworter und Gegner der Stationierung einten und woraufhin alle ihre Ansichten im Streit um die Raketen überprüfen konnten.

Diese »Lösung« entließ mich aber nicht aus meinen Zweifeln. Zuviel von mir blieb ausgespart, wenn ich so »ausgewogen« predigte. Ich war ratlos und unzufrieden mit mir, weil ich nicht wußte, wie ich die frohe Botschaft vom Frieden auf Erden angemessen verkündigen und ansprechend bezeugen sollte, wenn gleichzeitig die Möglichkeit drohte, daß Europa, daß die ganze Welt durch Menschenhand total vernichtet würde.

In dieser Zeit las ich »Kassandra« von Christa Wolf. Während manche meiner Bekannten die Geschichte der »Kassandra« befremdet beiseite legten, war ich begeistert. Ich führe das darauf zurück, daß ich als Predigerin viele Identifikationsmöglichkeiten beim Lesen entdeckte. Kassandra machte mir bewußt, daß das »Ich«-Sagen überhaupt schwer ist. Daß es sich erst recht in der Öffentlichkeit nicht leicht sagen läßt. Ich denke heute, ich konnte damals mit Hilfe von »Kassandra« besser akzeptieren, daß das »Ich« auf der Kanzel dann besonders schwer über die Lippen kommt, wenn Prediger und Hörer verunsichert sind, weil sie mit Tatsachen konfrontiert sind, die sie zu neuen Orientierungen herausfordern.

»Kassandra« macht bewußt, daß das »Ich« auf der Kanzel mehr ist als eine rhetorische Form, daß dieses »Ich« nämlich immer einen genau erkennbaren, einzelnen Menschen bezeichnet, der sich mit dem »Ich« in ein Spiel bringt, in dessen Verlauf er den unterschiedlichsten Berührungen preisgegeben ist.

Wie gefährlich das »Ich«-Sagen sein kann, erfahren nicht nur Prediger.

Das erfahren alle, die sich in irgendeiner Form öffentlich zu äußern haben. Ich habe meine Schwierigkeiten, »Ich« zu sagen, als Predigerin erlebt. Davon ist auszugehen. Weil uns bis heute die Unzufriedenheit mit meinem »Lösungsversuch« geblieben ist, möchten wir hier noch einmal durcharbeiten, was Christa Wolf in »Kassandra« erzählt.

II

Kassandra wird durch den Bruch mit den Menschen, mit denen sie sich von Kindesbeinen an verbunden fühlt, als zu denen gehörig sie sich versteht, dazu gezwungen, sich mit sich selbst auseinanderzusetzen und erneut zu sich zu kommen. Diesen Prozeß macht Kassandra durch, während ihr ursprünglicher Nährboden, Troia, erschüttert und angegriffen wird. Lange bevor die Griechen es vernichten, beginnt Troia sich selber aufzulösen. Das sieht Kassandra, aber erst kurz vor ihrem Tod ist sie in der Lage, sich voll und ganz vor Augen zu halten, welchen Weg sie in der Auseinandersetzung mit der troianischen Wirklichkeit zurückgelegt hat. Christa Wolf läßt die Leser teilnehmen an dem erinnernden Monolog der Kassandra vor den Toren Mykenes. Dorthin führt sie ihre Leser. Sie setzt ein mit dem Blick auf die steinernen Löwen am Tor zu Mykene. Die Löwen verbinden Vergangenheit und Gegenwart. Die Rede vom Blick auf die Mauern von Mykene reicht aus, um eine andere Zeit auftauchen zu lassen: Es beginnt das ihre Geschichte reflektierende Selbstgespräch der Kassandra. Sie kehrt dabei aber auch immer wieder zu der gegenwärtigen Situation »am äußersten Rand... (ihres) Lebens« (S. 6) zurück.[2]

Gegenwarts- und Vergangenheitsform wechseln deshalb in der Erzählung ständig. Eindrücke von Kassandras Gegenwart [z. B. der blankgefegte Himmel (S. 6) oder der Weidenbaum (S. 147)] rufen Bilder aus der Vergangenheit hervor. Die Vermischung von Gegenwart und Vergangenheit der Kassandra sowie die durch die Präsensform suggerierte Gleichzeitigkeit des Anfangsbildes der Erzählung mit dem Ausgangspunkt der Kassandra erwecken den Eindruck bedrängender Gegenwärtigkeit der Geschichte der Seherin aus Troia. In deren Geschichte erzählt Christa Wolf eine Geschichte unserer Wirklichkeit.

Vor den Toren Mykenes kann Kassandra sagen, warum sie sich ihre Wirklichkeit so oft vom Leib halten mußte: »Da von jedem etwas in mir ist, habe ich zu keinem ganz gehört, und noch ihren Haß auf mich hab' ich verstanden.« (S. 6)

Kassandra wird als einfühlsam geschildert. Auf Grund dieser Eigenschaft ist sie nie ganz fähig zu vollständigen Trennungen. Verwerfende Ausgrenzungen hält sie nicht durch. In der Gabe der »empathischen

Vernunft«[3] liegen die Gefahren und Chancen der Kassandra. Die Gefahr, welche die empathische Vernunft mit sich bringt, besteht in Kassandras Orientierung an Harmonie mit ihrer Umwelt. Die Ausrichtung am Wohlgefallen der anderen verhindert die Entwicklung eigener Subjektivität. Allerdings zwingt gerade ihr Harmoniebedürfnis sie zur Auseinandersetzung mit der troianischen Realität. In blindem Vertrauen auf die Gültigkeit der in Troia offiziell hochgehaltenen Werte entwickelt Kassandra ein Selbstbild, das sie erinnernd so beschreibt: »aufrecht, stolz und wahrheitsliebend« (S. 15). Weil sie dieses Bid von sich und damit auch ihr Bild vom guten Troia nicht aufgeben will, stellt sie höchste Anforderungen an die Aufrichtigkeit der »Eigenen« (S. 77).

Am Rande ihres Lebens ist sie nicht mehr in ihr schönes Bild von sich selbst verliebt, sondern kann auch dessen Kehrseite erkennen: »Habe ich etwa, um mein Selbstgefühl zu retten – denn aufrecht, stolz und wahrheitsliebend gehörte auch zu diesem Bild von mir –, das Selbstgefühl der Meinen allzu stark verletzt? Habe ich ihnen, unbeugsam die Wahrheit sagend, Verletzungen heimgezahlt, die sie mir beibrachten?« (S. 15).

Kurz vor ihrem Tod kann Kassandra das tun, was sie lebendig nennt. Ihre Geschichte reflektierend kann sie »das schwierigste nicht scheuen, das Bild von sich ändern« (S. 25). Weil sie auf diese Weise lebendig ist, gelingt ihr die Selbsterkenntnis nicht in empfindungsloser Distanz zu sich selbst. Die Frage »Priesterin zu werden, um Macht zu gewinnen?« (S. 60) tut ihr nach wie vor weh. Selbsterkenntnis bleibt für Kassandra bis zuletzt ein schmerzhafter Prozeß. Am Ende aber kann sie diesen Schmerz ertragen und deshalb auch ihre Verwicklung in die Vernichtung Troias zugeben.

Im Rückblick erkennt Kassandra, wie mühsam sie der inneren Erschütterung auf die Spur kam. In vertrauensseliger Unwissenheit war das Mädchen Kassandra aufgewachsen, dazu prädestiniert ein »Wunsch- und Sehnsuchtsbild« zu nähren: »die junge helle Gestalt im lichten Gelände« (S. 28). Massiv erschüttert wird ihr Vertrauen in die heile Welt ihrer Familie, als sie von den Ereignissen um die Geburt des Paris erfährt. Die Angst der ihr stark scheinenden Mutter, deren die geltenden Regeln sprengender Gang zur Rivalin, zur Nebenfrau des Königs, um sich die Zukunft des erwarteten Kindes aus einem Traum deuten zu lassen, verunsichert Kassandra zutiefst: »– ja waren wir alle verrückt? Oder vertauscht, wie ich es als Kind so oft gefürchtet hatte?« (S. 58)

Diese noch harmlose Erschütterung angesichts der Doppelbödigkeit ihrer engsten Umgebung steigert sich mit Ausbruch des Krieges zu heillosem Entsetzen. Dieses wird zu Scham, denn Kassandra ist nicht mehr das kleine Mädchen, das unbefangen jede Wahrheit ans Licht bringt. Kassandra muß sich als Mitspielerin beim Jonglieren mit Wahrheit und Lüge erkennen. Mitten auf dem Marktplatz konfrontiert Paris seine

Schwester mit der Tatsache, daß die Rede von der Anwesenheit der Helena in Troia eine Lüge ist, nötig, um Troia faszinierend erscheinen zu lassen und das Volk auf den Krieg einzuschwören. Derart mit dem Kopf auf die Wirklichkeit gestoßen, kann Kassandra auch sich selbst nicht mehr täuschen. Anstatt jedoch auf dem Forum die eben erfahrene Wahrheit weiterzusagen, ruft Kassandra nur:»Wir sind verloren.« (S. 79) Aufgrund ihrer empathischen Vernunft weiß sie genau, daß die Ihren ihr keinerlei Bloßstellung der Herrschenden in Troia verzeihen würden. Des Priamos Tochter verhält sich vorläufig so, wie man es von ihr erwartet: Sie verschweigt das Wesentliche.

In der letzten großen Auseinandersetzung mit dem Rat von Troia hat Kassandra keine Illusionen mehr über die Herren der Stadt. Ihr wird unterbreitet, daß Achill durch das Versprechen der Verehelichung mit Kassandras Schwester Polyxena in den Tempel des Apoll bestellt werden soll. Dort will Paris ihn dann – wehr- und schutzlos, wie man ihn in den Tempel gelockt hat – aus dem Hinterhalt an der einzigen Stelle treffen, an der er verletzbar ist. Kassandra macht bei diesem Plan nicht mehr mit. Sie ist mittlerweile sie selbst genug, um sich den Erwartungen der Gewalthaber entziehen zu können. Aufgrund ihrer Identifikation mit den leidenden Menschen kann sie gegen die»Eigenen« antreten und sich vor deren Opfer (Achill) stellen.

Im Verlauf des Krieges war Kassandra mit ihrem Harmoniebedürfnis mit den Herrschenden derart gescheitert, daß sie mehrmals Gefahr lief, ihre Identität im Wahnsinn völlig zu verlieren. In dieser Situation hatten ihr die Opfer der Gewalthaber geholfen, die Suche nach sich selbst aufzunehmen:»Tauch auf, Kassandra. Öffne dein inneres Auge. Schau dich um.« (S. 76)

Der Weg, auf dem sich Kassandra zu einem Subjekt emanzipiert, das ohne Rücksicht auf den Beifall der Herrschenden ausdrücken kann, was es empfindet, ist ein Weg durch»Fühllosigkeit«,»verödete Seelenräume« und »innere Kälte« (S. 128). Erst als sie in der Geborgenheit einer Außenseitergemeinschaft den eigenen Schmerz wieder zulassen kann [»Auf einmal merkte ich, daß mir mein Herz sehr weh tat. Ich würde wieder aufstehen, morgen schon, mit wiederbelebtem Herzen, das der Schmerz erreichte.« (S. 141)], ist sie soweit, daß sie das entscheidende »Nein« aussprechen kann.

Sie versteht es nun als ihren Teil, die Einsicht zu vertreten, daß kein Mensch Opfer eines anderen werden darf. Aber Kassandra respektiert auch, daß es Teil des Rates von Troia ist, sie wegen dieses »Nein« zu verhaften (S. 148). Sie begreift, daß die von der Kriegsordnung Gebundenen nicht in der Lage sind, sich auf den Bereich jenseits der Mauern von Troia einzulassen.

Kassandra kann sich schließlich ohne Haß in diesen Bereich zurückziehen. Unter den Außenseitern bildet sich dort eine andere Welt, scheint utopisch wirkendes Leben hervor: »Wir drückten unsere Hände nebeneinander in den weichen Ton. Das nannten wir, und lachten dabei, uns verewigen. Es wurde daraus ein Berührungsfest, bei dem wir, wie von selbst, die andere, den anderen berührten und kennenlernten.« (S. 150) Zu dieser Gemeinschaft hatte Kassandra auf Grund ihrer Gabe zur Empathie Zugang gefunden – auf Grund der Empathie, die sie empfänglich gemacht hatte für die Erwartungen der Herrschenden, aber eben auch empfindlich für die Qualen der ohnmächtigen Opfer. Kassandras Fähigkeit zum Mitgefühl entspringt ihrer »Gier nach Erkenntnis« (S. 73). Menschenkenntnis ersehnt Kassandra. Dieser Sehnsucht wegen waren die Außenseiter, Arisbe und Anchises, der Vater ihres Freundes Aineias, ihr behilflich auf der Suche nach sich selbst. Darum konnte Kassandra auch in ihrer Gegenwart zu sich selbst kommen, wo man sich zueinander wagen kann, weil man keine Angst voreinander haben muß.

Auf die Welt jenseits der troianischen Befestigung traf Kassandra auch durch ihre Beziehung zu Aineias. Die Liebesgeschichte zwischen den beiden ist von Anfang an eine Geschichte des Einander-Erkennens: »Mittags, als Aineias kam, fiel mir auf, daß ich ihn seit langem schon in jeder Menge sah.« (S. 20 f.) Die Sprache hat wenig Bedeutung in dem Erkenntnisprozeß zwischen Kassandra und Aineias. Gesten werden zu Zeichen dafür, daß man weiß, wer der andere ist: »Unser Erkennungszeichen war und blieb seine Hand an meiner Wange, meine Wange in seiner Hand.« (S. 101) Diese Zeichen sind unverzichtbar, denn über die Sprache wird nicht hinweggegangen, um sich in ein Chaos fallen zu lassen, indem es nichts Besonderes mehr gibt. Darum bleiben auch die Namen in dieser Beziehung so bedeutsam. Diese Worte, mit denen der geliebte Mensch angesprochen wird, drücken – in einem Atemzug genannt – die einmalige Wirklichkeit ihrer Verbindung aus: »Wir sagten uns kaum mehr als unsere Namen, ein schöneres Liebesgedicht hatte ich nie gehört. Aineias Kassandra. Kassandra Aineias.« (S. 101).

Die Erfahrung von Zärtlichkeit in der Liebesbeziehung zu Aineias – aber auch unter den Frauen in der Höhle der Arisbe – ermöglicht die Entwicklung Kassandras zu einem autonomen Subjekt. So sehr ist sie schließlich zu sich selbst gekommen, daß sie zuletzt in der Lage ist, ohne Aineias ihren Weg in den Tod zu gehen. Die Trennung zerstört die Liebe zwischen Kassandra und Aineias nicht, denn Kassandra hat sich zwar zu einem autonomen Subjekt emanzipiert, nicht aber zu einer einsamunabhängigen Heldin. In ihrem Monolog vor Mykene fällt sie immer wieder in ein imaginiertes Zwiegespräch mit Aineias (siehe z. B. S. 120/ 132/156). Sie kommuniziert auch mit Marpessa. Diese Gefährtin aus der Höhle der Arisbe begleitet sie nach Mykene. Mit ihr ist sie einig durch gemeinsam durchgestandene Trauer: »Wir, Marpessa, du und ich, wir hatten keine Tränen.« (S. 136) Obwohl die noch naive Kassandra sich vor dem Krieg an Marpessa schuldig gemacht hatte (redselig hatte sie diese als Informantin verraten), sind die beiden vor den Toren Mykenes so miteinander vertraut, daß sie einander die Worte von den Augen ablesen können:»Du, denke ich, ja. – Ich weiß, sagt sie.« (S. 15) Im Angesicht des Todes ist Kassandra nicht allein. Die Verbindung mit Marpessa zeigt noch einmal, daß die Autonomie, ohne die Kassandra nicht zum Subjekt ihres Lebens werden kann, auf kommunikative Verständigung angewiesen ist. Identität kann als schön nur dann erlebt werden, wenn sie solidarischem Leben entspringt. Eine solche Identität wurde Kassandra zuteil:»Das Glück, ich selbst zu werden und dadurch den anderen nützlicher – ich habe es noch erlebt.« (S. 15) Auf diese Weise erzählt Christa Wolf in »Kassandra« die Geschichte einer fragmentarisch gelingenden Utopie.

Sie erzählt diese Geschichte vor dem Hintergrund der Ruinen von Mykene. Auf die übriggebliebenen steinernen Löwen stößt sie die Leser am Schluß der Erzählung erneut:»Diese steinernen Löwen haben sie angeblickt. Im Wechsel des Lichts scheinen sie sich zu rühren.« (S. 157).

Wenn dieses Unmögliche möglich zu sein scheint, was bedeutet das für unsere Chancen, kommunikative Autonomie zu entfalten, die in Christa Wolfs Erzählung der weibliche Mensch Kassandra gemeinsam mit anderen entwickeln konnte?

III

Explizit setzt sich Christa Wolf mit der Frage nach den Möglichkeiten der Subjektwerdung in einer atomar bedrohten Welt in der dritten ihrer Frankfurter Poetik-Vorlesungen – einem »Arbeitstagebuch über den Stoff, aus dem das Leben und die Träume sind« – auseinander. In diesem Arbeitstagebuch stellt sie ihre Rezeption und Interpretation von Wirklichkeit nicht vermittels einer Erzählung dar. Sondern sie gibt ein Stück ihres privaten Alltags preis.

Christa Wolf beschreibt, wie sie von Mai 1980 bis August 1981 ständig mit neuen Nachrichten über die Bedrohung Europas durch atomare Vernichtung konfrontiert wird:»...Europa habe, wenn es nicht damit beginne, eine vollkommen andere Politik zu betreiben, noch eine Gnadenfrist von drei, vier Jahren.« (S. 105)[4] Christa Wolf teilt ihre Reaktion darauf mit:»Eine Meldung, die meinen Blick verändert.« (S. 106) Sie bemerkt, wie sie sich selbst zu hassen beginnt. Sie kann an sich selbst nicht ertragen, daß sie sich schon mit dem Gedanken an eine Gnadenfrist abzufinden beginnt. Den Selbsthaß verbietet sie sich, weil er noch mehr lähmt, als dies die Nachrichten eh schon tun. Indem Christa Wolf solche Selbstbeobachtung mitteilt, zeigt sie sich als ein Menschen, der sich seiner selbst bewußt sein will und an einer Haltung zum Leben arbeitet, die dem eigenen Entwurf von sich entspricht.

Um die eigene Ohnmacht wissend, beginnt sie trotzdem nach Wegen für eine Zukunft zu fragen: »Wie soll man Jüngere die Technik lehren, ohne Alternative zu leben und doch zu leben?« (S. 107) Diese Frage beschäftigt sie nicht allein wegen der drohenden Vernichtung der Menschheit durch Atomwaffengewalt. Christa Wolf berichtet auch von der Vernichtung des Humanen, die längst unseren Alltag beherrscht. Sie notiert, daß der Angestellte A seine Identität als ausgehöhlt und gespalten beschreibt. A erlebt sich im Beruf, in politischen Versammlungen und im privaten Bereich als jeweils anderer Mensch. Der Zusammenhang mit seinen jeweils anderen Lebensbereichen ist ihm verloren gegangen oder konnte nie ausgebildet werden. Die Erfahrung des Angestellten A wird durch eine eigene Beobachtung von Christa Wolf unterstrichen. Sie konstatiert, daß in der offiziellen Sprache die Menschen primär als Objekte vorkommen, und sie fragt: »Das Objektmachen: Ist das nicht die Hauptquelle von Gewalt? Die Fetischisierung lebendig widersprüchlicher Menschen und Prozesse in den öffentlichen Verlautbarungen bis sie zu Fertigteilen und Kulissen erstarrt sind, andre erschlagend.« (S. 114)

Christa Wolfs Frage nach den Chancen autonomer Subjektivität heute macht die eigentliche Aktualität ihrer Kassandra-Erzählung aus. Es ist daher nur konsequent, wenn sie als Thema der inneren Geschichte der Kassandra nicht deren Auseinandersetzung mit der Vernichtung Troias nennt, sondern ihr »Ringen um Autonomie« (S. 118). Ihr eigenes Ringen um Autonomie beschreibt Christa Wolf, indem sie ihren privaten Alltag reflektiert. Ihre diesen Alltag betreffenden Eintragungen lesen sich stellenweise wie Geschichten aus märchenhafter Zeit. Von gemeinsam vorbereiteten und genossenen Mahlzeiten ist da die Rede (vgl. S. 92f.), von den Gesprächen, die unter »vier um den hellen Küchentisch« (S. 93) aufkommen. Im »Arbeitstagebuch« von Christa Wolf scheint etwas von der kommunikativen Atmosphäre ihrer eigenen Lebenswelt hervor. Christa Wolf wird erkennbar als ein Mensch, der in der Lage ist, Gründe für Hoffnung wahrzunehmen. So fällt ihr zu dem Bild einer um des Friedens willen protestierenden Christin aus der Bundesrepublik ein: »Ein neuer Menschentyp ist da entstanden, ähnlich oder gleich in Ost und West, eine schmale Hoffnung.« (S. 112) Der Christin aus der Bundesrepublik ähnlich ist der Mann aus der DDR, der alte alleinstehende Bäume registriert, um sie unter Naturschutz stellen zu lassen (vgl. S. 113). Ferner die junge Frau, die sich zur Situation freischaffender Intellektueller äußert: »anders denken als reden, anders reden als schreiben.« Dies lehnt die junge Frau für sich ab: »da sie erkannt habe, daß Zensur und Selbstzensur kriegsfördernd seien, ... (habe sie) aufgehört mit dem Reden und Schreiben mit gespaltener Zunge« (S. 109).

Die Wahrnehmung von Hoffnungsmomenten führt bei Christa Wolf jedoch nicht zu Illusionen. Sie täuscht sich und andere nicht über ihre Resignation: »In rasender Eile, die etwa der Geschwindigkeit der Raketenproduktion entspricht, verfällt die Schreibmotivation, jede Hoffnung, ›etwas zu bewirken‹.« (S. 97) Christa Wolf ist keine unbeugsame Heldin der Hoffnung. Wenn es ihr dennoch gelingt, schreibend einen »Versuch gegen die Kälte« (S. 110) zu wagen, wenn sie die Kraft aufbringt, »an die Grenze des Schweigens, an die Grenze des Duldens, an die Grenze der Zurückhaltung unserer Angst und Besorgnis und unserer wahren Meinung« (S. 88) zu gehen, dann, weil sie sich nicht allein weiß.

Staunend erfährt sie in Gesprächen – aber auch in der Arbeit mit der literarischen Tradition –, wie sehr ihre Sorge um das Humane und ihre Hoffnung auf die Realisierung des Humanen von anderen Menschen geteilt wird (vgl. dazu S. 104 die Reflexion des Briefwechsels zwischen Thomas Mann und Karl Kerényi). Vorsichtig – im Konjunktiv – formuliert sie, wie das Wort vielleicht doch friedenstiftende Bedeutung gewinnen könnte: Es müßte »subversiv, unbekümmert, ›eindringlich‹ sein... Es würde eher unauffällig sein und Unauffälliges zu benennen suchen, den kostbaren Alltag, konkret.« (S. 125)

Sicher gibt sich Christa Wolf nicht. Sie zeigt sich als Fragende, als Wägende. Liegen in einer solchen Sprechweise unsere Möglichkeiten, auf der Kanzel »Ich« zu sagen?

IV

Nach der Lektüre von Christa Wolf ist uns bewußt geworden: Wir möchten auch nicht mit »gespaltener Zunge« sprechen, wenn wir in der Predigt »Ich« sagen. Wir möchten uns nicht aussparen und den Hörern ein »Ich« präsentieren, das uns nur zum Teil und deshalb im Grunde nicht entspricht. Wir möchten nicht nur das »Ich« von uns zeigen, das wir uns zu zeigen getrauen, das wir vielleicht auch ganz gerne einsetzen, weil wir bemerkt haben, wie gut eine solche »persönliche« Art zu predigen bei den Hörern ankommt. Wir sollten uns nicht selbst über unser Harmoniebedürfnis täuschen. Es gefällt uns, wenn Hörer unsere Predigten loben. Doch wir fragen uns auch: Warum soll uns eine solche Zumutung nicht gefallen? Sollen wir die Hörer in der Predigt vor den Kopf stoßen? Sie sind doch Menschen, erlösungsbedürftig wie wir selbst.

Andererseits: Es gibt auch unsere Angst vor der Gemeinde. Die Angst davor, die Teile unseres Ichs auf der Kanzel preiszugeben, von denen wir vermuten, daß sie bei vielen Zuhörern eine mehr oder weniger ablehnende Reaktion hervorrufen würden. Christa Wolf weist darauf hin, »daß die Sinne vieler Menschen – nicht durch ihre ›Schuld‹ verödet sind und daß sie, mit Recht, Angst davor haben, sie zu reaktivieren« (S. 122).

Gibt es eine Möglichkeit, uns solchen Menschen zuzumuten, ohne sie und uns zu verletzen? Würden wir ihnen predigend unsere Ratlosigkeit mitteilen, entlasteten wir uns dann nicht auf ihre Kosten und stürzten sie in Unsicherheiten, denen sie genau so wenig gewachsen sind wie wir? Müssen wir uns also aussparen auf der Kanzel? Kassandra regredierte in Wahnsinn, wenn sie sich in ihrer unbedingten Wahrheitsliebe anderen zu sehr ausgeliefert hatte. Diese Art von Selbstschutz möchten wir nicht anwenden müssen. Kassandra fand schließlich auch einen besseren Weg, zu sich zu stehen und sich gleichzeitig zu schützen. Sie fand Menschen, von denen sie zu Recht Verständnis erwarten konnte, wenn sie sich ihnen zu erkennen gab.

In einer volkskirchlichen Gottesdienstgemeinde kann damit nicht ohne weiteres gerechnet werden. Es ist auch nicht gerade dort auf die kommunikative Atmosphäre zu hoffen, die es erlaubte, unbefangen Subjektivität zu entfalten. Spielräume, in denen Authentizität, angstfreies Ich-Sagen möglich ist, lassen sich leichter in anderen Zusammenhängen finden. Vielleicht nur fragmentarisch. So leicht wird wohl keiner seine gespaltene Zunge los. Aber es genügt vielleicht, ab und zu an einem »hellen Küchentisch« zu sitzen, dort »Ich« sein zu können und dadurch anderen zu nützen. Nimmt man solche Chancen bewußt wahr, dann braucht man die Gottesdienstgemeinde nicht zu überfordern, die Kanzel nicht zu mißbrauchen, wenn man »Ich« sagt in der Predigt.

Wie sieht ein solches »Ich« auf der Kanzel aus – ein »Ich«, das sparsam gebraucht werden kann, weil erfahren wurde, daß es andere Räume gibt, in denen »Ich« gesagt werden kann und nichts dabei auszusparen war? Könnte dieses »Ich« frei vom schlechten Beigeschmack eitler Selbstdarstellung sein? Wäre es ohne Anklänge an autoritäre Selbstbehauptung? Würde sich niemand bedrängt fühlen durch ein solches »Ich«?

Ein bescheidenes »Ich« auf der Kanzel, das könnte den Zuhörern zu Gesprächen Mut machen, in denen sie dann »Ich« sagen. Wem an solchen Gesprächen liegt, der sollte bescheiden sein auf der Kanzel. Bescheiden, aber nicht klein gemacht durch Angst und Selbstunterdrückung. Unserer selbst bewußt möchten wir schon sein, wenn wir auf der Kanzel »Ich« sagen. Zurückhaltend, aber doch aufmerksam, gegenwärtig und erkennbar als verwundbarer Mensch.

Pfarrerinnen und Pfarrer, die auf der Kanzel »Ich« sagen wollen, weil sie mit ihrer ganzen Person in die Verkündigung der Verheißung vom Frieden auf Erden verwickelt sind, sind – das hat uns die Lektüre von »Kassandra« gelehrt – darauf verwiesen, nach Freunden Ausschau zu halten. So verheißungsvoll dieser Hinweis klingt, so stellen wir uns seine Realisierung doch nicht einfach vor. Gefiel uns nicht ab und zu die Vereinzelung im Pfarramt ganz gut? Genossen wir die herausgehobene Position nicht auch? Und: Werden mit den steigenden Theologenzahlen – wider alle guten Vorsätze – Konkurrenz und Rivalität unter uns Pfarrerinnen und Pfarrern zunehmen? Wie werden sich Routine und Hektik im Gemeindealltag auswirken? Werden unsere Sinne veröden oder werden wir offen genug bleiben, um vorhandene Spielräume wahrzunehmen? Wie werden wir umgehen mit den Widerständen, die uns den Weg zu authentischer Subjektivität und zu solidarischer Kommunikation versperren?

Diese Fragen zu stellen, heißt nicht, daß wir darauf fertige Antworten hätten. Aber diese Fragen gehören – hier und heute! – zu unserem »Ich« – auf der Kanzel und anderswo.

Anmerkungen

1 Den Weg hin zum empirischen Ich hat vor allem Manfred Josuttis beschritten. Vgl. dazu M. Josuttis, Praxis des Evangeliums zwischen Politik und Evangelium, München 1974, S. 70–94. Die Lektüre seiner Überlegungen hat unsere Diskussion nachhaltig angeregt.

2 Seitenangaben nach Chr. Wolf, Kassandra, Darmstadt/Neuwied 1983.

3 Vgl. dazu M. Bergelt, Empathische Vernunft. Über die Erzählung Kassandra von Christa Wolf, in: Chr. Bürger (Hg.), »Zerstörung, Rettung des Mythos durch Licht«, Frankfurt 1986, S. 111–127.

4 Seitenangaben nach Chr. Wolf, Voraussetzungen einer Erzählung: Kassandra. Frankfurter Poetik-Vorlesungen, Darmstadt/Neuwied 1983.

HANS JOACHIM DÖRGER

HEILIGE UND ANDERE MENSCHEN

Gedanken zu vier Fernseh-Meditationen

I

Unter Protestanten von Heiligen zu sprechen ist ungewohnt, über ihr Leben zu »meditieren« allemal. Und das, was über diese Menschen erzählt wird, zum Thema eines Mediums zu machen, dem es ums Vorzeigbare geht, wo Religion vor allem mit dem autoritativen Zuspruch des »Worts zum Sonntag« verbunden ist, erscheint ungewöhnlich.

»Heilige – Zeugen – Märtyrer« ist der interne Arbeitstitel einer losen Folge von – bislang vier – Fernseh-Sendungen an hohen christlichen Feiertagen, die zu den »Meditationsterminen« im ZDF ausgestrahlt werden.[1]

Und: »Was Menschen von heute an Menschen von gestern interessiert, fasziniert, bewegt«, ist die gemeinsam leitende, informelle Frage. Was interessiert an Dietrich Bonhoeffer, der Heiligen Klara, Franziskus von Assisi, Martin Luther King – eine siebzehnjährige Schülerin, eine Journalistin, den Professor?

Nachdenkend darüber, »welche die Rechten Heiligen sind«, kommt Martin Luther zu dem Schluß: »Wahrhafte Heilige sind alle Kirchendiener, weltliche Herren und Oberkeiten, Eltern, Kinder, Hausherrn, Hausgesinde, und was der Stände mehr sind, von Gott verordnet und eingesetzt... Daß sie aber nicht alle gleich stark sind, sondern an etlichen noch viel Gebrechen, Schwachheit und Ärgernis gesehen werden, schadet ihnen nichts an ihrer Heiligkeit, doch sofern, daß sie nicht aus bösem Fürsatz, sondern aus Schwachheit sündigen.«[2]

Heilige sind also Leute wie andere – nur anders. Aber da muß mehr gewesen sein. Etwas, was sie zu den »unüberwindlich gestörten Sündern« (Karl Barth) machte, die sie waren – vielleicht auch sind. Heilige sind Störer ihrer Ordnung gewesen und stören die unsere: mit der Frage nach der Beschaffenheit der Welt und des Lebens.[3] Und Heilige sind unabhängige Abhängige in den Situationen und Traditionen, in denen sie sich vorfinden: nichts bleibt unverändert, nichts ungestaltet.

Warum Heilige und warum die biographische Erinnerung an sie? Warum Reminiszenz und Rekonstruktion eines fernen, fremden Lebens? »Ich bin nicht allein« – sagt Fulbert Steffensky in Assisi – »ich bin nicht allein – das ist die gründlichste Lehre, die ich aus den Franz-Geschichten ziehe... Ich habe Wärme geerbt. Ich esse ein Brot, das ich nicht selbst gebacken habe. Und das ist für mich eine unendliche Erleichterung des Lebens. Daß ich nicht für alles einstehen muß, nicht für jeden Traum einstehen muß, nicht für jede Empörung einstehen muß, nicht für jeden Wunsch einstehen muß. Ich habe die Wünsche geerbt. Und ich habe Empörung gegen Unrecht geerbt. Ich mache sie nicht aus mir allein heraus. Deswegen sind mir die Toten wichtig. Was ich von Franz und von den anderen Väter und Müttern meiner Tradition lerne: ich bin nicht allein. Es ist da schon mal ein Leben gewesen, das geglückt ist. Es ist da schon mal die Radikalität einer Idee gewesen, die ich nicht erzeugt habe, für die ich nicht einstehen muß.

Ich brauche nicht allein für meine Träume einzustehen. Ich brauche nicht allein für meine Wünsche einzustehen. Die Toten helfen mir dabei.«[4]

II

»Legende« bedeutet das, was man laut lesen soll – oder erzählen. »Die Legende, das ist der Versuch, dem Vergangenen abzugewinnen, was noch die Kraft der Gegenwart hat«, sagt der Dichter Erhart Kästner[5]; ähnlich, aber anders sagt es der Dokumentarfilmer Klaus Wildenhahn: »Eine Legende wird für den sozialen Gebrauch hergestellt.«[6] Es gibt Geschichten von Heiligen, über deren Leben wir wenig wissen oder nichts, nicht einmal, ob sie je gelebt haben. Stets aber erfahren wir etwas über die Menschen, die von ihnen erzählt haben oder über sie erzählen. Heiligenlegenden sind Figurationen von Ängsten, Wünschen und Träumen, die nicht zu Ende gelebt sind. »Sie erzählen nicht, was war, aber sie erzählen, was wahr ist. Sie sagen, was an uns wahr ist und was unwahr. Sie spiegeln Lebenserfahrung wider.«[7]

»Angefangen hat eigentlich alles mit einer kleinen Geschichte...«, erinnert sich Angelika Schmidt-Biesalski im Kloster San Damiano, mit der Rosenlegende: einer Geschichte von Franziskus, die eigentlich eine Geschichte von Klara ist. Die Legende führt die Zeitgenossin auf die Spurensuche nach Assisi.

> Eines Tages wanderten Franz und Klara von Spello nach Assisi in großer Unruhe des Herzens. Sie waren nämlich unterwegs in ein Haus eingetreten, wo man ihnen auf ihre Bitte etwas Brot und Wasser gab. Dabei hatten sie boshafte Blicke auf sich gezogen und allerlei Geflüster mit versteckten Anspielungen und Witzen hinnehmen müssen. So gingen sie schweigend dahin. Es war die kalte Jahreszeit und das Land ringsum mit Schnee bedeckt. Schon begann es am Horizont zu dunkeln. Da sagte Franz: Hast du verstanden, was die Leute über uns gesagt haben?

Klara gab keine Antwort. Ihr Herz war wie von Zangen zusammengepreßt, und sie fühlte sich den Tränen nahe.

Es ist Zeit, uns zu trennen, sagte Franz schließlich. Da warf sich Klara mitten auf dem Weg in die Knie. Nach einer Weile erst hatte sie sich gefaßt, stand auf und ging mit gesenktem Kopf weiter, Franz hinter sich zurücklassend. Der Weg führte durch einen Wald. Auf einmal aber hatte sie nicht mehr die Kraft, so ohne Trost und Hoffnung, ohne ein Abschiedswort von ihm zu gehen. Sie wartete. Wann werden wir uns wiedersehen?

Im Sommer, wenn die Rosen blühen.

Da geschah etwas Wunderbares. Auf einmal war den beiden, als blühten ringsum auf den Wacholdersträuchern und den von Reif bedeckten Hecken eine Unzahl von Rosen. Nach dem ersten Staunen eilte Klara hin, pflückte einen Strauß Rosen und legte ihn Franz in die Hände. Von diesem Tage an aber waren Franz und Klara nie mehr getrennt.

Heiligengeschichten sind Beispiel- und Ermutigungsgeschichten. Sie reden in Bildern und haben ihre eigene symbolische Sprache. Heiligengeschichten sind Hoffnungsgeschichten auch in dem Sinne, daß sie Wünsche und Hoffnungen verstecken, daß sie erzählen, es möchte so gewesen sein. Das Außergewöhnliche kann zum Gewöhnlichen werden, und umgekehrt: das Gewohnte zum Fremden. Heiligengeschichten sind selten unmittelbar zu haben. Sie überspitzen, überzeichnen, sind gelegentlich radikal – wie die Heiligen selbst – in einer sehr fernen Weise.

»Sie war eine schwierige Frau, diese heilige Klara. Da sind einerseits Züge, die mir sehr fremd sind, fast erschreckend, unheimlich. Ihre selbstgewählten Leiden, sicherlich übertrieben von ihrem Biographen überliefert, denn wer will schon eine mittelmäßige Heilige haben... Auf der anderen Seite das viele, was mich an dieser Frau fasziniert, mich nachhaltig ein Stück auch begleitet. Ihre Ausstrahlungskraft und ihre Begeisterungsfähigkeit... Ich denke aber, daß es vor allen Dingen eines ist, weshalb mir die Erinnerung an Klara wichtig geworden ist und auch weiter wichtig ist. Und das ist, daß sie so etwas wie Sehnsucht in mir weckt zuallererst nach dem Mut, gegen den Tod zu leben. Und das heißt, so intensiv und wahrhaftig zu leben, daß – mit den Worten der Legende – im Winter Rosen blühen.«[8]

Heiligengeschichten – wenn wir sie nicht hätten, fehlte uns etwas; da wir sie haben, fehlt uns noch mehr.

»Diese Briefe, die ich gelesen habe, schreibt ein Mann, der im KZ sitzt, der den Tod direkt vor Augen hat und auch weiß, was er mit seinen politischen Taten, mit seinen Aktionen in Kauf nehmen muß. Er schreibt darüber, daß er die Erde liebt, daß er auch in so einer Situation das Leid annehmen kann und trotzdem sagt: ich möchte leben, ich liebe das Leben.

Ja, und dann sitz' ich, Steffi, da und les mir dieses Buch durch und überleg mir die Situation, in der er sitzt. Das ist eigentlich überhaupt nicht vergleichbar mit meiner...«[9]

III

Heiligengeschichten sind Geschichten, die den Menschen gehören, nicht den Institutionen.

Das »fromme Volk« wußte – anders als die Kirche – zu allen Zeiten, daß es nicht genug ist, Heilige als moralisches Vorbild zu sehen, nicht erlaubt ist, deren Spontaneität und Originalität pädagogisch zu kasernieren, Eigensinn und Widerspenstigkeit nachträglich zu zähmen. »Wir brauchen keine Moral. Wir brauchen Erinnerungen an Fülle, Erinnerung daran, wie wir eigentlich gedacht sind. Wir brauchen den Tanz und die Aufführung des schon gelungenen Lebens.«[10] Aber die Frage muß gestellt werden: »Wie kommt es, daß Menschen die Moral der Geschichte ergreifen wollen, ehe sie die Bilder der Schönheit, des Reichtums und der Verschwendung ausgekostet haben?«[11]

Die christliche Theologie hat – obwohl ihre zentralen Texte erzählte Geschichten sind – in neuplatonischem Geist Essenzen aus ihnen destilliert und sie auf die Flaschen einer dogmatischen Systematik gezogen.[12]

»Eine Theologie, der die Kategorie des Erzählens abhanden gekommen ist oder die das Erzählen als vorkritische Ausdrucksform theoretisch ächtet, kann die ›eigentlichen‹ und ›ursprünglichen‹ Erfahrungen des Glaubens nicht abdrängen in die Ungegenständlichkeit und Sprachlosigkeit.«[13] Damit hat das Christentum auch seine eigene moralische Struktur widerrufen: die den Konventionen überlegene Selbstreflexivität. Es fällt »vom freien Standpunkt einer Metaethik, die sich vom klaren Blick auf das Wirkliche *und* von einer vernunftvollen Liebe sagen läßt, was zu tun ist, zurück auf den platten Du-sollst-Standpunkt.«[14]

Heilige haben sich nicht abgefunden mit der Wirklichkeit. Nicht mit ihrer eigenen Qualität und nicht mit der Qualität von Kirche und Welt. Deshalb waren Heilige auch meist unbequeme und lästige Menschen. Man überwachte sie, isolierte sie, machte sie lächerlich – manche hat es das Leben gekostet, Menschen zu sein und anders.

Heiligengeschichten sind oft Märtyrergeschichten. Heilige starben für ihre Wahrheit. Nicht für Richtigkeiten – die setzen sich durch (oder nicht); Galilei hatte recht abzuschwören: für Richtigkeiten lohnt es nicht, zu sterben.

Was vom heiligen und anderen Menschen erzählt wird, sind oft Geschichten gegen die Angst, Geschichten davon, daß man sich nicht mehr fürchten muß als unbedingt notwendig, Geschichten gegen persönliche Angst, aber auch gegen die um die Welt und die Kirche.[15] Die Intensität ihres Lebens läßt die Angst vor dem Tod offensichtlich zurücktreten gegenüber der Angst, nicht gelebt zu haben.

Heiligengeschichten sprechen eine persönliche Sprache. Aber sie widerstehen dem Zurückdrängen individueller Erfahrung in den privaten

Bereich. Sie kommen aus der »Erzählgemeinschaft« (Metz) der Christenmenschen heraus und wollen dort ihren Sitz im Leben behalten.[16] Heiligengeschichten halten an der kollektiven Verständigung fest gegen eine zunehmende Privatisierung von Sprache und Bewußtsein. Sich der Heiligenlegenden zu erinnern, bedeutet auch, ein Stück Geschichte zurückzuerobern – besonders die der Schnäubigkeit und des Eigensinns, der Widerspenstigkeit und des Widerstands. Die Distanz von Zeiten, Sprache und Bildern kann dabei nicht übersprungen werden. Das Märchen macht sie deutlich mit der Formel »...In den alten Zeiten, als das Wünschen noch geholfen hat.« Die Distanz wahrzunehmen, heißt auch, die Heiligen bei sich selbst zu belassen – und sich selbst auch; Näherkommen kann Verschwindenmachen bedeuten.

»Ich habe die Briefe Bonhoeffers aus dem Zuchthaus Tegel gelesen und ich konnte sie einfach nicht wieder in den Schrank zurückstellen, ohne was damit zu tun. Sie haben mein Handeln und, hoffentlich auch, mein Denken verändert...

Ich erinnere mich noch an eine Situation, in der mir ein Gedanke von Bonhoeffer ganz neu und anders, als ich ihn eigentlich gelesen hatte, wieder bewußt wurde. Ich saß auf der Bettkante neben einer Freundin, und sie weinte ganz fürchterlich. Ich hab' versucht, ihr irgendwie nahe zu kommen, ihr in ihren Problemen, in ihrer Traurigkeit zu helfen. Aber eigentlich hab' ich sie mehr an mich herangezogen, versucht, sie durch mich zu bestimmen, durch meine Hilfe schon fast von mir abhängig zu machen, vielleicht weil ich es auch selber so brauchte.

Aber das war nicht der richtige Weg, und Bonhoeffer hat mir gezeigt, daß es eigentlich andersrum gedacht ist, daß wir jedem Menschen in seiner Not, genauso auch in seiner Freude, sein Geheimnis lassen. Das heißt, seine tiefsten inneren Empfindungen. Und dann hab ich versucht, ihr ihr Geheimnis zu lassen, damit sie auf gleicher Stufe neben mir stehen kann und nicht das Gefühl hat, von mir abhängig zu sein, durch meine Hilfe. Ich hoffe, daß sie dadurch auch eben sie selbst geblieben ist. Und ich dann allerdings auch...«[17]

»Wo ein großer Mangel an Liebe ist, da brennt ihre Liebe auf; wo es an Opfer fehlt, opfern sie sich unvermerkt hin; wo die Mächtigen nicht den Mut haben, dem Widersacher zu widerstreben, da ringen sie mit ihm waffenlos.« (Reinhold Schneider) Waffenlos heißt nicht hilflos. Jeder Heilige hat seine Dramaturgie, sein unverwechselbares Repertoire von Gesten und symbolischen Handlungen. Theologie wird ausgemalt in Bildern, Beispielen und gespielten Gleichnissen. Befreiung beginnt mit der Erzählung von Befreiung: »Ich habe einen Traum...«[18] Die Gleichheit der Kinder Gottes wird von Martin Luther King inszeniert; Phantasie organisiert den Vorschein auf eine um ihre Würde nicht länger betrogene schwarze Menschheit.

»King hat gesagt: Ich halte an meinem Traum fest, daß wir alle zusammengehören, daß ich ein Leben für möglich halte, das gelingt, auch wenn es zertrampelt erscheint. Er ist ermordet worden, als er dabei war, in Memphis die Lohnforderungen von 1300 Schwarzen, die in der Müllabfuhr arbeiteten, zu unterstützen.

Also ist er nicht für eine riesige überweltliche Idee umgebracht worden, sondern weil er ganz konkret an der Gleichheit der Menschen und der Lohngleichheit der Müllabfuhr festgehalten hat. Daran zeigt sich das Reich Gottes für ihn, daß alle Menschen gleich sind, daß alle Menschen Kinder des gleichen Gottes sind. Das halte ich für eine starke Sache...« »Ich denke, das ist eine sehr tiefe, alte Wahrheit, daß der Tod der Friedensstifter nicht das Ende ihres Traums ist, sondern auf Jesus, Romero, Gandhi, King eigentlich erst dann viele Menschen sich auf ihren Traum berufen und erst dann erkennen, daß sie einen richtigen Weg gegangen sind. Ich denke auch, das könnte damit zusammenhängen, was in der religiösen Sprache genannt wird: Karfreitag – Kreuz und Auferstehung. Oder mit diesem Bild, daß das Weizenkorn erst in die Erde muß und stirbt, bevor es viele Früchte bringt.«[19]

IV

Das Medium Fernsehen zielt auf Visualisierung, Vitalisierung, bildhafte Versinnlichung; Begriffe und Praefix machen deutlich: hier geht es um etwas Hergestelltes, Gewolltes, Gemachtes. Die Kriterien »natürlich« und »künstlich« – im Sinne einer Wertung von »gut« oder »schlecht« – sind unangebracht. Auswahl und Präsentation sind immer – mehr oder minder reflektierte und mehr oder minder gelungene Kunst. »Natürlichkeit« stellt sich – wie Naivität – allenfalls auf einer zweiten Ebene wieder ein – als eine Vorstellung von ihr.[20] Das Medium Fernsehen ist ein Medium des Bildes. Das Bild kann dem Wort die Wirkung nehmen (weniger: umgekehrt); es bleibt länger in der Erinnerung haften als das gesprochene Wort.[21]

Auf dem Fernsehschirm werden in sehr kurzer Zeit hintereinander höchst unterschiedliche/verschiedene Deutungen und Bedeutungen des Lebens und der Welt gegeben. Das muß sich auf den Adressaten auswirken: die Bedeutung der Einzelsendung verändert sich. »Die zahlreichen konkreten Einzelprogramme, beispielsweise eines Fernsehabends, werden im Nacheinander- und Durcheinanderkonsum entspezifiziert; ihre Unterschiede – soweit es sie gibt – werden undeutlich.«[22] Und gleichzeitig gilt: Der Zuschauer sieht nicht nur – vielleicht nicht einmal vorrangig – das Programm, das für ihn gemacht wurde. Er produziert selbst, sieht *sein* Programm, sieht im gezeigten Bild das, was er sehen möchte und sehen kann. Angesichts der Leinwand und des Bildschirms bildet der Zuschauer seine eigenen Mythen und Bilder.[23]

Das Gesamtprogramm verläuft nach Spielregeln, die sich historisch herausgebildet haben. Auch die Erinnerungen an »Heilige – Zeugen –

Märtyrer« haben ihren Sitz im Leben des Gesamtprogramms, angebunden an die Produktionsmodalitäten und die Vorstellungen eines massenmedialen Publikums in der Sendezeit von 19 Uhr fünfzehn bis 19 Uhr dreißig. Der Ort signalisiert: nicht mehr Information/Verbindliches – noch nicht Unterhaltung/Unverbindliches. Das Konzept muß die Sendezeit und den Ort nicht erfinden (wie die Religionspädagogik nicht den Religionsunterricht). Die Vorstellung von dem, was sein könnte oder sollte, ist zunächst entlastet davon, mit begründen zu müssen, warum gerade zu dieser Zeit und in dieser Länge Religiöses ausgestrahlt werden muß.[24] Andererseits sind Rahmen und Zeit exakt vorgegeben: je nach dem vorlaufenden und nachfolgenden Programm: zwischen 13.50 Minuten und 15.00, mehr nicht.

Eine Idee und wenige Prinzipien sollten zum Tragen kommen. Wichtig – und mit am schwierigsten durchzusetzen – die These: *ein* Gesicht trägt. Gegen dominierende Lesarten von Produktion und Konsumption soll daran festgehalten werden, daß es für den Zuschauer nicht nur auszuhalten ist, sondern sinnvoll und angenehm sein kann, wenn ein Mensch eine Viertelstunde lang für das auch im Bilde einsteht, was er sagt. Ein Gesicht gibt wieder, was es wahrnimmt, der Mensch repräsentiert, was er präsentiert, mimisch und gestisch. Das bedeutet den Verzicht auf eine Bilderbogen-Dramaturgie, auf das »Unterschneiden«, also das Unterlegen des gesprochenen Wortes mit einem Teppich von Bildern (gelegentlich fiel der Verzicht schwer, z. B.: Stadt- und Landschaftsbilder von Assisi).

Es gibt zwei unterschiedliche Möglichkeiten, sich einem anderen Menschen zu nähern – oder solche Annäherungen inszenatorisch darzustellen: einmal, ihn oder sie auf sich zukommen zu lassen, eintreten zu lassen ins eigene Leben, Interzessionen und Wirkungen hier aufzuspüren: am Ort des täglichen Lebens und der eigenen Arbeit; zum anderen, ihm oder ihr nachzugehen und nachzuspüren; sich auf Spurensuche zu begeben an den Ort dessen, der dort einmal gelebt hat und gearbeitet.

Im ersteren Fall bedeutet dies das Einbeziehen in die eigene Lebenswelt:

»...Ich bin hier an der Uni Hochschullehrer für Theologie und Friedensforschung und ich versuche, auf meine Weise mit meinen Möglichkeiten an diesem Traum teilzunehmen, an den Hoffnungen, zusammen mit den Jüngeren... Am Traum Kings festhalten, das ist für mich so etwas wie an der Revolte gegen den Todestrieb teilnehmen. Diese Bewegung gegen das Kalte, Zerstörerische, was ich heute wahrnehme...«[25]

Die Spurensuche kann eine Art Pilgerfahrt sein; sie kann Einblicke in Stätten und Stimmungen vermitteln:

»...Was haben die Kirchen mit unserem kleinen Bruder gemacht? Der Franz mit dem brennenden Herzen wird bald zu einem lieblichen und harmlosen

Vogelfreund. Hier in Assisi bin ich gespalten. Ich bin berührt von dem Ort. Ich sehe die Wege, die er barfuß gegangen ist. Ich spüre die Sonne, die er besungen hat. Zugleich spüre ich die ungeheure Zerstörung einer Idee. Ummauert, eingesperrt, umzäunt, verglast sind die Orte, die in der Franz-Geschichte wichtig sind, der Ort, wo er gestorben ist, der Ort, wo er seine kleine Zelle hatte. Hinter Glas seine Schuhe und seine Kutte...«[26]

Angesichts der Menge fiktiver Erzählung in den Medien ist das Erzählen dessen, was ein »Ich« erlebt hat, eo ipso ein authentischer Akt (gelungen, oder nicht – das ist eine andere Frage). Der Mensch wird selbst zum Symbol, zum Medium der Expression. In der Aneignung von Geschichten berühren sich Erfahrungen und bereichern sich gegenseitig.[27] Weiter: das Reden ist subjekt- und situationsbezogen, Ereignis und Erlebnis statt Begriff. Bilder, Gesten und Szenen schaffen und lassen mehr Raum als die Definition. Erkennbare Identifikation – durchaus auch skeptischer oder negativer Art – soll Wahrnehmung evozieren und provozieren. Dialogische Rede – Gespräch ohne sichtbaren Partner[28] – geht gleichsam natürlich aus dem Erzählen hervor.

Nichts interessiert den Menschen so sehr wie der Mensch. Diese journalistische Trivialeinsicht gilt nicht nur für den, *über* den berichtet und erzählt wird, sondern auch für den, *der* berichtet und erzählt. (Nur der »Botenspruch« der antiken Welt wollte deutlich machen, daß nichts, aber auch gar nichts vom Übermittler beigemischt ist.)

Was Menschen von heute an Menschen von gestern interessiert, fasziniert, bewegt – in ihrer Allgemeinheit kann die Frage für alle gelten, auf beiden Seiten, nicht nur für »Heilige«, nicht nur für »Prominente« und nicht nur in der Gegend von Religion und Kirche. »Lebendige Heilige« können – mit Luther – alle sein. Nur: Berührungen müssen da sein, Erwartungen und Erfahrungen, Vorurteile, Urteile, Kenntnisse und Ahnungen, ein Gerücht. Und es gilt: Die Frage nach denen stellen, die *anders* gelebt haben, läßt die Wahrnehmung schärfer stellen für diejenigen, die *so* leben.

V

»Ich bin nicht allein – das ist die gründlichste Lehre, die ich aus den Franz-Geschichten ziehe«, sagt Fulbert Steffensky im Angesicht der großen Kirche, in der der kleine Bruder begraben liegt. Und der Autor der Martin-Luther-King-Biogaphie (der noch weitere verfaßt hat) schreibt: »Für mich ist das Genre der Biographie nicht nur ein großes literarisches und historisches Abenteuer, sondern auch eine tiefe persönliche Erfahrung. Ich habe neben meinem eigenen noch vier andere Menschenleben durchlebt...«[29] Die Leben verwandeln sich. Bereichert die einen durch geschenkte und geliehene Phantasie und die Erinnerung daran, daß es mehr Leben gibt als dieses Leben lebt. Gespiegelt und »angereichert« werden die anderen durch die Existenz und die Arbeit der Erzählerinnen und Erzähler, Biographen, Literaten, Filmemacher und Techniker. An Heilige erinnert und von ihnen erzählt wird zu den »Meditationsterminen«, die eine Fernsehanstalt eingerichtet hat. Das Lexikon belehrt uns: »Meditation (lat. meditation, meditari, ›nachdenken‹) bezeichnet das nachdenkende Eindringen in eine Sache. In der Regel ist dabei an ein methodisch geordnetes Verfahren zu denken, das eingeübt werden kann und der Höherführung des Menschen dient«.[30] Im journalistischen Medium sind dem »geordneten Verfahren« und der »Höherführung« Grenzen gesetzt. Aber die Heiligengeschichten nehmen nicht übel. Es sind Alltagsgeschichten auch in dem Sinne, daß sie zum Gebrauch bestimmt sind, zum Weglegen und Wiederaufnehmen. Vielleicht vertreiben sie die (nicht-nur-) protestantische Kühle ein Stück weit mit ihrer menschlichen Wärme. Neues haben sie allemal zu erzählen – im Sinn jenes Satzes, den Gert Otto einst in meine Dissertation über die öffentlichen Geschichten von heute hineinredigierte, daß sie »Wahrheit unter ungewohntem Aspekt allererst entdecken lehren«.[31]

Anmerkungen

1 Konzeption/Regie und/oder Koautor: Hans Joachim Dörger. Redaktion EIKON: Walter Joelsen, Redaktion ZDF: Gottfried Edel, Produktionsleitung EIKON: Jörg Schneider.
Stefanie Schmid: »Dietrich Bonhoeffer. Von guten Mächten wunderbar geborgen«. Kamera: Klaus Lautenbacher, Schnitt: Sylvia Regelin. Sendung: Karfreitag 85.
Angelika Schmidt-Biesalski: »Rosen im Schnee. Nachdenken über Klara von Assisi«. Kamera: Franz Weich, Schnitt: Sylvia Regelin. Sendung: Bußtag 85.
F. Steffensky: »Der große kleine Bruder. Franziskus in Assisi und anderswo«. Kamera: Franz Weich, Schnitt: Sylvia Regelin. Sendung: Ostern 86.
H.-E. Bahr/H. Sieverts: »Martin Luther King. Ich habe einen Traum«. Kamera: Klaus Lautenbacher, Schnitt: Jutta Verena Kampka. Sendung: Himmelfahrt 86.
Eine ähnliche Sendung über die Heilige Elisabeth wurde im Jahr 1983 für das Magazin »horizonte« des Hessischen Fernsehens produziert. (H. J. Dörger/W. Teichert).
2 Kolloquium oder Tischreden Doctori Martini Lutheri... Durch Johannes Aufrifaber. Samlet die obrigen Brocken/daß nichts umbkomme, Frankfurt 1571, 133 (die Marginalie sagt: »Lebendige Heilige«).
3 Klaus Reblin; Wolfgang Teichert, Erfahrungen mit Heiligen, in: dies., Gottescourage. Geschichten vom ganz anderen Leben der Heiligen, Stuttgart 1981, 11.
4 F. Steffensky, Der große kleine Bruder, a. a. O.
5 Erhart Kästner, Die Stundentrommel, vom heiligen Berg Athos, Frankfurt 1974, S. 121.
6 Klaus Wildenhahn, Über synthetischen und dokumentarischen Film, Frankfurt

1973, 196. Vgl. Oskar Negt; Alexander Kluge, Öffentlichkeit und Erfahrung. Zur Organisationsanalyse von bürgerlicher und proletarischer Öffentlichkeit, Frankfurt[4] 1972, 169 ff.

7 Reblin; Teichert, a. a. O., 51.

8 A. Schmidt-Biesalski, Rosen im Schnee, a. a. O.

9 St. Schmid, Von guten Mächten..., a. a. O.

10 F. Steffensky, Feier des Lebens. Spiritualität im Alltag, Stuttgart 1984. Graffitto in einem Fahrstuhl der Universität Bochum: »Alles wird schlechter, nur eins wird besser: Die Moral wird schlechter.«

11 Ders., a. a. O., 99.

12 »Da dies nicht gegen das Argumentieren in der Theologie gesagt ist – der Standpunkt ›Erinnern/Erzählen versus Argumentieren‹ wäre in der Tat rein regressiventdifferenzierend! –, geht es um die Relativierung und Konditionierung der argumentativen Theologie. Sie hat eine primär apologetische Funktion: die erzählende Erinnerung des Heils in unserer Welt zu schützen, sie kritisch in der argumentativen Unterbrechung aufs Spiel zu setzen und immer wieder neu zum Erzählen anzuleiten, ohne daß die Erfahrung des Heils stumm bliebe«. Johann Baptist Metz, Glaube in Geschichte und Gesellschaft, Mainz 1977, 190).

13 J. B. Metz, a. a. O., 182.

14 Peter Sloterdijk, Kritik der zynischen Vernunft, Frankfurt 1983, Bd. 1, 98.

15 Vgl. Reblin/Teichert, a. a. O.

16 »Die Kirche wird nur dadurch erhalten, daß sie dieses Erzählen erhält. Sie wird dabei der post-narrativen Situation des technischen Zeitalters hermeneutisch Rechnung zu tragen haben, um neue Weisen ansprechenden Erzählens zu finden. Sie kann dieser Situation aber nicht dadurch Rechnung tragen, daß sie das Erzählen abbricht. Vielmehr kann die Kirche als Institution des Erzählens ihrer Aufgabe nur gerecht werden, wenn sie das Erzählen selber reflektiert, um dann in einer ›zweiten Naivität‹ zur intentio recta des Erzählens zurückzukehren.« (Jüngel, Eberhard: Gott als Geheimnis der Welt, 2. Aufl., Tübingen 1977, 426 f.).

17 St. Schmid, Von guten Mächten..., a. a. O.

18 M. L. King in seiner berühmten Rede beim »Marsch der Armen« auf Washington am 28. August 1963: »...Ich habe einen Traum, daß eines Tages auf den roten Hügeln Georgias die Söhne einstiger Sklaven und die einstiger Sklavenhalter brüderlich vereint am gemeinsamen Tisch sitzen werden...« (zit. nach: Stephan B. Oates, Martin Luther King. Kämpfer für Gewaltlosigkeit, München 1986, 315).

19 H.-E. Bahr/H. Sieverts, Martin Luther King, a. a. O.

20 Vgl. Heiner Michel, Das Audiovisuelle – theologisch: terra incognita, in: medium, 12. Jg. 1982, H. 9 u. 10, bes. 55 f.; ders., Zeugnis und Kommunikation. Referat, MS 1984. Manfred Delling, Bonanza & Co. Fernsehen als Unterhaltung und Politik, Hamburg 1976.

21 Vgl. Bernward Wember, Wie informiert das Fernsehen. Ein Indizienbeweis, München 1976.

22 Josef Rölz, Information als Unterhaltung, in: medium, 7. Jg. 1977, H. 10, 9.

23 H. Michel, a. a. O., 57. Vgl. auch Horst Albrecht, Arbeiter und Symbol. Soziale Homiletik im Zeitalter des Fernsehens, München/Mainz 1982, bes. 104 ff. Mit viel Skepsis ist daher Steffenskys Wertung des Fernsehzuschauers zu nehmen: »Sie leben nicht, sondern schauen dem ins Haus gelieferten Leben zu... Sie sind nicht Akteure des Lebens, sie lassen sich das Leben vorspielen. Was ihnen vorgespielt wird, hat mit ihrer Wirklichkeit wenig zu tun...« (Feier des Lebens, a. a.O., 87).

24 Es ist dies der Termin, zu dem u. a. die langjährige Folge »Was fällt Ihnen zu (Weihnachten, Himmelfahrt usw.) ein«? ausgestrahlt wurde. Vgl. auch die Aufsätze von Geisendörfer, Robert: Evangelische Fernseharbeit – Eine Information über

Möglichkeiten und Grenzen, und Thumser, Fried: Zum evangelischen Programm im Zweiten Deutschen Fernsehen, in: Breit, Herbert; Höhne, Wolfgang (Hg.): Die provozierte Kirche. Überlegungen zum Thema Kirche und Publizistik, München 1968, 167 ff u. 201 ff. S. auch H. Michel, Anm. 20.

25 H.-E. Bahr, Martin Luther King, a. a. O.

26 F. Steffensky, Der große kleine Bruder, a. a.O.

27 Vgl. Oskar Negt; Alexander Kluge, Öffentlichkeit und Erfahrung: »Es ist durchaus denkbar, daß sich Theorie und vermittelte Erfahrung überhaupt nur dann auf Nicht-Theoretiker übertragen lassen, wenn sie sich durch eine Person, und zwar durch deren Verhalten, Gesten, persönliche Integrität, ausdrückt.« (a. a. O., 81) S. auch Christian Gremmels; Hans Pfeifer, Theologie und Biographie. Zum Beispiel Dietrich Bonhoeffer, München 1983, 11.

28 In der Martin-Luther-King-Meditation handelte es sich allerdings um ein Befragen des Augenzeugen H.-E. Bahr durch seinen 20jährigen Neffen H. Sieverts.

29 Stephen B. Oates, Martin Luther King. Kämpfer für Gewaltlosigkeit, München 1986, 14.

30 Wolfgang Trillhaas, Art. Meditation, in: RGG³, Bd. IV, 824.

31 Hans Joachim Dörger, Religion als Thema in Spiegel, Zeit und Stern, Hamburg 1973, 404.

PETER BIEHL

DER BIOGRAPHISCHE ANSATZ IN DER RELIGIONSPÄDAGOGIK

Das Verhältnis von Biographie und Religion sowie das spannungsvolle Verhältnis von religiöser Lebensform und Glaube bedürfen aus religionspädagogischer Sicht dringend der theologischen Reflexion. Das Leben selbst und seine religiöse Dimension, die Lebensgeschichte und die religiöse Lern- und Bildungsgeschichte stehen in einer dialektischen Spannung zum christlichen Glauben. Das Glaubensverständnis wird durch die wechselvollen Erfahrungen der Lebensgeschichte mit bestimmt; umgekehrt bereichert der Glaube die religiöse Lerngeschichte eines Menschen.[1] Die Religionspädagogik ist im Blick auf diese zentrale Thematik auf sachgemäße theologische Verhältnisbestimmungen und klare Begrifflichkeit angewiesen. Ohne diese Aufgabe aus dem Auge zu verlieren, soll vorerst eine Auseinandersetzung mit der heutigen Biographieforschung gesucht werden, weil mit ihrer Hilfe vielleicht das konkrete »Material« erschlossen werden kann, auf das sich die theologische Reflexion notwendigerweise beziehen muß.

Daher werden 1. religionspädagogische Probleme skizziert, zu deren Bearbeitung Biographieforschung überhaupt beitragen kann; 2. soll unter diesem religionspädagogischen Interesse nach theoretischen Ansätzen und Methoden innerhalb der heutigen Biographieforschung gefragt werden; 3. soll an einem Beispiel, nämlich anhand narrativer Interviews künftiger Religionslehrer, die praktische Bedeutung dieser Forschungsrichtung aufgezeigt werden.

1. Lebensgeschichte als religionspädagogisches Problem

Die dialektische Theologie ist durch ein tiefgreifendes Schisma zwischen Theologie und Biographie, zwischen Dogmatik und Lebensgeschichte gekennzeichnet.[2] Ein Grund dafür liegt darin, daß nach dem Urteil Karl Barths im 19. Jahrhundert – besonders in der Erweckungstheologie – die Biographie an die Stelle der Theologie getreten ist. So kritisiert Barth bei Tholuck, daß bei ihm die theologische Beschäftigung in drastischer Weise zur Beschäftigung mit sich selbst, theologische Darbietung zur Selbstdarbietung geworden sei.[3] Diese Skepsis gegenüber der Biographie, vor allem gegenüber jeder Selbstbiographie ist noch in der Schöpfungslehre von 1957 zu finden, in der er eine »Theologie der Lebensalter« entwickelt. Sie ist ein »so fragwürdiges Unternehmen, weil dabei fast notwendig vorausgesetzt wird, es gebe einen Stuhl, auf den einer sich setzen könne, um die Folge der Augenblicke, das Leben eines anderen Menschen oder gar das eigene von da aus zu betrachten, in seinen Phasen zu vergleichen, es in seiner Entwicklung zu überschauen und zu durchschauen... Überschauen und durchschauen kann er sich nicht einmal im je gelebten Augenblick...«.[4] Rudolf Bultmann hält im Gegenzug gegen die biographisch orientierte Leben-Jesu-Forschung nur das »Daß« des Gekommenseins Jesu für theologisch bedeutsam. In seiner Hermeneutik geht es nicht mehr darum, aus dem Leben des Autors das Werk zu verstehen (vgl. W. Dilthey, Das Erlebnis und die Dichtung, 1905), sondern zu einer Begegnung mit der Sache des Textes anzuleiten.

In der *Homiletik* haben sich diese theologischen Grundentscheidungen beispielsweise darin ausgewirkt, daß die Erfahrung des Predigers zurückzutreten hatte oder bei der Bestattungspredigt die Vita des Verstorbenen der eigentlichen Verkündigung an die Trauergemeinde beziehungslos vorangestellt wurde. In der *Religionspädagogik* sind diese Auswirkungen nicht so entschieden ausgefallen, weil Lernprozesse nicht beziehungslos zur Lebens- und Lerngeschichte der Betroffenen konzipiert werden können.[5] Daher treten merkwürdige Inkonsequenzen in der Theorie auf. So hat G. Lämmermann nachgewiesen, daß über alle Differenzen hinweg liberale und kerygmatische Religionspädagogik darin übereinstimmen, daß die Person des Religionslehrers als einzig bestimmender Faktor der religiösen Bildung und Erziehung angesehen wird. Im Blick auf die liberale Religionspädagogik mit dem Bildungsziel der christlichen Persönlichkeit überrascht diese Feststellung nicht. Faktisch setzt sich diese Zentralstellung der Person des Religionslehrers aus didaktischen Gründen auch in der kerygmatischen Religionspädagogik durch; das unverfügbare Wort Gottes wird nämlich in der Person des gläubigen Religionslehrers pädagogisch faßbar.[6] Im Blick auf die Inhalte läßt sich am Beispiel des Kirchengeschichtsunterrichts zeigen, daß sich der lebensgeschichtliche Ansatz der liberalen Religionspädagogik unter anderen Vorzeichen wieder Geltung verschafft. H. Kittel vertritt die These, daß der Unterricht exempla fidei bieten muß.[7] E. Schering übernimmt diese These und erläutert, es gehe darum, »am Glauben und der Glaubensentscheidung der Zeugen der Wahrheit die ›Sache‹, die sie erfaßt hat, aufzuweisen«.[8]

Wenn heute das Verhältnis von Theologie und Biographie neu bestimmt werden soll, dann geht es m. E. nicht darum, die Biographie wieder an die Stelle der Theologie treten zu lassen oder theologische Sachprobleme durch Beziehungsprobleme zu ersetzen; es geht vielmehr darum, Theologie aus ihrem jeweiligen lebens- und zeitgeschichtlichen Kontext heraus verständlich zu machen und theologische Reflexion konsequent auf den Zusammenhang von Biographie und Religion zu beziehen wie das für den Zusammenhang von Religion und Gesellschaft geschehen ist.[9] J. B. Metz geht zur Überwindung jenes »Schismas« einen Schritt weiter.

Er schlägt in seinem Entwurf einer »*Existentialbiographie*« vor, die Lebensgeschichte und die religiöse Erfahrung so in die Theologie einzuholen, daß sie
dadurch öffentlich, kommunikabel und geschichtlich belangvoll werden. »Lebensgeschichtliche Theologie erhebt ›das Subjekt‹ ins dogmatische Bewußtsein der Theologie.«[10]. Er möchte mit dieser These jedoch keineswegs einem
neuen theologischen Subjektivismus das Wort reden, sondern versteht unter
»*Subjekt*« den in seine Erfahrungen und Geschichten verstrickten und aus
ihnen immer wieder sich neu identifizierenden Menschen. Wird im Sinne
einer Versöhnung von Theologie und Lebensgeschichte das Subjekt in die
Dogmatik eingeführt, bedeutet das, den Menschen in seiner religiösen Le-
bens- und Erfahrungsgeschichte zum »objektiven Thema der Dogmatik« zu
erheben. Ihrem Gegenstand entsprechend verfährt lebensgeschichtliche
Theologie »narrativ-biographisch« und hat einen *poetischen* Charakter, wie
Metz mit Bezug auf ein Klopstock-Zitat zeigt.[11] Als Paradigma nennt er u. a.
Dietrich Bonhoeffer. – Die Realisierung dieses Entwurfs würde uns einen
entscheidenden Schritt bei der Entwicklung einer *Elementartheologie*, auf die die
Religionspädagogik so dringend angewiesen ist, weiterbringen, vor allem
durch die Berücksichtigung der Lebengeschichte des Volkes, der religiösen
Alltags- und Durchschnittserfahrung. Ich möchte nur zwei Präzisierungen
vorschlagen; 1. *Person* ist der Mensch immer schon, während er *Subjekt* in
Ausbildung dieser Person-Identität durch die Verstrickung in seine Erfahrungen und Geschichten erst *werden* muß. Besteht das wirkliche Identitätsproblem
darin, in seiner Lebensgeschichte mit sich selbst als Person identisch zu
werden, »dann liegt der Schlüssel zu seiner Identität außerhalb seiner selbst:
ganz er selbst ist er erst, wenn er ganz bei Gott ist«.[12] Die Frage nach Identität
und Differenz in diesem Sinne erweist sich als eine anthropologische Grund-
frage lebensgeschichtlicher Theologie. 2. Diese Theologie führt sich selbst
narrativ, durch Besprechung religiöser Erfahrung ein und ermöglicht damit
zugleich das »Dabeisein« der Menschen; mit der notwendigen Frage nach
Identität und Differenz wird jedoch elementare theologische *Reflexion* freige-
setzt. Daher bedingen sich narrative und argumentative Elemente in der
lebensgeschichtlichen Theologie wechselseitig; sie hat poetischen *und* hermeneutischen Charakter.

Didaktisch gesehen besteht die Aufgabe lebensgeschichtlicher Theologie
darin, komplexe theologische Sachverhalte (wie z. B. die Rechtfertigungslehre) in die ursprüngliche *Erschließungssituation* zurückzuführen,
so daß es zu einer »originalen Begegnung« (H. Roth) mit »der Sache
selbst« kommen kann. Die biographischen Komponenten der Erschließungssituation sind von besonderer didaktischer Bedeutung; eine probeweise Identifikation mit der Person, welche die Sache authentisch vertritt, kann nämlich zu einem *ganzheitlichen* Verständnis beitragen. Im
Sinne dieses Grundsatzes der Elementarisierung lassen sich für die
Rechtfertigungslehre Erschließungssituationen im Kontext der Verkündigung Jesu (z. B. zu Mt 20, 1–15) und im biographischen Zusammenhang bei Paulus und Luther aufsuchen. *Psychohistorische Studien*, wie sie

Erikson über den »jungen Mann Luther« und Gandhi zuerst entwickelt hat, helfen, dessen Zusammenhang angemessen aufzuschlüsseln.[13] Oder wir können von den Wendepunkten der Biographie *Bonhoeffers* her die wichtigsten Intentionen seiner Theologie erschließen und uns durch dieses Beispiel christlicher Existenz in eine kritische Auseinandersetzung mit seiner theologischen Lebensthematik (»Wer ist Christus für uns heute eigentlich?«) verwickeln lassen;[14] wir folgen dabei seinem eigenen Grundsatz, daß eine (theologische) Erkenntnis nicht von der Situation zu trennen ist, in der sie gewonnen wurde.[15] Die Absicht eines solchen Zugangs zur Theologie liegt nicht in der Anleitung zur Selbstbeschäftigung; *in* den Brüchen, Fragmenten und sich durchhaltenden Fragen der erzählten Lebensgeschichte sollen vielmehr die über sich hinausweisenden Erfahrungen christlicher Existenz entziffert werden, auf die sich die theologische Reflexion bezieht.[16] Die Frage nach Identität erweist sich als hermeneutischer Schlüssel zum Verständnis der Erschließungssituationen und zur sachgemäßen Verschränkung gegenwärtiger und überlieferter Lebensgeschichten.

Beziehen wir – damit kommen wir zu einer weiteren Realisierungsmöglichkeit des biographischen Ansatzes – Impulse der »*Oral History*«[17] auf den Kirchengeschichtsunterricht, so richtet sich das Interesse auf die Biographie der ›kleinen Leute‹, die leicht hinter repräsentativen Statistiken und sozialgeschichtlichen Daten verschwinden, wenn sie nicht ausdrücklich erfragt wird. Mit Hilfe der biographischen Methode, welche die historische Hermeneutik von den empirischen Sozialwissenschaften übernimmt, kann versucht werden, die Perspektive einer Alltags- und Glaubensgeschichte des Volkes auszuführen. Auch wenn sich die Kirchengeschichtswissenschaft bisher kaum dieser Methode bedient – sie einzufordern wäre Aufgabe der Praktischen Theologie –, leuchtet ihre didaktische Bedeutung unmittelbar ein, denn durch das Interview werden die Schüler oder Teilnehmer eines Erwachsenenbildungsprojekts zur Selbsttätigkeit herausgefordert, und das Lebenswissen älterer Menschen wird nicht in Form »toten Materials«, sondern im lebendigen Dialog vermittelt. In einem solchen Dialog können wir verstehen, wie Menschen in bestimmten Situationen und unter bestimmten zeitgeschichtlichen Umständen – geprägt durch biblisch-christliche Überlieferung – gelebt, gehandelt und gelitten haben. Regionalgeschichtliche Themen können mit Hilfe dieser Methode in einer »Geschichtswerkstatt« erschlossen werden (z. B. Geschichte einer Gemeinde, eines Werkes); aber im Spiegel exemplarischer Ereignisse der Region lassen sich auch übergreifende Themen erarbeiten (z. B. Haltung der Kirche zur Weimarer Republik, zum Dritten Reich, zum Wiederaufbau nach 1945).[18]

Der biographische Ansatz hat hinsichtlich der am Lernprozeß *beteiligten Personen* noch größere Bedeutung als bei der Erschließung geschichtlicher Inhalte. Im Konfirmandenunterricht und in den Sekundarstufen kann die eigene Lebensgeschichte besonders in den Abschlußklassen thematisiert werden.

Dazu sammeln wir zunächst Materialien und stellen sie möglichst konkret dar (z. B. in Biographie-Alben). Die Lebensgeschichte läßt sich dann von unterschiedlichen Schlüsselerfahrungen her erzählen. Das Verfahren zeigt den Entwurfscharakter jeder Retrospektive, die Vieldeutigkeit des »Stoffes« (Selbstdeutung als Experiment). Dabei lassen sich vielleicht noch nicht realisierte Möglichkeiten, Bruchstücke alternativer Erfahrungen in der Geschichte auch gesellschaftlich bedingter Versagungen entdecken. Wir erinnern uns an geglückte Augenblicke und machen uns bewußt, wie es dazu kam. Wir erinnern uns an unsere Kindergebete, an das Vertrauen, aber auch an nie beantwortete Fragen und Wünsche; fragen nach dem, was heute noch standhält und was wir heute ganz anders sagen würden. Vielleicht läßt sich die Lebensgeschichte unter der Perspektive der noch nicht eingelösten Versprechungen erzählen. Durch Experimentieren mit der eigenen Lebensgeschichte wird die Frage nach Identität virulent. Die *Erfahrung der Differenz* zwischen dem, was einer faktisch ist, und der Fülle des Möglichen setzt den Prozeß der Bildung und der Menschwerdung in Gang; sie macht zugleich die gesellschaftliche »Enteignung« wahrer Bedürfnisse, Wünsche und Hoffnungen bewußt.

Das Leben mit seinen geglückten Augenblicken, Versagungen und unerfüllten Versprechungen annehmen und Gott »zueignen« zu können, wäre ein Ausdruck dafür, daß biblische Verheißungssprache angeeignet und ein neuer Umgang mit den Lebenserfahrungen möglich geworden ist. Die eigene Lebenslinie läßt sich zum Abschluß der Arbeit als Weg, Fluß oder Kurve (auf Folien oder Collagen) darstellen; besonders markanten Punkten werden »Referenzgeschichten« zugeordnet.

In der *Erwachsenenbildung*[19] können Lebenslauf und Lebensgeschichte mit dem Ziel einer bewußten Aneignung der eigenen religiösen Bildungs- und Lerngeschichte thematisiert werden; dazu ist es erforderlich, daß die Teilnehmer anhand biographischer Erzählungen zur kritischen Reflexion und Deutung ihrer Lebenserfahrungen im Lichte der biblischen Verheißung animiert werden.

Diese Arbeit ist mehrschichtig und umfaßt 1. die Auseinandersetzung mit den religiösen Ritualen und Symbolen in der eigenen Lebensgeschichte und der Alltagspraxis; 2. die Möglichkeit der Verbalisierung der Erfahrungen in Geschichten, Gedichten, Tagebuchnotizen etc. sowie der intersubjektiven Verständigung und Deutung; 3. die kreative Inanspruchnahme elementarer Sprachformen (Dank, Bitte, Lob, Klage, Ermutigung) und biblischer Symbolgeschichten. In der Auseinandersetzung mit autobiographischem Material aus der Geschichte anderer Teilnehmer können Gemeinsamkeiten und individuelle Besonderheiten herausgearbeitet und mit gesellschaftlichen Bedingungen in Beziehung gesetzt werden. Wir erkennen, was uns mit den Geschichten anderer verbindet und wie unser individuelles religiöses Profil durch die spezifische Gestalt des Christentums in unserem Geschichtsraum geprägt ist.[20]

Diese biographische Arbeit kann zur produktiven Unterbrechung sowie möglicherweise zur Überbietung und Intensivierung der Alltagserfahrungen beitragen. Der zweiseitige hermeneutische Prozeß bei dieser Arbeit besteht in Erinnerungs- und Hoffnungsarbeit.[21]

Insgesamt läßt sich das *Vermittlungsproblem* in religiösen Lernprozessen als das Problem der Verschränkung biblischer Symbolgeschichten und gegenwärtiger Lebensgeschichten beschreiben. Um diese Verschränkung hermeneutisch und didaktisch sachgemäß anbahnen zu können, muß der Erzieher/Lehrer beide »Texte« interpretieren. Im Blick auf gegenwärtige Lebensgeschichten muß er z. B. verstehen, welche psychischen und sozialen Vorgänge durch religiöse Symbole und Rituale ausgelöst werden; ferner, wie sich Lebensform und Verständnis des Glaubens in den Lebensepochen wandeln.[22] Er muß sich aber auch Rechenschaft darüber ablegen, wie seine eigenen Erlebnismuster, Handlungsorientierungen und Glaubensvorstellungen den Lernprozeß beeinflussen. Solche Aufschlüsse sind durch empirische Studien, die mit quantitativen Verfahren arbeiten, kaum zu erwarten. Für die Religionspädagogik sind *(religiöse) Bildungs- und Lerngeschichten,* die u. a. durch biographische Forschung mit Hilfe qualitativer Verfahren erschlossen werden, *das elementare Erfahrungsmaterial.* Wie Metz entsprechend für die lebensgeschichtliche Theologie gezeigt hat, sind solche Geschichten nicht entbehrliche Illustration, sondern gehören zur Sache selbst. Den Geschichten der Betroffenen korrespondieren Geschichten, in denen Erzieher/Lehrer ihre Erfahrungen zum Ausdruck bringen. Sie sind nicht nur Geschichten über Kinder, sondern zugleich Geschichten über sich selbst; es handelt sich um selbstreflexive Beziehungsgeschichten.[23] Biographische Forschung kann mit dazu beitragen, entsprechendes Material zu gewinnen, das einen Einblick in den Prozeß der Hervorbringung religiöser Bildung und Erziehung ermöglicht; erst mit seiner Hilfe kann die Religionspädagogik handlungsrelevant reden.

Wie die Beispiele zeigen, lassen sich *Vorformen* biographischer Forschung bei der Auseinandersetzung mit der eigenen Lebensgeschichte und bei der Ermittlung des Lebenswissens älterer Menschen im Sinne eines »forschenden Lernens« in Anspruch nehmen; hier wird die biographische Methode unmittelbar praxisrelevant.

2. Aspekte religionspädagogischer Biographieforschung

Unter biographischer Forschung verstehen wir mit W. Fuchs[24] alle Forschungsansätze, die erzählte bzw. berichtete Lebensgeschichten als Datengrundlage haben.

Sprechen wir von religionspädagogischer Biographieforschung, so handelt es sich um einen Arbeitsbereich, den die Religionspädagogik mit anderen Disziplinen – vor allem mit den Sozial- und Erziehungswissenschaften – teilt. Die Verfahren biographischer Forschung können vom Religionspädagogen vor Ort (ohne Abhängigkeit von einem Institut) zur Aufklärung des Handlungsfeldes und zur Lösung bestimmter Probleme relativ einfach eingesetzt werden. Die Handlungsforschung bedient sich heute weitgehend der biographischen Methode.[25]

Ein Vorteil besteht ferner darin, daß biographische Forschung bei den Befragten *an alltäglichen Praktiken anknüpft;* jeder ist es gewohnt, bei unterschiedlichen Anlässen (z. B. Familientreffen, Ehemaligentreffen) aus seinem Leben zu erzählen. In diesen Geschichten aus dem Alltag wird allerdings die sinnhafte Gesamtstruktur der Lebensführung kaum deutlich gemacht. Das geschieht erst, wenn an Krisen- und Wendepunkten die Frage nach dem Leben insgesamt akut wird. Auch die einfachen und alltäglichen Erinnerungsgeschichten sind von alten Erzählschemata der Volksüberlieferung gefärbt. In der kulturellen und religiösen Tradition ist vorgegeben, was eine Lebensgeschichte ist und wie man einzelne Erfahrungen zu einer Lebensgeschichte ordnet; es gibt vielfältige (überlieferte) Formen biographischer Kommunikation, die zum Teil einen religiösen Ursprung haben (Gebet, Beichte, Autobiographie, Tagebuch).[26]

Die Lebensgeschichte ist nicht einfach Abbildung des tatsächlichen Lebensverlaufs, sondern sie stellt – in der Wirkungsgeschichte überlieferter Formen – eine aus dem gegenwärtigen Bewußtsein entworfene symbolische Konstruktion dar, die es uns ermöglicht, einzelne Widerfahrnisse, Erlebnisse und Handlungen unter einer immer wieder neu zu gewinnenden Sinnperspektive darzustellen und zu deuten. Die Lebensgeschichte ist »in jedem Fall Deutung, durch die die soziale Wirklichkeit, die innere Realität der prägenden Erlebnisse, Ängste, Hoffnungen, Glückszustände, Erfolge, Einsichten und Einstellungen sichtbar wird«.[27] Die Gegenwart ist der Interpretationspunkt, von dem her die Rekonstruktion der Vergangenheit erfolgt, die zugleich einen Entwurf von Zukunft enthält. Bedeutsame Wendepunkte der Lebensführung erfordern eine Neudefinition der Vergangenheit und der Zukunft. Diese Interpretation vollzieht sich in der *Lebenswelt* als dem konkreten, materialen Bezugspunkt aller vergangenen Erfahrungen, gegenwärtigen Handlungen und zukunftsgerichteten Wünsche und Hoffnungen. Die Lebenswelt konstituiert die biographische Situation, wie diese umgekehrt auf die mit anderen geteilte Welt verweist.[28] Diese idealtypische Beschreibung, in der Lebenswelt und biographische Situation wechselseitig aufeinander bezogen sind, verkennt, daß im realen Erleben des Alltags beide oft voneinander abgespalten sind und als isolierte Momente weitgehend unverstanden bleiben. Der Mensch versucht sich in der Unübersichtlichkeit des Alltagslebens zurechtzufinden, indem er seine biographische Situation als »sinnvolles Leben« erzählt. Dieses Erzählen der Lebensgeschichte ist einerseits ein produktives Element, das daraus verweist, daß Poesie im Alltag nicht ganz destruiert ist; andererseits verdeckt der Erzähler in der Rekonstruktion sinnvollen Lebens die Widersprüche durch den Einsatz von (religiösen) Deutungsmustern und klischeebedingten Reaktionen.[29] Die Interpretation von Lebensgeschichten erfordert vom Forscher ein kritisches Lesen, das darauf achtet, wie sich in der subjektiven Aneignung die gesellschaftliche Realität widerspiegelt und wie umgekehrt der Mensch seine personale Freiheit in der Auseinandersetzung mit den vorgegebenen Bedingungen gestaltet. Die Art, wie diese dialektische Beziehung im biographischen Einzelfall ausgetragen wird, macht den Kern der Bildungsgeschichte aus.

Das Grundproblem der biographischen Forschung besteht darin, daß jede erzählte Lebensgeschichte *einmalig* und *unwiederholbar* ist; sie erweist sich damit dem Sozialzusammenhang gegenüber als widerständig und sperrt sich gegen die Verallgemeinerung.[30]

Welche Gründe sprechen dann für eine stärkere Berücksichtigung der biographischen Forschung in der Religionspädagogik?

Religion wird sozial und gesellschaftlich vermittelt, sie hat intersubjektive Kraft und eine gemeinsame Symbolsprache; sie beeinflußt aber zugleich auf ambivalente Weise den Prozeß der Subjektwerdung des Menschen. Messende und zählende Forschung mit ihren strikten Kriterien der Validität können diesen Prozeß nicht erfassen, sondern ebnen das Individuelle zugunsten des Typischen ein. Daher besteht das Unbehagen gegenüber den kirchensoziologisch orientierten Untersuchungen oder gegenüber der Umfrageforschung darin, daß die religiöse Lebensform auf das Verhältnis zur Institution oder zu bestimmten dogmatischen Vorstellungen reduziert wird. Den Religionspädagogen interessiert aber nicht nur, wie stabil die Kirche ist, sondern mehr noch, welche religiösen Erfahrungen der Zeitgenosse macht. Dabei sind die Varianten für ihn mindestens ebenso interessant wie der Regelfall. Aussagen aufgrund empirischen Materials sind nicht erst dann von Belang, wenn sie Prozentzahlen bei sich haben. Das Plädoyer für eine stärkere Berücksichtigung von qualitativen und interpretativen Verfahren richtet sich aber nicht gegen die in der Praktischen Theologie erst spärlich in Gang gekommenen quantitativen Untersuchungen; es geht vielmehr um eine sachgemäße Kombination beider Forschungsrichtungen. Wir haben beispielsweise in einer Untersuchung mit standardisierten Fragebogen Aufschlüsse über die *Rolle* und die Rollenkonflikte evangelischer Religionslehrer gewinnen können[31]; ein besseres Verständnis der *Person* des Religionslehrers und seines Selbstverständnisses ist dagegen von einer Langzeituntersuchung mit Hilfe der biographischen Methode zu erwarten, die der Ambivalenz und der Mehrdimensionalität der religiösen Erfahrung besser gerecht werden kann.

Artikuliert sich das Bedürfnis nach Religion heute vor allem in der Frage nach Identität und Sinn, so können die (Vor-)Erfahrungen mit diesem Problemkomplex am besten in der Untersuchung von Biographien ermittelt werden. Mit der Erkenntnis, daß der Identitätsbildungsprozeß mit dem Jugendalter nicht abgeschlossen und »lebenslanges Lernen« erforderlich ist, hat das Interesse an der »Erwachsenensozialisation« sowie an der »religiösen Lebenslinie« im Erwachsenenalter[32] und damit an der Biographieforschung zugenommen. Darüber hinaus hat auch in der Religionspädagogik das Interesse an dem sogenannten subjektiven Faktor im letzten Jahrzehnt an Bedeutung gewonnen, weil »eine umfassende gesellschaftskritische Programmatik fehlgeht, wenn sie nicht den Anschluß im Subjekt sucht«.[33]

Allerdings sollte die Religionspädagogik die unterschiedlichen Ansätze der Biographieforschung nicht unkritisch in Anspruch nehmen, sondern auf das ihnen zugrundeliegende Verständnis von Lebensgeschichte und Identität hin befragen.

W. Fuchs gibt einen Überblick über *die theoretischen Orientierungen der Biographieforschung* und zeigt das Verständnis der Lebensgeschichte u. a. aus milieutheoretischer, (entwicklungs-)psychologischer, psychoanalytischer, sozialisationstheoretischer, interaktionistischer und phänomenologischer Sicht. Die der Religionspädagogik von ihrer Thematik am nächsten stehenden Untersuchungen[34] stammen aus dem Umkreis der phänomenologischen (Religions-) Soziologie und des Interaktionismus. Hier gilt die Lebensgeschichte »als ausgezeichnetes Material für eine Untersuchung der fundierenden Deutungsmuster, mit denen die einzelnen Menschen sich und die soziale Welt wahrnehmen, gedanklich und kommunikativ organisieren ... Lebensgeschichte enthält ... eine Rekonstruktion der wesentlichen Ereignisse und Konstellationen der Lebensführung und die zentralen Konstruktionsregeln der sozialen Welten«.[35] Identität wird hier nicht als stabiler Bezugspunkt verstanden, der Konstanz der Persönlichkeit und Verläßlichkeit des Handelns garantiert, sondern als mühsam errungener und immer wieder neu zu erringender Entwurf. Daher korrespondiert das Identitätsverständnis mit einem nach vorne offen gedachten Bildungsprozeß. Mit dem psychoanalytischen Ansatz stimmen diese Theorien darin überein, daß vergangene Erfahrungen den Horizont bilden, vor dem neue Erfahrungen angeeignet werden. Im Unterschied zur Psychoanalyse wird aber nicht davon ausgegangen, daß die in der Kindheit durchlebten Triebkonstellationen das ganze Leben ein für alle mal prägen und daß die Menschen vor allem durch unbewußte Konstellationen bestimmt werden.[36]

Die genannten Theorienansätze aus dem Bereich der Soziologie und Psychologie berücksichtigen jeweils *einen* Aspekt der Lebensgeschichte. »Kein solches Konzept kann die Totalität des Lebenslaufs insgesamt erfassen«[37]; es sind Lesarten, die ermöglichen, bestimmte pädagogische Konsequenzen zu ziehen. Es fehlt aber ein Konzept, das die Lebensgeschichte unter *bildungstheoretischer Sicht* als einen Prozeß der mündigen, verantwortlichen Subjektwerdung des Menschen versteht.[38]

Wird ein solcher bildungstheoretischer Ansatz zugleich *theologisch* begründet, dann entspricht er religionspädagogischem Interesse. Die Lebensgeschichte läßt sich dann nämlich unter theologischem Gesichtspunkt als Bildungsgeschichte verstehen, in der sich der Mensch in Entsprechung oder Widerspruch zur Gottebenbildlichkeit als Bestimmung aller Menschen verhält. Unter pädagogischem Aspekt erscheint die Bildungsgeschichte als Antizipation und Aktualisierung der dem Menschen zukommenden Möglichkeiten inmitten der Matrix des Leidens und der Entfremdung. Die Bildungsgeschichte verweist auf die Auseinandersetzung des Subjekts mit der Wirklichkeit mit Hilfe von kritischer Erinnerung und Antizipation. Die biographische Analyse fragt dementsprechend, ob die Biographien Spuren der Spontaneität und Hoffnung sowie Spuren des Widerstands gegen die entfremdete Gestalt des Lebens enthalten. Welche Inhalte haben auf dem Weg der Identifikation alternative Erfahrungen oder Kontrasterfahrungen ausgelöst? – Der Bildungsbegriff könnte als Interpretationsrahmen dienen, um die genannten psychologischen und soziologischen Theorienansätze kritisch zu verschränken.

Daß die pädagogische Biographieforschung nicht einfach einen der genannten Theorienansätze übernehmen kann, läßt sich an folgendem Sachverhalt verdeutlichen. Als Bezugsrahmen für die Beschreibung des Identitätsbildungsprozesses im Rahmen der Biographie wird in der Praktischen Theologie vor allem E. H. Eriksons Theorie der Lebenszyklen und Wachstumskrisen in Anspruch genommen, die es zugleich erlaubt, bestimmte theologische Inhalte diesem Prozeß zuzuordnen.[39]

In unserer Untersuchung haben die befragten Religionslehrer einzelne Elemente dieser Theorie, die inzwischen zum Allgemeingut geworden ist, zur Deutung ihrer Lebensgeschichte in Anspruch genommen; aber insgesamt gibt das biographische Material kaum Gesichtspunkte dafür her, es von dem »Entwicklungsschema« Eriksons her zu interpretieren. Daher sind wir auf Kriterien angewiesen, die von der biographischen Forschung selbst entwickelt worden sind. Zum Identitätsbildungsprozeß gehören nicht nur unterschiedliche Entwicklungsstufen, sondern auch *»soziographische Wendepunkte«*[40] und *kritische sowie geglückte Ereignisse,* die häufig mit den Übergangsphasen der Entwicklungsstufen im Zusammenhang stehen. Sie sind nicht nur in dem biographischen Material zu entdecken, sondern sie sind geradezu die Haftpunkte, an denen sich das Erzählen orientiert.

Bei den *soziographischen Wendepunkten* handelt es sich um Entscheidungsphasen, die sich aus den Lebensverhältnissen ergeben; sie sind gesellschaftlich vorgegeben, müssen aber individuell bewältigt werden. Gerade aus dem Bildungs- und Berufszyklus gibt es viele Beispiele: Einschulung, Entscheidung über den weiterführenden Schulbesuch, Berufswahl, Ausbildungsbeginn, Arbeitsplatzsuche usf. Diese Situationen erzeugen Handlungszwänge, deren Bewältigungsmöglichkeiten unterschiedlich entwickelt sind. Das Handeln an diesen Wendepunkten wird nicht durch religiöse Rituale begleitet wie an den entscheidenden lebenszyklischen Übergängen (Taufe, Trauung, Beerdigung), es sei denn, es handelt sich um religiöse Berufe (Ordination). Die Möglichkeit, bestimmte Bewältigungsmöglichkeiten einzusetzen, ist aber auch von religiösen Lernprozessen abhängig, weil die Sinn- und Identitätsfrage an den Wendepunkten besonders akut wird. – Neben diesen vorhersehbaren Wendepunkten in der Lebensgeschichte spielen *krisenhafte Lebensereignisse* eine Rolle, mit denen sich Individuen plötzlich konfrontiert sehen (Unfälle, schwere Krankheiten, Partnerverlust).[41] Es gibt aber weniger dramatische Ereignisse, die das Alltagshandeln unterbrechen und als besonders schmerzhafte oder glückhafte Erfahrungen die Lebensgeschichte mit strukturieren.

In unseren Interviews junger Lehrer spielen *Grenz-Erfahrungen* in Freundschaften, Jugendgruppen oder im persönlichen Bereich eine besondere Rolle bei der (Um-)orientierung; dabei waren es nicht Konversionen, die zu einer Umstrukturierung der bisherigen Lebenserfahrung geführt haben, sondern *Schlüsselsituationen,* die durch Begegnung oder Verlust eines Freundes/einer Freundin, durch Erlebnisse auf Kirchentagen oder durch den Einbruch sozialer Probleme hervorgerufen wurden. Für das Verständnis der religiösen Biographie waren Situationen aufschlußreich, die mit Angst besetzt waren (Kindergebet, Erfahrung mit einem bestimmten Gottesbild) oder Situationen, die besonders positiv besetzt waren (Aktionen in der Jugendgruppe, Begegnung mit Symbolgestalten wie Pfarrer oder Lehrer); ferner Brüche, Spannungen, Widersprüche, die an Schnittpunkten entstehen, wo die individuelle Lebensgeschichte mit den Sozialisationsinstanzen der Gesellschaft/Kirche konfrontiert wird (z. B. Begegnung mit kritischer Theologie bei Studienbeginn), oder wo unterschiedliche Glaubensverständnisse aufeinanderprallen (Religionsunterricht contra Konfirmandenunterricht; Auseinandersetzung mit dem Freund oder den Eltern). Diese Situationen und Schnittpunkte lagen meistens außerhalb des Lernortes »Schule« in den institutionell nicht geregelten Freiräumen und in den »Nischen« volkskirchlicher Sozialisation.

Gelingt es auf dem Wege narrativer Interviews, *eine Phänomenologie hermeneutisch aufschlußreicher Situationen* zu ermitteln, in denen sich die individuelle Lebensgeschichte und die religiöse Lebensperspektive artikulieren, dann kann durch gezielte Untersuchungen solcher Schlüsselsituationen und Konfliktstellen Material gesammelt werden, das Aufschlüsse über unterschiedliche Ausprägungen und alternative Möglichkeiten bei der Bewältigung gibt.[41a]

Damit stoßen wir auf die Frage nach den *Forschungszielen* und den erkenntnisleitenden *Interessen*, die sich mit solchen Untersuchungen in der Religionspädagogik verbinden können.

1. Lehrende und Lernende der Religionspädagogik können erfahrungsnahe, differenzierte Kenntnisse über den Verlauf religiöser Bildungs- und Lernprozesse gewinnen, indem sie gemeinsam »aus Geschichten lernen« (Baacke/Schulze).

2. Sie können aus der Interpretation der Lebensgeschichte von Menschen, die nicht der Mittelschicht angehören, aus der sie meistens stammen, besser verstehen, welche Formen von Volksreligiosität bei der Bewältigung von soziobiographischen Wendepunkten und kritischen Ereignissen eine Rolle spielen bzw. warum religiöse Deutungsmuster abgelehnt werden.

3. Im Sinne einer »Zeitgeschichte von unten« kann Material über den Alltag, die Lebensbedingungen und das Glaubensverständnis älterer Menschen gesammelt werden; wir benötigen in der Religionspädagogik eine Dokumentation religiöser Lerngeschichten, um genauer untersuchen zu können, durch welche Faktoren religiöses Leben gefördert und behindert wird. Der Hinweis auf T. Mosers »Gottesvergiftung« reicht auf die Dauer nicht aus.

4. Da die außerschulischen Erfahrungen mit Religion (in Familie, peer group, Massenmedien) bei den Konfirmanden und Schülern die Einstellung zum Unterricht in starkem Maße bestimmen, sollten wir die Bildungs- und Lerngeschichten heranziehen, um die vielfältigen Beziehungen zwischen den Lebenserfahrungen und den an unterschiedlichen Lernorten erworbenen Deutungen bzw. widersprechenden Orientierungen erkennen zu können.

Erzählte Texte zeigen uns die Jugendlichen in Situationen, über die wir als Pädagogen auch in »Vertrauensbeziehungen« kaum etwas erfahren.[42] Für die Lebenswelt jugendlicher Randgruppen und ihre religiöse Lebenswelt gibt die Untersuchung von M. Schibilsky wichtige Aufschlüsse.[43]

Biographische Forschung kann die Prozeßhaftigkeit des Lebens, in dem sich die religiösen Lebensformen und Vorstellungen wandeln, zugänglich und verstehbar machen; wir gewinnen einen neuen Zugang zu den Bedingungen und Strukturen längerfristigen menschlichen Lernens.

6. Religionspädagogische Biographieforschung kann Religionslehrer-biographien daraufhin untersuchen, welches Selbstbild, welche Erlebnis-muster und Handlungsorientierungen, welche Glaubensvorstellungen in der Lebensgeschichte ausgebildet worden sind und das pädagogische Handeln mit bestimmen. Wie entwickelt sich »Lehrertheologie« im Laufe der individuellen Bildungs- und Lerngeschichte? Durch welche Lernan-gebote wird sie am stärksten beeinflußt?

7. Die Religionspädagogik hat sich bisher wenig mit der Frage beschäf-tigt, wie im Alltag erzählt wird. Gibt es formale Regelmäßigkeiten in Erzählungen religiöser Biographien, wie sie sich bei »Bekehrungsge-schichten« beobachten lassen?[44]

Diese Ziele dienen nicht dem Interesse, in das Geheimnis der Person der Befragten einzudringen. Die Religionspädagogik wird die Unter-scheidung zwischen Person-Identität und Subjektwerdung zur Geltung bringen, wenn sie nach den möglichst optimalen Bedingungen für den Prozeß der Subjektwerdung fragt, für den der Mensch verantwortlich ist.

Manche der Ziele dienen praktischen Bedürfnissen in den religions-pädagogischen Handlungsfeldern, andere theoretischen Absichten. Bio-graphische Forschung kann die laufende Theoriearbeit durch größeren Materialreichtum sicherer machen oder neue Ideen erbringen; sie kann aber auch Prüfstein einer Theorie sein, wenn untersucht wird, ob sie auch für die je einzelne Lebensgeschichte gilt.[45] Von den Zielen hängt die *Methodik* der Erforschung von Lebensgeschichten ab.

Kommt es auf die erzählte Lebensgeschichte selbst in ihrem einzigartigen Informationswert an, ist ein möglichst offenes, unstrukturiertes Verfahren zu wählen, das F. Schütze das »narrative Interview« genannt hat. Der Erzähler hat hier die Möglichkeit, weit auszuholen und Details zu berichten; daher steht man bei der Auswertung vor erheblichen Problemen. Um diesen Nachteil zu vermeiden, kann man die Methode des narrativen Interviews mit der des »fokussierten Interviews« verbinden. Im Blick auf die Ergebnisse läßt sich auch von einem »problemzentrierten Interview« sprechen.[46] Es konzentriert sich auf die Wendepunkte oder kritischen Ereignisse des Lebenslaufs. Diese Methode erlaubt schon während der Erhebung selbst, durch gezielte Rückfragen im Kontext der Erzählung diese thematisch zu strukturieren; dadurch lassen sich auch Einsichten über die Entstehung von Deutungen der kritischen Ereignisse aus der Retrospektive gewinnen.[47] Wird der Befragte als Experte, Zeuge oder Informant befragt, kann auch ein Interview-Leitfaden zur Fokussierung einge-setzt werden; er soll einen Überblick über die thematischen Aspekte geben, aber nicht als fester Rahmen des Gesprächs dienen. Geht es um die eigentümli-che Weise, wie der Erzähler seine Lebensgeschichte rekonstruiert und religiös deutet, ist ein solcher Leitfaden eher hinderlich.[48] Wir haben bei unserer Untersuchung von Lehrerbiographien einen flexibel gehandhabten Leitfaden eingesetzt, der sich auf bestimmte Wendepunkte der religiösen Biographie richtete. Die Transkription des Materials nimmt bei Großbiographien erhebliche Zeit in Anspruch und kann wegen der damit verbundenen Interpretationsleistung nicht durch Hilfskräfte besorgt werden.

Eindeutige Regeln für die Auswertung und Interpretation der biographischen Interviewtexte gibt es nicht; die Verfahren sind zu verschieden und hängen deutlich von den Zielen und theoretischen Orientierungen ab. Zwischen der unkommentierten Präsentation der Erzählung auf der einen Seite und dem »reinen Bericht« des Forschers auf der anderen Seite gibt es mehrere Mischformen. In der Mitte zwischen beiden Extremformen steht die »systematische thematische Analyse«, in der die Befragten selbst zu Wort kommen, aber auch der Forscher durch thematische Beiträge.[49]

Bei einer Querschnittsauswertung mehrerer Interviews nach thematischen Aspekten kann die Einzelbiographie in ihrem Verlauf nicht minutiös interpretiert werden. Dabei wird Material verschenkt, vor allem aber sind die interpretierten Einzelstellen nicht in ihrem Kontext wahrzunehmen. Man kann sich dadurch helfen, daß neben der Querschnittsauswertung wenigstens exemplarisch ausgewählte Interviews in ihrem Gesamtverlauf dokumentiert werden.

Es gibt inzwischen unterschiedliche *Deutungskonzepte* für biographische Erzählungen; in ihnen ist der Interpretationsvorgang modellhaft reflektiert. Im Bereich der interpretativen Soziologie sind die *»objektive Hermeneutik«* (Oevermann u. a.) und die *»Analyse des narrativen Interviews«* (Schütze) zu nennen, im Bereich der Psychoanalyse die *»Tiefenhermeneutik«* (Lorenzer), im Bereich der Sozialisationsforschung und Pädagogik das *»dialektische Lesen«* (Gstettner) und die *»sozialwissenschaftliche Paraphrasierung«* (Heinze/Klusemann).[50] Von der Fragestellung und von dem zugrundeliegenden Material her sind die beiden zuletzt genannten Ansätze geeignet, für religionspädagogische Vorhaben weiterentwickelt zu werden. Dabei kommt es darauf an, die anhand theologischer Texte entwickelte Hermeneutik des Verstehens mit einer Hermeneutik des Handelns zu verbinden und die Trennung von Verstehen und Erklären zu überwinden. Trotz der Unterschiede weisen die genannten Deutungskonzepte Konvergenzpunkte auf, u. a. die Einsicht, daß wir aus Geschichten dann am besten lernen, wenn wir Verstehen und Erklären nicht schroff trennen.[51] Gemeinsam ist ferner, daß an der Einmaligkeit und Besonderheit der Geschichten festgehalten und Generalisierungen gewehrt wird. Gleichwohl findet sich die Suche nach verallgemeinerungsfähigen Aussagen, die von dem spezifischen Erkenntnisinteresse geleitet ist.[52] Diese Aussagen sollen jedoch durch induktive Analyseschritte aus den Erzählungen selbst gewonnen werden. »Die kritisch-hermeneutische Methode muß all ihre Begriffe aus der kritischen Auseinandersetzung mit dem neuen Gegenstand selbst« (hier: der erzählten Biographie) gewinnen, »genauer: die hermeneutische Auseinandersetzung erfordert stets eine Veränderung der probeweise angelegten Vorannahmen«.[53] Es fällt insgesamt ein tentatives Verhalten der Interpreten auf; sie entwikkeln Hypothesen aus dem Material und ziehen versuchsweise Theorieelemente als Erklärungsmodelle heran. Die kritische Auseinandersetzung mit den Texten geht möglichst von Formen alltäglicher Kommunikation aus und treibt die Interpretation so voran, daß Detail und Kontext auseinander erklärt werden und daß sich formale und inhaltliche Gesichtspunkte wechselseitig bestätigen. Erst wenn der Text im Rahmen der erzählten Bildungs- und Lerngeschichte verstanden ist, läßt sich zu schrittweisen Verallgemeinerungen darüber kommen, welche (religiösen) Erlebnisqualitäten, welche Bewußtseinsformen und welche überlieferten Deutungsmuster an der Bewältigung von Lebensereignissen und an der Rekonstruktion der Lebensgeschichte beteiligt sind. Die in der Theologie gesammelten hermeneutischen Erfahrungen können der Interpretation von Lebensgeschichten zugute kommen; auch der Grundsatz, daß wir zugleich zwei »Texte« – einen überlieferten und (vermittelt durch die Wirkungsgeschichte) einen gegenwärtigen Text – zu interpretieren haben, ist in der Theologie anerkannt – die Kunstfertigkeit wird meistens nur ganz auf den überlieferten Text konzentriert.

3. Zum Beispiel: Religionslehrerbiographien

Da die Bedeutung der Biographieforschung nicht an theoretischen Erörterungen, sondern an überzeugenden Beispielen abzulesen ist, möchte ich abschließend auf die schon mehrfach angesprochene Befragung von Religionslehrern verweisen. Es handelt sich um eine Langzeituntersuchung bei einer Gruppe von elf Lehrern, die im Herbst 1979 zusammen das Wahlfachpraktikum gemacht hat. Die Untersuchung soll Aufschluß über die innere Entwicklung des Selbstkonzepts und der Theologie von Religionslehrern geben. Das erste Interview fand nach der Ersten Lehrerprüfung im Wintersemester 1981/82 statt; die Befragten waren 23–28 Jahre alt; ein zweites Interview wurde nach der Prüfung durchgeführt, ein drittes erfolgt in diesem Jahr nach zwei Berufsjahren. Es kann in diesem Rahmen nicht der Versuch unternommen werden, die ca. 300 Seiten der transkribierten Erstinterviews, die für den Zusammenhang von Religion und Biographie besonders interessant sind, auch nur ansatzweise zu interpretieren. Ich wähle die Form des Berichts und konzentriere ihn auf die Berufsmotivation sowie auf die Bedeutung prägender Personen und des Studiums.

3.1 Zur Berufsmotivation

Drei der Probanden wollten zunächst Pastorin/Pastor werden, einer Erzieher, eine Befragte Diakonin; inzwischen sind sie Religionslehrer. Wo liegen für die Betroffenen selbst die Gründe für diese religiöse Karriere?

Die Probanden wissen von der großen Bedeutung der Kindheit für die religiöse Erziehung; Genaueres wird aber nur in den Fällen erzählt, in denen negative Wirkungen bis in die Gegenwart reichen. Die meisten haben eine volkskirchlich geprägte Erziehung erhalten, haben als Kinder mit der Mutter gebetet, den Kindergottesdienst besucht. Es fällt auf, wie wenig über den eigenen Religionsunterricht erzählt wird; es bleibt bei einer klischeehaften Kennzeichnung des »Typs« und der Nennung einiger Inhalte. Genauere Erinnerungen liegen erst über den Religionsunterricht in der Oberstufe des Gymnasiums vor, in dem meistens die erste kritische Auseinandersetzung mit der Religion stattgefunden hat. Zwei der Befragten sind durch diesen Unterricht dazu motiviert worden, selbst Religionslehrer zu werden. Während bei einer Probandin das Vorbild des Vaters – selbst Religionslehrer – bei der Berufswahl eine entscheidende Rolle gespielt hat, erzählen *acht Interviewte* ausführlich davon, wie stark die *Jugendarbeit* die gesamte religiöse Entwicklung und die Berufswahl beeinflußt hat. Als (erster) Zugang zum christlichen Glauben und als Übergang zur Jugendarbeit hat der Konfirmandenunterricht in drei Fällen eine wichtige Rolle gespielt; in einem anderen Fall hat er ermöglicht, sich kritisch mit den Glaubensaussagen, die in der Familie nicht hinterfragt wurden, auseinanderzusetzen. Selbst bei »sehr christlicher« familiärer Erziehung wird die Motivation, Religionslehrer zu werden, der Jugendgruppe zugeschrieben, weil sie eine größere Freiheit zum Glauben ermöglichte (C 10). Als weitere Begründungen für den starken Einfluß der Jugendarbeit werden neben der Unabhängigkeit von den Eltern (in einem Fall auch vom Pfarrer) die Möglichkeit zur Selbständigkeit und zur Selbsterfahrung in Tanz und Spiel, zur sozialen und politischen Aktivität, zum jugendgemäßen Zusammenleben und zur Begegnung mit Freunden genannt. Es finden sich umfangreiche Erzählungen über das Zusammenleben in der Gruppe und über die Aktivitäten nach außen (Gestaltung von Jugendgottesdiensten, Behindertenarbeit usf.), aber auch über die Konflikte, die durch das Zusammenleben ausgelöst wurden. Vier der Befragten bezeichnen ihre Jugendarbeit als stark pietistisch geprägt, bei drei Probanden gehörte die Jugendgruppe zum Verband Christlicher Pfadfinder. Ich möchte zwei charakteristische Passagen gegenüberstellen.

»Wir haben uns getroffen, erst im Gemeindehaus und später konnten wir dann in so'n kleines Häuschen gehn, das... ganz gemütlich war... Wir hab'n dann... 'n Bibeltext vorgelesen, ...dann besprochen, dann hab'n wir gebetet..., ja an was ich mich am meisten erinner', das war die Gebetsgemeinschaft, die mir anfangs große Schwierigkeiten gemacht hat...« (J 8). »Das war mir 'n großes Problem. Ich hatte immer gedacht, die anderen sind so fest und sicher, die wissen alles ganz genau...; ich war so verunsichert, weil ich... (betont) mir gewünscht hab' an Gott zu glauben, es aber nicht *gefühlt* hab'... Später habe ich eine ganz andere Art des Abendmahls kennengelernt, und da hab' ich das gefühlt! Und das will ich, das kann ich auch heute nicht abtun, dieses Gefühl... Ich hab' mich da geborgen gefühlt und eine... wahnsinnige Aufgefangenheit...« (J 9 f.). Auf Grund dieser Erfahrungen im Jugendkreis der Gemeinde studiert die Probandin zunächst an der Ev. Fachhochschule, um Diakonin zu werden und später mit ihrem Freund – er will Pfarrer werden – in der Gemeinde zusammenarbeiten zu können. Von der Erfahrung der Geborgenheit in der Jugendgruppe sprechen mehrere Probanden (vgl. G 12 ff.). Eine »Gegenstimme« kommt aus einer politisch motivierten Jugendgruppe: »Wenn wir zum Beispiel Wochenenden über dem Buch »Kapitalistische Revolution« von Gollwitzer gesessen haben, um das, was er sagt, in praktische Arbeit umzusetzen, ...dann will ich so'n Gefühl von Geschlossenheit..., nicht so'n Gefühl von Geborgenheit« (B 40). »Geschlossenheit«, Solidarität in der praktischen Arbeit mit Arbeiterkindern – das wird im Text zweimal betont. Um diese Aussage aus dem lebensgeschichtlichen Zusammenhang verständlich zu machen, müßte das gesamte Interview nachgezeichnet werden. In der Art des Sprechens kommt die Überanstrengung der Lebensgeschichte und das vorangestellte Motto »das Ganze ist eben... lauter Brüche« (B 1) zum Ausdruck. Der Befragte stammt aus einer Arbeiterfamilie, wächst in einer Großstadt auf, verläßt die 8. Klasse der Hauptschule ohne Abschluß, nimmt an einer freireligiösen Jugendweihe teil, wird Hilfsarbeiter in einer Fabrik, dann Beifahrer in einem Bierverlag, gehört zu einer Rockergruppe und gerät in Kontakt zur Jugendgruppe seiner Gemeinde, die sich unter Leitung eines Diakons um die Jugend des Stadtteils zu kümmern versucht. Er nimmt an einem Lehrgang für Jugendgruppenleiter teil, »und das war mein erster, großer Kontakt zu dieser Kirchengemeinde« (B 9). Ermutigt durch den Diakon und die beiden jüngeren Pastoren der Gemeinde, die selbst den zweiten Bildungsweg gegangen sind, macht er den Schulabschluß, eine Lehre, besucht er die Volkshochschule, eine Gewerkschaftsschule und besteht die Immaturenprüfung. Diese Lebensgeschichte spiegelt deutlicher als die anderen die gesellschaftliche Entwicklung der frühen 70iger Jahre wider. Für den Probanden ist Emanzipation kein leeres Wort, sondern ein Prozeß, der mühsam »aus Armut und Dürftigkeit« vollzogen wird. Er diskutiert nicht im Gymnasium über das Politische Nachtgebet oder über alternative Kinderarbeit, sondern er praktiziert sie in der Gemeinde, in der er schließlich auch getauft wird. Auf den Praxisbezug kommt der Proband immer wieder zu sprechen: Ich hab' versucht, »verständlich zu machen, daß christliche Arbeit heißt: ...nicht in Zirkeln darüber zu reden, sondern mit den Leuten zu arbeiten; wenn wir neue Gottesdienstformen erprobt haben, heißt das, den Leuten Gestaltungsmöglichkeiten zu geben im

Gottesdienst. Ihnen deutlich zu machen, daß das nicht etwas ist, was mit ihnen gemacht wird, sondern daß sie diejenigen in der Kirche sind, die dort etwas tun sollen...« (B 39). Das Problem war, »wie diese Arbeit in dieser Neubausiedlung, welche Stellung da das ›C‹, das Christliche hat. Wie konnten wir das so formulieren, daß es den Leuten etwas sagte« (B 40)? »Das ›C‹ zu verbinden mit dem, was tatsächlich passiert, sei's im Gottesdienst oder anderswo« (ebd.). Die Notwendigkeit, politisch verantwortlich handeln zu müssen, wird aus seiner Situation heraus so stark empfunden, daß er auch im Studium zunächst Politik als Fach wählt und später in die Theologie wechselt.

In diesem Fall wird der Befragte durch die Jugendarbeit nicht nur zu religiösen Erfahrungen und zur Veränderung der religiösen Einstellung animiert, sondern sie hilft ihm, die materiale Grundlage seines Lebens zu verändern und ihm eine neue Richtung zu geben.

3.2 Zum Problem des Vorbildes

Viele Probanden kommen immer wieder auf bestimmte Personen zurück, die eine vorbildhafte Bedeutung für ihre Entwicklung hatten; zuweilen läßt sich diese Bedeutung an Einzelzügen der Erzählung ablesen.

»Daß ich nach dem Abitur Theologie studieren wollte, zeigt, welchen Einfluß der Pfarrer auf mich gehabt hat; ich wollte selber Pastor werden, weil ich gesehen hatte, ..., daß der Beruf des Pastors in unserer heutigen Gesellschaft noch einer der wenigen Berufe ist, die wirklich, ... wo man wirklich frei handeln kann« (F 16 f.) »...das mag vielleicht an unser'm Pastor gelegen haben, der für mich so 'ne Art charismatische Ausstrahlung gehabt hat« (F 10). Der Proband erzählt davon, daß der Pastor eine neue Form der Beichte eingeführt hat und wirklich zuhören konnte. An späterer Stelle heißt es dann: »Was ich sicherlich gelernt habe, und das finde ich eigentlich für mich eine der wichtigsten Erfahrungen, die ich überhaupt gemacht habe, das is' das Zuhören und das Tolerieren von anderen Meinungen; und das hat mich eigentlich dazu gebracht, ...daß sich Schulkameraden ständig an mich wandten, wenn sie irgendwelche Probleme hatten...« (F 14). Der Proband spricht von den Konflikten mit seinen Eltern; einen langen Konflikt konnte er nicht ertragen; »sondern wie ich es im Grunde genommen auch von... meinem Pfarrer gelernt hatte, Konflikte möglichst schnell zu lösen, um... so'n Prozeß des kreativen neuen Beginns wieder einzuführen« (F 15).
»Die Jugendarbeit wurde von einem jüngeren Pastor gemacht, der nach meinem heutigen Verstehen eine sehr... sehr große Ausstrahlung hatte und also durch seine Person selbst schon 'ne große Ausstrahlungskraft auf... Jugendliche ausgeübt hat« (I 2). »Derselbe Pastor hat bei uns im Gymnasium dann Religionsunterricht gegeben! Als ich darüber nachdachte, was ich werden sollte, da war dieser Pastor im Spiele, der meinte, ob ich nicht Lehrer werden wollte...« (I 5). –
»Ich bin dann nach (Ort) zum Konfirmandenunterricht gekommen... Und da kommt nun wieder so'n Idol (lacht)..., so'ne Pfarrerfigur, unser Pastor in

(Ort), das war'n Mann, der sich für die Jugend unheimlich stark machte« (A 3). »Er hat auch sehr viel . . . mmh . . . Wochenendfreizeiten organisiert für uns (. . .) und hat sich auch sehr bemüht, weil er uns so zu gewinnen suchte, auch . . . für die Jugendarbeit danach; oder daß wir selber dann mal . . . in die Jugendarbeit einsteigen sollten, Freizeiten leiten und Kindergottesdienste halten . . . (betont): das hab' ich auch alles so gemacht. (. . .) Und in dieser Zeit . . . hab' ich mir dann auch . . . mmh . . . überlegt, daß ich Theologie studieren wollte und *auch* Pastorin werden, . . . weil mich dieses Berufsbild doch sehr faszinierte« (A 4). Die Probandin distanziert sich durch den Begriff »Idol«, den sie lachend einführt, aus ihrer jetzigen Sicht von ihrem Vorbild, bringt seine Bedeutung für die damalige Situation doch überzeugend zur Sprache. In einem der beiden Fälle, in denen die Berufsmotivation durch den Religionsunterricht mitbestimmt wurde, hängt das mit der Person des Religionslehrers zusammen.

»Und das kam auch dadurch, daß ich auf'm Gymnasium 'n ganz guten Religionsunterricht plötzlich kriegte mit so'ner unheimlich netten Lehrerin, die für mich auch unheimlich viel bedeutete« (H 9). »So wollt' ich . . . auch unbedingt mal werden wie sie, weil sie eigentlich auch das so verkörpert, was ich denke . . . « (H 13). »Also, ich glaub', daß es bei mir der Religionsunterricht ist . . . Und die Frau, die mich halt so faszinierte (. . .). Ich dachte, wenn die so geworden ist, weil sie . . . Theologie so viel am Hut hat, vielleicht wirst du dann auch noch was . . . « (H 20).

3.3 Zur Bedeutung des Studiums

Die Erwartungen an das Studium bezogen sich einmal auf den kognitiven Bereich; man erhoffte, mehr Wissen, besseres Verstehen und eine größere Fähigkeit zur Argumentation zu gewinnen. Zum anderen wird häufig die Erwartung auf einen Prozeß der Selbstklärung und Selbstfindung ausgesprochen. In den ersten Semestern spielt die Auseinandersetzung mit der historisch-kritischen Bibelauslegung eine existentiell wichtige Rolle. Diejenigen, die durch einen bestimmten Frömmigkeitsstil der Jugendgruppe geprägt waren, gerieten in Krisen, die dadurch verstärkt wurden, daß sie mit der Ablösung vom Elternhaus und dem Aufbau neuer Beziehungen zusammenfielen. Andere erlebten diese Auseinandersetzung als einen Prozeß der Befreiung, der ihnen über das Verstehen des eigentlich Gemeinten einen neuen Zugang zur Sache des christlichen Glaubens ermöglichte. Von den Veranstaltungen werden diejenigen besonders hervorgehoben, welche die Erfahrungen der Teilnehmer besonders angesprochen haben: Wochenendseminare, Studienreisen, Praktika und Seminare, die durch die Thematik existentielle Betroffenheit auslösen konnten. Bei der abschließenden Reflexion auf das Studium kommt die Thematik der »Gegenwartsschwelle«[54], von der her trotz des »Leitfadens« die Erzählung organisiert wurde, besonders deutlich zur Geltung: der noch nicht bewältigte Abbruch des Theologiestudiums, das

Problem des Umgangs mit der eigenen Aggressivität, die Angst vor Leistungsstreß, die Auseinandersetzung mit internalisierten Leistungsnormen (»Ja, ich verdamme mich, sobald ich nichts leiste, verachte mich – und das muß ich abbauen«: E 38), der durch bestimmte Formen christlicher Erziehung ausgelöste Konflikt, die Suche nach Glauben...

> »Ich hab'... so 'ne *Richtung* gefunden, was für mich Glauben heißt... Aber ich kann – das glaub' ich – nur sinnvoll weitermachen, wenn ich auch *mit mir selbst* so weiterkomme, das gehört... zusammen« (D 27). »Aber das ist so'n Konflikt in mir, daß ich einerseits immer merke, ich brauche so feste Bindungen, das bezieht sich auf alles: auf Ort, auf Leute...; und dann ist wieder so'n Widerstreben dagegen... Ich weiß auch nicht, wie man das auf Dauer bewältigen kann. Also, ich merke jetzt, es fällt mir ganz schwer, hier wegzugehen; aber irgendwie denke ich auch, es ist gut, obwohl ich das schwer zugeben kann, ...ja, was Neues ist nicht schlecht« (D 30; ähnlich formuliert: G 23). –
> »Ich hab' damals zum ersten Mal sagen können, Glaube hilft mir nicht...; heute sag' ich, daß das durch die Beziehungen geschieht, und das ist gut so. Das ging immer nur über Leute, über Beziehungen, die ich hatte, über ganz intensive Beziehungen« (J 19). »Jetzt merke ich, daß Glaube... 'ne Befreiung ist, ...vom Sinn her 'ne Befreiung sein soll, die Menschen frei machen soll, und das ist das, was ich Schülern vermitteln will« (J 21). –
> »Das Studium war bei mir mehr so'n Selbstklärungsprozeß..., so daß ich mehr für mich studiert hab', so für meine Person. Das zeigt sich eben auch allein daran, daß ich... vorwiegend Theologieseminare besucht habe« (H 17). »Also, ich dachte, daß man durch die Theologie *Orientierungen* kriegt für das Handeln, daß ich eben jetzt auch mal anders handeln kann als nur so fürchterlich aggressiv« (H 23). –
> »Ich habe das Gefühl, ich habe jetzt ein bestimmtes Grundkonzept..., mit dem ich gut leben kann und was ich sicherlich auch länger beibehalten werde; aber das kann sich ständig in Einzelheiten ändern, wenn ich was Neues erfahre, was mir wichtig wird...« (G 21) »Jetzt hab' ich wieder neue Kraft. Ist natürlich so ganz anderer Art. Und von dieser Kraft mein' ich, daß sie *wirklich* ist und daß sie *echt* ist (...) Ich hab' das Gefühl, ich hab' was gelernt; wenn das auch nicht allzu viel ist, aber ich denke, das könnte ausreichen, um weiter zu lernen« (G 23). »Ich hab' das Gefühl, ich kann jetzt mein Leben selbst in die Hand nehmen, fühle mich eigenständig... Die Zeit des Studiums war für mich ein ganz riesiger Schritt in der Entwicklung« (G 24). –
> »Ich hab' nach dem Studium nicht jetzt so'n abgeschlossenen, fertigen Glauben gekriegt; also die Illusion ist nun auch schon lange dahin, daß es so was gibt; aber diese Perspektive, daß das... so richtig war« (K 13). –
> »Zu Anfang des Studiums war ich ganz vollgepfropft mit 'nem rein materialistischen Geschichtsverständnis...; das hat sich dahingehend gewandelt, daß das Interesse am einzelnen bei mir immer mehr gewachsen ist; zum Beispiel über die Sinnfrage,... die Rechtfertigung... das Entdecken der Subjektivität« (B 47).

Nach dem Studium ist für einige Probanden eine ungebrochene Anknüpfung an die Frömmigkeitsformen ihrer Jugendgruppe nicht mehr möglich; eine Erneuerung der Frömmigkeitspraxis, die durch die Religionskritik hindurchgegangen ist, wird gesucht; sie wird am ehesten auf Kirchentagen und in eigenen Versuchen, neue Formen der Jugendarbeit zu erproben, gefunden.

Die Probanden erinnern sich an bestimmte Wendepunkte ihrer religiösen Entwicklung, beschreiben die wichtigsten Faktoren, die diese Entwicklung beeinflußt haben – soweit sie im Bereich des Bewußten liegen –, und erzählen unter der Perspektive der Gegenwartsschwelle von der zum Teil sehr konfliktreichen Auseinandersetzung mit persönlichen und sachlichen Problemen. Die Protokolle lassen erkennen, daß die Probanden die Fähigkeit haben, ihre eigene Lebensgeschichte unter dem Gesichtspunkt der religiösen Entwicklung zu verstehen und deren Ambivalenz zu durchschauen. Damit sind die Voraussetzungen dafür gegeben, auch mit den Lebensgeschichten ihrer Schüler angemessen umgehen zu können.

Die Interviews lassen die große Bedeutung der Phase der Spätpubertät und vor allem der Adoleszenz für die religiöse Lerngeschichte erkennen; sie ist in dieser Zeit für neue Erfahrungen und Veränderungen in starkem Maße offen. Die Religionspädagogik sollte daher die Erkenntnisse der psychoanalytisch ausgerichteten Religionspsychologie aufgrund eigener Untersuchungen religiöser Lerngeschichten mit Hilfe der biographischen Methode zu ergänzen suchen.

Für mich ergibt sich aus der Interpretation der Protokolle die Konsequenz, Didaktik des Religionsunterrichts und Gemeindepädagogik stärker aufeinander zu beziehen und Unterricht/Studium noch mehr für erfahrungsbezogene Vorhaben zu öffnen.

Angesichts der Interviews ist es erstaunlich, daß sich die Religionspädagogik erst in letzter Zeit wieder für die *Person* des Religionslehrers zu interessieren beginnt. Obwohl die Befragungen nicht repräsentativ sind, nötigen sie m. E. in einer Hinsicht zu einer Überprüfung von Annahmen der religionspädagogischen Theorie. Evangelische Theologie und emanzipatorische Pädagogik stimmen nämlich in der Kritik des »Vorbildlernens« überein, während die Protokolle zeigen, daß sich religiöses Lernen *faktisch* durch Imitation und Identifikation vollzieht, ob die Theorie das bejaht oder kritisiert.[55] Es ist daher erforderlich, diesen Sachverhalt in die religionspädagogische Reflexion einzubeziehen, damit erörtert werden kann, ob das, was über Imitation und Identifikation gelernt wird, den Übergang zu einem selbstverantwortlichen Leben ermöglicht. Nachdem es in der säkularisierten Gesellschaft keine heiligen Orte, Zeiten oder Gegenstände mehr gibt, *sind es vor allem Personen* (Lehrer, Pfarrer, Gruppenmitglieder), *die als Symbole Religion glaubhaft verkörpern.*[56] Daß die kritische Erinnerung an die biblische Tradition und die Hoffnung auf die Erfüllung der Verheißungen zu einem alternativen Leben verhelfen kann, wurde für die Befragten an authentischen personalen Modellen erfahrbar. So weist diese nach der biographischen Methode angelegte Untersuchung, die noch nicht im Blick auf ihre eigentliche Fragestellung ausgewertet ist, auf die Notwendigkeit hin, den subjektiven Faktor religiöser Lernprozesse in die kritische Diskussion einzuholen, damit die Dysfunktionalität zwischen Theorie und Praxis an dieser Stelle aufgehoben wird. Erst dann wird es möglich sein, die an den Lernprozessen Beteiligten über die Bedeutung ihrer Person als religiöses Symbol sachgemäß aufzuklären.[57]

Anmerkungen

1 G. Ebeling (Dogmatik des christlichen Glaubens, Tübingen 1979, S. 105 ff.) spricht sachgemäß von einem »Ineinander von Leben und Glauben«. Er ist m. E. in der systematisch-theologischen Reflexion der angesprochenen Thematik am weitesten gekommen; es fehlt die Aufarbeitung der Lern- und Entwicklungsproblamtik, die Reflexion auf den Glauben als Erfahrung mit den lebensgeschichtlich sich wandelnden Erfahrungen. Vgl. auch R. Englert, Glaubensgeschichten und Bildungsprozeß, München 1985, S. 124 ff.

2 Vgl. J. B. Metz, Glaube in Geschichte und Gesellschaft, Mainz 1977, S. 195, stellt das auch für die katholische Theologie fest.

3 Vgl. K. Barth, Die protestantische Theologie im 19. Jahrhundert, Zollikon 1952, S. 461.

4 K. Barth, Kirchliche Dogmatik III/4, Zollikon 1957, S. 698. – Autobiographien, in denen sich das Identitätsproblem in besonderer Weise spiegelt, sind durch die Ambivalenz von Wahrheit und Falschheit geprägt. Als *Gattung* hat die Autobiographie eine theologisch höchst aufschlußreiche Geschichte. Einen interessanten Einblick gibt die kurze Skizze von O. Marquard, Identität – Autobiographie – Verantwortung (ein Annäherungsversuch) in: ders./K. Stierle (Hg.), Identität (Poetik und Hermeneutik VIII), München 1979, S. 690–699. Eine Wurzel der Autobiographie ist das Rechtfertigungsbedürfnis des Menschen. Als im Christentum die Rechtfertigung zur schon geleisteten Sache Gottes wird, wird der Apologiecharakter der Autobiographie obsolet; an seine Stelle tritt jetzt ein anderes Motiv: die Menschen können sich nunmehr selbst »in all ihren Schwächen, Armseligkeiten, Anfechtungen, Verirrungen, in ihren Privationen und Privatheiten, in ihrem Allzumenschlichen präsentieren. So wird in der Autobiographie das Grundmotiv der Rechtfertigung ersetzt durch die Möglichkeit zur ›aufrichtigen‹ Selbstenthüllung individuellster Individualität« (S. 693). Wo in der Neuzeit die Rechtfertigung durch Gott entfällt, geraten die Menschen selbst wieder unter Rechtfertigungsdruck, und zwar jetzt unter einen absoluten und gnadenlosen Rechtfertigungsdruck. Diese moderne Übertribunalisierung provoziert in Sachen menschlicher Identität den »Ausbruch in die Unbelangbarkeit« (S. 694), in die prinzipielle Abwehr der Rechtfertigungszumutung (S. 695).

5 Der Pädagoge W. Loch hat allerdings den Vorwurf der »Verleugnung des Kindes in der evangelischen Pädagogik« (Essen 1964) erhoben.

6 Vgl. G. Lämmermann, Religion in der Schule als Beruf, München 1985, S. 337f.

7 Vgl. H. Kittel, Vom Religionsunterricht zur Evangelischen Unterweisung, Hannover 1947, ³1957, S. 16.

8 E. Schering, Kirchengeschichte im Unterricht, Göttingen 1963, S. 78.

9 Vgl. P. Biehl, Theologie im Kontext von Lebensgeschichte und Zeitgeschehen, in: ThPr 20 (1985), S. 155–170.

10 J. B. Metz, a. a. O., S. 196.

11 Vgl. a. a. O., S. 198.

12 I. U. Dalferth/E. Jüngel, Person und Gottebenbildlichkeit, in: Christlicher Glaube in moderner Gesellschaft 24, Freiburg 1981, S. 57–99, hier: S. 95.

13 Vgl. J. Scharfenberg, Rechtfertigung und Identität, in: H. M. Müller/D. Rössler (Hg.), Reformation und Praktische Theeologie, Göttingen 1983, S. 233–246. Ders.: Luther in psychohistorischer Sicht, in: WzM 37 (1985), S. 15–27. Zu den »autobiographischen« Texten Rö 7, 7–23 und Phil 3, 4–9; vgl. G. Theißen, Psychologische Aspekte paulinischer Theologie, Göttingen 1983, S. 181 ff.; Chr. Gremmels, Selbstreflexive Interpretation konfligierender Identifikationen am Beispiel des Apostels Paulus (Phil 3, 7–9), in: J. Scharfenberg u. a., Religion: Selbstbewußtsein – Identität (TEH 182), München 1974, S. 44–57.

14 Vgl. Chr. Gremmels/H. Pfeifer, Theologie und Biographie: Zum Beispiel Dietrich Bonhoeffer, München 1983. – T. R. Peters, Die Präsenz des Politischen in der Theologie Dietrich Bonhoeffers, München/Mainz 1976, S. 13 f., 91.

15 Vgl. D. Bonhoeffer, Nachfolge, München ¹⁴1983, S. 22.

16 Vgl. H. Luther, Identität und Fragment, in: ThPr 20 (1985), S. 317–338.

17 »Oral-History-Forschung heißt schlicht: auf alte Menschen zugehen, Gespräche führen, ›Probanden‹ finden und auswählen, Erinnerungen anregen, sich auf eine ›Stufe‹ stellen mit den alten Menschen, ihre Sprache und Sprechweise akzeptieren, sich in ihre Lebenssituation und Lebensgeschichte hineinversetzen, Gefühle, Hemmungen, Ängste ernst nehmen und auch Enttäuschungen ertragen können« (L. Steinbach, Lebenslauf, Sozialisation und ›erinnerte Geschichte‹, in: L. Niethammer [Hg.], Lebenserfahrung und kollektives Gedächtnis (stw 490), Frankfurt/M. 1985, S. 393–435, hier: S. 431 f.).

18 Vgl. G. Ruppert, Geschichte ist Gegenwart, Hildesheim 1984, S. 143 ff.

19 Vgl. zu diesem Abschnitt: J. Lott, Handbuch Religion II. Erwachsenenbildung, Stuttgart 1984, S. 102–110. Ders.: Erinnerte Lebensgeschichten, in: ThPr 21 (1986), S. 33–49.

20 Vgl. H. Halbfas, Lebensgeschichte und Religiosität – Prolegomena zu einer Mythobiographie, in: F. Maurer (Hg.), Lebensgeschichte und Identität, Frankfurt/M. 1981, S. 168–186, hier: S. 174.

21 Vgl. J. Moltmann, Kirche in der Kraft des Geistes, München 1975, S. 308.

22 Vgl. K. E. Nipkow, Grundfragen der Religionspädagogik 3 (GTB 756), Gütersloh 1982, S. 99ff.

23 Vgl. K. Mollenhauer, Vergessene Zusammenhänge, München 1983, S. 102.

24 Vgl. W. Fuchs, Biographische Forschung, Opladen 1984, S. 9.

25 Zur Handlungsforschung vgl. Chr. Bäumler, u. a., Methoden der empirischen Sozialforschung, München/Mainz 1976, S. 43ff.

26 Vgl. W. Fuchs, a. a. O., S. 32 ff.

27 F. Maurer, Lebensgeschichte und Lernen, in: ders. (Hg.), Lebensgeschichte und Identität, a. a. O., S. 105–132, hier: S. 126.

28 Vgl. P. Gstettner, Biographische Methoden in der Sozialisationsforschung, in: Handbuch der Sozialisationsforschung, hg. von K. Hurrelmann/D. Ulrich, Weinheim/Basel 1980, S. 371–392, hier: S. 374.

29 Vgl. ebd., S. 375.

30 Vgl. D. Baacke, Ausschnitt und Ganzes, in: ders./Th. Schulze (Hg.), Aus Geschichten lernen, München 1979 ²1984, S. 11–50, hier: S. 28. Vgl. W. Loch, Lebenslauf und Erziehung, Essen 1979, S. 99 ff.

31 Vgl. K. Kürten, Der evangelische Religionslehrer im Spannungsfeld von Schule und Religion, Neukirchen 1986.

32 K. E. Nipkow, a. a. O., S. 99.

33 D. Baacke/Th. Schulze, a. a. O., S. 7.

34 W. Fischer, Legitimationsprobleme und Identitätsprozesse bei evangelischen Theologen (Phil. Diss.), Münster 1976; ders., Struktur und Funktion erzählter Lebensgeschichten, in: M. Kohli (Hg.), Soziologie des Lebenslaufs, Darmstadt/Neuwied 1978, 311–352; M. Schibilsky, Religiöse Erfahrung und Interaktion, Stuttgart u. a. 1976.

35 W. Fuchs, a. a. O., S. 201.

36 Vgl. W. A. Schelling, Erinnerte Biographie, in: WzM 37 (1985), S. 306–316, hier: S. 309. – Obgleich A. Lorenzer der »Kindheit« im Anschluß an die psychoanalytische Tradition eine besondere Bedeutung einräumt, schließt seine kritische Theorie des Subjekts die gesamte Lebensgeschichte ein.

37 W. A. Schelling, a. a. O., S. 314.

38 Vgl. H. Siebert, Einführung, in: E. Schuchardt, Krise als Lebenschance, Düsseldorf 1985, S. 13–27, hier: S. 20.

39 Vgl. z. B. J. Scharfenbergs Versuch, das Kirchenjahr zur Rekonstruktion der Lebensgeschichte in Anspruch zu nehmen: Einführung in die Pastoralpsychologie, Göttingen 1985, S. 79 ff.

40 W. R. Heinz, Lebenslauf als Soziobiographie, in: Bremer Beiträge zur Psychologie, Reihe A, Nr. 9, S. 3.

41 F. Schütze weist zu Recht darauf hin, daß auch in soziologischer Sicht in der Lebensgeschichte Ereignis- und Aktivitätssequenzen feststellbar sind, die nicht in Termini sozialen Handelns begriffen werden können; er spricht daher von *Erleidensprozessen*, bei denen ein beschleunigter Identitätswandel zu beobachten ist (Prozeßstrukturen des Lebenslaufs, in: J. Matthes u. a. [Hg.], Biographie in handlungswissenschaftlicher Perspektive, Nürnberg ²1983, S. 67–156, hier: S. 89).

41a Vgl. Th. Schulze, Autobiographie und Lebensgeschichte, in: Baacke/Schulze, a. a. O., S. 51–98, hier: S. 91 f.

42 Vgl. D. Baacke, a. a. O., S. 20.

43 Vgl. a. a. O.

44 Vgl. W. Fuchs, a. a. O., S. 149 f.; H. Leitner, Lebenslauf und Identität, Frankfurt/ M./New York 1982, S. 59–63.

45 Vgl. W. Fuchs, a. a. O., S. 151.

46 W. R. Heinz, a. a. O., S. 9.

47 Vgl. ebd.

48 Vgl. W. Fuchs, a. a. O., S. 184.

49 Vgl. ebd., S. 282.

50 Vgl. U. Oevermann u. a., Konzeption einer ›objektiven Hermeneutik‹, in: Th. Heinze/H. W. Klusemann, Interpretation einer Bildungsgeschichte, Benzheim 1980, S. 15–69. – F. Schütze, Die Technik des narrativen Interviews in Interaktionsfeldstudien (...), Arbeitsberichte und Forschungsmaterialien der Fakultät für Soziologie, Universität Bielefeld ²1978. – A. Lorenzer, Möglichkeiten qualitativer Inhaltsanalyse: Tiefenhermeneutische Interpretation zwichen Ideologiekritik und Psychoanalyse, in: Das Argument 26 (1981), S. 170–180. – P. Gstetter, a. a. O. – Th. Heinze/ H.-W. Kusemann, Ein biographisches Interview als Zugang zu einer Bildungsgeschichte, in: Baacke/Schulze, a. a. O., S. 182–225.

51 Vgl. D. Baacke, a. a. O., S. 41; ders., Biographie: soziale Handlung, Textstruktur

und Geschichten über Identität, in: ders./Th. Schulze (Hg.), Pädagogische Biographieforschung, Weinheim/Basel 1985, S. 3–28. hier: S. 12 ff.

52 Vgl. D. Baacke, Ausschnitt und Ganzes, a. a. O., S. 39.

53 A. Lorenzer, a. a. O., S. 173.

54 »Diese *Gegenwartsschwelle* habe ich wegen ihrer konstitutiven Bedeutung für die retrospektive Ausbildung der Lebensgeschichte *Interpretationspunkt* genannt« (W. Fischer, Struktur und Funktion, a. a. O., 319).

55 Die katholische Religionspädagogik hat aufgrund ihrer Tradition zu dieser Thematik einen Zugang gewonnen. Vgl. G. Stachel/D. Mieth, Ethisch handeln lernen, Zürich 1978, S. 86 ff.; G. Biemer/A. Biesinger, Christ werden braucht Vorbilder, Mainz 1983. – Vgl. K. E. Nipkow, Moralerziehung, Gütersloh 1981, S. 72 f. – Zur Vorbildproblematik in theologischer Sicht vgl. K. Barth, Kirchliche Dogmatik IV/3, 2. Hälfte, Zollikon 1959, S. 1017 ff.

56 Vgl. M. Josuttis, Der Pfarrer ist anders, München ²1983, S. 200.

57 Vgl. P. Biehl, Beruf: Religionslehrer, in: JRP 2, Neukirchen 1986.

CHRISTOPH MEIER

BIBLISCHE GESCHICHTEN ALS LEBENSGESCHICHTEN BEGREIFEN

Biographie und Lebenswelt in der theologischen Erwachsenenbildung

Noch bis vor wenigen Jahren wurde von kaum jemandem bestritten, daß unter theologischer Erwachsenenbildung die Vermittlung fachtheologischen Wissens an sogenannte Laien, also eine Art wissenschaftliche Theologie im Kleinformat, zu verstehen sei. Die Erwachsenenbildung insgesamt war damals noch vorwiegend sach- und wissenschaftsorientiert, und die theologische Erwachsenenbildung fügte sich nahtlos in dieses Konzept ein. Die zentrale Frage war dabei, wie vom theologischen Wissenschaftskanon vorgegebene Inhalte allgemeinverständlich aufbereitet werden könnten. Ihre Bedeutsamkeit für die Lebenssituation der Teilnehmer wurde als selbstverständlich vorausgesetzt; zumindest wurden kritische Fragen in dieser Richtung nicht ernsthaft gestellt. Es galt, das Sachwissen der Fachleute möglichst vielen interessierten Laien zugänglich zu machen. An die Alltags- und Lebenssituation der Beteiligten wurde dabei, wenn überhaupt, allenfalls formal angeknüpft. Wirkliche Bezüge wurden jedoch kaum hergestellt und entsprechend wenig kamen Konsequenzen für das Leben und Handeln im Alltag in den Blick.

Auch heute noch sind viele Angebote theologischer Erwachsenenbildung offen oder versteckt an einem solchen Konzept orientiert. Blickt man auf die gängige Praxis evangelischer Erwachsenenbildung in den Gemeinden und auf große Teile des Angebots an standardisierten Kursmaterialien für Bibelseminare, das neuerdings fast boomartig wächst[1], so scheint es sogar die überwiegende Mehrheit zu sein. In anderen Sachbereichen ist die evangelische Erwachsenenbildung inzwischen weitgehend über eine einseitige Sach- und Wissenschaftsorientierung hinausgekommen. Die theologische Erwachsenenbildung hinkt an dieser Stelle noch deutlich nach. Zwar gehört auch in ihrem Rahmen das Bemühen um Situationsbezug heute theoretisch fast schon zu den Selbstverständlichkeiten. Praktisch aber können die Ergebnisse entsprechender Versuche selten überzeugen. Praxisdokumentationen und Arbeitshilfen zur theologischen Erwachsenenbildung zeigen immer wieder, daß nach wie vor allzu oft der Situationsbezug zum bloßen »Aufhänger« für unabhängig von der Situation vorher schon als zu vermittelnd feststehende Inhalte denaturiert wird. Damit aber wird die Situation letztlich nicht ernstgenommen, und am Ende fühlen sich auch die Teilnehmer weithin nicht ernstgenommen, zumindest die kritischen unter ihnen.

In der evangelischen Erwachsenenbildung insgesamt setzt sich, wie in weiten Bereichen der allgemeinen Erwachsenenbildung, heute zunehmend das didaktische Prinzip der »Lebensweltorientierung« durch. Der Begriff »Lebenswelt« ist dabei zunächst schillernd, und er wird in der Diskussion bisher auch sehr schillernd gebraucht. So besagt »Lebensweltorientierung« in vielen Äußerungen (auch in wissenschaftlichen Beiträgen) zum Thema letztlich nichts anderes als z. B. »Teilnehmerorientierung«, »Situationsbezogenheit«, »Allltagsorientierung«. D. h. im Grunde wird damit nur ein neues Wort für eine alte Sache gebraucht.[2] Genau dies aber greift entschieden zu kurz und verstellt den Blick auf die neuen Dimensionen, die der Begriff »Lebenswelt« eröffnet. »Lebenswelt« meint nämlich wesentlich mehr als »Alltagssituation«, und damit bedeutet »Lebensweltorientierung« auch mehr als »Situationsbezug«, »Alltagsorientierung« o. ä. Eine detaillierte Erörterung dieses Mehr würde im hier gesteckten Rahmen zu weit führen.[3] So möchte ich im folgenden nur einige Gesichtspunkte kurz benennen und erläutern, die mir besonders wichtig erscheinen.

1. Der Begriff »Lebenswelt« wird in den Sozialwissenschaften meist gebraucht als »Chiffre für die subjektiv erlebte Wirklichkeit«.[4] »In ihrer Lebenswelt erfahren die Handlungssubjekte Wirklichkeit als einen Zusammenhang von Bedeutungen, die als Symbole den Dingen anhaften.«[5] D. h. Lebenswelt ist *erlebte* Wirklichkeit. Dementsprechend muß lebensweltorientierte Erwachsenenbildung neben der in einer Konstellation von Gegebenheiten, Daten und Fakten gesetzten Situation auch das Erleben dieser Situation durch die Beteiligten berücksichtigen.
2. Lebenswelt meint *gedeutete* Situation. Mit anderen Worten: Eine Situation wird erst durch Interpretation und Sinndeutung der in ihr lebenden Menschen zu deren Lebenswelt. Damit aber kann eine Erwachsenenbildungsarbeit erst dann mit Fug und Recht »lebensweltorientiert« genannt werden, wenn sie die Situationsdeutungen möglichst aller am Lernprozeß Beteiligten mit in den Blick nimmt. Dabei ist auch zu bedenken, daß Deutung einerseits ein subjektiver Akt des Individuums ist, andererseits aber immer auch einen intersubjektiven oder sogar kollektiven Bezug hat. »So ist meine Lebenswelt von Anfang an nicht meine Privatwelt, sondern intersubjektiv; die Grundstruktur ihrer Wirklichkeit ist uns gemeinsam. Es ist mir selbstverständlich, daß ich bis zu einem gewissen Maß von den Erlebnissen meiner Mitmenschen Kenntnis erlangen kann, so z.B. von den Motiven ihres Handelns, wie ich auch annehme, daß das gleiche umgekehrt für sie mit Bezug auf mich gilt.«[6] Was dies für die praktische Erwachsenenbildungsarbeit bedeutet, wird weiter unten am Beispiel zu verdeutlichen sein.
3. Zur Lebenswelt gehört weiter auch eine *pragmatische* Dimension. »Die

Lebenswelt ist vornehmlich der Bereich der Praxis, des Handelns. Die Probleme des Handelns und der Wahl müssen also einen zentralen Platz in der Analyse der Lebenswelt einnehmen.«[7] Dabei sind zwei Gesichtspunkte wichtig. Einerseits nämlich ist die Lebenswelt Bedingung für das Handeln in ihr und andererseits ist sie in gewisser Weise auch durch das Handeln der in ihr lebenden Menschen bedingt, bzw. kann dadurch beeinflußt werden.»Die Lebenswelt, in ihrer Totalität als Natur- und Sozialwelt verstanden, ist sowohl der Schauplatz als auch das Zielgebiet meines und unseres wechselseitigen Handelns. Um unsere Ziele zu verwirklichen, müssen wir ihre Gegebenheiten bewältigen und sie verändern. Wir handeln und wirken folglich nicht nur innerhalb der Lebenswelt, sondern auch auf sie zu ... Die Lebenswelt ist also eine Wirklichkeit, die wir durch unsere Handlungen modifizieren und die andererseits unsere Handlungen modifiziert.«[8] Entsprechend muß lebensweltorientierte Erwachsenenbildung die pragmatische Dimension einbeziehen, und zwar unter dem zweifachen Aspekt der gegebenen Bedingungen und der offenen Möglichkeiten für das Handeln.

4. Schließlich hat die Lebenswelt noch eine *geschichtliche* Dimension, wiederum in einer doppelten Hinsicht, nämlich im Blick auf die Vergangenheit und im Blick auf die Zukunft. Diese geschichtliche Dimension wurzelt in der Tatsache, daß Sinninterpretationen und Deutungen immer auch lebensgeschichtlich verankert und im übrigen von individuellen und kollektiven Zukunftsperspektiven mit geprägt werden.»Jeder Schritt meiner Auslegung der Welt beruht jeweils auf einem Vorrat früherer Erfahrung: sowohl meiner eigenen unmittelbaren Erfahrungen als auch solcher Erfahrungen, die mir von meinen Mitmenschen, vor allem meinen Eltern, Lehrern usw. übermittelt wurden ... Jedes lebensweltliche Auslegen ist ein Auslegen innerhalb eines Rahmens von bereits Ausgelegtem, innerhalb einer grundsätzlich und dem Typus nach vertrauten Wirklichkeit.«[9] Auf das Individuum hin noch weiter zugespitzt ergibt sich daraus eine biographische Verankerung der Lebenswelt.»Die gegenwärtige Situation ist biographisch artikuliert. Das bedeutet, daß ich mehr oder minder adäquat ›weiß‹, daß sie das ›Resultat‹ der vorangegangenen Situationen ist. Und weiter ›weiß‹ ich, daß diese meine Situation darum ›einzigartig‹ ist. Denn der Wissensvorrat, mit dessen Hilfe ich die gegenwärtige Situation bestimme, hat seine ›einzigartige‹ biographische Artikulierung. Er verweist nicht nur auf den Inhalt, den ›Sinn‹ aller in ihm sedimentierten vorangegangenen Erfahrungen bzw. Situationen, sondern auch auf die Intensität (Erlebnisnähe und -tiefe), Dauer und Reihenfolge diese Erfahrungen. Dieser Umstand ist von größrer Bedeutung, da er die einzigartige biographische Artikulation des indivi-

duellen Wissensvorrats (und somit der aktuellen Situation) erst eigentlich konstituiert.«[10] Bei aller überindividuellen Bestimmtheit der Lebenswelt bleibt diese individuelle und subjektive Perspektive entscheidend wichtig, nicht zuletzt auch für die Praxis der Erwachsenenbildung.

Die biographisch (also ganz wesentlich von der Vergangenheit her) konstituierte Situation ist für den einzelnen und die Gemeinschaft aber letztlich auf Zukunft gerichtet und die Perspektive, die sich daraus ergibt, bestimmt die gegenwärtige Lebenswelt ebenfalls entscheidend mit, allerdings wohl weniger als die Vergangenheit im Sinne fester Prägung, sondern mehr im Sinne der Eröffnung von Möglichkeiten. Im übrigen wird sich beim Blick auf die Zukunft der Akzent etwas vom Individuellen zum Kollektiven verschieben.

Aus der geschichtlichen Dimension der Lebenswelt im hier skizzierten Sinne ergibt sich für lebensweltorientierte Erwachsenenbildung, daß die Lebensgeschichte und die Zukunftsperspektiven der am Lernprozeß Beteiligten mit einbezogen werden müssen. Sofern Glaube ganz wesentlich lebensgeschichtlich bestimmt ist und Theologie es nicht zuletzt mit individuellen und kollektiven Lebensperspektiven zu tun hat, wäre ein solches Einbeziehen der geschichtlichen Dimension für die theologische Erwachsenenbildung besonders wichtig. Das aber heißt, daß diese theologische Erwachsenenbildung bei der Aufnahme des Konzepts der Lebensweltorientierung nicht hinter den anderen Sachbereichen evangelischer Erwachsenenbildung herhinken dürfte, sondern diesen eigentlich voraus sein müßte.

Wie schon angedeutet, konnte und sollte hier kein detailliertes theoretisches Konzept lebensweltorientierter theologischer Erwachsenenbildung entfaltet werden. Nur ein paar mir wichtige Gesichtspunkte wollte ich benennen und kurz erläutern, um im folgenden nun an einem praktischen Beispiel deutlich zu machen, wie lebensweltorientierte theologische Erwachsenenbildung konkret aussehen könnte, wobei ich mir durchaus bewußt bin, daß auch dies im gegenwärtigen Stadium der Diskussion nur ein vorläufiger Versuch sein kann.

»Geschichten von mir – Geschichten in der Bibel«[11]

Zu einem Wochenendseminar unter diesem Thema habe ich mit folgendem Werbetext eingeladen:

»Geschichten von mir – Geschichten in der Bibel«.
Mit diesem Thema sind die beiden Schritte vorgezeichnet, die wir im hier angekündigten Seminar gemeinsam gehen wollen:
Zum einen wird es um unsere eigene Lebensgeschichte gehen unter dem

Gesichtspunkt der Geschichte unserer gegenwärtigen religiösen Überzeugungen:

– Was und wer hat meinen Glauben in meinem Leben geprägt?
– Wie hat sich das, was ich glaube, verändert?
– Welche Schmerzen habe ich dabei vielleicht erfahren?
– Wie ist mein Glaube zu dem geworden, was er heute ist?
– Wohin möchte ich ihn gerne verändern?

Zum anderen wollen wir Geschichten aus der Bibel als Lebens-Geschichten verstehen lernen. Durch unbefangenes Hören, Lesen, Spielen u. a. wollen wir Erfahrungen mit biblischen Geschichten machen, die Wünsche, Ängste und Hoffnungen unseres eigenen Lebens ansprechen.

Dabei möchten wir erfahrungs- und erlebnisorientiert miteinander lernen, d. h. eigene Erfahrungen einbringen, sie vergleichen, bedenken und uns neuen Erfahrungen öffnen.

Weil wir dies anhand von biblischen Geschichten tun wollen, geht es nicht nur um ein Zuhören und Nachdenken. Geschichten geben vielfältige Möglichkeiten des Verstehens, der Aneignung, der Veränderung. Man kann sie z. B. spielen, weiterspielen und verändern. Geschichten können dramatisiert oder pantomimisch dargestellt werden. Wir können uns mit einzelnen Personen auseinandersetzen oder uns mit ihnen identifizieren. Geschichten können neu erzählt oder neu geschrieben werden.

Einige dieser Verfahren wollen wir im Seminar ausprobieren, d. h. wir wollen kreative und gestalterische Elemente einbeziehen, Geschichten meditieren, neue Geschichten erfinden usw.

Diese Einladung war bewußt sehr offen gehalten und enthielt z. B. keinen detaillierten Verlaufsplan für das Seminar. Damit wurde eine Einsicht ernstgenommen, die sich aus dem oben formulierten Verständnis von Lebenswelt und einem daran orientierten Konzept von Erwachsenenbildung im Grunde konsequent ergibt und die Gerhard Strunk in »Überlegungen zu Ansatz und Didaktik der Erwachsenenbildung« unter dem Stichwort »Lebensweltorientierung« so formuliert hat: »Eine Didaktik, die die hier entwickelten Prinzipien und Perspektiven ernstnimmt, ist in ihren entscheidenden Realisationsschritten nur am Lernort selbst zu konkretisieren.«[12] D. h. das didaktische Arrangement für eine entsprechende Veranstaltung kann nur so aussehen, daß es den Teilnehmern mögliche Wege aufzeigt, auf denen sie wichtige Bestimmungsfaktoren ihrer Lebenswelt zunächst ins eigene Bewußtsein heben und dann ins Gespräch bringen können. Dazu kann es methodische Schritte anbieten. Wieweit und wie schnell die Teilnehmer diese Schritte mitgehen, muß ihnen selbst überlassen bleiben. Insofern ist nur eine sehr offene Veranstaltungsplanung möglich. Im hier beschriebenen Fall sahen die vorgeschlagenen und dann von den Teilnehmern auch mitgegangenen Schritte wie folgt aus:

– Für das Kennenlernen der Teilnehmer untereinander und die erste Hinführung zum Thema schnitt oder riß jede(r) Teilnehmer(in) aus Tonpapier ein Symbol, das für eine Geschichte aus dem eigenen Leben stand. Anhand dieses Symbols, das anschließend als Namensschild diente, stellten sich die Teilnehmer(innen) gegenseitig vor und teilten ihre Erwartungen an das Seminar mit.

– Im zweiten Schritt ging es um »Geschichten von mir« unter der Fragestellung »Wer und was hat meinen Glauben in meinem Leben geprägt?« Dazu erzählten sich die Teilnehmer(innen) in Kleingruppen anhand zunächst gemeinsam gelesener Abschnitte aus einer literarischen Biographie gegenseitig aus ihrer Lebensgeschichte, insbesondere unter dem Gesichtspunkt der religiösen Sozialisation. Zum Abschluß der Kleingruppenarbeit wurden die wichtigsten Stichworte dazu, »wer und was« den Glauben im Leben geprägt hat, auf einer Wandzeitung gesammelt.

– Im dritten Schritt fand anhand der Wandzeitung aus den Kleingruppen ein Rundgespräch im Plenum statt zum Thema: »Meine wichtigste Erinnerung bzw. mein wichtigster Eindruck beim Gespräch über die Frage ›wer und was‹ hat meinen Glauben in meinem Leben geprägt?‹.«

– Der vierte Schritt führte von der Entwicklungsgeschichte des je eigenen Glaubens in die Gegenwart und stand unter der Fragestellung: »Was ist mir heute an meinem Glauben besonders wichtig (evtl. im Gegensatz zu früher)?« Dazu suchte sich jede(r) Teilnehmer(in) aus einer Reihe ausgelegter Fotos ein bis zwei Bilder aus, die andeuteten oder darstellten, »was am je eigenen gegenwärtigen Glauben wichtig ist«. Anschließend wurden die Bilder den anderen vorgestellt und erläutert.

– Im fünften Schritt kamen dann »Geschichten aus der Bibel« ins Spiel, allerdings nicht von der Seminarleitung her vorgegeben, sondern von den Teilnehmern selbst eingebracht. Die Frage war: »Welche biblische Geschichte fällt mir zum bisher hier Erzählten und Besprochenen jetzt spontan ein?« In Kleingruppen erzählten sich die Teilnehmer(innen) diese ihnen spontan eingefallenen Geschichten gegenseitig. Entscheidend war dabei nicht, die Geschichte genau so zu erzählen, wie sie in der Bibel steht, sondern so, wie sie dem(der) Erzähler(in) in Erinnerung war, denn eine Geschichte ist für die eigene Lebenswelt ja in erster Linie so bedeutsam, wie sie in der eigenen Erinnerung verhaftet ist. Beim Erzählen sollten die Teilnehmer(innen) sich auch gegenseitig erläutern, warum die erzählte Geschichte ihnen wichtig ist, wo sie ihnen zum ersten Mal begegnet war, wie sie sie evtl. in ihrem bisherigen Leben begleitet hat, was sie ihnen bedeutet, was daran sie erfreut oder ärgert usw. Zum Abschluß dieser Kleingruppenarbeit wurden die Titel der eingebrachten Geschichten auf Wandzeitungen notiert. Anschließend wurden die Wandzeitungen im Plenum aufgehängt und durch Markieren mit farbigen Klebepunkten drei Geschichten ausgewählt, die intensiver weiter bearbeitet werden sollten.

– In der sechsten Arbeitseinheit wurden die wie vorher beschrieben ausgewählten drei Geschichten (im hier vorgestellten Beispiel die Schöpfungsgeschichte, Hiob und Maria und Martha[13]) in drei Gruppen weiter bearbeitet anhand folgender Fragen:

– Was ist für mich an dieser Geschichte das Wichtigste?

– Was an der Geschichte gefällt mir, was ärgert mich?
– Würde ich die Geschichte gern verändern? Wenn ja, wie?
– Kenne ich aus meinem Leben oder aus dem Leben eines anderen Menschen eine Geschichte, die Ähnlichkeit mit dieser Geschichte aufweist oder vielleicht genau das Gegenteil besagt bzw. zeigt?

Für bei der Bearbeitung der Geschichten in den drei Untergruppen auftauchende exegetische Fragen standen zwei Fachtheologen als Gesprächspartner auf Abruf zur Verfügung. Sie wurden aber nur in einem Fall ganz kurz in Anspruch genommen. Ansonsten wurden die Geschichten sehr viel weniger fachtheologisch als unmittelbar lebensweltorientiert bearbeitet.

– Nach der gründlichen Bearbeitung der Geschichten bereiteten die drei Gruppen jeweils eine Neuerzählung, ein Spiel o. ä. zu ihrer Geschichte vor, mit der/dem sie ihre Ergebnisse ins Plenum einbringen sollten. Es entstand so ein Gemälde und ein Meditationstext zur Schöpfungsgeschichte, eine Pantomime zu Hiob und ein Rollenspiel zu Maria und Martha.[14] Diese Ergebnisse der Gruppenarbeit wurden im Plenum vorgestellt und jeweils ausführlich besprochen.

– Nach Abschluß dieses einmal zurückgelegten Weges von »Geschichten von mir« zu »Geschichten in der Bibel« und über diese hinaus wieder in die Lebenswelt der Teilnehmer wurde noch einmal umgekehrt bei einer biblischen Geschichte eingesetzt, die eine in den biographischen Erzählungen des zweiten Arbeitsschrittes und in der Weiterarbeit an den Geschichten von den Teilnehmern häufig artikulierte Spannung in ihren Glaubenserfahrungen aufnahm, und zwar die Emmaus-Geschichte. Dazu wurden in drei Teilgruppen die drei in der Geschichte vorkommenden Rollen vorbereitet, nämlich die beiden Jünger und der »Mutmacher«. (Mit diesem Begriff wurde die Rolle Jesu in der Geschichte verfremdet, da es Teilnehmern erfahrungsgemäß schwerfällt, in einem Rollenspiel die Rolle Jesu zu übernehmen.) Nach einer gewissen Vorbereitungszeit spielte je ein Vertreter aus jeder Gruppe die von ihm mit vorbereitete Rolle in einem Rollenspiel, das anschließend in einem Rundgespräch ausgewertet wurde und unter dem Thema: »Mein eigener Glaube und mein eigener Zweifel«.

– Um die Ergebnisse des Seminars je für sich festzuhalten, wurde den Teilnehmern vorgeschlagen, in Einzelarbeit jeweils einen Brief oder eine Erzählung an ein nicht mehr ganz kleines Kind aufzuschreiben zum Thema: »Ich wünsche dir, daß du glauben kannst... bzw. du mußt nicht glauben...« oder: »Ich möchte dir von meinem Glauben und meinem Zweifel erzählen«. Die Wünsche und Erzählungen schrieb jede(r) für sich auf. Was sie(er) am Ende davon veröffentlichen wollte, blieb der eigenen Entscheidung überlassen. Unter diesem Vorzeichen wurden schließlich Auszüge aus den Ergebnissen der Einzelarbeit im Plenum vorgelesen.

– Zur gemeinsamen Zusammenfassung des Seminars teilten sich die Teilnehmer(innen) schließlich noch gegenseitig mit, was sie für sich von dem Seminar mitnehmen und was sie den anderen gern mitgeben wollten.

Das hier im tatsächlichen Verlauf beschriebene Seminar war von folgenden, im oben skizzierten Konzept lebensweltorientierter theologischer

Erwachsenenbildung begründeten Überlegungen her geplant und gestaltet.

1. Wenn unter Lebenswelt *erlebte* Wirklichkeit bzw. individuell und kollektiv *gedeutete* Situation zu verstehen ist, dann kann sie im Lernprozeß nur von den jeweils Betroffenen selbst angemessen zur Sprache gebracht werden. Situationsbeschreibungen mögen noch durch Dritte möglich sein, obwohl auch sie schon schwierig sind, wie z. B. die sogenannten situationsgeleiteten Arbeitsschritte in den von Ernst Lange herausgegebenen Predigtstudien[15] zeigen. Das in den Lernprozeß mitgebrachte *Erleben* und die dementsprechenden *Deutungen* seiner Situation kann aber jede(r) nur für sich selbst einbringen und formulieren. Konsequenterweise muß lebensweltorientierte Erwachsenenbildung Raum geben (und diesen nicht zu knapp) für das Bewußtmachen, Artikulieren und Ins-Gespräch-bringen des je eigenen Erlebens und der je eigenen Deutung, die das Denken und Handeln der Teilnehmer offen oder verdeckt bestimmen. In dem hier vorgestellten Seminarmodell war dieser Raum z. B. gegeben im Erinnern und Erzählen aus der Lebensgeschichte unter dem Gesichtspunkt der Geschichte der gegenwärtigen religiösen Überzeugungen, in der offenen Möglichkeit zur Formulierung dessen, »was mir heute an meinem Glauben besonders wichtig ist« und in der eigenen spontanen Auswahl von für den persönlichen Deutungshorizont wichtigen biblischen Geschichten.

2. Wie die eigene Lebenswelt nur von den Teilnehmern selbst in den Lernprozeß eingebracht werden kann, so können auch etwaige Konsequenzen für die jeweilige Lebenswelt, die sich aus dem Lernprozeß ergeben, nur von den Betroffenen selbst angemessen gezogen und formuliert werden, ja schon die Frage, ob sich überhaupt Konsequenzen ergeben, kann jede(r) nur für sich selbst beantworten. Dem entsprach die individuelle Auswertung am Ende des hier vorgestellten Seminars. Nicht der Leiter faßte ein allgemein gültiges Ergebnis zusammen, sondern die Teilnehmer zogen je für sich ein eigenes Resümee, ggf. auch ohne andere darüber im Detail zu informieren.

3. Situationsdeutung ist aber, wie oben bereits herausgestellt, nicht nur ein individueller oder etwa gar ein subjektivistischer Vorgang. Sie hat immer auch einen Gemeinschaftsbezug. Durch ganz andere oder den meinen vergleichbare Erfahrungen und Deutungen anderer werde ich in Frage gestellt, ermutigt, bestätigt, gewinne neue Perspektiven usw. Das heißt meine eigenen Deutungen bilden sich heraus und entwikkeln sich fort in der Auseinandersetzung und im Dialog mit denen anderer. Zum Teil auch bilden sich in dieser Auseinandersetzung und in diesem Dialog gemeinsame Deutungen heraus. Dem versuchten die vielen Gesprächsphasen über unterschiedliche individuelle Vorga-

ben und das Bemühen um ein *gemeinsames* Neuerzählen, kreatives Gestalten o. ä. von biblischen Geschichten im vorgestellten Seminar Rechnung zu tragen.

4. Die pragmatische Dimension der Lebenswelt kam im hier beschriebenen Seminar nur am Rande zur Geltung.»Geschichten von mir – Geschichten in der Bibel« rückte schon vom Thema her den individuellen biographischen Bezug und den Verstehens- und Deutungsaspekt in den Vordergrund. In anderem Zusammenhang, z. B. in einem Seminar zum Thema»Glaube und Weltverantwortung am Beispiel Frieden« wurde dagegen der Aspekt persönlichen und gemeinsamen privaten und politischen Handelns besonders betont. Eine ausführliche Beschreibung dieses Seminars wurde an anderer Stelle veröffentlicht.[16]

5. Die auf die Vergangenheit bezogene geschichtliche Dimension der Lebenswelt kam im Seminar»Geschichten von mir – Geschichten in der Bibel« darin zur Geltung, daß die lebensgeschichtliche Prägung des Glaubens der Teilnehmer eine zentrale Rolle spielte. Zusätzlich wurde in diesem Zusammenhang noch einer weiteren Einsicht Rechnung getragen, die der Theologie lange Zeit verlorengegangen war. Nicht von ungefähr ist die Bibel in großen Teilen ein Erzählbuch. Damit nimmt sie die Tatsache ernst, daß Deutungen komplexer Wirklichkeit oft leichter und vor allem alltags- und lebensnäher in erzählendem als in argumentierendem Reden gelingt. Die narrative Theologie hat dies seit einiger Zeit auf breiter Ebene wieder entdeckt. Das Seminar»Geschichten von mir – Geschichten in der Bibel« knüpft mit seiner Betonung von»Geschichten« an entsprechende Einsichten und Erfahrungen der narrativen Theologie an und nimmt damit gleichzeitig eine Praxiserfahrung aus der Erwachsenenbildung ernst, die besagt, daß weniger redegewandte Teilnehmer sich sehr viel leichter erzählend als argumentierend artikulieren können.

6. Zugleich wird in der Kommunikationsform des Erzählens das bekannte und oft hemmende Gefälle zwischen Fach- und Laienkompetenz abgebaut, denn aus Erfahrung erzählen kann auch derjenige, der über wenig Fachwissen verfügt. Für lebensweltorientierte theologische Erwachsenenbildung wie für die Erwachsenenbildung überhaupt ist solche Relativierung von Fachwissen entscheidend wichtig, wenn anders die Emanzipation erwachsener Menschen von Abhängigkeiten eines ihrer Hauptziele ist. Sofern die These richtig ist, daß die wachsende Abhängigkeit von sogenannten Fachleuten zu einem der stärksten Entmündigungsmechanismen unserer gegenwärtigen Gesellschaft gehört, muß eine auf Emanzipation zielende Bildungsarbeit nicht zuletzt beim Abbau solcher Abhängigkeiten ansetzen.

7. Wie ebenfalls bereits angesprochen, hat die individuelle und kollekti-

ve Deutung der Wirklichkeit nicht nur eine Entwicklungsgeschichte hinter sich, sondern immer auch noch eine Entwicklungsgeschichte vor sich, und sie ist im Blick auf diese Zukunft angewiesen auf neue Impulse, die nicht nur aus dem eigenen Fundus an Möglichkeiten – d. h. letztlich ja auch aus dem immer schon Bekannten – kommen. Solche Impulse ergibt zum einen das Gespräch mit anderen, wofür im hier vorgestellten Seminar reichlich Raum war. Sie können aber auch, über das in der Gruppe vorhandene Potential hinausgehend, aus einem bewußt gesetzten Kontrapunkt zum sich in der Gruppe selbst entwickelnden Reflexions- und Gesprächsprozeß erwachsen. Unter diesem Gesichtspunkt wurde für eine Arbeitseinheit gegen Ende des beschriebenen Seminars eine nicht von den Teilnehmern selbst eingebrachte biblische Geschichte zur Bearbeitung vorgegeben. Die Akzente, die dabei gesetzt wurden, blieben aber wiederum weitgehend den Teilnehmern überlassen und die Konsequenzen für die Lebenswelt wurden ebenfalls von den Teilnehmern selbst formuliert.

Das Teilnehmerecho auf dieses in ähnlicher Form mehrfach mit unterschiedlichen Zielgruppen und entsprechend auch im inhaltlichen Detail mit sehr unterschiedlichem Verlauf durchgeführte Seminar war durchweg positiv. Vor allem wurde die Möglichkeit, unbefangen und ohne Einengung durch in langer religiöser Sozialisation aufgebaute Tabus mit »heiligen« Texten umzugehen, nach anfänglichem Zögern als befreiend erlebt. Biblische Geschichten wurden als »Lebensgeschichten« wieder bzw. neu entdeckt und bekamen so einen sehr viel unmittelbareren Bezug zur Lebenswelt der Teilnehmer als vorher. Fast wie von selbst wurden die Schöpfungsgeschichte, Hiob, Maria und Martha (und in den anderen Seminaren die entsprechenden anderen Geschichten)[17] plötzlich hoch aktuell und sprachen aus den Ergebnissen der Arbeitsgruppen unmittelbar in die Lebenswelt der Beteiligten hinein. So ergab es sich dann fast zwangsläufig, daß alle Teilnehmer im Verlauf des Seminars engagiert dabei waren und am Ende bei allen der Wunsch stand, ähnliche Angebote zu wiederholen.

Die Grenzen, die einer theologischen Erwachsenenbildung im hier beschriebenen Sinne gesetzt sind, wiegen die positiven Möglichkeiten, die sie eröffnet, bei weitem nicht auf. Dennoch sollten sie im Bewußtsein bleiben, damit sie im Bedarfsfall durch ergänzende Angebote aufgehoben werden können. Zwei dieser Grenzen seien hier benannt:
– Die Auswahl biblischer Texte bzw. theologischer Überlieferungsstücke bleibt in Seminaren nach dem hier beschriebenen Modell weitgehend beliebig; d. h. die Wahrnehmung des geschichtlichen Kontextes, in dem sich die religiöse Weltanschauung heute lebender Menschen entfaltet, bleibt selektiv. Die Subjektivität der Teilnehmer, ihre Vorlie-

ben und »blinden Flecke« werden zum bestimmenden Kriterium für Themen- und Inhaltswahl. Darin sehe ich aber zumindest solange kein Problem, wie in der kirchlichen Praxis sonst in aller Regel von vorgegebenen Texten ausgegangen wird und diese dann auf die gegenwärtige Situation hin ausgelegt werden. In einem Umfeld, in dem der Weg vom Text zur Situation die Regel ist, können Ausnahmen, bei denen dieser Weg umgekehrt gegangen wird, nur bereichernd wirken.

– Die Sachstrukturen des Lerngegenstandes Theologie treten gegenüber dem Erfahrungswissen der Teilnehmer in den Hintergrund. Damit wird möglicherweise der Erkenntnisgewinn historisch-kritischer Forschung über Bord geworfen und einem einseitig subjektivistischen Verständnis von Texten Vorschub geleistet. Die Erfahrung in den Seminaren, deren eines hier vorgestellt wurde, zeigt allerdings, daß gerade vom Erlebnis eines unbefangen spontanen Zugangs zu Texten her ganz neu Fragen nach der »Sachstruktur des Gegenstandes« auftauchen, dann allerdings motiviert von unmittelbar existentiellen und nicht nur von theoretischen Interessen. »Jetzt möchte ich mich aber noch einmal genauer mit dem Buch Hiob beschäftigen«, äußerte eine Teilnehmerin nach der Neuentdeckung der Hiobsgeschichte als »Lebensgeschichte« im Seminar »Geschichten von mir – Geschichten in der Bibel«. Für mich ist dies ein überzeugender Hinweis darauf, daß durch lebensweltorientierte theologische Erwachsenenbildung auch neue Zugangswege zum Sachgegenstand Theologie eröffnet werden. Wie gravierend die Probleme selektiver Wahrnehmung der Überlieferung und das Zurückdrängen der Sachstrukturen des Lerngegenstandes gegenüber dem Erfahrungswissen der Teilnehmer sich dennoch in der praktischen Arbeit auswirken, hängt nicht zuletzt auch von der Fähigkeit der Veranstalter ab, theologisches Fachwissen im Rahmen entsprechender Seminare so zu Geltung zu bringen, daß es weder von der Faszination unmittelbarer Begegnung mit den »Lebensgeschichten« der Bibel überrollt wird noch umgekehrt den Erlebnis- und Erkenntnisgewinn solch unmittelbarer Begegnung verhindert.

Lebensweltorientierte theologische Erwachsenenbildung »versucht zu verwirklichen, was Ernst Lange als eine ›Sprachschule der Freiheit‹ bezeichnet hat: Erwachsene Menschen sollen sich ihrer immer schon vorhandenen Sprachfähigkeit frei und ungezwungen bedienen und diese Fähigkeit erweitern. Fachtheologische Experten, nicht automatisch auch Experten in Glaubensfragen und Lebenserfahrung, gliedern sich in einen solchen Lernprozeß ein. Das Ziel so verstandener theologischer Erwachsenenbildung ist, daß die Teilnehmer angeregt werden, selbst authentisch, kreativ und produktiv miteinander Theologie zu treiben.

– authentisch, d. h., daß sie ihre eigene Lebens- und Glaubenserfahrung einbringen und zur Sprache bringen,

– kreativ, d. h., in der Freiheit des Denkens und mit der Kraft der Phantasie,
– produktiv, das bezieht sich auf neue Entwürfe für das Leben des Glaubens im Alltag.

Mit anderen Worten: Erwachsene Menschen lernen in der Rückbesinnung auf die Wurzeln und Bedingungen ihrer religiösen Sozialisation, von sich selbst und ihrem Glauben, ihren Erfahrungen, Zweifeln, Ängsten und Hoffnungen zu reden. Sie arbeiten miteinander an tragfähigen Deutungsmustern, die ihr Leben und Handeln leiten können.«[18]

So hat der theologische Ausschuß der Deutschen Evangelischen Arbeitsgemeinschaft für Erwachsenenbildung einige Leitlinien formuliert, denen sich auch das hier beschriebene Konzept theologischer Erwachsenenbildung verpflichtet weiß. Es geht um die Erarbeitung von tragfähigen Deutungsmustern für das Individuum und die Gemeinschaft. Die Überlieferung des Glaubens gibt dazu hilfreiche Anregungen, ist aber nicht letzte Norm. Glaube ist immer biographisch geprägt und bleibt nur lebendig, wenn er sich im Laufe der Biographie wandelt. Solchen Wandel zu ermöglichen und damit den immer wieder feststellbaren Bruch zwischen Alltagswissen und Glaubenswissen aufzuheben oder zu vermeiden, wäre sicherlich nicht der schlechteste Dienst, den die evangelische Erwachsenenbildung ihren Teilnehmern erweisen könnte. Die neuen Perspektiven für Theologie und Kirche, die sich von dort her eröffnen, müssen vielerorts erst noch entdeckt werden.

Anmerkungen

1 Aus der Fülle des Angebots seien hier nur drei Materialpakete genannt, die die Teilnehmer über einen längeren Zeitraum durch die ganze Bibel führen: Th. Vogt u. a. (Hg.), Bibelseminar für die Gemeinde, Zürich 1982 ff. – Bethel-Bibel-Studium (ein aus Amerika übernommenes und inzwischen in der Bundesrepublik weit verbreitetes Kursangebot, dessen Materialien nur Veranstaltern und Teilnehmern entsprechender Kurse zugänglich gemacht werden). – Stuttgarter Bibelkurs, hg. von der Deutschen Bibelgesellschaft Stuttgart seit 1985.
   Andere, ähnliche Angebote werden ständig neu entwickelt. Der Markt an Materialien, die nur Teile der Bibel in den Blick nehmen oder exegetische Grundkenntnisse allgemein vermitteln, ist inzwischen unübersehbar.
2 Vergleiche dazu kritisch H. Tietgens, Die Erwachsenenbildung, München 1981, besonders S. 125 ff.
3 Es sei dazu auf folgende Literatur verwiesen: K. A. Geißler/J. Kade, Die Bildung Erwachsener. Perspektiven einer subjektivitäts- und erfahrungsorientierten Erwachsenenbildung, München 1982. – W. Lippitz, Lebenswelt oder die Rehabilitierung vorwissenschaftlicher Erfahrung, Weinheim 1980. – R. Grathoff, Alltag und Lebenswelt als Gegenstand der phänomenologischen Sozialtheorie, in: K. Hammerich/M. Klein (Hg.), Materialien zur Soziologie des Alltags, Opladen 1978. –

E. Schmitz, Erwachsenenbildung als lebensweltbezogener Erkenntnisprozeß, in: H. Tietgens (Hg.), Enzyklopädie Erziehungswissenschaft Bd. 11: Erwachsenenbildung, Stuttgart 1984, S. 96–123. – Und insbesondere A. Schütz/Th. Luckmann, Strukturen der Lebenswelt, Bd. 1, Frankfurt 1979. Auf diese Veröffentlichung beziehe ich mich im folgenden besonders.

4 E. Schmitz, a. a. O., S. 96.

5 E. Schmitz, a. a. O., S. 98.

6 Schütz/Luckmann, a. a. O., S. 26.

7 Schütz/Luckmann, a. a. O., S. 42.

8 Schütz/Luckmann, a. a. O., S. 28.

9 Schütz/Luckmann, a. a. O., S. 29.

10 Schütz/Luckmann, a. a. O., S. 146.

11 Die Anregung zu diesem Thema verdanke ich M. Krämer und H. C. Rohrbach, die mir damals von einem eigenen Seminar unter diesem Thema berichteten. Neuerdings ist von ihnen dazu eine Arbeitshilfe mit dem gleichen Titel erschienen, zu beziehen bei der Arbeitsstelle für Erwachsenenbildung der Evang. Kirche in Kurhessen-Waldeck.

12 Strunk, Lebensweltorientierung. Überlegungen zu Ansatz und Didaktik der Erwachsenenbildung, in: G. Buttler u. a. (Hg.): Lernen und Handeln. Bausteine zu einer Konzeption Evang. Erwachsenenbildung, Gelnhausen/Berlin/Stein 1980, S. 50.

13 In anderen Seminaren zum gleichen Thema mit anderen Teilnehmern waren es z. B.: Isaaks Opferung, der verlorene Sohn, Erzählungen über die Urgemeinde aus der Apostelgeschichte u. a.

14 In den genannten anderen Seminaren wurde an dieser Stelle z. B. ein Rollendialog zwischen Abraham und Isaak nach dem Ereignis an der Opferstätte, ein Rollenspiel zum verlorenen Sohn und eine fiktive Gemeindefeier der Urgemeinde vorbereitet.

15 E. Lange u. a. (Hg.), Predigtstudien, Stuttgart 1968 ff.

16 W. Hammel/Ch. Meier, Glaube und Weltverantwortung am Beispiel Frieden, eine Seminardokumentation, hg. von und zu beziehen bei der Arbeitsstelle für Erwachsenenbildung und Familienbildung der Evang. Kirche von Westfalen, Berliner Plaz 12, 5860 Iserlohn.

17 Vergleiche Anmerkungen 13 und 14.

18 Theologie: erfahrungsbezogen, produktiv, kreativ, authentisch; zur Theologie in der Evang. Erwachsenenbildung. Arbeitsergebnisse der Theolog. Ausschusses der DEAE, Informationspapier der Studienstelle der Deutschen Evang. Arbeitsgemeinschaft für Erwachsenenbildung Nr. 50, Karlsruhe 1984, S. 6.

WALTER NEIDHART

RELIGION UND BIOGRAPHIE IM RELIGIONSUNTERRICHT

In dem Alter, in dem Jugendliche sich über die eigene Biographie und über deren Unterschiede zur Biographie anderer Gedanken machen, also teilweise schon in der Vorpubertät, stellt sich das Thema Religion und Biographie auch im Religionsunterricht. Bei gutem Vertrauensklima in einer Klasse kommen die entsprechenden Fragen spontan zur Sprache: Warum habe ich zum Glauben ein positives Verhältnis? Oder: warum bin ich, im Unterschied zu anderen Kameraden, ein überzeugter Atheist?

Oft lösen exemplarische Biographien solche Fragen aus. Möglich scheint mir ferner, das Thema in Verbindung mit biblischen Texten aufzugreifen. Im Rahmen eines Paulus-Zyklus z. B. läßt sich der Zusammenhang von Entscheidung für den Glauben und Lebensgeschichte im Anschluß an Apostelgeschichte 17, 16–34 (Paulus in Athen) einbeziehen. Der Text ist zwar für Elf- bis Vierzehnjährige beim Lesen nicht leicht zugänglich. Er setzt zudem einige Kenntnisse über kulturgeschichtliche Zustände im damaligen Athen voraus (Philosophenschulen). Damit der Schüler versteht, was Lukas mit der Areopagrede sagen wollte, muß der Religionslehrer einige Interpretationskünste aufwenden. Diese Schwierigkeiten lassen sich reduzieren, wenn die für den heutigen Leser des Textes nötigen Informationen in eine Geschichte umgeformt werden. An den Personen der Geschichte läßt sich dann auch die Wirkung der Rede von Paulus anschaulich machen. Zum Erfinden solcher Geschichten wird ein heutiger Erzähler m. E. durch die Freiheit des Schriftstellers Lukas bei der Bearbeitung des ihm vorliegenden Stoffes legitimiert. Die Geschichten dienen als Hinführung des Schülers zum biblischen Text. Er soll motiviert werden, den Bericht des Lukas selber zu lesen und sich dann auch auf die Frage einzulassen, wie die Entscheidung zum Glauben oder diejenige gegen den Glauben mit der Lebensgeschichte zusammenhängt.

Im nachfolgenden Entwurf habe ich den prophetischen Zorn über den Götzendienst, der in Paulus beim Rundgang durch die Stadt aufstieg, erzählerisch nicht aufgenommen. Wenn ich mir die Penetranz eines damals noch aktiven Heidentums und die vielen Hermen auf den Straßen mit ihrer aufdringlichen Phallus-Symbolik vorstelle, kann ich seinen Zorn sogar ein wenig nachempfinden. Um Schüler diese Gefühle miterleben zu lassen, ohne ihnen gleichzeitig ein primitives Überlegenheitsbewußtsein über die »armen Heiden« einzupflanzen, könnte ich aus einer phantasierten Biographie des Apostels, vielleicht aus seiner jüdischen Kinderstube, von erlernten Reaktionsweisen gegen den Götzendienst erzählen. Auch das wäre ein Beitrag zum Thema Religion und Biographie.

Da Er nicht fern ist von einem jeden unter uns (Damaris)

Drei Kinder hatte sie ihm geboren. Dem jüngsten gab sie noch die Brust. Mit Arbeiten am Webstuhl brachte sie das Geld zusammen für ihn und die Familie.

Er kümmerte sich nicht um den Broterwerb. Er hatte Höheres im Sinn: Er suchte, zusammen mit einem Kreis von Freunden, nach der Wahrheit. Sie nannten sich Philosophen, d. h. Freunde der Weisheit. Sie trafen sich jeden Nachmittag reihum in ihren Wohnungen oder in der Halle beim

Marktplatz und diskutierten über schwierige Fragen: »Was ist das Gute?«
»Was ist der Mensch?« »Wie wird er glücklich?« »Wie ist die Welt
entstanden?« Darüber hatten vor Jahrhunderten berühmte Philosophen
Bücher geschrieben. Jeder im Freundeskreis hatte sie gelesen und trug
daraus vor, was ihm wichtig schien für die Frage, um die gerade gestritten wurde. Er fügte eigene Gedanken hinzu, und so reihten sie Erkenntnis an Erkenntnis.

Wenn sie in der Wohnung von Damaris zu Gast waren, mußte sie die
Runde bedienen. Dabei schnappte sie vieles auf, was geredet wurde, und
machte sich darüber ihre eigenen Gedanken. Ihr Mann hielt alles, was sie
für den Haushalt und die Gastfreundschaft tat, für selbstverständlich. Er
sprach darüber nur, wenn er etwas auszusetzen hatte.

Einmal lag kein gewaschenes Hemd für ihn in der Truhe bereit. Da
beschimpfte er sie:

»Du faules Miststück! Die Götter haben mich bestraft, daß sie mir ein
solches Weib gegeben haben.«

In der sanften Damaris stieg der Zorn hoch. Sie hatte genug. Sie band
ihren Jüngsten auf den Rücken und verließ wortlos das Haus und die
Stadt. Bald lagen Mauern und Menschen weit hinter ihr. Sie wanderte
einsam am Strand des Meeres entlang. Hier draußen war Friede: das tief
blaue Meer, vom Mittagswind leise bewegt, der weiße Sand, die sanften
Hügel Attikas und darüber die wärmende Sonne. Sie setzte sich auf einen
Stein und gab dem Kleinen die Brust. Er schmatzte zufrieden. Sie spürte
seinen Atem an ihrer Haut. Der Aufruhr in ihrem Innern ließ nach. Sie
schaute einer Schar unablässig kreischender Möwen nach und sah, wie
die Fische sich vom Wasser ruhig tragen ließen und dann plötzlich hin
und her zuckten. Ein Delphin schwamm mit flüssigen Bewegungen
vorbei, hob gerade vor ihr den Kopf über das Wasser, wie wenn ihn das
Geschäft des Stillens interessierte, und tauchte unter. Sie staunte und
wunderte sich über all das, was um sie herum lebte und sich bewegte,
von der Sonne erwärmt, vom Wasser genährt. War sie mit ihrem Kinde
nicht ein Teil dieses Reichs des Lebendigen? Atmete sie nicht dieselbe
Luft? Freute sie sich nicht über dieselbe Sonne? Nährte sie sich nicht auch
von dem Lebendigen, das die Erde wachsen ließ und das die Netze der
Fischer aus dem Wasser zogen? Und sie war als Mensch doch auch anders
als die Lebewesen, die sie umgaben. Sie konnte über das Leben und sein
Geheimnis nachdenken. Sie konnte davon reden. Ihrem Kinde wird sie
bald die Namen dieser Lebewesen vorsprechen: Möwen, Fisch...

Ihr kam ein Preislied für Zeus in den Sinn, das einer der Freunde ihres
Mannes manchmal rezitierte. Es hatte ihr Eindruck gemacht, und sie
hatte sich die ersten Zeilen eingeprägt:

*»Zeus, der Unsterblichen höchster, vielnamiger Herrscher des Weltalls, Ur-
sprung du der Natur, der alles gesetzlich regieret, sei mir gegrüßt! Dich zu rufen*

geziemt ja den Sterblichen allen. Denn sie stammen aus deinem Geschlecht. Den Menschen allein nur gabst du die Sprache vor allem, was lebt und sich regt auf Erden.«

Als sie diese Worte langsam vor sich hin sprach, war ihr zumute wie nie zuvor, auch damals nicht, als sie noch in ihrer Jugend mit der ganzen Menschenmenge an den Götterfesten auf dem Tempelberg teilgenommen hatte. Damals war's bloß die Freude an Farben und Klängen und Menschen, jetzt fühlte sie sich dem ganz nahe, aus dem alles Leben hervorgegangen war. »Wir stammen aus deinem Geschlecht«. Wir sind mit ihm verwandt. Das hatte sie gespürt.

Aber hier draußen, am Ort solcher Erfahrung zu bleiben, war für sie unmöglich. Die andern beiden brauchten die Mutter noch.

Alle drei ernähren konnte sie nur, wenn sie fleißig am Webstuhl saß. Der Jüngste war inzwischen eingeschlafen. Sie band ihn auf den Rücken und wanderte nach Hause. Sie holte Wasser und machte Feuer, als ob nichts geschehen wäre. Auch ihr Mann kam nicht mehr auf das Vorgefallene zurück.

Am andern Morgen verschnürte sie wollene Decken und Mäntel, die sie in der letzten Zeit gefertigt hatte, zu einem Bündel und trug es auf dem Kopf zum Marktplatz. Die Kunden kauften. Einer, der Sprache nach ein Ausländer, fiel ihr auf. Er kaufte zwar nichts, aber betrachtete bewundernd die Erzeugnisse ihrer Kunstfertigkeit und lobte sie mit Sachverstand.

»Du stellst die Farben deiner Muster so gekonnt zusammen, daß die Seele des Betrachters heiter und ruhig wird.«

Damaris freute sich über das Lob. Es war, ohne daß sie darüber redeten, ein geheimes Einverständnis zwischen ihnen. Ob auch er hart bei einer Lebensaufgabe ausharren und Unrecht leiden und gegen Widerstand kämpfen mußte? Oder hatte er wie sie Erfahrungen mit der Nähe des allmächtigen Schöpfers gemacht?

Als sie aufbrach, sah sie in der Halle neben dem Marktplatz den Fremden diskutierend mitten im Kreis der Freunde ihres Mannes.

Sie trat herzu und hörte, daß es um Fragen der Religion ging. Dem Fremden wurde vorgeschlagen, an diesem Abend auf den Hügel des Gerichts zu kommen und dort seine neue Lehre vorzutragen. Dann werde man in Ruhe darüber urteilen können.

Das ließ sie sich nicht nehmen: Was dieser Fremde zu sagen hatte, mußte sie hören. Sie legte die beiden älteren Kinder ins Bett, band den schlafenden Kleinen auf den Rücken und ging, ohne dem Mann etwas zu sagen, auf den Gerichtshügel hinauf. Zum Freundeskreis waren noch andere Athener, auch Frauen, gekommen. Sie setzte sich unauffällig in den Hintergrund. Sie hörte den Namen des Fremden: Paulus, aus einer Provinz im Osten des Reiches.

Er sprach zunächst von einem unbekannten Gott, den die Athener verehrten: »Was ihr verehrt, ohne es zu kennen, das verkündige ich euch.« Dann redete er von diesem Gott, der nicht in Tempeln wohnt und keine Opfer von Menschen benötigt und nicht den goldenen und silbernen und steinernen Statuen gleicht. Er ist der Gott, der die Welt erschaffen hat und alles in ihr mit seinem Atem für Damaris vertraut. Es war ihr, wie wenn er von ihren eigenen Erfahrungen draußen am Meeresstrand spräche. Manches erinnerte an das Preislied für Zeus, das sie liebte, nur der Name Zeus kam nicht vor.

»In ihm leben wir, bewegen wir uns und sind wir, wie auch einige von euren Dichtern gesagt haben: Wir sind seines Geschlechts.«

Dann sprach er von einem, den der Allmächtige zu uns Menschen gesandt hat, damit wir uns zu ihm kehren. Dieser Bote Gottes sei von bösen Menschen getötet worden. Doch Gott habe ihn auferweckt und zum Richter aller Völker gemacht.

Jetzt wurde der Redner durch Zwischenrufe unterbrochen. Viele Zuhörer fanden, sie hätten genug gehört und wüßten Bescheid über Paulus. Einige spotteten, andere verabschiedeten sich mit einer höflichen Floskel. Nur wenige blieben zurück und wollten von Paulus noch mehr über diesen Gott und seinen Boten hören. Unter ihnen Damaris. Gestern, bei den Fischen und beim Delphin, hatte sie gespürt, daß der Allmächtige ihr nicht fern war. War es vielleicht auch möglich, seine Nähe zu erfahren, wenn sie am Webstuhl arbeitete und am Herd den Kindern das Essen kochte? Der Gottesbote hatte Unrecht erlitten. Man hatte ihn zum Tode verurteilt. Konnte sie von ihm auch Hilfe erwarten, um ihre Arbeit als Ernährerin der Familie zu leisten, auch wenn ihr Mann ihr kein gutes Wort gab?

Einige von den stoischen Philosophen (Arion)

Arion war Gründer des Philosophenklubs und ältestes Mitglied. Von Beruf oberster Steuerbeamter der Stadt, gerecht, pflichtbewußt und von Bürgern hoch geschätzt. Wenn er am Nachmittag mit seinen Freunden, den Philosophen, zusammen war, hörte er jeweils dem Gespräch aufmerksam zu. Was er dann nach langem Schweigen vorbrachte, hatte bei den andern ein besonderes Gewicht.

Er war ein lebendiges Beispiel dafür, wie Philosophie einen Menschen verändern kann. Seine Altersgenossen erinnerten sich, wie er in der Jugend war: Sohn eines reichen Kaufmanns, vielversprechender Nachwuchskämpfer bei den Diskuswerfern. Dann begann sein schlimmes Leiden: Jedesmal, wenn ein Wettkampf bevorstand, überfiel ihn ein entsetzliches Kopfweh. Es war, wie wenn zehn Meißel auf seinen Schädel einhämmerten, um ihn zu zertrümmern. Er konnte nicht schlafen, er schrie vor Schmerzen. Bald waren die Attacken alle paar Tage bei ihm zu Gast. Die Ärzte der Stadt wurden zugezogen, einer nach dem andern. Sie verschrieben ihre Mittel. Die Heilung blieb aus. Arion pilgerte zum Tempel des Heilgottes Äskulap nach Epidaurus. Die Priesterärzte behandelten ihn eine Woche lang. Er kehrte ungeheilt nach Hause zurück. Er mußte seine Berufskarriere aufgeben. Sein Vater ließ einen berühmten Arzt aus Ägypten kommen. Der versuchte eine der seltenen Schädeloperationen. Man redete davon in der Stadt. Der Patient überlebte, die Wunde vernarbte. Aber die Schmerzanfälle kamen hartnäckiger als zuvor.

Da lernte er einen Lehrer der Philosophie kennen. Dieser gehörte zu einer Gruppe, die man die Stoiker nannte, denn einst, als diese Gruppe sich bildete, versammelte sie sich in einer Säulenhalle (Stoa). Im Gespräch sagte dieser Lehrer, durch philosophische Erkenntnis bekomme der Mensch ein anderes Verhältnis zu seiner Krankheit. Das weckte bei Arion neue Hoffnungen. Er vereinbarte mit dem Lehrer Privatunterricht.

In den ersten Stunden lernte er, daß jede Krankheit, die uns trifft, Schicksal ist. Das Schicksal muß man, ohne zu murren, tragen. Ein Mensch, der die Weisheit liebt, so lernte Arion weiter, ist einer, der sich selber beherrscht. Er wird nicht von Gefühlen der Freude oder des Schmerzes hin und her gerissen, sondern bleibt immer ruhig, unerschütterlich und frei von Leidenschaften.

Solche Lehren beeindruckten Arion. Indem er sich in sie vertiefte, erlebte er seine Kopfschmerzen anders als bisher. Wenn sie anfingen, versuchte er, innerlich davon unberührt und unerschüttert zu bleiben. Je mehr er sich darin übte, desto besser gelang es ihm.

Sein Lehrer führte ihn weiter zur Erkenntnis, daß die göttliche Vorsehung die ganze Natur durchdringt und ordnet und belebt. Es gibt viele Namen für dieses Göttliche um uns und in uns. Man kann es Natur oder Geist, Schicksal oder Vernunft, göttlichen Vater oder Zeus nennen, so lehrte er. Und wir sind durch unsere Vernunft mit Gott verwandt. Wir sind seines Geschlechts. Auch diese Einsicht trug dazu bei, daß Arion sich nicht mehr wie bisher über die Anfälle ärgerte und sich dagegen auflehnte. Er nahm sie hin als etwas, das sein muß, weil es die göttliche Vernunft beschieden hatte.

Er konnte seine abgebrochene Berufsausbildung wieder aufnehmen. Er trat als Beamter in die Verwaltung ein und rückte mit der Zeit an die Spitze des Steueramtes auf. Fragte man ihn, wie es ihm mit seinen Kopfschmerzen gehe, antwortete er nur:

»Ich habe keinen Grund zum Klagen.«

Den Klub der Philosophen gründete er, weil ihm die Liebe zur Weisheit und das Suchen nach ihr Herzenssache waren. Er wollte in den Diskussionen mit den Freunden, die oft ganz anders dachten als sein stoischer Lehrer, noch mehr über die Weisheit lernen. Wenn er ihnen seinen Glauben an den Gott, der mit so vielen Namen umschrieben wird, erklären wollte, trug er gern das Preislied für Zeus vor.

An jenem Nachmittag, als Paulus auf dem Marktplatz von Athen war und das Gespräch mit den Philosophen suchte, war Arion auch dabei. Die Botschaft des Fremden, das merkte Arion gleich, war in manchem seinen eigenen Auffassungen ähnlich. Darum schlug Arion vor, daß Paulus Gelegenheit bekomme, seine Lehre abseits des Marktlärms vorzutragen. Es war ihm recht, daß dies auf dem Hügel des Ares geschehen könne. Am Abend saß auch er unter den Hörern, als Paulus von dem Gott sprach, der die Welt erschaffen hat und alles in ihr, und der nicht fern von einem jeden unter uns ist.

Es gefiel Arion, daß Paulus gegen die Meinung sprach, man könne das Göttliche in goldenen oder silbernen oder steinernen Statuen abbilden, oder das Göttliche wohne in einem von Menschen erbauten Tempel. Er war erfreut, daß der Redner ein Dichterwort zitierte, das ihn an das Preislied für Zeus erinnerte: »Wir sind seines Geschlechts.«

Nur was Paulus am Schluß seiner Rede von diesem Gesandten Gottes erzählte, von seinem Tod, seiner Auferstehung und seinem Kommen als Richter der Menschen, leuchtete Arion nicht ein.

Als die Rede von einigen Zuhörern unterbrochen wurde, fand Arion, man wisse jetzt genug über ihn. Sein Urteil lautete: »Was an den Lehren dieses Juden gut ist, das habe ich schon von meinem stoischen Lehrer gehört. Was er Neues bringt, finde ich überflüssig. Meine jetzige Philosophie genügt mir. Ich brauche das nicht, was er von diesem Heiland und Richter erzählt.«

Arion ging an diesem Abend nach Hause und war zufrieden, daß man dem Fremden eine Chance gegeben hatte, seine Lehre darzustellen.

...auch einige der epikuräischen Philosophen (Phaiax)

Phaiax bewohnte eine Villa am Stadtrand. Er war reicher als die andern Klubmitglieder. Wenn sie bei ihm eingeladen waren, griffen einige tüchtig zu. In den anderen Häusern kochte man nicht so sorgfältig und reichlich. Phaiax jedoch nahm von jeder Speise nur ganz wenig. Er sagte oft:

»Gibt es für den Gaumen einen köstlicheren Genuß als ein Stück knuspriges Brot und ein Glas Wein?«

Im Philosophenklub war er beliebt. Er hatte ein heiteres Gemüt, und auf seine Freundschaft war Verlaß. Das gehörte zu seiner Philosophie. Er sagte: »Nur wer fähig ist, ein guter Freund zu sein, wird ein glücklicher Mensch.«

Besonders Chrysipp der Baumeister hatte seine Freundschaft erfahen. Als er Wochen lang mit seiner Leberentzündung im Bett lag und die Schmerzen ihm keine Ruhe ließen, besuchte ihn Phaiax jeden Tag, brachte etwas mit, ein paar Blumen, ein kleines Gebäck, etwas zum Lesen. Vor allem: Er hatte Zeit für ein langes Gespräch. Einmal gestand der Baumeister, daß er Angst habe vor dem Sterben. Phaiax tröstete ihn:

»Vor dem Sterben brauchst du keine Angst zu haben. Denn du erlebst den Tod gar nicht. Solange wir leben, ist der Tod nicht da. Wenn der Tod einmal kommt, sind wir nicht mehr am Leben.«

Das Gesicht des Kranken drückte noch Zweifel aus. Phaiax fuhr fort: »Wenn du mit dem gesunden Menschenverstand den Dingen auf den Grund gehst, merkst du, daß der Tod nichts anderes ist als ein Nichts. Vor einem Nichts brauchst du dich nicht zu fürchten.«

»Ich habe auch Angst, vor dem, was nach dem Tode kommt. Wie wird es meiner Seele ergehen? Sie muß vielleicht büßen für das, was ich Böses getan habe. Die Götter werden mich strafen.«

»Die Vernunft beseitigt auch diese Angst. Man hat dir doch erzählt, daß die Götter irgendwo hoch oben auf einem Berg in ewiger Glückseligkeit leben. Wirklich glückselig sein können sie nur, wenn sie sich um nichts zu sorgen brauchen. Also kümmern sie sich auch nicht um uns Menschen und unsere Missetaten. Das wäre zu mühselig für sie. Unsere Seele löst sich mit dem Tod in ihre Atome auf. Es gibt keinen Grund, sich vor dem zu fürchten, was nach dem Tode kommt. Es kommt nichts mehr.«

Solche Vernunftsgründe beruhigten den Kranken. Die Angst ließ nach. Was Phaiax vorbrachte, hatte er aus den Büchern des Philosophen Epikur gelernt. Weil von seinen Worten Überzeugung ausging, wirkten sie auf den Baumeister wie Balsam.

Er erholte sich langsam. Phaiax setzte seine Besuche fort. Jetzt wollte er in Gesprächen seinen Freund auf den Weg zu einem vernünftigen Leben und zum wahren Glück leiten. Vor Ausbruch der Krankheit hatte es der Baumeister, so meinte Phaiax, in seinem Lebenswandel an Vernunft fehlen lassen. Er trank gern über den Durst. Wenn schmackhafte Speisen auf den Tisch kamen, konnte er mit Essen nicht aufhören. Er vergnügte sich bei Glücksspielen mit hohen Wetteinsätzen und ärgerte sich maßlos, wenn der Gewinn im Spiel ausblieb. Phaiax belehrte ihn:

»Du hast schon recht, nach dem Erleben von Glück zu trachten. Mein Lehrer Epikur hat geschrieben: ›Lust ist Ursprung und Ziel des glücklichen Lebens.‹ Doch es gibt verschiedene Arten von Lüsten, gute und schlechte, Lüste durch einen Wirbelsturm in der Seele und Lüste, bei denen die Seele ruhig und gleichmäßig bleibt. Die Lust mit ruhiger Seele erlebst du, wenn du der Vernunft folgst. Du mußt lernen, mit Maß zu genießen und dich an kleinen Dingen zu freuen.«

»Mir wurde aber erzählt, daß Epikur selber ein Freund der übermäßigen Lust am Essen und Trinken gewesen sei, und nächtelang habe er in seinen Gärten mit lockeren Damen Feste gefeiert.«

Phaiax wehrte sich: »Das sind Lügen, die seine Gegner über ihn verbreitet haben. Sie werden nicht wahrer, weil sie nun über 300 Jahre, seit seinem Tode, weiter erzählt wurden.«

Der Baumeister mußte zugeben: Die heutigen Anhänger dieser Philosophie lebten nicht so, wie es böse Zungen von ihrem Meister behaupteten. Die Belehrung von Phaiax gaben ihm zu Denken. Er nahm sich ernstlich vor, von nun an einen Lebenswandel mit mehr Vernunft zu versuchen.

An jenem Nachmittag, als Paulus mit den Philosophen zu diskutieren begann, war Phaiax dabei. Seine Meinung hatte er sich bald gebildet: Der Fremde wollte neue Götter verkünden. Eine Botschaft über neue Götter hielt Phaiax für unnötig. Die Götter interessierten ihn nicht mehr. Doch er war einverstanden: Der Jude aus dem Osten sollte die Möglichkeit bekommen, seine Lehre in Ruhe vorzutragen. Auch Phaiax saß an diesem Abend unter den Zuhörern von Paulus, neben ihm sein Freund, der Baumeister.

Paulus begann seine Rede mit dem Hinweis auf einen Altar in der Stadt, auf dem er die Inschrift »einem unbekannten Gott« gelesen hatte. Er behauptete, daß er den Athenern verkünden werde, wen sie bisher verehrt hätten, ohne ihn zu kennen. Phaiax bemerkte zu seinem Freund:

»Ein fetter Wurm am Angelhaken! Der Mann will Fische fangen. Paß nur auf, daß er dir nicht deine frühere Angst vor den Göttern wieder beibringt.«

Der Redner sprach dann von einem einzigen Gott, der die Welt erschaffen hat und der in allen Lebewesen wirkt. Phaiax fand, daß Epikur mit seiner Lehre von den Atomen die Welt und das, was in ihr sich bewegt, einleuchtender erklärt habe. Als Paulus dann von einem Mann sprach, den Gott als seinen Boten zu den Menschen gesandt habe, wurde der Widerwille in Phaiax gegen diesen Juden stärker. Als am Schluß der Rede behauptet wurde, Gott habe diesen Mann von den Toten auferweckt und zum Richter der Menschen gemacht, hatte Phaiax genug von diesem Unsinn aus dem Osten. Er stand auf und spöttelte:

»Meinst du eigentlich, du seist hier in einem Wettstreit der Märchenerzähler?«

Manche Zuhörer lachten beifällig. Der Baumeister war froh, daß sein Freund so sicher über die neue Lehre geurteilt hatte. Denn als Paulus vom kommenden Richter sprach, hatte er sich gefragt, ob es nach dem Tode nicht doch so etwas wie ein Gericht gäbe.

»Was will denn dieser Schwätzer?« (Telamon)

Schon vor Jahren war es geschehen, daß an einem wolkenlosen Vormittag das Licht der Sonne immer schwächer wurde und die Dämmerung anbrach. Die Hunde verkrochen sich, die Vögel flatterten unruhig hin und her. Die Bewohner der Stadt fragten aufgeregt und voll Angst: »Was soll das bedeuten?« Wer blinzelnd in die Sonne blickte, bemerkte, daß ein halbkreisförmiger Teil der Scheibe wie weggebrochen war. Einige erinnerten sich an die Geschichte von einem Ungeheuer, das die Sonne aufgefressen habe. Andere meinten, jetzt gehe die Welt unter. Sie eilten in die Tempel und flehten zu den Göttern um Rettung. Zwei Stunden später war der Spuk vorüber. Die Sonne schien, als ob sie nie etwas anderes getan hätte.

Telamon spottete über die Angst seiner Mitbürger. Für ihn und die andern gebildeten Athener war die Sonnenfinsternis ein natürlicher Vorgang. Das konnten sie erklären. Telamon wußte auch noch, wie man das Eintreten der Sonnenfinsternis und ihre Dauer im voraus berechnet. Er hatte die Bewegungen der Himmelskörper studiert. In seiner Werkstatt stellte er die Instrumente her, mit denen auf hoher See der Stand der Sterne gemessen wird, und berechnete die Tabellen, auf denen abzulesen ist, wo sich das Schiff befindet, wenn ringsum kein Land in Sicht ist.

Telamon war Naturforscher. Für ihn war die ganze Welt aus Atomen gebaut. Alles, was geschah, verlief nach berechenbaren Naturgesetzen. In der Welt von Telamon gab es keinen Platz für Götter. Nach seiner Meinung waren Götter nichts anderes als das Erzeugnis der Angst von Menschen. Das wurde für ihn durch das Verhalten der Mitbürger während der Sonnenfinsternis bestätigt.

Er wußte noch ein Beispiel, wie Angst und Not der Menschen die Verehrung eines Gottes verursacht: Einst wurde die Stadt von einer Dürre heimgesucht. Gebete und Opfer zu den Göttern nützten nichts. Da dachte man, ein in der Stadt bisher unbekannter Gott habe die Dürre geschickt. Man baute für ihn einen Altar mit der Inschrift »einem unbekannten Gott« und opferte darauf Tiere. Der ersehnte Regen kam. Seither wurden diesem Gott regelmäßig Opfer dargebracht. Sein Altar stand an der Straße zum Marktplatz.

Wenn Telamon Zeit hatte, nahm er an den Gesprächen im Philosophenklub teil. Er war mit den anderen oft nicht einverstanden. Was sie für wahr hielten, bezeichnete er als Aberglauben.

Er war an jenem Tag dabei, als Paulus sich in die Diskussion der Philosophen einmischte. Als erster stellte er dem Fremden kritische Fragen. Als er keine Antworten bekam, die seinen Verstand befriedigten, fand er, ein weiteres Gespräch mit diesem Mann lohne sich nicht. »Was will denn dieser Schwätzer?«

Dieser Zwischenruf auf dem Marktplatz könnte von Telamon stammen.

Am Abend auf dem Gerichtshügel war Telamon dann doch dabei. War er doch ein wenig neugierig? Tatsächlich, mit der Einleitung bewies Paulus, daß er etwas von Redekunst verstand. Zuerst machte er den Zuhörern Komplimente: »Athener, nach allem, was ich sehe, seid ihr besonders religiöse Menschen.« Dann knüpfte er an den Altar mit der Inschrift »einem unbekannten Gott« an und versprach den Zuhörern, ihnen diesen unbekannten Gott näher zu bringen.

Ein raffinierter Trick des Redners, fand Telamon. So weckte man die Neugierde des Publikums!

Was er jedoch über diesen unbekannten Gott verkündete, das waren nach der Meinung Telamons leere, unbeweisbare Behauptungen. Schließlich erzählte Paulus noch von einem Mann, den Gott auf die Erde geschickt habe. Der Gottesbote sei getötet worden, und Gott habe ihn vom Tode auferweckt.

Jetzt stieg der Ärger in Telamon auf den Siedepunkt:

»Das ist alles Unsinn! Daß ein Toter aufersteht, das widerspricht den Naturgesetzen. Das ist so absurd, wie wenn einer behauptete, er könne auf den Mond fliegen und heil wieder auf die Erde zurückkehren.«

Telamon erhob sich und ging nach Hause, ohne sich von den andern zu verabschieden.

...den Erdkreis richten durch einen Mann (Dionysius)

Der Tatbestand war klar: Der Täter war in die Schatzkammer des Landhauses eingebrochen und wollte sie ausräumen. Der Besitzer hörte ein Geräusch, eilte mit gezogenem Schwert herbei. Aber der Einbrecher war schneller. Er hob mit der Linken und mit dem Armstummel auf der anderen Seite einen tönernen Mischkrug auf, der am Boden stand, und schleuderte ihn mit aller Kraft dem Besitzer an den Kopf. Dieser starb sofort an einem Schädelbruch. Inzwischen waren die Sklaven herbeigeeilt. Sie überwältigten den Täter und übergaben ihn den Behörden. Der Täter war geständig. Dem Richter Dionysius blieb nur übrig, das Todesurteil zu fällen und mit seinem Siegel zu bekräftigen. Warum zögerte er?

Es war nicht das erste Mal, daß er Skrupel hatte, bevor er ein Urteil sprechen mußte. Doch so schwer wie diesmal war ihm sein Amt noch nie vorgekommen. War es das Mitleid mit dem Täter? Ein armer Schlucker, Bauarbeiter, mehrmals verunfallt, das letzte Mal vor fünf Jahren, als ein herabfallender Balken seine rechte Hand zertrümmerte. Seither arbeitslos. Dabei hatte er fünf hungrige Kinder zu ernähren. Der Mann wollte durch den Einbruch mit einem Schlag die Not seiner Familie wenden. Das war nachfühlbar.

Warum stand aber nur er als Angeklagter vor dem Richter? Warum nicht die vermögenden Bürger, die sich um den Hunger in dieser Familie nicht gekümmert haben? Warum nicht die Stadtväter, die keine Vorsorge getroffen haben für Familienväter, die durch einen Unfall arbeitsunfähig werden? Warum nicht er, Dionysius, der Richter, der nichts von der Not dieses Mannes in der gleichen Stadt gewußt hatte? –

Freilich, der Totschlag mußte bestraft werden. Man konnte ihn nicht als Notwehr entschuldigen. Woher kam denn der Widerspruch gegen die Verurteilung, die der Richter in sich spürte? Waren es die äußeren Ähnlichkeiten zwischen ihm und dem Täter? Der Mann hieß zufällig auch Dionysius. Doch das war kein seltener Name. Der Richter hatte in den Akten bemerkt, daß sie beide im gleichen Jahr unter dem gleichen Sternzeichen der Zwillinge geboren waren. Und er, der Richter, hatte wie der Täter eine Familie mit fünf Kindern. Es war wie ein innerer Zwang: Der Richter mußte sich vorstellen, daß er dieser Bauarbeiter wäre, mit einem Armstummel, anstatt einer arbeitsfähigen Hand, daß er den Einbruch und den Totschlag begangen hätte, daß er ein gerechtes Urteil von einem Richter erwartete.

Doch was war in diesem Fall ein gerechtes Urteil? Dionysius hatte einmal den Ausspruch eines Philosophen gehört: »Gerechtigkeit heißt, jedem das Seine geben.« Ein weises Wort! Aber wie soll der Richter Dionysius es gegenüber dem Totschläger Dionysius anwenden? Soll er ihn, der ein Menschenleben auf dem Gewissen hat, mit dem Tod bestrafen? Ist die Hinrichtung »das Seinige«? Oder meint »das Seine geben« in diesem Fall: die Notlage des Familienvaters berücksichtigen, mildernde Umstände gelten lassen?

Es blieb schließlich nichts anderes übrig: Dionysius siegelte mit traurigem Herzen das Todesurteil. Die anderen Stadtrichter hätten ein milderes Urteil doch rückgängig gemacht. Doch die Frage blieb für ihn bestehen: Wie verwirklichen wir die wahre Gerechtigkeit? Diese Frage, die ihn schon lange umtrieb, war der Grund, daß er dem Klub der Philosophen beigetreten war. In den Gesprächen mit ihnen hoffte er eine Antwort zu finden. Doch die anderen interessierten sich für diese Frage nur wenig. Der freundliche Epikur-Schüler Phaiax fand, die Frage »Wie werde ich glücklich?« und die Frage: »Was gehört zur wahren Freundschaft?« seien wichtiger. Wenn Dionysius ihnen heute den Fall dieses Familienvaters vorlegte, würden sie vielleicht die Bedeutung der Frage nach der Gerechtigkeit begreifen.

Doch an diesem Nachmittag diskutierten sie in der Halle beim Marktplatz mit einem Juden aus dem Osten über Fragen der Religion, und diese interessierten den Richter nicht sonderlich. Er hörte nur mit halbem Ohr zu. Als vorgeschlagen wurde, der Fremde solle seine Lehre am Abend in Ruhe vortragen, bot er an, daß die Versammlung auf dem Hügel des

Gerichts stattfinden könne. Für diese Erlaubnis war er zuständig. Die andern waren einverstanden. So war auch der Richter am Abend auf dem Gerichtsplatz anwesend.

Was der Fremde im ersten Teil seiner Rede zu sagen hatte, fand Dionysius nicht aufregend, jedenfalls nicht neu. Auch einige Freunde im Klub vertraten diese Idee von einem einzigen Gott, der die ganze Welt geschaffen hat. Als Paulus aber im zweien Teil von dem Mann erzählte, den Gott gesandt hat, um den Menschen seine Gerechtigkeit zu bringen, horchte Dionysius auf. Als Paulus dann erzählte, wie dieser Bote Gottes als Angeklagter von Menschen zum Tode verurteilt und nach dem Tode von Gott auferweckt und zum Richter über alle Menschen eingesetzt wurde, war Dionysius ganz dabei. Diese Geschichte enthielt ja eine neue Antwort auf seine Frage: Gerechtigkeit – nicht ein Werk, das menschliche Richter, wenn sie sich abmühen, schaffen können, sondern eine Gabe, die ein Bote Gottes bringt. Gerechtigkeit als Werk eines Richters, der selber zuerst Angeklagter war und zum Tod verurteilt wurde und der so die Kluft überbrückt zwischen dem Angeklagten und seinem Richter, die beide Menschen sind.

Auch Dionysius stand nach der Rede bei dem Grüpplein von Menschen, die noch mehr über die Lehre von Paulus hören wollten. Diese Lehre konnte ihm, so hoffte Dionysius, vielleicht helfen, sein schweres Richteramt so auszuüben, daß dadurch die Gerechtigkeit unter den Menschen verwirklicht wird.

CHRISTOF BÄUMLER

PRAKTISCH-THEOLOGISCHE ANMERKUNGEN ZUM VERHÄLTNIS VON BIOGRAPHIE UND VERKÜNDIGUNG IN GRABREDEN

Exemplarisch dargestellt an zwei Nachrufen von Helmut Gollwitzer.[*]

1. Zu den wenigen praktisch-theologischen Regeln, die uns während des Theologiestudiums vermittelt wurden, gehörte die der strikten Trennung von Biographie und Verkündigung in Grabreden. Ein von den Angehörigen verfaßter Lebenslauf konnte verlesen werden; die Ansprache aber sollte nicht die Person des verstorbenen Menschen würdigen, sondern das Evangelium verkündigen und darin Gott als den Herrn über Leben und Tod preisen.[1] Nach der »Agende für die Evangelisch-Lutherische Kirche in Bayern« geht die gottesdienstliche Handlung am Grabe im allgemeinen in folgender Weise vor sich:

> »Votum – Lektion und Ermahnung oder freie Rede im Anschlusse an einen Bibeltext – Verlesung des Lebenslaufes – Gebet und Vaterunser – Einsegnung – Segen.«[2]

In der VELKD-Agende von 1964 findet sich der Vermerk, daß da, wo es üblich ist, der Lebenslauf zwischen der Schriftlesung und der Predigt bzw. der Vermahnung verlesen wird.[3]

Bei solcher Trennung von Lebenslauf und Grabrede müssen biographische Elemente in Beerdigungsansprachen als regelwidrig gelten.

> »Beerdigung im christlichen Sinne ist nichts anderes als Wortverkündigung aus Anlaß des Todes eines Gliedes der Gemeinde. Eine andere Funktion als diese hat der Pfarrer auch bei der Beerdigung nicht.«[4]

2. Das ist völlig anders, wenn die Amtshandlung der Bestattung im Zusammenhang einer funktionalen Theorie kirchlichen Handelns reflektiert wird. In dieser Sicht bündeln sich die Berufsrollen des Pfarrers im Umgang mit den Toten: Der Seelsorger hilft den Trauernden bei der Rekonstruktion der Lebensgeschichte des Verstorbenen. Zugleich zelebriert er das Ritual der Bestattung, indem das subjektive Erleben des Todes verallgemeinert wird. »In der Bestattungsrede schließlich tritt der Pfarrer als homiletischer Interpret christlichen Glaubens im Spiegel einer subjektiven Lebensgeschichte auf«.[5]

Hier ist nicht die Amtshandlung der konkrete Anwendungsfall des Verkündigungsauftrags, sondern ein exemplarisches Paradigma des Lebenszusammenhangs kirchlicher Praxis, in welchem in Kontext von Gespräch und Ritual die Rede als Interpretation christlichen Glaubens, bezogen auf die Biographie des Verstorbenen, ihren unverzichtbaren Platz hat.

3. Wird im ersten Falle die Biographie des verstorbenen Menschen im üblicherweise verlesenen Lebenslauf rekonstruiert, so geschieht dies im zweiten Fall »nicht allein durch ihre handlungsmäßig objektivierte Umrahmung (Kasualhandlung), sondern darüber hinaus auch durch die subjektive Internalisierung und Aneignung des in ihr enthaltenen Angebots der Sinninterpretation (Kasualpredigt)«[6].

Das heißt für die Bestattungsrede, daß in ihr nicht nur biographische Elemente notwendigerweise enthalten sein müßten; vielmehr ist die Lebensgeschichte des verstorbenen Individuums in der Perspektive christlichen Glaubens zu rekonstruieren.

Es leuchtet zunächst unmittelbar ein, daß der Zusammenhang einer menschlichen Biographie am Ende eines Lebens sichtbar wird:

> »Man müßte das Ende eines Lebenslaufes abwarten und könnte in der Todesstunde erst das Ganze überschauen, von dem aus die Beziehung seiner Teile feststellbar wäre.«[7]

Dennoch ist die Frage bedenkenswert, die Jürgen Moltmann an diese Feststellung von Wilhelm Dilthey richtet:

> »Es ist aber fraglich, ob die Todesstunde dieses Ende ist, in dem ein Leben vollendet wird und als Ganzes überschaubar wird. Denn *das Ganze* des Lebens ist mehr als die Summe seiner Teile und Zeitabschnitte, es ist das Ganze, für das dieses Leben geführt wurde und von dem her es seinen Sinn bekam.«[8]

Auch wo der Tod am Ende eines langen, erfüllten Lebens eintritt, ist er nicht nur Vollendung, sondern zugleich Abbruch. Das »Ganze« des Lebens, für das und von dem her Menschen leben, ist demnach keine menschliche Qualität, sondern im Grunde ein anderer Name für Gott. Der »Wunsch, ganz zu sein« (Dorothee Sölle) drückt in Form eines Optativs die Wahrheit aus, die Augustin einst so formulierte: »Fecisti nos ad te et inquietum est cor nostrum, donec requiescat in te.«[9]

Der Wunsch scheint unerfüllbar, die Wahrheit ist verstellt, solange Menschen in der Attitüde unmittelbarer Selbstdurchsetzung als Konstrukteure und Produzenten ihrer eigenen Biographien auftreten. Dieser Umstand macht übrigens auch, wie mir scheint, die Lektüre mancher gedruckten Biographie insgesamt oder doch passagenweise ärgerlich bis schwer erträglich.

Es ist fraglich, ob in der Todesstunde ein menschliches Leben als Ganzes überschaubar wird. Vieles bleibt unerklärbar und manches Geheimnis wird mit ins Grab genommen. Darüber hinaus wäre grundsätzlich zu fragen, ob »das Ganze« eine dem menschlichen Leben angemessene Kategorie ist. Diese Frage hat neuerdings mit vollem Recht und auf eindrucksvolle Weise Henning Luther an eine bestimmte Version des Identitätsbegriffs gerichtet[10], in der dieser so gefaßt ist, als ginge es darum, im Laufe des Bildungsprozesses zu einer »*vollständigen, ganzen und integrierten* Identität[11]« zu gelangen. Dagegen wendet er ein: »Die nicht vorhersehbare und planbare Endlichkeit des Lebens, die jeder Tod markiert, läßt Leben *immer* zum Bruchstück werden.«[12]

4. Die Rekonstruktion einer Lebensgeschichte in der Grabrede wird demnach ein fragmentarisches Leben darstellen und sich gerade vor Harmonisierungsversuchen hüten müssen. Das kann nur da gelingen, wo der Prediger/die Predigerin nicht versucht, aus den Fragmenten einen Sinn zu erschließen, sondern die rekonstruierte fragmentarische Lebensgeschichte des verstorbenen Menschen als Spiegel für die heilsame Wahrheit evangelischer Verheißung begreift. Denn nicht nur die »Selbstauslegung der Lebenswelt im Spiegel des Todes«[13], sondern die Interpretation der Botschaft von der Auferstehung der Toten im Spiegel einer rekonstruierten fragmentarischen Lebensgeschichte ist die Aufgabe der Bestattungspredigt. Erst dann nämlich steht sie »den anderen Veranschaulichungen der Grenzerfahrung gegenüber und macht die im Ablauf der Bestattung verallgemeinerten Umgangsweisen mit Leben und Tod prinzipiell fragwürdig... reflektiert (sie) die Reflexion«[14].

Dabei ist zu beachten, daß sich der neuzeitliche »Prozeß der Vergeschichtlichung und der Individualisierung von Leben und Tod«[15] im gesellschaftlichen Kontext vollzieht, von dem die Bestattungspredigt nicht abstrahieren darf. Denn die fragmentarischen Lebensgeschichten verlaufen immer in der dialektischen Vermittlung von Individualität und Sozialität. Die »Unverwechselbarkeit eines Geschöpfes Gottes«[16] wird so keineswegs nivelliert, sondern es wird das unverwechselbare Subjekt sowohl im geschichtlichen Zusammenhang als auch im gesellschaftlichen Kontext wahrgenommen. Wolfgang Steck hat überzeugend dargelegt: »Das Charakteristikum der reformatorischen Grabpredigt besteht gerade in der untrennbaren Einheit von Glaubenslehre, Verkündigung und Biographie.«[17]

Was bedeutet das für Grabreden, wenn bei der Biographie die Dialektik von Individualität und Sozialität zu berücksichtigen ist? M. E. ist diese Frage so zu beantworten: Die Verkündigung des Evangeliums in der Grabrede ist in der christlichen Überlieferungsgeschichte zu verankern und auf die Lebensgeschichte des verstorbenen Individuums im Kontext der Zeitgeschichte und ihrer gesellschaftlichen Bedingung zu beziehen.

5. Im folgenden will ich diese Hypothese am Beispiel von zwei Nachrufen überprüfen, die Helmut Gollwitzer beim Tode von Elly Heuss-Knapp und von Ulrike Meinhof gehalten hat.[18]

Die beiden Grabreden sind gewiß in mehrfacher Hinsicht »a-typisch«: Die beiden Frauen waren, wenn auch auf extrem unterschiedliche Weise, bekannte Personen der Zeitgeschichte. Helmut Gollwitzer ist ebenfalls weit über seinen Wirkungskreis als Professor für Systematische Theologie in Bonn und Berlin hinaus bekannt. Auch sind die beiden Reden nicht im unmittelbaren Kontext einer kirchlichen Bestattung gehalten worden.

Gollwitzer sprach am 23. Juli 1952 in dem Abschiedsgottesdienst von Elly Heuss-Knapp in der Bonner Lutherkirche[19] und am 16. Mai 1976 auf ausdrücklichen Wunsch der Freundesgruppe, die die Beerdigung vorbereitete, als jemand »der in irgendeiner Weise mit Ulrike Meinhof verbunden war und der zugleich als Christ sprechen konnte«[20] bei der Bestattung von Ulrike Meinhof auf dem evangelischen Friedhof der Dreifaltigkeitsgemeinde in Westberlin.[21]

Dennoch scheint mir eine Diskussion der aufgestellten Hypothese anhand dieser beiden Nachrufe auch für die Grabpredigt in alltäglichen Situationen aufschlußreich zu sein.

6. Den Nachruf für Elly Heuss-Knapp beginnt Helmut Gollwitzer mit dem Zitat von Psalm 17, 15: »Ich aber will schauen Dein Antlitz in Gerechtigkeit; ich will satt werden, wenn ich erwache, an Deinem Bilde.«[22] In einem Exemplar des Neuen Testamentes und der Psalmen, »das unsere liebe Heimgegangene während der letzten Jahrzehnte benutzt hat«[23], sei dieser Vers, wie viele andere, unterstrichen. Die mit Randbemerkungen und Unterstreichungen auf beinahe jeder Seite versehene Ausgabe ihres Neuen Testaments sei das »Dokument eines reichen Menschenlebens«[24].

Elly Heuss-Knapp schrieb am 31. Januar 1923 an ihren Vater Georg-Friedrich Knapp, sie befinde sich gerade in ihrer dritten Bibelepoche.[25] Die erste erlebte sie als Konfirmandin bei einem Pfarrer, »Rationalist von reinstem Wasser«[26]: »Aber im Unterricht lehrte er uns wirklich, die Bibel zu lesen, und zwar mit dem Bleistift in der Hand. Das danke ich ihm heute noch.«[27] Die zweite Bibelepoche war vor dem Lehrerinnenexamen; damals las sie den ganzen Römerbrief. In der dritten studierte sie die beiden Korintherbriefe und das Johannesevangelium in der neuen, von Bousset herausgegebenen und mit Erklärungen versehenen Übersetzung. Dabei sei ihr klar geworden, welchen Weg die Theologie in den letzten Jahrzehnten zurückgelegt habe. »Man will wieder das Licht spiegeln und weiterstrahlen. Aber ohne die kritische Arbeit von Holtzmann und Harnack wäre die heutige Einstellung unmöglich.«[28]

Gollwitzer wählte Psalm 17, 15, weil er »ausblickt auf die obere Welt«[29]. Dieser Blick habe die Heimgegangene nicht nur in den letzten Wochen ihres Lebens bestimmt. Ihre elsässischen Jugenderinnerungen von 1934 schließen mit dem Blick auf die Kreuzblume des Straßburger Münsterturms, »das Wahrzeichen für die unverlierbare Heimat«[30]. Psalm 17, 15 könne »ein Mensch nur sagen auf Grund von Zusage«[31]. Der Psalmist hofft, den Gott zu schauen, mit dem er hier schon verbunden war.

»Weil sein Antlitz hier schon sichtbar geworden ist, *darum* wissen wir, daß der Tod nicht das Ende, nicht das letzte Wort über unsere Existenz ist, sondern daß Er der Herr auch des Todes ist und daß der Tod uns nicht aus Seinen Händen reißen kann. Wir sprechen damit von dem Ereignis, das Jesus Christus heißt.«[32]

In ihrem Neuen Testament habe Frau Heuss einmal einen Abendmahlsgang vermerkt und an den Rand 1. Mose 32, 31 geschrieben: »Ich habe Gott von Angesicht gesehen, und meine Seele ist genesen.«

»Hier traten wir als Sünder zum Altar, um Sein Angesicht in der Verhüllung zu schauen, dort werden wir in Gerechtigkeit Ihn schauen ohne Ende, reines, d. h. gereinigten Herzens, wie es in den Seligpreisungen der Bergpredigt verheißen ist.«[33] Die Heimgegangene habe als Glied der Gemeinde Jesu Christi gelebt, sei in mancherlei Weise in ihr tätig gewesen: »...als Lehrerin am Religionspädagogischen Institut und an unserer Dahlemer Bibelschule, als Glied der Gemeinde ihres Freundes Dibelius am Heilsbronnen in Berlin«[34].

Seit 1926 unterrichtete Elly Heuss-Knapp in Berlin-Dahlem am Burckhardthaus. Bereits im Juli 1933 endete dort ihre Mitarbeit auf Grund der Denunziation durch eine Schülerin. Am 24. August 1933 teilt sie ihrer Schwester Marianne Lesser-Knapp mit:
»Unterricht fehlt mir wie ein abgeschnittenes Bein. Üble Denunziantin! Hysterische Schülerin, die immer neue Bewunderungserklärungen machte, hat an drei Stellen Angaben gegen die ganze Schule und mich im besonderen gemacht.«[35]

Über ihre Teilnahme am Gemeindeleben schreibt sie am 5. Juli 1937 an ihren Mann Theodor Heuss: »Gestern waren wir alle, inklusive Nachbarhaus, bei Dibelius. Es war eine glänzende Rede, handelte nur von Paulus, der gefangensaß und dabei schrieb, daß das Wort Gottes nicht gebunden werden kann. Wenn auch er, der es verkündigt.

Beim Ausgang lagen Listen auf, ich habe auch unterschrieben. Sehr gut formulierte Erklärung, man habe seit langem die Predigten von Niemöller verfolgt, er habe nur das Evangelium ausgelegt und habe Vaterlandsliebe bewiesen. Bartning forderte zu Unterschriften auf. Heut abend hält Dibelius die Katechismusstunde. Jeden Abend sind in der Annenkirche Fürbitte-Feiern...«.[36]

Im November 1938 teilt sie Toni Stolper aus der Schweiz mit: »Übrigens hat er (sc. Martin Niemöller) einen geradezu fabelhaften Nachfolger (Helmut Gollwitzer), und wenn ich nicht aus Verfolgungswahn auch von hier aus schwere Hemmungen hätte, würde ich Euch gerne etwas davon wiedergeben, was er vor einigen Tagen auf der Kanzel gesagt hat.«[37]

Die Grenzen der Gemeinde Jesu Christi, so fährt Gollwitzer dann fort, fielen für Elly Heuss-Knapp nicht mit den Grenzen einer Konfession zusammen.

In der Tat stand sie den Berneuchern nahe und war für einen benediktinischen Katholizismus sehr aufgeschlossen.[38]

Aus dieser Gliedschaft in der Gemeinde Jesu Christi erwuchs ihr der Antrieb zur Mitarbeit in der Frauenbewegung, in der sozialen Arbeit und im »Mütter-Genesungswerk«.

»Die sehr verschiedenartigen Ausprägungen des Christentums, die ihr in ihrem Leben bestimmend begegnet sind, und die in ihrer Weite durch Namen wie Albert Schweitzer, Friedrich Naumann und Vinzenz von St. Paul, ihrem Lieblingsheiligen, gekennzeichnet sind, haben das Gemeinsame, daß sie alle das Christentum als einen Ruf und eine Ausrüstung zum Dienst an anderen Menschen, zum Nothelferdienst am leidenden Menschen verstehen.«[39]

Dies alles läßt sich in den Briefen von Elly Heuss-Knapp im einzelnen nachlesen. Albert Schweitzer, den sie seit ihrer Straßburger Zeit kannte[40], hat sie getraut; Gollwitzer geht darauf ein.[41] Als Trauspruch nahm er statt 1 Kor 4, 20, den Elly Heuss-Knapp vorgeschlagen hatte[42], das Wort aus der Bergpredigt: »Ihr seid das Salz der Erde.« (Mt 5, 13)[43]

Ein Schrecken wegen dieses anspruchsvollen Wortes habe sie damals durchfahren, führt Gollwitzer, direkt an den Bundespräsidenten gewandt, aus und zeigt dann, daß es sich um eine Zusage, eine Verheißung handelt.[44]

Zum 60. Geburtstag Albert Schweitzers veröffentlichte Elly-Heuss-Knapp in der Zeitschrift »Die Hilfe« einen offenen Brief, in dem sie ihn würdigt und ihm dankt.[45]

»Die Hilfe«, zeitweilig herausgegeben von Friedrich Naumann, hält sie sich, »fast noch ein Kind«, von ihrem ersten Taschengeld.[46] 1904 lernt sie Naumann persönlich kennen.[47] Vor allem seinetwegen geht sie zum Studium nach Berlin; bei ihm lernt sie ihren späteren Mann Theodor Heuss kennen, der damals Redakteur der Zeitschrift »Die Hilfe« war. 1906 zeigt sie Naumann eine Ausstellung über Heimarbeit, bei deren Vorbereitung sie mitgeholfen hat.[48]

Die Verbindung mit Naumann geht nach der Heirat mit Theodor Heuss weiter. Am 12. Juli 1912 schreibt ihr Friedrich Naumann in einem Brief: »Sie sind ein Stück Frauenbewegung und ein Muster für andere«[49]. Im Mai 1920, bereits nach dem Tode von Friedrich Naumann im Jahre 1919, kandidiert sie für die Deutsche Demokratische Partei zum Reichstag, setzt sich in Wahlversammlungen voll ein, wird jedoch nicht gewählt.

Nachdem Theodor Heuss im Mai 1933 aus der Hochschule für Politik in Berlin ausscheiden mußte, verdient Elly Heuss-Knapp durch Rundfunk und Filmwerbung für eine Reihe von Firmen den Lebensunterhalt für ihre Familie, ermöglichte Theodor Heuss die Fertigstellung seiner Naumann-Biographie[50] und ihrem Sohn das Jurastudium.

Gollwitzer hat in seinem Nachruf weniger die politische Dimension im Leben von Elly Heuss-Knapp hervorgehoben als vielmehr die sozialdiakonische. Politik und Sozialarbeit erscheinen jedoch in den biographischen Dokumenten zum Leben von Elly Heuss-Knapp als eine Einheit.

Gollwitzer verbindet mit dem bereits erwähnten Hinweis auf den Trauspruch Mt 5, 13 die Feststellung, Gott habe sich des Ehepaares Heuss bedient, »um die Erde mit euch zu salzen«[51]. Das Vertrauen vieler Menschen habe sich »in unserem vom Mißtrauen zerrissenen Volk« den beiden zugewendet und sei ein »wichtiger Faktor in unserem neuen Staatswesen geworden«[52].

Elly Heuss-Knapp habe an der Seite des Bundespräsidenten Tradition und Vorwärtsschreiten, öffentliches Wirken und vertraute Freundschaft, Reichtum des Geistes und des Gemütes verbunden. Gollwitzer redet die Trauerversammlung als »Menschen, die zum großen Teil in irgendeinem Sinn einen Namen haben, an hervorgehobener, verantwortungsvoller und oft auch beneideter Stelle stehen«[53] darauf an, daß sie angesichts des Todes sich daran erinnern sollten, daß sie »doch nichts anderes sind als Menschen, d. h. sehr arme, sehr ohnmächtige, sehr hilflose Kreaturen«[54].

In dieser Lage könne uns nur der dreieinige Gott selbst, der sich mit unserem Leben verbindet, zu getrosten, tapferen Menschen machen. Gollwitzer zitiert noch eine Randbemerkung von Elly Heuss-Knapp zu Eph 5, 16: »Segen der bösen Zeit: sie braucht ganze Menschen. Sie stellt uns ganz auf das Vertrauen – auf die Liebe – auf das Gebet. Sie lehrt uns stille sein!«[55]

Insgesamt bewährt sich die aufgestellte Hypothese bei der Analyse dieser Rede:

a) Die tröstende und befreiende Perspektive des Evangeliums zieht sich durch die ganze Rede hindurch.

b) Die Verankerung in der christlichen Überlieferungsgeschichte wird durch ein dichtes Geflecht alttestamentlicher und neutestamentlicher Aussagen gewährleistet. Sie ist insofern bereits mit der Biographie der Verstorbenen verflochten, als die Rede ihren Bibelgebrauch von Anfang an thematisiert und am Ende ausdrücklich noch einmal aufnimmt. Sie erscheint somit in dieser Rekonstruktion ihrer Lebensgeschichte selbst als verantwortlich an der christlichen Überlieferungsgeschichte teilnehmende Person.

c) Der Mensch Elly Heuss-Knapp bekommt durch die andeutende Rekonstruktion der Lebensgeschichte klare Konturen. Der zeitgeschichtliche und gesellschaftliche Kontext wird ausdrücklich erwähnt, tritt gegenüber der Individualität der Verstorbenen jedoch in den Hintergrund.

7. Ulrike Meinhof wurde am 9. Mai 1976 in der Zelle 719 der Justiz-Vollzugsanstalt Stuttgart-Stammheim erhängt aufgefunden.[56]

»Am 16. Mai wurde Ulrike Meinhof in Berlin zu Grabe getragen. Über 4000 Menschen folgten ihrem Sarg zum evangelischen Friedhof der Dreifaltigkeitsgemeinde im Westberliner Stadtteil Mariendorf. Viele hatten ihre Gesichter weiß geschminkt, manche hatten sich vermummt. Auf Transparenten stand: ›Wir tragen Trauer und Wut, die wir nicht verlieren‹ und ›Ulrike Meinhof, wir werden Dich rächen‹. Der Berliner Verleger Klaus Wagenbach sprach am Grab über Ulrike Meinhofs Engagement in der Anti-Atomtod-Kampagne, vom Protest gegen die Große Koalition, vom Vietnam-Krieg, der für eine ganze Generation zum Schlüsselerlebnis geworden war, über die später von ihr selbst als wirkungslos empfundene journalistische Arbeit, schließlich vom Schritt in den Untergrund, auch als Antwort auf die ›deutschen Verhältnisse‹ in denen alles bereits als extremistisch verurteilt werde, was auch nur Bestehendes in Frage stelle.«[57]

In seinem Nachruf auf Ulrike Meinhof[58] stellt Helmut Gollwitzer zunächst fest, er sei aufgefordert worden, als Christ an dem Grab von Ulrike Meinhof zu sprechen. Nachdem politische Gesichtspunkte zu ihrem Sterben deutlich gemacht worden seien, wolle er das sagen, »was mir an diesem Grabe das Wichtigste ist«[59]. Bei gleichem Ziel »der Befreiung der Menschen von Unterdrückung und Ausbeutung«[60] habe Ulrike Meinhof seine Haltung entschieden abgelehnt, und ebenso habe er ihren Weg abgelehnt.

Die Einleitung zum Abdruck seines Nachrufs beginnt Gollwitzer mit folgenden Sätzen: »Wir hatten uns im Januar 1959 bei einem studentischen Kongreß gegen die Atombewaffnung der Bundeswehr in Berlin kennengelernt und waren seitdem in loser Fühlung geblieben, bis sie mit ihren Freunden von der ›Roten Armee-Fraktion‹ in den Untergrund ging. Im August 1973 konnte ich sie im Gefängnis Köln-Ossendorf zu einem längeren Gespräch besuchen.«[61] In dem Studentenkongreß gegen Atom-Rüstung am 3./4. Jan. 1959 in Westberlin standen sich vor allem zwei Fraktionen gegenüber: »... die Studenten der offiziellen Parteilinie der SPD und die ›konkret‹-Gruppe im SDS, in den heftigen Diskussionsschlachten durch Ulrike Meinhof vertreten«[62]. 1960 wird Ulrike Meinhof Chefredakteurin bei »konkret«, 1961 heiratet sie Klaus Rainer Röhl. 1962 bringt sie die Zwillinge Bettina und Regine zur Welt und muß sich anschließend einer Gehirnoperation unterziehen; ein Hämatom wird abgeklemmt. Renate Riemeck versorgt während des drei Monate dauernden Klinikaufenthaltes der Mutter die Zwillinge.[63] 1967 kauft Ulrike Meinhof zusammen mit Klaus Rainer Röhl eine Jugendstilvilla in Hamburg-Blankenese, richtet sie mit altdeutschen Möbeln und Antiquitäten ein. Den Sommerurlaub verbringt sie mit der Familie in Kampen auf Sylt. In der folgenden Tagebuchnotierung analysiert sie ihre eigene Situation: »Das Verhältnis zu Klaus, die Aufnahme ins Establishment, die Zusammenarbeit mit den Studenten – dreierlei, was lebensmäßig unvereinbar erscheint, zerrt an mir, reißt an mir. Das Haus, die Parties, Kampen, das alles macht mir nur partiell Spaß, ist aber neben anderem meine Basis, subversives Element zu sein. Fernsehauftritte, Kontakte, Beachtung zu haben, gehört zu meinem Beruf als Journalistin und Sozialist, verschafft mir Gehör über Funk und Fernsehen über ›konkret‹

hinaus. Menschlichkeit ist sogar erfreulich, deckt aber nicht mein Bedürfnis nach Wärme, nach Solidarität, nach Gruppenzugehörigkeit. Die Rolle, die mir dort Einsicht verschaffte, entspricht meinem Wesen und meinen Bedürfnissen nur sehr partiell, weil sie meine Gesinnung als Kasperle-Gesinnung vereinnahmt, mich zwingend, Dinge lächelnd zu sagen, die mir ernst, uns allen, bluternst sind: also grinsend, also maskenhaft.«[64]

Anfang 1968 Scheidung von Klaus Rainer Röhl, 1969 Beendigung der Mitarbeit bei »konkret«, 1970 Arbeit an einem Film über Fürsorgeerziehung[65], der nie gesendet wird. Am 14. Mai 1970 war Ulrike Meinhof an der gewaltsamen Befreiung von Andreas Baader aus dem Institut für Soziale Fragen in Berlin-Dahlem beteiligt und ging in den Untergrund.[66]

Am 15. Juni 1972 wird Ulrike Meinhof in Hannover-Langenhagen festgenommen und kommt zur Untersuchungshaft in die Justiz-Vollzugsanstalt Köln-Ossendorf, vom 16. Juni 1972 bis zum 9. Februar 1973 in den »toten Trakt«. Sie notiert:

»Rasende Aggressivität, für die es kein Ventil gibt. Das ist das Schlimmste. Klares Bewußtsein, daß man keine Überlebenschance hat. Völliges Scheitern, das zu vermitteln. Besuche hinterlassen nichts. Eine halbe Stunde danach kann man nur noch rekonstruieren, ob der Besuch heute oder vorige Woche war.«[67]

Sie verfaßt Strategiepapiere[68] und schreibt, nach dem ersten Besuch ihrer Kinder im Oktober 1972 an die beiden Töchter: »Ihr wart da! Ich glaube, der ganze Knast hat sich gefreut. So kam es mir vor. Besucht Ihr mich wieder?«[69]

Als sie von Helmut Gollwitzer im August 1973 besucht wird, hat sie bereits den zweiten Hungerstreik hinter sich. Kurz vor Weihnachten 1973 bricht sie den Kontakt zu ihren Kindern abrupt ab.[70] Am 29. November 1974 wird sie wegen Mordversuchs bei der Baader-Befreiung zu acht Jahren Freiheitsstrafe verurteilt.[71] Die letzten Jahre ihres Lebens in Stuttgart-Stammheim verbringt sie in der Spannung zwischen dem vergeblichen Versuch, ein »grundlegendes Werk«: »Über den antiimperialistischen Kampf« zu schreiben, und den quälenden Zweifeln über ihre Integration in die revolutionäre Gruppe. Über ihr Verhältnis zu Baader schreibt sie einmal, ». . . was hier bei mir Sache ist: Meine Sozialisation zum Faschist, durch Sadismus und Religion, die mich eingeholt hat, weil ich mein Verhältnis dazu, d. h. zur herrschenden Klasse, mal ihr Schoßkind gewesen zu sein, nie vollständig aufgelöst, restlos in mir abgetötet habe. . .«[72]

Es ist nicht einfach, die Spuren der Religion in der Biographie von Ulrike Meinhof zu entdecken. Ihr Vater stammt aus einer württembergischen Theologenfamilie, wurde 1936 Direktor des Stadtmuseums in Jena. Die Meinhofs wurden Mitglieder der kleinen Gemeinde der »Hessischen Renitenz«, die unter Bismarck nach der Reichsgründung entstanden war und sich jeder staatlichen Kontrolle kirchlicher Angelegenheit widersetzte. Wie die Bekennende Kirche wurde die Hessische Renitenz ein Sammelbecken kirchlicher Opposition gegen das Naziregime.[73] Als Jugendliche war Ulrike Meinhof eine engagierte Christin. In der Abitursarbeit schreibt sie: »Die Begegnung mit dem Katholizismus war eine große Bereicherung für mich. Wir evangelischen Schülerinnen stießen dort auf echte Toleranz in dem gemeinsamen Bewußtsein der eigentlichen Wahrheit des Christentums...«.[74] Warum Ulrike Meinhof später meinte, Religion habe neben Sadismus in ihrer Sozialisation eine negative Rolle gespielt, ist nicht aufzuklären.

Gollwitzers Nachruf hat, nach der Vorbemerkung, drei Teile. Der erste soll hier vollständig zitiert werden:

»Diesen Menschen mit einem schweren Leben, der sich das Leben dadurch schwer gemacht hat, daß er das Elend anderer Menschen sich so nahe gehen ließ, diesen Menschen mit seinen Hoffnungen und Kämpfen und Depressionen sehe ich jetzt im Frieden der Liebe Gottes. Sie ist in den Tod gegangen aus Motiven, die sie uns nicht gesagt hat, aber sie ist in Wirklichkeit hineingegangen in die Liebe Gottes. Allen bürgerlichen und christlichen Leuten, die sie verdammen wegen ihrer Taten und wegen ihres Todes, sage ich: dieses Kind Gottes Ulrike Meinhof ist – unabhängig von allem Richtigen und Falschen in ihrem Wollen und Tun – hinübergegangen in die Arme der ewigen Liebe...«[75] An dieser Stelle wird die Rede durch »ein Gegeneinander von Buhrufen und Händeklatschen«[76] unterbrochen; Gollwitzers Gegenruf lautet: »Gott sei Dank!«[77]

Gollwitzer meint selbst zu dieser für eine Beerdigung unüblichen Reaktion einer gewiß außergewöhnlichen Trauergemeinde, er hätte keinen besonderen Widerspruch erfahren, wenn er die Verstorbene nur der Gnade Gottes befohlen hätte, »wie das am Grabe von Menschen mit umstrittenem oder fragwürdigem Lebenslauf üblich ist«[78]. Daß er von ihr als einem Kinde Gottes sprach, das in die Arme der ewigen Liebe hinübergegangen sei, das sei nicht widerspruchslos hingenommen worden. Allerdings: die Autoren der »frommen christlichen Blätter«, die den Redner entrüstet fragen, »wer mir bei einem solchen Menschen zu solchem Indikativ das Recht gegeben hatte«[79], repräsentieren nur ein mögliches Motiv des Widerspruches. Ein anderes richtete sich womöglich gegen die von Gollwitzer gebrauchte Metapher, dieses Kind Gottes sei »hinübergegangen in die Arme der ewigen Liebe«[80], weil diese Metapher eine Jenseitsvorstellung zu transportieren scheint, die keineswegs von allen an der Trauerversammlung teilnehmenden Christen und schon gar nicht von den Atheisten unter ihnen geteilt worden sein dürfte.

Die zentrale Aussage, daß der Mensch, der sich selbst als entlaufenes Schoßkind der bürgerlichen Gesellschaft zugleich in der eigenen Gruppe engagierter Revolutionäre als heimatlos erfuhr, »ohne große Bemühung um Übersetzung in das, was man zeitgemäße Sprache zu nennen pflegt«[81], Kind Gottes sei, wurde von einem Teil der Zuhörer gewiß richtig verstanden.

Gollwitzer fährt dann fort, indem er Ulrike Meinhofs Leben und Kämpfen als ein »Fragen nach dem, was wir versäumt haben«[82] interpretiert. Sie habe auf bürgerliche Sicherungen verzichtet, weil »sie sich das Elend der Menschen so auf den Leib rücken ließ«[83], und sei so zu ihrer Strategie gekommen, über die so heftig gestritten wurde. Inmitten des massenweisen Tötens und Getötetwerdens in unserer Welt« liegen auf dem Weg, zu dem sie sich entschlossen hat, Menschenleben und am Schluß sie selbst«[84]. Wenn sie mehr Menschen gefunden hätte, die ebenso bereit gewesen wären, mitzukämpfen für eine menschenfreundlichere Gesellschaft,»vielleicht hätte sie dann mit uns eine Strategie der Befreiung gesucht, die anders ausgegangen wäre und nicht gezeichnet von Haß und Gegenhaß. Dafür fehlt sie uns jetzt.«[85] Der abschließende Teil der Rede wird eingeleitet mit der Warnung, den Tod Ulrike Meinhofs nachträglich zu verdinglichen, d. h., ihn zu benützen »als Mittel zum Zweck, zur Agitation oder zur Befriedigung unseres Rachebedürfnisses«[86]. Jeder Tod müsse uns betroffen machen und zur Besinnung bringen: »Wo stehen wir? Was hilft uns eigentlich, damit wir richtiger leben und richtig sterben, die wir alle sterben müssen?«[87] Wir können uns und anderen sehr wenig helfen. Jeder, der im Kampf der Befreiung gegen Unterdrükkung und Ausbeutung stehe, gerate in Stunden und Nächte der Einsamkeit und Verzweiflung. In der Nacht auf Golgatha nehme Jesus von Nazareth Anteil an diesem verzweifelten Alleinsein. Gäbe es unter uns Sozialisten ein paar, die von daher Orientierung und Hilfe bekommen, dann hilft das den anderen durchzuhalten: »Dann wird das auch helfen dazu, daß der Kampf um Menschlichkeit nicht selbst unmenschlich wird, sondern menschlicher und hoffnungsvoller. Das haben wir alle nötig.«[88]

Bei der Analyse dieser Rede mit Hilfe der aufgestellten Hypothese komme ich zum folgenden Ergebnis:

a) Die Zusage des Evangeliums wird in einer sehr direkten, unmittelbare Reaktionen auslösenden Weise, vor allem im ersten Teil der Rede ausgesprochen und im Schlußteil noch einmal aufgenommen.

b) Die Verankerung in der christlichen Überlieferungsgeschichte geschieht durch die Aufnahme des für die christliche Dogmatik zentralen Begriffes der »Liebe Gottes«. Die Bibel wird nicht zitiert. Der Zusammenhang mit der christlichen Überlieferungsgeschichte verläuft hier direkt über die Person des Redners, der ausdrücklich als Christ gebeten wurde, bei dieser nicht kirchlichen Beerdigung zu sprechen. Er steht hier persönlich als Bürge für die Glaubwürdigkeit dieser Überlieferung.

c) Die Rekonstruktion der individuellen Lebensgeschichte von Ulrike Meinhof erfolgt nur insofern, als ihr menschliches und politisches Engagement im Kampf der Befreiung gegen Unterdrückung und Ausbeutung erinnert wird. Der Redner weiß sich im Ziel mit der Verstorbenen solidarisch, im Weg völlig getrennt. Der Versuch, durch eine Rekonstruktion der individuellen Lebensgeschichte aufzuklären, warum sie diesen Weg ging, kann in dieser Rede nicht geleistet werden, wenn die Rahmenbedingungen berücksichtigt werden. Es erscheint mir aber angesichts der mir zugänglichen Unterlagen fraglich, ob dies in diesem Falle überhaupt zu leisten ist. Das Fragmentarische, Rätselhafte eines menschlichen Lebens wird hier ebenso eindringlich wie schmerzlich bewußt. Dies wird in der Rede einfühlsam vermittelt. Der soziale Kontext dieses Lebens bekommt in der Rede auch deshalb einen hohen Stellenwert, weil der Redner selbst den Zielen eines Sozialismus, der zu einer menschenfreundlicheren Gesellschaft auf dem Wege ist, sich verpflichtet weiß. So dient die Rede zugleich der Verständigung unter Genossen und leistet auf ihre Weise einen Beitrag zu dem stagnierenden Dialog zwischen Christentum und Sozialismus.

Anmerkungen

* Die Idee zu diesem Aufsatz entstand in einem interdisziplinären Seminar, das ich gemeinsam mit Klaus Baltzer im Sommersemester 1985 in München zum Thema »Alttestamentliche Texte in der kirchlichen Praxis« durchführte.
  Mit Gert Otto, dem dieser Beitrag als Zeichen des Dankes für jahrelange freundliche Wegbegleitung gewidmet ist, teile ich das Interesse an einer kritischen Theorie kirchlicher und christlicher Praxis. Ob sich diese als Alternative zu einer funktionalen Theorie kirchlichen Handelns zu begreifen hat oder ob eine kritische Vermittlung zwischen beiden Konzepten möglich ist, wird im Redaktionskollegium von Theologia Practica – aus Zeitgründen für meine Begriffe leider zu wenig – diskutiert. Zu diesem Diskurs möchte der Aufsatz, bezogen auf ein konkretes Problem der Praktischen Theologie, einen Gesprächsbeitrag leisten in der Hoffnung auf einen weiteren, fruchtbaren Austausch mit Gert Otto.

1 Praktisch-theologische Gesichtspunkte, wenn auch keine voll überzeugende Begründung für diese Trennung finden sich z. B. bei H. Asmussen, Die Seelsorge. Ein praktisches Handbuch über Seelsorge und Seelenführung, München 1933, 1937[4], 166–184.

2 Agende für die evangelisch-lutherische Kirche in Bayern, Zweiter Teil: Die Heiligen Handlungen, Ansbach 1920, 136.

3 Kirchenleitung der Vereinigten Evangelisch-Lutherischen Kirche Deutschlands (Hg.), Agende für evangelisch-lutherische Kirchen und Gemeinden, Bd. III, Die Amtshandlungen, Ausgabe Bayern, Berlin und Hamburg 1964, 160.

4 G. Harbsmeier, Was wir an Gräbern sagen, in: Glaube und Geschichte. Festschrift für Friedrich Gogarten, 1948, 98.

5 W. Steck, Speculum vitae. Die Bedeutung der Reformation für die Entwicklung des neuzeitlichen Todesbewußtseins, in: H.-M. Müller/D. Rössler (Hg.), Reformation und Praktische Theologie. Festschrift für Werner Jetter zum siebzigsten Geburtstag, Göttingen 1983, 252.

6 V. Drehsen, Die »Heiligung« von Lebensgeschichten. Eine Thesenreihe zum thematischen und funktionalen Praxisbezug der Praktischen Theologie. Am Beispiel kirchlicher Amtshandlungen, Pastoraltheologische Informationen 2/1981, 120.

7 W. Diltey, Gesammelte Schriften V, 253.

8 J. Moltmann, Kirche in der Kraft des Geistes, München 1975, 308.

9 A. Augustinus, Confessiones, Liber Primus, 1.

10 H. Luther, Identität und Fragment. Praktisch-theologische Überlegungen zur Unabschließbarkeit von Bildungsprozessen, ThPr 20 (1985), 317–338.

11 A. a. O., 318.

12 A. a. O., 324.

13 W. Steck, Speculum vitae, 274.
14 Ebd.
15 A. a. O., 275.
16 M. Seitz, Die Predigt zur Bestattung, in: Calwer Predigthilfen, Beerdigung, Stuttgart 1974, 13–47; 24.
17 W. Steck, a. a. O., 277.
18 H. Gollwitzer, nachrufe, München 1977, 4–12, 49–52.
19 A. a. O., 4.
20 A. a. O., 49.
21 Ebd.
22 A. a. O., 5.
23 Ebd.
24 Ebd.
25 M. Vater (Hg.), Bürgerin zweier Welten. Elly Heuss-Knapp (1881–1952). Ein Leben in Briefen und Aufzeichnungen, Tübingen 1961, 1963³, 189.
26 E. Heuss-Knapp, Ausblick vom Münsterturm. Erinnerungen, Tübingen 1952, 1953², 36.
27 Ebd.
28 E. Heuss-Knapp, in: M. Vater (Hg.), a. a. O., 189.
29 H. Gollwitzer, a. a. O., 28.
30 E. Heuss-Knapp, Ausblick vom Münsterturm, 159.
31 H. Gollwitzer, a. a. O., 6.
32 A. a. O., 7.
33 A. a. O., 8.
34 A. a. O., 9.
35 E. Heuss-Knapp, in: M. Vater (Hg.), a. a. O., 231.
36 A. a. O., 263.
37 A. a. O., 272.
38 A. a. O., 238.
39 H. Gollwitzer, a. a. O., 9 f.
40 M. Vater (Hg.), a. a. O., 20.
41 H. Gollwitzer, a. a. O., 10.
42 E. Heuss-Knapp, in: M. Vater (Hg.), a. a. O., 108.
43 H. Gollwitzer, a. a. O., 10.
44 Ebd.
45 Die Hilfe, Jg. 41 (1935), Heft 1, abgedruckt in: M. Vater (Hg.), a. a. O., 245–249.
46 E. Heuss-Knapp, in: M. Vater (Hg.), a. a. O. 32.
47 A. a. O., 36.
48 A. a. O., 56.
49 F. Naumann, in: M. Vater (Hg.), a. a. O., 129.
50 T. Heuss, Friedrich Naumann. Der Mann, das Werk, die Zeit, Stuttgart-Berlin 1937.
51 H. Gollwitzer, a. a. O., 10.
52 Ebd.
53 A. a. O., 11.
54 Ebd.
55 A. a. O., 12.
56 St. Aust, Der Baader Meinhof Komplex, Hamburg 1985, 376.
57 A. a. O., 383 f.
58 H. Gollwitzer, a. a. O., 49–52.
59 A. a. O., 50.
60 Ebd.
61 A. a. O., 49.

62 St. Aust, a. a. O., 29.
63 A. a. O., 47.
64 A. a. O., 49.
65 U. M. Meinhof, Bambule. Fürsorge – Sorge für wen?, Rotbuch 24, Berlin 1971.
66 St. Aust, a. a. O., 100.
67 A. a. O., 258.
68 A. a. O., 262 f.
69 A. a. O., 268.
70 A. a. O., 283.
71 A. a. O., 302.
72 A. a. O., 287.
73 A. a. O., 24.
74 A. a. O., 27.
75 H. Gollwitzer, a. a. O., 50.
76 A. a. O., 49.
77 Ebd.
78 Ebd.
79 A. a. O., 49 f.
80 A. a. O., 50.
81 A. a. O., 49.
82 A. a. O., 51.
83 Ebd.
84 Ebd.
85 Ebd. St. Aust, der aus der Rede von H. Gollwitzer einige Sätze wörtlich zitiert, schreibt »menschlichere Gesellschaft«, wo bei Gollwitzer »menschenfreundlichere Gesellschaft« steht. St. Aust, a. a. O., 384.
86 H. Gollwitzer, nachrufe 51.
87 Ebd.
88 A. a. O., 52.

ANHANG

Hans-Eckehard Bahr	Prof. Dr., *1928, Professor für Praktische Theologie an der Ruhr-Universität Bockum
Ursula Baltz-Otto	Dr. theol., *1940, Oberstudienrätin für Deutsch/Ev. Religion am Rabanus-Maurus-Gymnasium Mainz; Lehrbeauftragte am Fachbereich Ev. Theologie der Johannes Gutenberg-Universität Mainz
Christof Bäumler	Prof. Dr., *1927, Professor für Praktische Theologie an der Ev. Theologischen Fakultät der Universität München
Peter Biehl	Prof. Dr., *1931, Professor für Religionspädagogik an der Georg-August-Universität Göttingen
Hermann Dexheimer	*1930, Chefredakteur der Zeitungsgruppe der »Allgemeinen Zeitung« Mainz
Hans Joachim Dörger	Prof. Dr. theol., Dipl. Päd., *1943, Professor für Religionspädagogik an der Gesamthochschule Kassel; gelegentlicher Fernsehautor
Albrecht Grözinger	Priv. Doz. Dr. theol., *1949, wiss. Mitarbeiter am Seminar für Praktische Theologie des Fachbereichs Ev. Theologie der Johannes Gutenberg-Universität Mainz
Elisabeth Grözinger	*1953, Vikarin der Ev. Landeskirche in Württemberg
Diethard Hellmann	Prof., *1928, Präsident der Hochschule für Musik in München
Walter Jens	Prof. Dr. Dr. h. c., *1923, ordentlicher Professor und Direktor des Seminars für Allgemeine Rhetorik an der Universität Tübingen
Manfred Josuttis	Prof. Dr., *1936, Professor für Praktische Theologie an der Georg-August-Universität Göttingen
Wolfgang Kratz	Prof. Dr., *1932, Professor am Theologischen Seminar Herborn
Jürgen Lott	Prof. Dr., *1943, Professor für Religionspädagogik an der Universität Bremen

Henning Luther	Prof. Dr. theol., Dipl. Päd., *1947, Professor für Praktische Theologie an der Philipps-Universität Marburg
Christoph Meier	Dr. theol., *1946, landeskirchl. Beauftragter für Erwachsenenbildung der Ev. Kirche von Westfalen und päd. Leiter des Ev. Erwachsenenbildungswerks Westfalen und Lippe e. V. in Iserlohn
Manfred Mezger	Prof. D. theol., Dr. phil., *1911, emerit. Ordinarius für Praktische Theologie an der Johannes-Gutenberg-Universität Mainz
Walter Neidhart	Prof. Dr., *1917, Ordinarius für Praktische Theologie an der theologischen Fakultät der Universität Basel
Gunter Otto	Prof., *1927, ordentlicher Professor für Erziehungswissenschaft/ästhetische Erziehung an der Universität Hamburg
Bernd Päschke	Prof. Dr., *1931, Professor für Praktische Theologie und Sozialethik am Fachbereich Ev. Theologie der Johannes-Gutenberg-Universität Mainz
Guy W. Rammenzweig	Dr. theol., *1945, Pfarrer der Rhein. Landeskirche in Hamminkeln
Kurt Ringger	Prof. Dr., *1934, ordentlicher Professor für Romanische Philologie an der Johannes-Gutenberg-Universität Mainz
Joachim Scharfenberg	Prof. Dr., *1927, Professor für Praktische Theologie an der Christian-Albrechts-Universität Kiel
Peter Schneider	Prof. Dr. Dr. h. c., *1920, ordentlicher Professor für öffentliches Recht an der Johannes-Gutenberg-Universität Mainz
Luise Schottroff	Prof. Dr., *1934, Professorin für Neues Testament im Fachbereich Ev. Theologie der Johannes-Gutenberg-Universität Mainz
Dorothee Sölle	Prof. Dr., *1929, Professorin für Systematische Theologie am Union Theological Seminary in New York

Helmut Spengler	*1931, Kirchenpräsident der Ev. Kirche in Hessen und Nassau, Darmstadt
Dieter Stoodt	Prof. Dr. theol., *1927, Professor für Ev. Theologie unter bes. Berücksichtigung der Religionspädagogik am Fachbereich Religionswissenschaften (Betriebseinheit Ev. Theologie) der Johann-Wolfgang-Goethe-Universität Frankfurt/Main
Siegfried Vierzig	Prof. Dr., *1923, ordentlicher Professor für Religionspädagogik an der Universität Oldenburg
Ingo Witt	*1957, Vikar der Rhein. Landeskirche